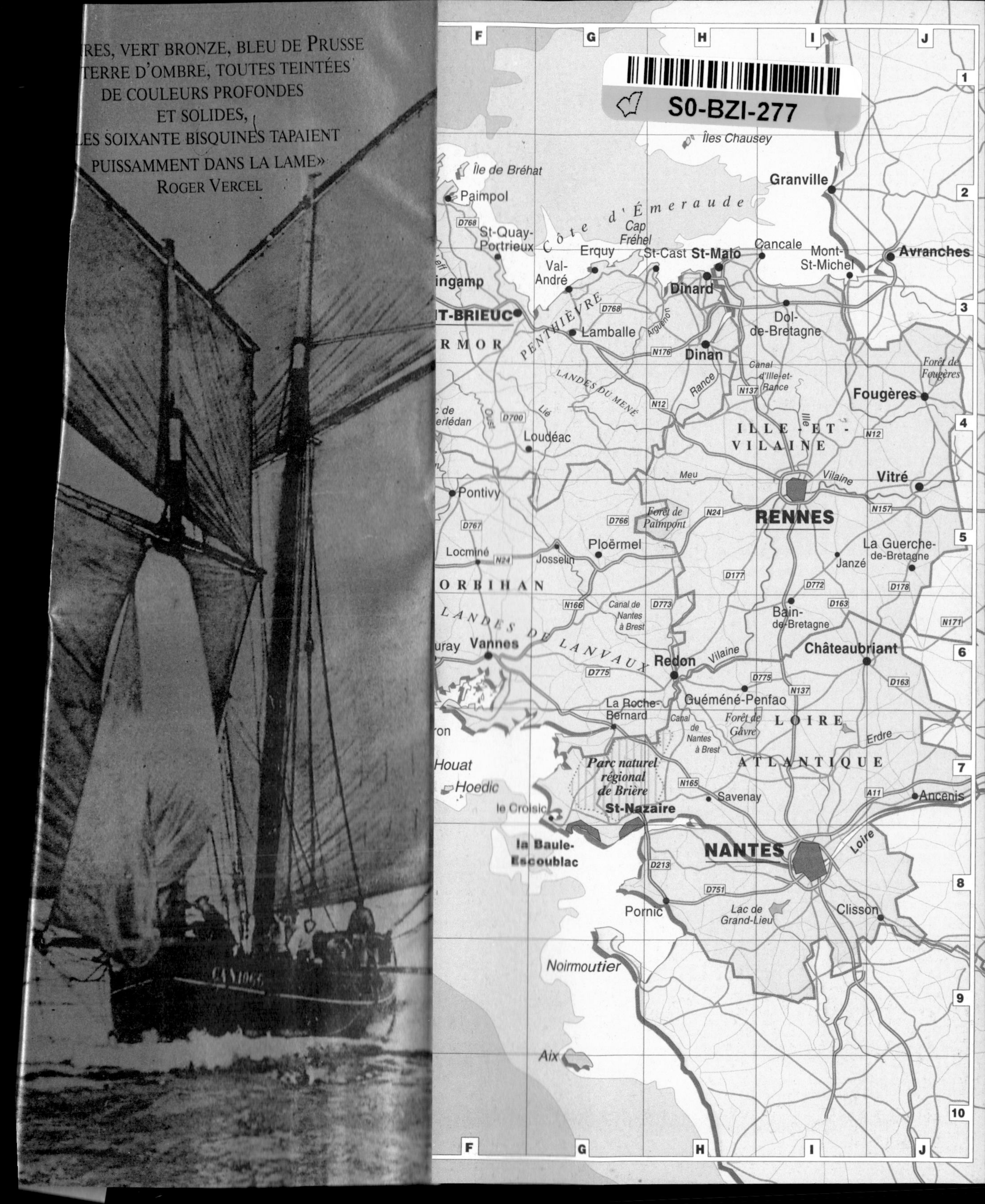
RES, VERT BRONZE, BLEU DE PRUSSE
TERRE D'OMBRE, TOUTES TEINTÉES
DE COULEURS PROFONDES
ET SOLIDES,
LES SOIXANTE BISQUINES TAPAIENT
PUISSAMMENT DANS LA LAME»
ROGER VERCEL
S0-BZI-277
F
G
H
I
J
1
2
3
4
5
6
7
8
9
10
Îles Chausey
Île de Bréhat
Paimpol
Granville
Côte d'Émeraude
Cap Fréhel
St-Quay-Portrieux
Erquy
St-Cast
St-Malo
Cancale
Mont-St-Michel
Avranches
Val-André
Dinard
D768
PENTHIÈVRE
Lamballe
Arguenon
Dol-de-Bretagne
N176
Dinan
Canal d'Ille-et-Rance
Rance
N137
Forêt de Fougères
Fougères
LANDES DU MENÉ
N12
D700
Lié
Loudéac
ILLE-ET-VILAINE
Ille
Meu
Vilaine
Vitré
Pontivy
D767
D766
Forêt de Paimpont
N24
RENNES
N157
Locminé
Josselin
Ploërmel
La Guerche-de-Bretagne
Janzé
D177
D772
D178
N166
Canal de Nantes à Brest
D773
Bain-de-Bretagne
D163
N171
LANDES DE LANVAUX
Vannes
Châteaubriant
D775
Redon
Guémené-Penfao
La Roche-Bernard
Canal de Nantes à Brest
Forêt de Gâvre
LOIRE
Erdre
ATLANTIQUE
Houat
Hoedic
Parc naturel régional de Brière
N165
Savenay
A11
Ancenis
le Croisic
St-Nazaire
la Baule-Escoublac
NANTES
Loire
D213
D751
Pornic
Lac de Grand-Lieu
Clisson
Noirmoutier
Aix

GUIDES GALLIMARD
5, RUE SÉBASTIEN BOTTIN
75007 PARIS

Retrouvez le chapitre qui vous intéresse grâce au symbole situé en haut de chaque page.

ITINÉRAIRES EN CÔTE D'ÉMERAUDE
Les chiffres en italique renvoient aux pages du guide.

EMBARCADÈRE
DINARD DINAN
DINARD S^T MALO S^T SERVAN
EMBARCADÈRE
S^T MALO
ND Phot.

«De place en place,
pour nous dire la route,
[s]urgit un moulin tournant rapidement
[d]ans l'air ses grandes ailes blanches»
Gustave Flaubert

De nombreuses personnalites universitaires ou locales ont collabore a ce guide. Toutes les informations contenues dans cet ouvrage ont ete soumises a leur approbation.
Nous remercions particulierement Philippe Bonnet, Jean-Yves Monnat, Bernard Le Nail et Jean-Claude Pierre.

Des clefs pour comprendre :
Nature : Louis Chauris, James Gourrier, Patrice Lerault, Jean-Luc Maillard, Yves-Marie Maquet, Jean-Yves Monnat, Yves-Marie Paulet, M. Poulain.
Histoire et langue : Pascal Aumasson, Jean-Pierre Chauveau, Michel Denis, Bernard Tanguy.
Arts et traditions populaires : Véronique Burnod-Sandreau, Alain Croix, Dastum, Maurice Dilasser, Marguerite Leroux-Paugham, Philippe Le Stum, Simone Morand.
Architecture : Jacques Briard, Christelle Douard, Jean-Pierre Ducouret, Nicolas Faucherre, Marie-Dominique Menant, Francis Muel, Jean-Jacques Rioult.
Le pays vu par les peintres : Denise Delouche.
Le pays vu par les écrivains : Marc Gontard, Mme Meheut, Editions Morgerie.
Annexes : Philippe Abalan, Yann Fañch Kemener, Olivier Le Moign.
Itineraires en cote d'Emeraude :
Saint-Malo et ses environs : Jean Le Bot, Roger Dupuy, Loïc Langouët, Aimé Lefeuvre, Patrick Le Tiec, Jean-Yves Prié, M. et Mme Picard, M. Roulet.
Cancale et ses environs : Madeleine Derveaux, M. Le Mao, François-Joseph Pichot, M. Potier.
Dinan et ses environs : Michel Berthelot, Georges Legorgeu, Charles Retière, Jean-Yves Ruaux, Loic-René Vilbert.
Dinard et ses environs : Michel Duedal, Henri Fermin, Marie Dagorne, Irène Martin.
Fréhel et ses environs : Pierre Amiot, M. Dao, Jean Denis, Gilles Huet, Antoine Gauttier, Yves Le Gall La Salle.
Combourg et ses environs : Claude Arthaud, M. Baduel d'Oustrac, Mme Daubaudiez-Sauvannet, Marie José Le Garrec, M Ferrand, Thomas de Kernier, Charles de Lorgeril, Dominique Provost, M. Job de la Tour, Mme de La Tour du Pin.
Lamballe et ses environs : Guy de Sallier Dupin, Yvonne-Jean Haffen.
Dol et ses environs : M. Cabot, Abbé Gilbert, M. Guillotel.
Mont-Saint-Michel : Henri Decaëns, Françoise Loret, Robin Rolland.

Guides Gallimard

Direction :
Pierre Marchand
Assisté de :
Hedwige Pasquet
Christian Moire
Rédaction en chef :
Marie-Noëlle Fustec
Assistée de :
Nicole Jusserand
Coordination :
Graphisme : Elizabeth Cohat
Photographie : Eric Guillemot
Assisté de : Patrick Léger
Cartographie : Vincent Brunot
Plans : Dominique Duplantier
Architecture : Bruno Lenormand
Planches nature : Frédéric Bony
Conseiller : Pierre Lenormand
Cote d'Emeraude :
Edition : Clotilde Lefèbvre
Maquette : Natacha Kotlarevsky
Iconographie : Nathalie Beaud

1er dépôt légal : juin 1992 Dépôt légal : juillet 1996.
Numéro d'édition : 78166 ISBN 2-7424-0003-6.
Impression : Hérissey (Évreux)
Juillet 1996.

BRETAGNE

COTE D'EMERAUDE

GUIDES GALLIMARD

Sommaire
Des cles pour comprendre

Nature, *15*

Histoire et langue, *55*

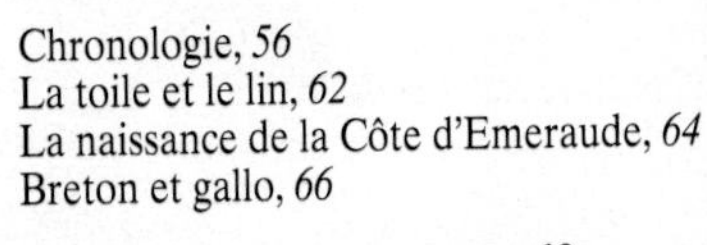

Arts et traditions populaires, *69*

Architecture, *81*

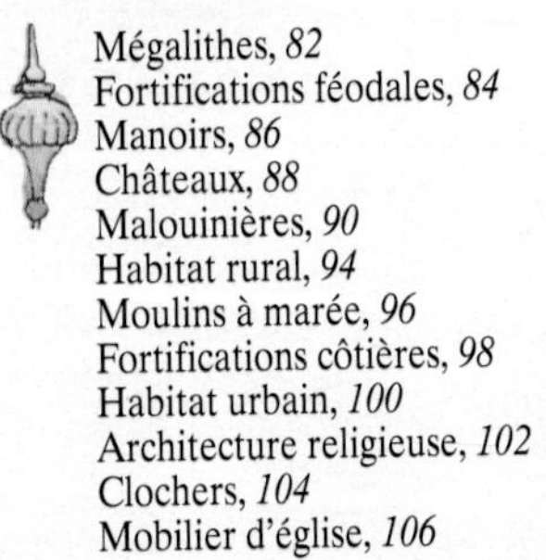

Le pays vu par les peintres, *109*

Le pays vu par les ecrivains, *121*

SOMMAIRE
ITINERAIRES EN COTE D'EMERAUDE

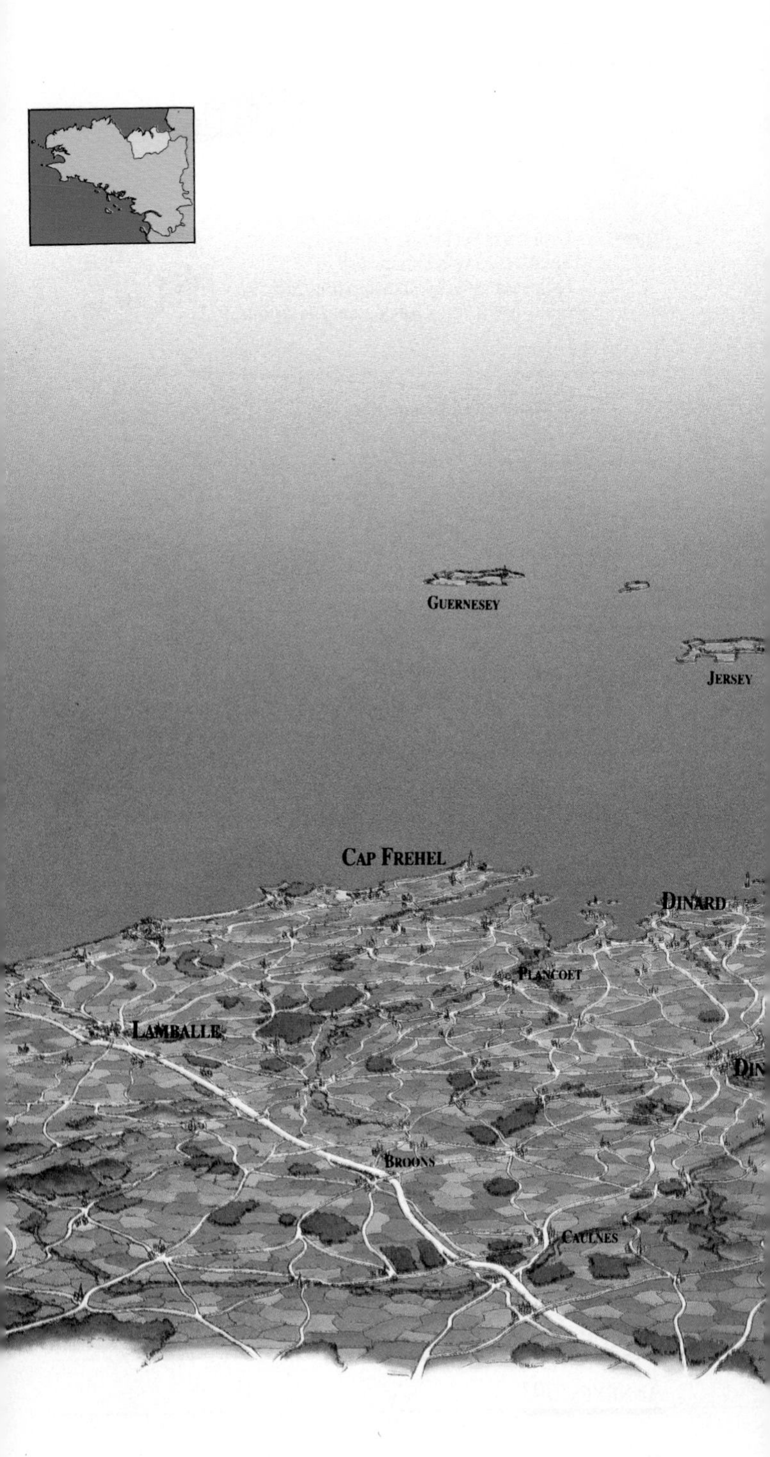
GUERNESEY
JERSEY
CAP FREHEL
DINARD
PLANCOET
LAMBALLE
BROONS
CAULNES

	Saint-Malo	Mt-St-Michel	Dol	Combourg	Cancale	Dinard	Cap Frehel
Mt-St-Michel	50						
Dol	28	28					
Combourg	45	56	17				
Cancale	13	52	21	40			
Dinard	15	54	30	45	23		
Cap Frehel	48	100	78	70	57	40	
Lamballe	72	94	70	65	72	64	45

COMMENT UTILISER CE GUIDE

En haut de page, les symboles annoncent les différentes parties du guide.

■ NATURE

● DES CLÉS POUR COMPRENDRE

▲ ITINÉRAIRES

◆ ANNEXES

La carte-itinéraire présente les principaux points d'intérêts du parcours et permet de se reporter à une carte routière.

La mini-carte situe l'itinéraire à l'intérieur de la zone couverte par le guide.

Au début de chaque itinéraire, le mode de déplacement, le kilométrage et la durée sont signalés sous les cartes

- En voiture
- En bateau
- A pied
- A bicyclette
- Durée

Le kilométrage indiqué ne tient pas compte des détours proposés.

♥ Le coup de cœur de l'éditeur pour un site dont la beauté, l'atmosphère ou l'intérêt culturel séduiront particulièrement le visiteur.

● ■ ▲ ◆
Les symboles, en titre ou à l'intérieur du texte, renvoient à un lieu ou un thème traité ailleurs dans le guide.

LA COIFFE ● *64*
C'est un assemblage de quatre éléments. Sur le bonnet de toile, noire

OUESSANT ET LES ILES ♥

Situées à l'extrême ouest du territoire français métropolitain, à la rencontre de l'océan Atlantique et de la Manche, sur l'un des passages maritimes les plus fréquentés du monde, les îles d'Ouessant, de Molène,de Béniguet, de Quéménès ● *78* ou

Nature

Balises et amers

Le phare du Jardin
signale les écueils
à l'entrée de Saint-Malo.

Pour tous ceux qui naviguent, phares, balises et amers font partie du paysage marin. Les balises sont des marques fixes ou flottantes qui permettent au marin de déterminer sa position lorsqu'il fait route en vue de la côte et d'éviter toutes sortes de dangers. Clochers, châteaux d'eau, tourelles de phare, tous ces objets fixes bien visibles de la mer et dont l'emplacement est porté sur les cartes marines s'appellent les amers.

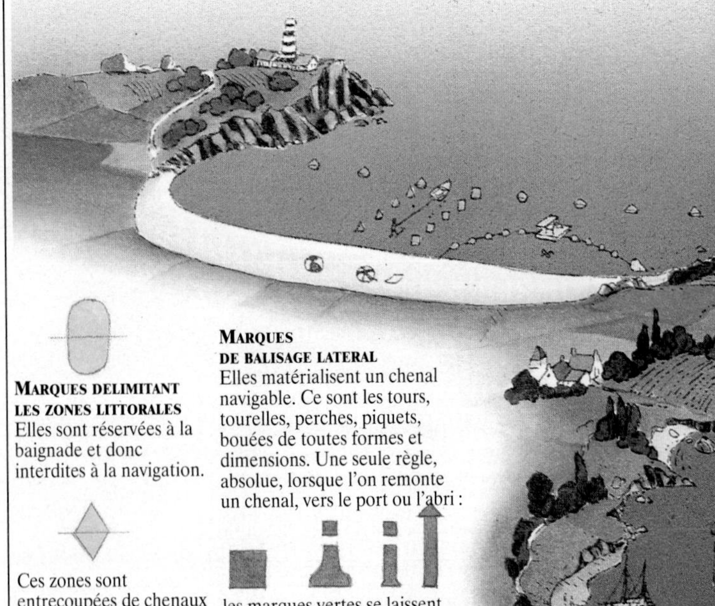

Marques délimitant les zones littorales
Elles sont réservées à la baignade et donc interdites à la navigation.

Ces zones sont entrecoupées de chenaux d'accès à la plage pour

les dériveurs, planches à voile et embarcations de faible tonnage.

Amers
Leur relèvement à l'aide d'un compas ou leurs éventuels alignements permettent aux navigateurs de déterminer leur position ou de suivre une passe entre des dangers.
Les marques de balisage, lorsqu'elles sont fixes, peuvent faire office d'amers.

Marques de balisage lateral
Elles matérialisent un chenal navigable. Ce sont les tours, tourelles, perches, piquets, bouées de toutes formes et dimensions. Une seule règle, absolue, lorsque l'on remonte un chenal, vers le port ou l'abri :

les marques vertes se laissent à tribord, c'est-à-dire à droite ;

les marques rouges se laissent à bâbord…

Les marques de chenal préféré se trouvent à la jonction d'un chenal principal et d'un chenal secondaire.

La bande de couleur opposée qu'elles portent se réfère à leur situation dans le chenal secondaire.

QUAND LA MER EST HAUTE, L'AMER EST BAS.
QUAND LA MER EST BASSE, L'AMER EST HAUT.

MARQUES DE BALISAGE CARDINAL De gauche à droite : nord, est, sud et ouest.

MARQUES D'EAUX SAINES Elles indiquent, à la sortie du port, l'endroit à partir duquel les navires ne sont plus tenus de respecter des chenaux.

MARQUES DE DANGERS ISOLES Elles sont situées sur ou juste au-dessus du danger.

Ces marques spéciales ne servent pas à la navigation mais délimitent des zones où celle-ci peut être restreinte.

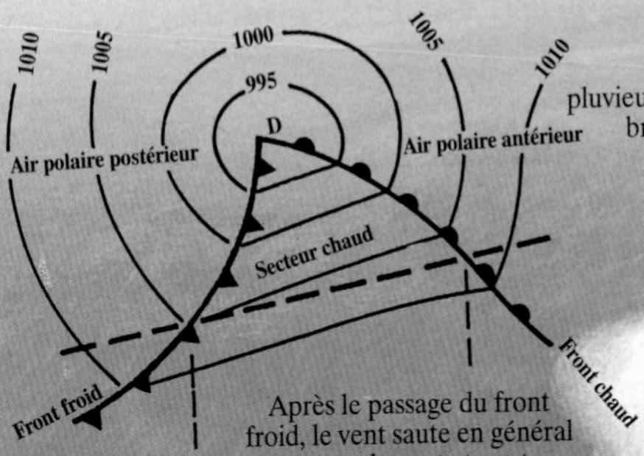

1010 1005 1000 995 1005 1010
D
Air polaire postérieur
Air polaire antérieur
Secteur chaud
Front froid
Front chaud

Ciel typique de l'approche d'un front pluvieux en Bretagne. Le vent risque de sauter brutalement du sud-ouest au nord-ouest !

Après le passage du front froid, le vent saute en général au nord-ouest et peut se renforcer. Des risques de grain avec rafales subsistent sous les cumulus de la traîne.

TRAINE de nord-ouest avec cumulus

CORPS PLUVIEUX

FRONT FROID
L'air froid, plus actif, repousse l'air tropical et s'enfonce comme un coin à sa base. Le contraste engendre une forte nébulosité et des précipitations.

La position de la Bretagne en Europe et son statut de promontoire dans l'Atlantique expliquent l'originalité de sa faune et de sa flore. Plus que toute autre région, elle est un carrefour d'influences : ses côtes sud sont assez ensoleillées pour accueillir des espèces méditerranéennes, les Côtes d'Armor et le Finistère assez frais pour permettre la vie d'espèces boréales. On y trouve côte à côte le chou marin et le raisin de mer, le fulmar et l'aigrette garzette, la morue et la sardine.

Le climat breton dépend principalement des perturbations du front polaire qui circulent d'est en ouest, à la latitude des îles Britanniques. Les vents dominants de secteur ouest font régner un temps doux et humide. Le passage des dépressions, phénomène important en Bretagne, associé aux perturbations est décrit ici sous la forme idéale dont chaque situation réelle constitue une variante.

Le front froid est passé, la couche nuageuse se désagrège et la traîne envahit le ciel avec ses cumulus dont chacun peut encore provoquer une averse et une bonne risée.

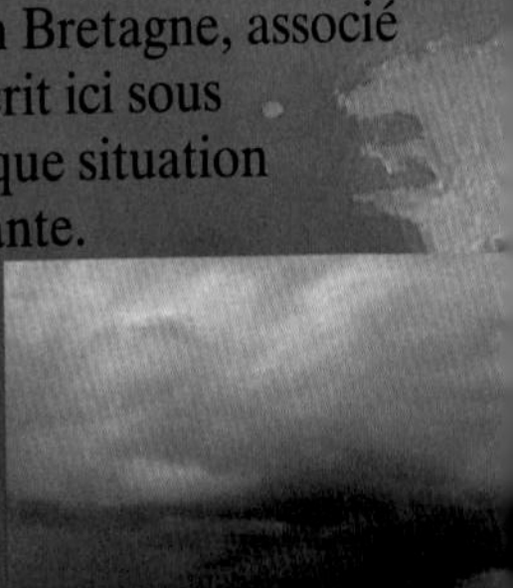

Le corps pluvieux de la dépression arrive avec le front froid. Les précipitations se déclenchent sous les nimbo-stratus, cumulus, fractocumulus et cumulo-nimbus.

Enclume caractéristique du cumulo-nimbus. Elle peut culminer à plus de 10 000 m d'altitude.

La marée progresse dans la Manche d'est en ouest, déformée par la topographie des côtes.
bleu : basse mer
rouge : haute mer

FRONT CHAUD

L'air chaud s'élève en biseau au-dessus de l'air polaire. Le long de la surface où les deux masses d'air se rencontrent sans se mélanger, apparaissent des formations nuageuses : cirrus, d'abord, puis cirro-stratus et altocumulus.

Lune et Soleil exercent une attraction sur les eaux du globe : maximale lorsque les deux astres sont alignés par rapport à la Terre - les marées de vives eaux interviennent 36 heures après - elle est minimale lorsqu'ils forment un angle droit et que leurs influences se contrarient - mortes eaux, 36 heures plus tard.

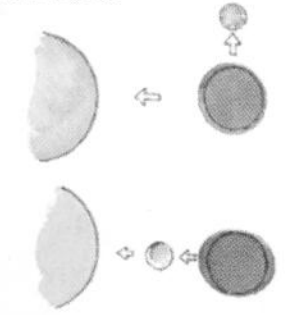

Dans le secteur chaud de la dépression, le vent est le plus souvent orienté au sud-ouest.

Le voile s'épaissit et les altocumulus envahissent le ciel, masquant le soleil. Ce sont encore des nuages très élevés.

Signe de l'arrivée d'une dépression, les cirrus évoluent à très haute altitude. Le voile qu'ils forment provoque un halo autour du soleil.

Le socle ancien du sud de la côte d'Emeraude est recoupé par des massifs granitiques (Lanhelin, Dinan). Les formations primaires affleurent uniquement dans le fossé du Menez Belair et dans les presqu'îles d'Erquy et de Fréhel. De nombreux filons de dolérites de teinte noire verdâtre injectent toute la région. Des dépôts alluvionnaires récents colmatent le fond de la baie du Mont Saint-Michel et sont aménagés en polders. Le granite bleu de Lanhelin est exploité dans d'importantes carrières pour pierres ornementales. Les grès roses d'Erquy et de Fréhel ont longtemps servi à la confection de pavés, toujours présents dans la vieille ville de Dinan.

6

7

TAILLE DU GRANITE Les carrières de granite s'apparentent à de vastes entreprises industrielles pouvant regrouper jusqu'à une centaine d'ouvriers (ci-contre, Le Hinglé). Cette roche est actuellement destinée à la réalisation de mobilier urbain, de monuments funéraires, de revêtements de façades d'immeubles...

3

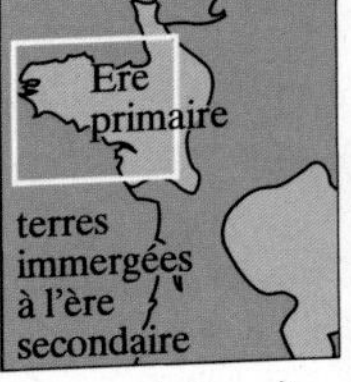

Les massifs (*jaune*) sont issus du plissement hercynien (granite, gneiss, micaschistes...). Les terres immergées au secondaire voient la formation de roches sédimentaires (calcaires, marnes et argiles).

GNEISS MIGMATITIQUE Cette roche très plissotée donne aux rochers qui bordent la côte de Saint-Malo leur apparence déchiquetée.

PITON DE GRANITE A GRENAT (Saint-Jacut de-la-Mer) Récif accessible à marée basse, remarquable par l'extrême abondance de gros grenats rougeâtres.

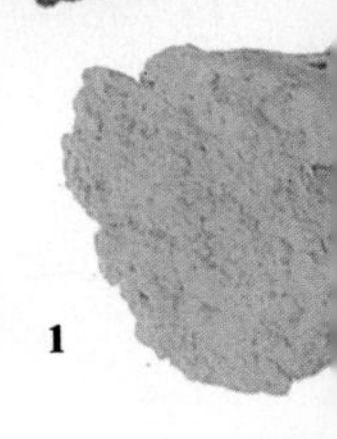

1

Granites hercyniens
Autres granites
Granitoïdes divers
Briovérien
Complexe métamorphique précambrien
Paléozoïque
Quaternaire

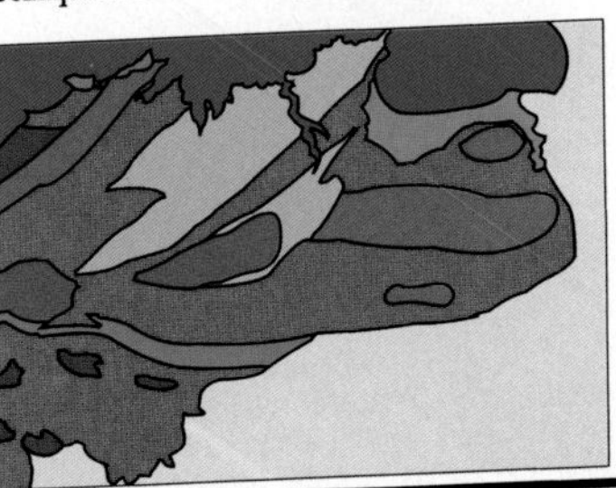

1 GRANITE KAOLINISE (près de Vaucouleurs) L'altération profonde des granites produit localement du kaolin, matière première des industries de la céramique et de la porcelaine.

Grès subhorizontaux aux pieds des falaises de Fréhel
Les falaises de grès se caractérisent ici par une succession de couches horizontales accidentées par des cassures verticales formant une structure en gradins.

8

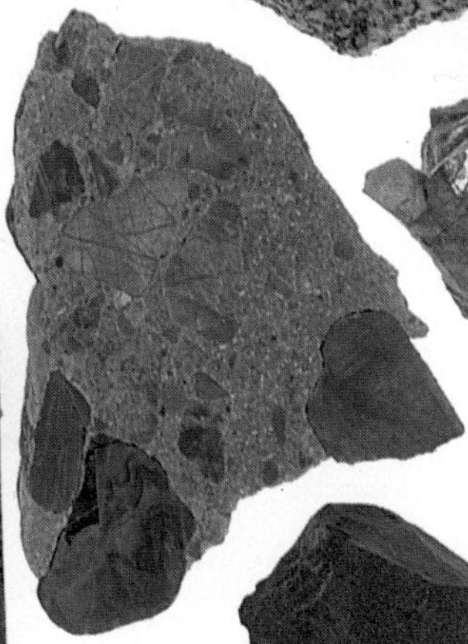

9

2

5

4

2 Poudingue cambro-ordovicien
(Sables-d'Or-les-Pins)

3 Granite bleu
(Lanhelin)

4. Aplite a tourmaline
(Le Tremblay)

5 Dolerite
(Cézembre)

6 Quartzite a graphite
(environs de Trégomar)

7 Granite a muscovite
(Saint-Jacut-de-la-Mer)

8 Granite blanc gris
(Le Hinglé)

9 Beryl dans une pegmatite
(Saint-Jacut-de-la-Mer)

Vestiges du port d'embarquement des grès roses de Fréhel à Sables-d'Or-les-Pins
Véritable élément d'archéologie industrielle, le môle de protection et le quai sont encore visibles.

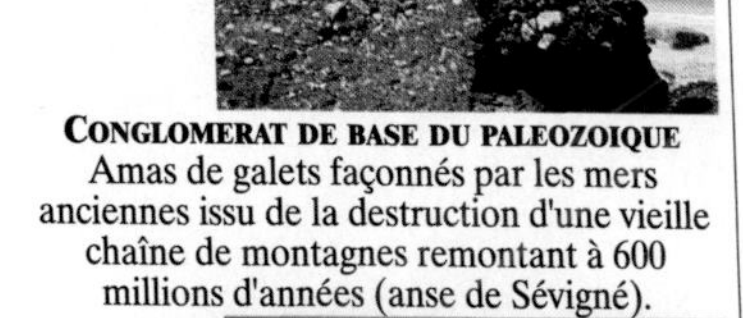

Conglomerat de base du paleozoique
Amas de galets façonnés par les mers anciennes issu de la destruction d'une vieille chaîne de montagnes remontant à 600 millions d'années (anse de Sévigné).

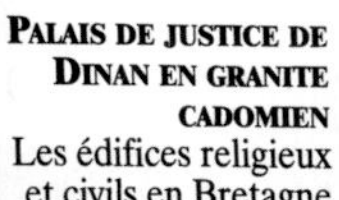

Palais de justice de Dinan en granite cadomien
Les édifices religieux et civils en Bretagne occidentale sont souvent édifiés en granite de grand appareil.

Grès d'Erquy
Les ajoncs de la lande font partie des rares végétaux qui s'adaptent à ces roches stériles.

FALAISE DU CAP FREHEL

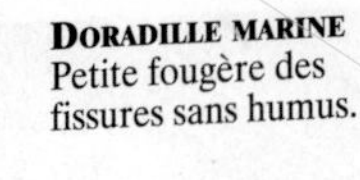

DORADILLE MARINE
Petite fougère des fissures sans humus.

No man's land entre la mer et la terre, la falaise a le pied dans l'écume et le front couronné de pelouses et de landes balayées d'embruns. Dans ce qui ressemble à un désert rocheux, presque dépourvu de plantes supérieures, mais richement tapissé de lichens, les oiseaux marins sont rois. C'est à ces parois plongeant dans l'Océan qu'ils confient leurs couvées, à l'abri des prédateurs terrestres.

ARMERIE
En mai, elle couvre les pentes des falaises d'un tapis rose.

PIPIT MARITIME
Proche parent du pipit spioncelle montagnard, il est le seul passereau tout à fait adapté aux côtes rocheuses.

LANDE LITTORALE EN JUILLET
Modelée par les vents, la lande est rase. Sa couleur varie selon les floraisons successives : le jaune éclatant de l'ajonc au printemps, le violet des bruyères en été...

VOL DE PARADE

XANTHORIE JAUNE
C'est la plus connue des quelque 140 espèces de lichens de nos falaises.

LICHENS
Jamais la roche n'est totalement nue : les bandes successives de couleur (grise en haut, jaune au milieu et noire en bas) signalent la présence de lichens, de plus en plus adaptés à l'influence de la mer.

GRAND CORBEAU
Moins de 100 couples en Bretagne. Sa voix grave et rauque permet de le distinguer des corneilles qui fréquentent aussi les falaises du cap.

MOUETTE TRIDACTYLE
On a coutume de dire qu'elle a le bout de l'aile trempé dans l'encre.

La mouette accroche son nid de terre et d'herbes au flanc des parois les plus verticales. La colonie de Fréhel n'est guère florissante en raison de la prédation par des corneilles.

GOELAND ARGENTÉ
Ecumeur de grèves ou de décharges, prédateur de moules ou de vers, c'est le plus commun de nos oiseaux de mer. Les falaises ne lui font pas peur pourvu qu'il y trouve des corniches assez larges pour élever sa nichée.

PINGOUIN TORDA
Devenu le plus menacé des oiseaux de mer français. Les falaises de Fréhel abritent une vingtaine de couples.

HIRONDELLE DE FENETRE
Quelques couples nichent ici dans les falaises, leur habitat d'origine.

GOELAND MARIN
Avec le fou, c'est le plus grand de nos oiseaux de mer, redoutable prédateur de goélands et de jeunes cormorans. Il niche sur quelques rochers isolés.

Les colonies d'oiseaux marins sont des sociétés animales souvent très denses dans lesquelles la communication joue un rôle essentiel.

PETREL FULMAR
Cet oiseau du groupe des albatros est un voilier exceptionnel, Fréhel est un des premiers endroits où il se soit installé en France, à la fin des années 1950.

GUILLEMOT DE TROIL

L'emploi de filets de pêche transparents a sans doute contribué au déclin de la population des guillemots. Niché en rangs serrés sur des corniches étroites. Fréhel abrite les deux tiers des effectifs français.

CORMORAN HUPPE
Oiseau caractéristique des côtes rocheuses dont il ne s'éloigne jamais, il se nourrit surtout de tacauds. Ses populations sont toujours en augmentation.

Baie du Mont-St-Michel

Hibou des marais Chasse régulièrement dans les herbus en hiver.

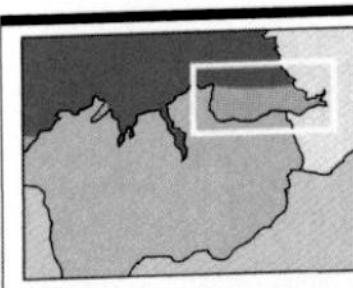

Si les hommes accordaient autant d'intérêt à la nature qu'à l'architecture, ils viendraient visiter le Mont-Saint-Michel autant pour sa baie exceptionnelle, que pour son abbaye. Les spectacles de l'hiver y sont inoubliables. Des marées, d'une amplitude presque sans égale au monde, découvrent 30 000 hectares de vasières infinies où viennent se nourrir bécasseaux, pluviers, huîtriers, canards, oies, macreuses. En bandes immenses, plus de 100 000 oiseaux animent l'estran, évoluent dans le ciel de la baie en ballets aériens, avec une stupéfiante virtuosité collective.

Envol de canards siffleurs

Tadorne de Belon

Mâle

Femelle

Canards siffleurs Au cours de l'hiver, leur population peut dépasser 20 000 individus. Se nourrissent de nuit dans les herbus.

Barge rousse
De la taille d'une tourterelle, c'est plutôt un grand limicole.

Becasseau variable
Plusieurs dizaines de milliers de becs fouillent inlassablement les sédiments.

Pluvier argente
Tête de pigeon, bec court, il ne daigne se baisser que lorsqu'il a repéré une proie.

Vasieres

Polders

Herbus

De la mer à l'arrière-pays en passant par les vasières exondables, les prés-salés et les polders, la baie offre un exceptionnel éventail d'habitats.

PANICAUT MARITIME
Communément appelé «chardon bleu», bien qu'il ne soit pas de la famille des chardons.

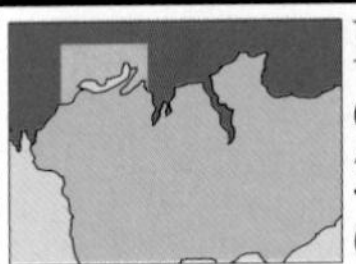

Les dunes, prolongements terrestres des plages, se sont formées voici quelque 3 000 ans à la faveur d'un retrait de la mer. Ce sont donc des formations fossiles, que la montée actuelle des océans et diverses activités humaines menacent de tous côtés. Il s'agit pourtant de milieux rares, particulièrement en Bretagne où l'on rencontre peu de calcaire. Les sables coquilliers marins qui les constituent favorisent la vie d'animaux et de plantes aimant la chaleur et le calcaire. De la dune blanche aux zones humides de l'arrière-dune en passant par la dune fixée, le promeneur un tant soit peu curieux trouvera cent occasions de s'émerveiller de toutes ces formes de vie... ou de s'irriter de leur dégradation.

OYAT SUR DUNE BLANCHE
Balayé depuis le haut de la plage, le sable forme d'abord la dune blanche.

HIRONDELLE DE RIVAGE
Elle forme de petites colonies dans les dunes et les carrières.

Chaque couple creuse une longue galerie horizontale dans la falaise meuble.

GRAVELOT A COLLIER INTERROMPU
Il pond ses trois œufs à même le sable dans les grands champs sablonneux de la dune blanche.

En diminution à cause de la fréquentation accrue des plages.

Urbanisation, piétinement, extractions, érosion éolienne et avancée de la mer sont à l'origine de la régression des dunes. L'utilisation de ganivelles, qui piègent et retiennent le sable, donne de bons résultats.

OYAT
Grâce à ses racines très développées, il permet un début de fixation des sables de la dune blanche.

Immortelle des sables
Ses tapis de fleurs contribuent fortement à l'odeur caractéristique des dunes grises. Méridionales, elles ne poussent pas au-delà du Finistère.

Ophrys abeille
Comme beaucoup d'orchidées, elle trouve dans les sables dunaires le calcaire dont elle a besoin.

Les fragiles pelouses de la dune grise sont riches en plantes calcicoles.

Vanneau
En Bretagne, il niche de préférence dans les dunes.

Alouette des champs
Les étendues très ouvertes lui conviennent parfaitement.

Liseron des sables
Il fixe les sables.

Escargot des dunes

Crapaud calamite
De mœurs nocturnes, il passe la journée dans le sable ou sous les pierres.

Rainette verte
Vit dans les feuillages.

Rat musqué
Edifie ses huttes dans les marais littoraux.

Arriere-dune
Ces zones humides sont parmi les habitats les plus riches de nos régions.

Raisin de mer
Petite plante ligneuse appartenant au même groupe botanique que les sapins. En Bretagne, elle ne vit que sur les dunes fixées de la côte sud.

Canard souchet
Canards et sarcelles se reproduisent volontiers dans les marais arrière dunaires.

Foulque
Cousine de la poule d'eau, elle a beaucoup progressé en Bretagne, notamment grâce aux étangs côtiers.

GREVE

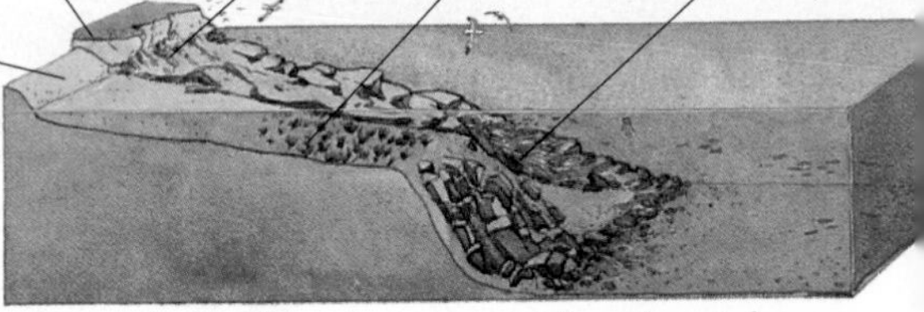

Falaise
Estran rocheux
Herbier de zostères
Champ de laminaires
Grève sableuse

Dans les anses, dès que la houle et le courant s'apaisent, la mer redépose ce qu'elle a arraché ailleurs, créant des grèves, des plages, voire des vasières dans les sites les plus calmes. Les algues peuvent difficilement s'installer sur ces milieux trop instables. En revanche, les conditions favorisent le dépôt d'éléments planctoniques que divers animaux peuvent filtrer dans la masse d'eau ou récupérer à la surface des sables. Entrent surtout dans cette catégorie les bivalves et les vers qui, par myriades, colonisent le sédiment. Ils seront à leur tour la proie de crabes, de poissons ou d'oiseaux.

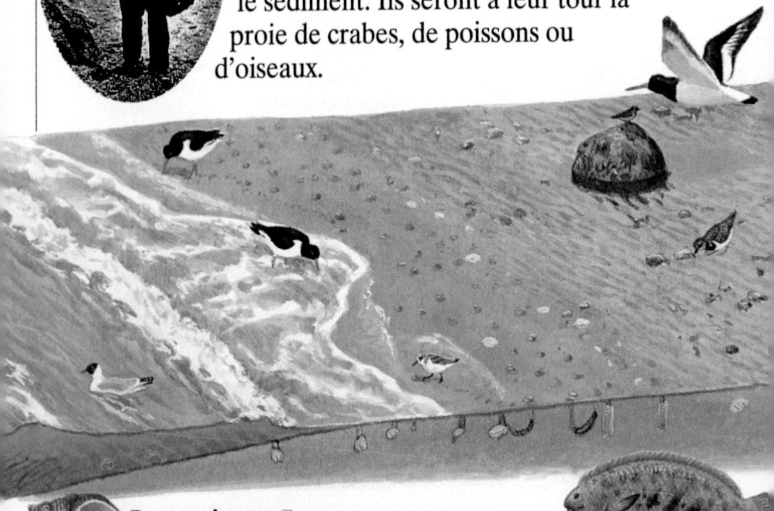

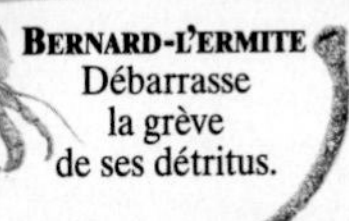

BERNARD-L'ERMITE
Débarrasse la grève de ses détritus.

LANICES
Ces petits panaches sableux hérissant la surface de la grève appartiennent à des vers qui se nourrissent de particules déposées.

SOLE
Certaines soles de taille moyenne se rapprochent de la grève et sont pêchées en eau peu profonde aux basses mers de vives-eaux.

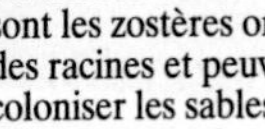

CREVETTE GRISE
Encore nommée crevette de sable.

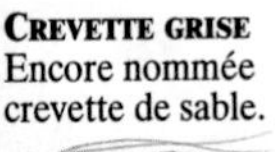

HERBIER
A l'opposé des algues, ces herbes marines que sont les zostères ont des racines et peuvent coloniser les sables. Elles forment de vastes herbiers où vit une faune très diverse.

Tournepierre
Soulève cailloux et goémons pour capturer de petits organismes marins.

Grand gravelot
Capture des proies de petite taille à la surface du sédiment.

Huitrier-pie
Fouille le sable à la recherche de coquillages, surtout des coques.

Pecheur de coques
Les pêcheurs à pied utilisent parfois un rateau dit «ravageur», qui permet d'extraire les coquillages enfouis comme les coques.

Œuf de raie
Il n'est pas rare de voir des œufs de raie échoués dans les laisses de mer.

Puce de mer

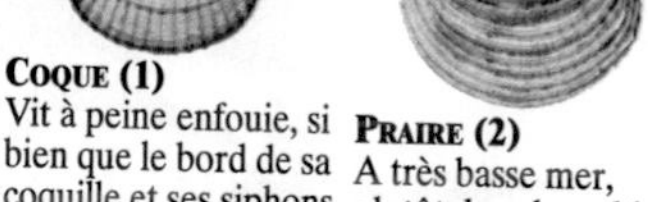

Coque (1)
Vit à peine enfouie, si bien que le bord de sa coquille et ses siphons sont généralement visibles à la surface.

Praire (2)
A très basse mer, plutôt dans les sables grossiers.

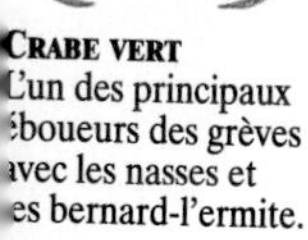

Crabe vert
L'un des principaux éboueurs des grèves avec les nasses et les bernard-l'ermite.

Coryste
Vit enfoui dans les plages de sable fin.

Donace
Sur les plages de sable fin.

Nasse
Sorte de bigorneau-perceur qui se nourrit surtout d'animaux morts.

Palourde
Se complaît dans les sables mêlés de cailloutis.
Sa coquille est plus noire en présence de vase. **(5)**

Couteau (3)
A basse mer, il se retire au fond d'une galerie verticale visible en surface par un trou en forme de huit.

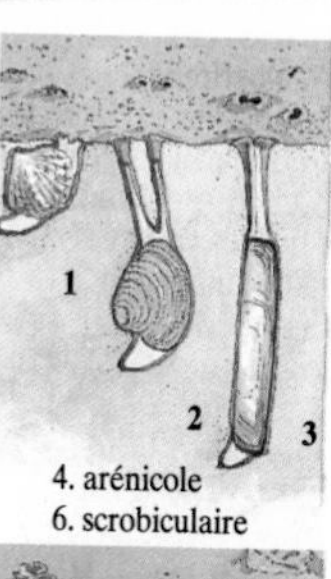

4. arénicole
6. scrobiculaire

Quelques jours par mois, les basses mers de vives-eaux laissent tout juste voir les champs de laminaires.

Les patelles sont pêchées depuis des temps immémoriaux.

Deux fois par jour, le jusant découvre de larges étendues de sables et de roches qui recèlent une multitude d'organismes marins d'une incroyable variété de formes, de couleurs et de modes de vie. Ceux du bas de l'estran ne seront que brièvement émergés, mais ceux d'en haut devront attendre douze heures pour que la mer, leur milieu nourricier, les humecte ou les immerge à nouveau. Ainsi du haut en bas de la grève, chacun ne peut survivre que dans une bande plus ou moins étroite correspondant aux durées d'émersion auxquelles il est adapté. Dans toute cette diversité, l'homme a bien entendu trouvé de quoi l'intéresser : poissons, crustacés et mollusques pour son assiette, algues pour son jardin et ses champs.

Ascidie coloniale

Eponge jaune

Eponge rouge

Eponge blanche

Algue rouge (*chondrus*)

Au bas de l'eau, le dessus des cailloux est normalement couvert d'algues variées. En revanche, faute de lumière, la face inférieure est dominée par la vie animale. Tous ces organismes meurent et pourrissent quand un caillou n'est pas remis dans sa position initiale après avoir été retourné par un pêcheur ou un curieux.

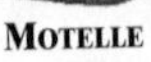
MOTELLE

BOTRYLLES
Ces petites étoiles de couleur variable, fréquentes sur les rochers et les algues, sont des animaux fixés du groupe des ascidies.

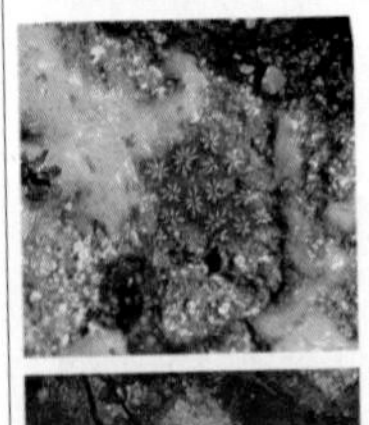

ETRILLE
Excellent crustacé, agile et bon nageur, commun dans les champs de blocs.

CONGRE
Vivant parmi les blocs rocheux, le congre est le plus gros poisson susceptible d'être pêché à la grève.

ORMEAU
L'essentiel de sa population vit sous le niveau des plus basses mers, il devient rare sur l'estran.

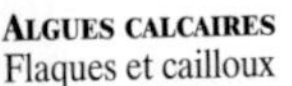

ALGUES CALCAIRES
Flaques et cailloux se couvrent souvent de croûtes d'algues calcaires roses. Les disques sont la forme hivernale d'une grande algue brune, l'himanthale.

CREVETTE ROSE
Dans les flaques parmi les rochers. Les grands exemplaires sont nommés bouquets.

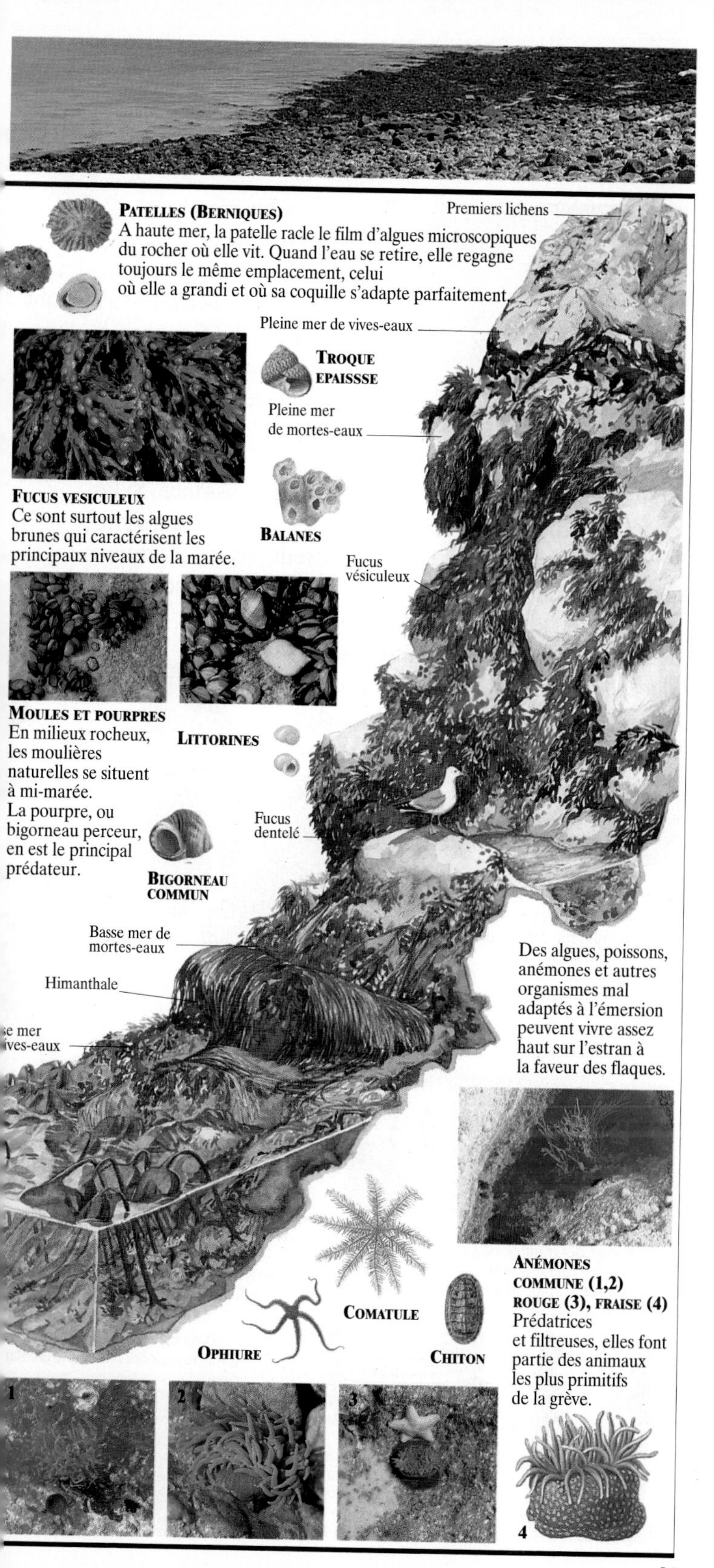
PATELLES (BERNIQUES)
A haute mer, la patelle racle le film d'algues microscopiques du rocher où elle vit. Quand l'eau se retire, elle regagne toujours le même emplacement, celui où elle a grandi et où sa coquille s'adapte parfaitement.
Premiers lichens
Pleine mer de vives-eaux
TROQUE EPAISSSE
Pleine mer de mortes-eaux
BALANES
FUCUS VESICULEUX
Ce sont surtout les algues brunes qui caractérisent les principaux niveaux de la marée.
Fucus vésiculeux
MOULES ET POURPRES
En milieux rocheux, les moulières naturelles se situent à mi-marée.
La pourpre, ou bigorneau perceur, en est le principal prédateur.
LITTORINES
Fucus dentelé
BIGORNEAU COMMUN
Basse mer de mortes-eaux
Himanthale
se mer
ives-eaux
Des algues, poissons, anémones et autres organismes mal adaptés à l'émersion peuvent vivre assez haut sur l'estran à la faveur des flaques.
COMATULE
OPHIURE
CHITON
ANÉMONES
COMMUNE (1,2)
ROUGE (3), FRAISE (4)
Prédatrices et filtreuses, elles font partie des animaux les plus primitifs de la grève.
1
2
3
4

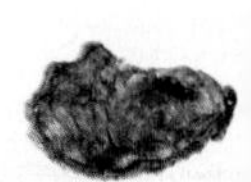

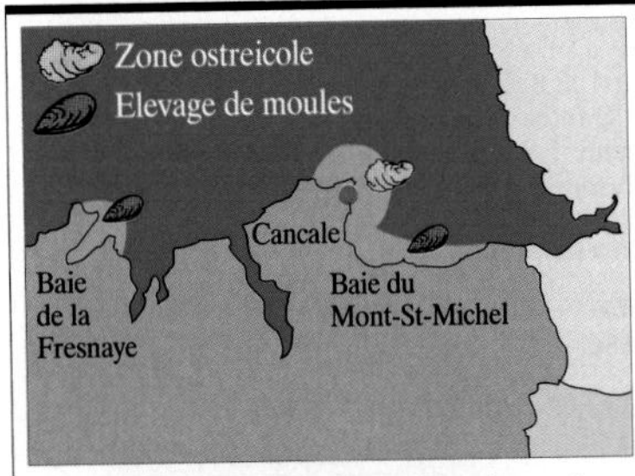

Les vastes étendues découvrantes, qui atteignent leur dimension maximale en baie du Mont-Saint-Michel, ont permis le développement d'une intense activité d'élevage des coquillages dans cette région. Huîtres de Cancale, moules du Vivier, des produits dont la réputation n'est plus à faire trouvent là des conditions idéales à leur croissance. Si les moules accomplissent leur cycle de vie dans cette région, les huîtres, en revanche, ne rencontrent pas les conditions écologiques favorables au succès de leur reproduction et doivent être importées sous forme de naissain, de Bretagne Sud pour l'huître plate, de Charente pour la creuse.

MOULE VIVANTE
Pour se nourrir, la moule crée un courant d'eau qui achemine les microalgues vers ses branchies qui les retiennent.

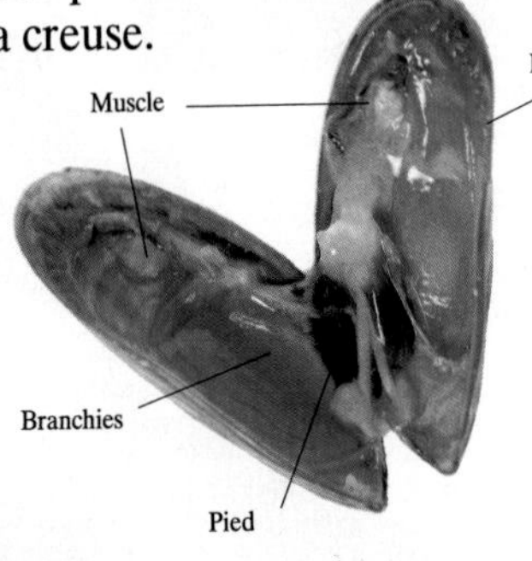

Les mêmes organes, de formes et de couleurs variées, sont reconnaissables chez tous les bivalves.

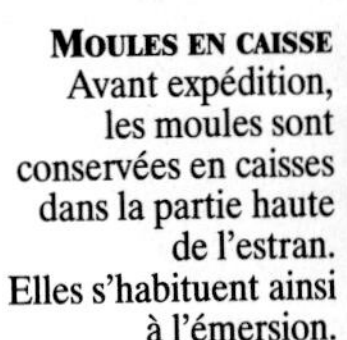

BOUCHOTS ET CORDES DE CAPTAGE
L'élevage des moules est pratiqué sur des pieux de bois plantés dans la zone de marée : les *bouchots*. Il faut moins de deux ans pour produire une moule de taille commerciale.

MOULES EN CAISSE
Avant expédition, les moules sont conservées en caisses dans la partie haute de l'estran. Elles s'habituent ainsi à l'émersion.

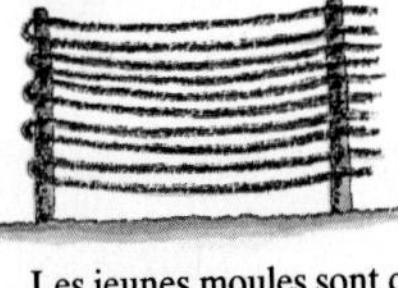

Les jeunes moules sont captées sur des cordes horizontales. Le boudin de naissain est ensuite enroulé en torsade autour du bouchot.

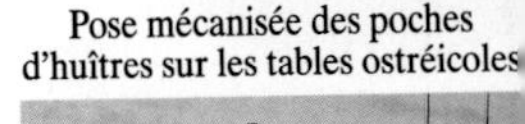
Pose mécanisée des poches d'huîtres sur les tables ostréicoles

Bisquine
Les gisements naturels d'huîtres, autrefois abondants, étaient l'objet d'une pêche spécifique dans la région de Cancale. Les lourdes dragues étaient traînées par des bateaux à la voilure imposante, les bisquines.

Larve et naissain. La larve de l'huître creuse est planctonique, tandis que celle de l'huître plate se développe dans la coquille de la mère. Au bout de 3 à 4 semaines, la larve se métamorphose et se fixe.

Tuiles chaulées
Pratiqué en Bretagne Sud et en Charente, le captage consiste à immerger au moment opportun des supports appropriés à la fixation du naissain (tuiles, coquilles de moules...)

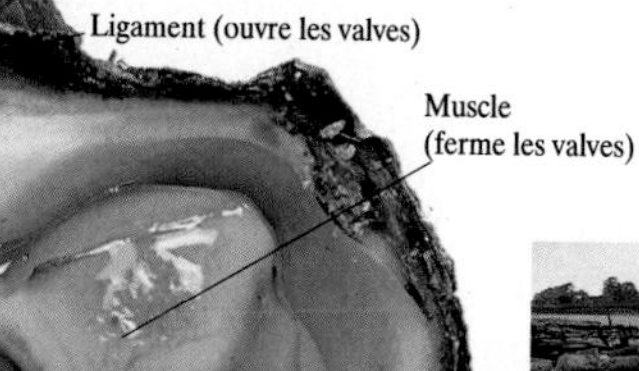

L'huître creuse est cultivée en surélévation ; les jeunes huîtres sont placées dans des poches reposant sur des tables ostréicoles. L'huître plate est habituellement cultivée en parc, à même le sol. L'ostreiculteur doit lutter contre les prédateurs, écarter les algues, limiter l'envasement.

Affinage En civières ou en caisse, il doit progressivement habituer l'huître à l'émersion et lui donner la touche de goût qui lui fera mériter son appellation.

Pour ouvrir une huître : introduire la lame d'un fort couteau entre les valves et sectionner le muscle.

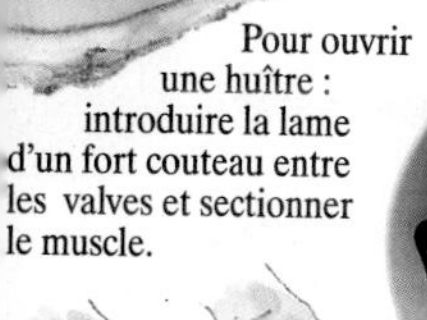

De septembre à avril (mois en «r»), l'huître en repos sexuel est maigre. C'est durant cette période qu'elle est le plus goûtée.

Moules marinieres
La qualité gustative d'une moule varie au cours de l'année. C'est généralement en été, alors qu'elle accumule des sucres dans son manteau, que son goût sera le meilleur.

Le remplissage des bourriches est une opération méticuleuse. Pour conserver leur eau, les huîtres sont disposées à plat, valve creuse vers le bas.

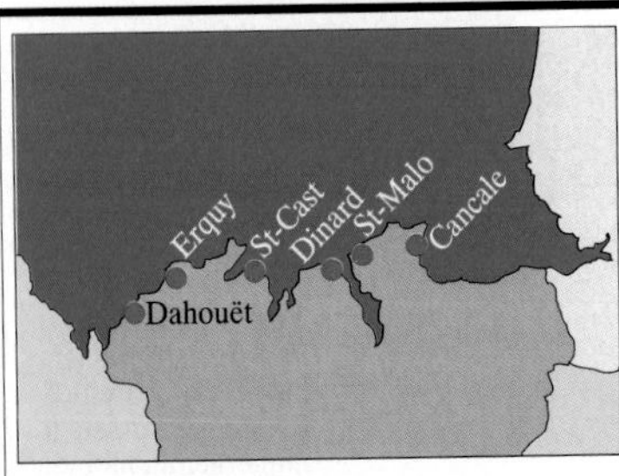

Célèbre pour son activité de grande pêche (au large de Terre-Neuve et du Groenland, dans l'Atlantique nord), la région de Saint-Malo est aussi une zone de pêche côtière. La diversité des espèces débarquées n'a rien à envier à celle du sud de la Bretagne, même si les quantités pêchées sur la côte d'Emeraude restent inférieures. La lotte, étrange poisson des profondeurs, occupe la première place parmi ces espèces, au sein desquelles la sole, le lieu jaune, le bar constituent aussi des prises courantes. Tous ces poissons de qualité alimentent en produit frais les marchés régionaux et nationaux.

A l'exception des chalutiers malouins, la flottille locale se caractérise par sa polyvalence, le même bateau pouvant, selon la saison, pratiquer le filet, la palangre, le casier ou même la drague à coquilles.

LOTTE Elle attire probablement ses proies à l'aide de son filament pêcheur. Une brusque détente de la queue, gueule ouverte, et le repas est consommé.

TECHNIQUES DE PECHE
On peut les regrouper en deux grandes catégories : les engins traînants (chaluts pélagiques ou de fonds, dragues) et dormants (filets, palangres, casiers).

FILET TREMAIL
Long de quelques centaines de mètres et formé de trois nappes, il est généralement posé pour une nuit.

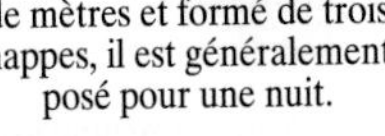

FILET MAILLANT
Posé sur le fond pour une durée variant de quelques heures à quelques jours, il est doté de mailles qui retiennent les poissons par les ouïes.

Les flotteurs de la corde de dos émergent : le chalut va bientôt rejoindre le bord après trois heures passées à racler le fond.

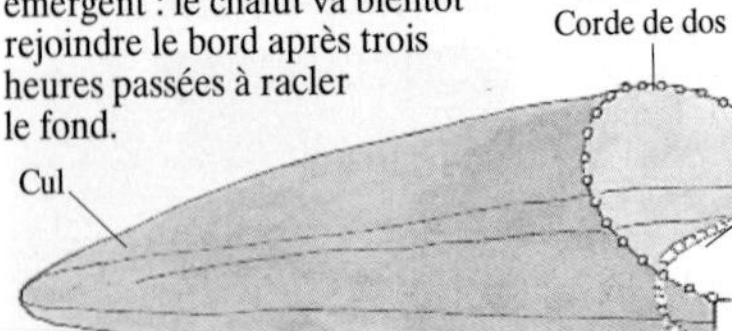

CHALUT A PANNEAUX

JULIENNE OU LINGUE Poisson de fond capturé au chalut ou à la palangre.

CONGRE Puissant prédateur, il hante les fonds rocheux. Capturé à la palangre.

MERLU Souvent capturé avec la langoustine.

RAIE Capturée au filet. On en consomme les ailes.

ROUSSETTE Ce requin miniature est vendu sous le nom de saumonette.

MAQUEREAU Poisson bleu, mais vert lorsqu'il est vivant.

SOLE Le golfe normano-breton est une de ses aires de reproduction dans la Manche.

LIEU JAUNE Plus réputé que le lieu noir, il est capturé à la ligne et au chalut.

BAR Rapide et carnassier, il fréquente les eaux agitées des côtes.

APPATS A chaque poisson son appât : du lançon vivant pour le bar, du maquereau pour le congre, des arénicoles pour la sole.

LOTTE A LA BRETONNE On accomode le poisson avec du beurre roux mélangé à un court bouillon et à de la crème fraîche.

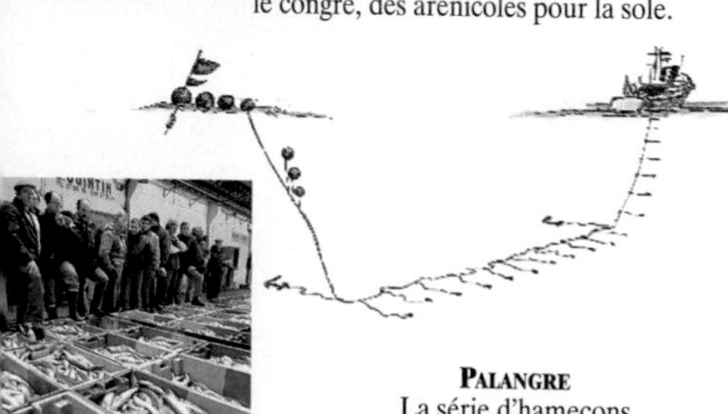

Le poisson est vendu aux enchères à la criée.

PALANGRE La série d'hameçons est mouillée en surface ou au fond selon l'espèce recherchée.

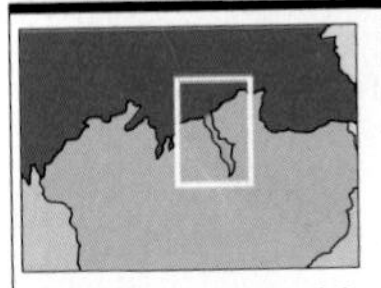

Les Galiciens les ont nommés «rias», les Bretons «abers» mais ce sont des estuaires où la marée se fait sentir profondément. Les vastes étendues de vase nue découvertes par le jusant portent le nom de slikke. Une microfalaise les sépare du schorre, prés-salés ravinés de chenaux et de flaques, couverts d'une végétation basse mais dense. Eau douce à basse mer, saumâtre à marée haute... Peu d'espèces sont capables de s'adapter ici, mais celles qui le font prolifèrent.

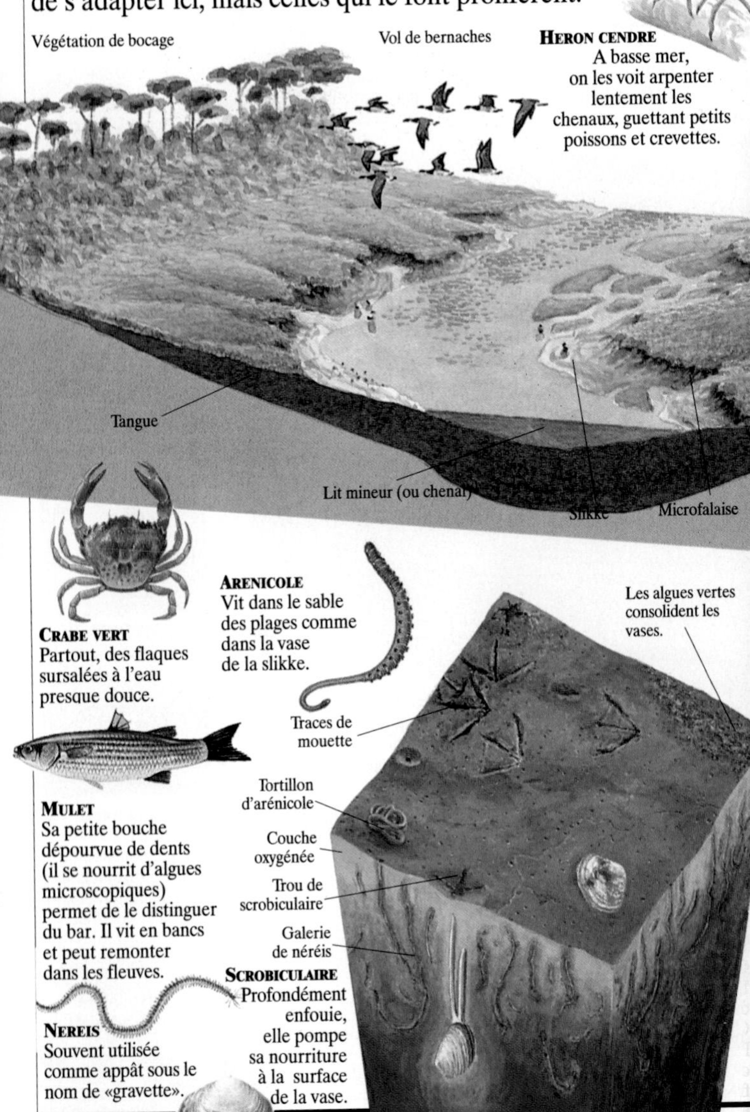

HERON CENDRE
A basse mer, on les voit arpenter lentement les chenaux, guettant petits poissons et crevettes.

CRABE VERT
Partout, des flaques sursalées à l'eau presque douce.

ARENICOLE
Vit dans le sable des plages comme dans la vase de la slikke.

MULET
Sa petite bouche dépourvue de dents (il se nourrit d'algues microscopiques) permet de le distinguer du bar. Il vit en bancs et peut remonter dans les fleuves.

NEREIS
Souvent utilisée comme appât sous le nom de «gravette».

SCROBICULAIRE
Profondément enfouie, elle pompe sa nourriture à la surface de la vase.

SALICORNE ET SPARTINE Colonisent les vasières de la haute slikke qu'elles contribuent à consolider en favorisant le dépôt de nouvelles couches de vase.

LAVANDE DE MER Le schorre n'est atteint par le flot que lors des marées de vives-eaux. L'été, couvert de lavandes de mer et d'asters, il est violet.

OBIONE Elle couvre parfois de vastes étendues du schorre. Ses feuilles charnues s'adaptent parfaitement au milieu salé.

MAREE HAUTE / MAREE BASSE A marée haute, la ria a souvent l'aspect d'un petit fjord. A basse mer, la rivière n'occupe qu'un lit mineur.

TADORNE Il niche dans des terriers, parfois loin de l'eau.

BERNACHE CRAVANT Petite oie arrivant dans les estuaires et les baies à la fin d'octobre. Elle s'y nourrit surtout de zostères.

GREBE CASTAGNEUX Petite boule de plumes sur l'eau du chenal.

COURLIS CENDRE Son long bec arqué lui permet de saisir divers animaux enfouis. Egalement grand consommateur de crabes verts.

CHEVALIER GAMBETTE Un des petits échassiers les plus caractéristiques des vasières.

GRAND CORMORAN Il se nourrit de plies et d'anguilles. C'est surtout de l'automne à la fin de l'hiver qu'il fréquente les estuaires.

BÉCASSEAU VARIABLE Ses bandes manifestent une activité incessante à la recherche de crustacés, de vers et de mollusques minuscules.

Coquille Saint-Jacques

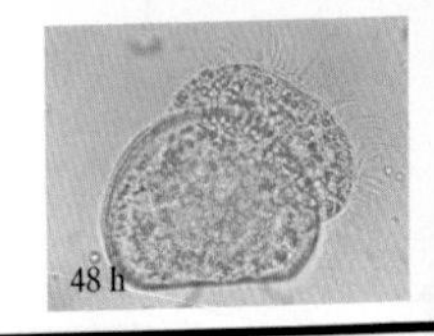

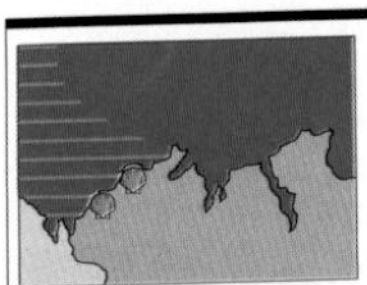

La pêche de la coquille Saint-Jacques est une activité relativement récente en Bretagne Nord. En 1961, seulement 20 bateaux la pratiquaient dans les parages de la baie de Saint-Brieuc ; ils étaient plus de 400 dans les années 1970 et la quantité débarquée passait de quelques dizaines à plus de 15000 tonnes. Aujourd'hui, l'activité se maintient au prix d'importants efforts de gestion, et l'on peut encore compter dans la région sur 2000 à 4000 tonnes de coquilles Saint-Jacques par an. La pêche a lieu de novembre à mars, et les bateaux sont autorisés à travailler une ou deux heures par jour, 2 ou 3 jours par semaine. Les coquilles sont vendues vivantes sous criée et rapidement transportées vers les marchés nationaux.

Petoncle
Plus petit, deux valves creuses. Noir ou blanc, le pétoncle est aussi comestible.

Coquille Saint-Jacques
L'âge se lit sur ses valves. Chaque strie concentrique correspond à un arrêt hivernal de croissance.

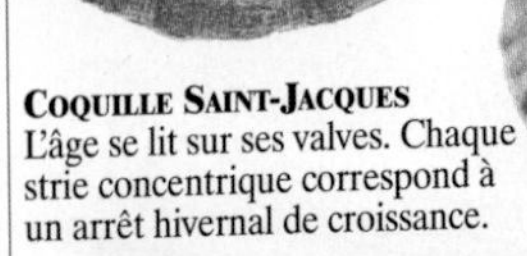

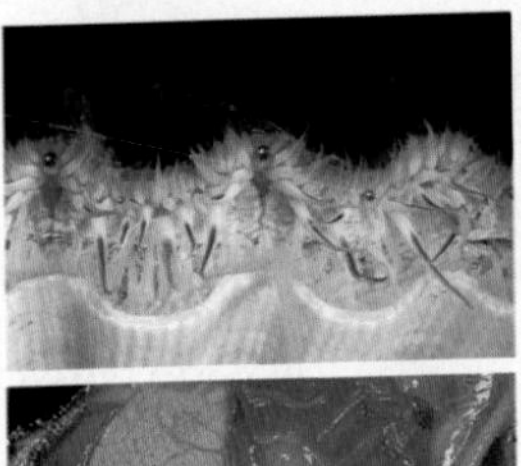

Bord du manteau et gonade
Bordé d'yeux et de tentacules, le manteau est un capteur sensoriel ; de plus, il sécrète la coquille. Le corail est l'organe reproducteur de cet animal hermaphrodite (blanc : partie mâle, orange : partie femelle).

L'adulte vit enfoui dans le sédiment (maërl ou sable coquillier) : à la différence des jeunes coquilles, ses déplacements sont très limités.

Bateaux coquilliers
Ils sont munis d'un moteur puissant et d'un treuil.

Dragueur
La drague, munie de dents, soulève les coquilles ensuite emprisonnées dans une poche formée d'anneaux métalliques.

12 jours

20 jours

35 jours

▲ Postlarve

▲ Coquilles juvéniles (2 mois)

Vie larvaire Premier été d'une coquille Saint-Jacques : fécondation externe, vie larvaire planctonique durant un mois environ, puis métamorphose et fixation au fond où la jeune coquille acquiert la morphologie de ses parents.

Coquillier traditionnel
A l'époque de la pêche à la voile, le volume des captures était étroitement lié aux conditions de vent.

Drague a virer
Le trait s'achève lorsque la drague est pleine (15 mn). La drague est ensuite *virée*, c'est-à-dire, remontée sur le bateau, puis la poche soulevée par le fond pour être vidée.

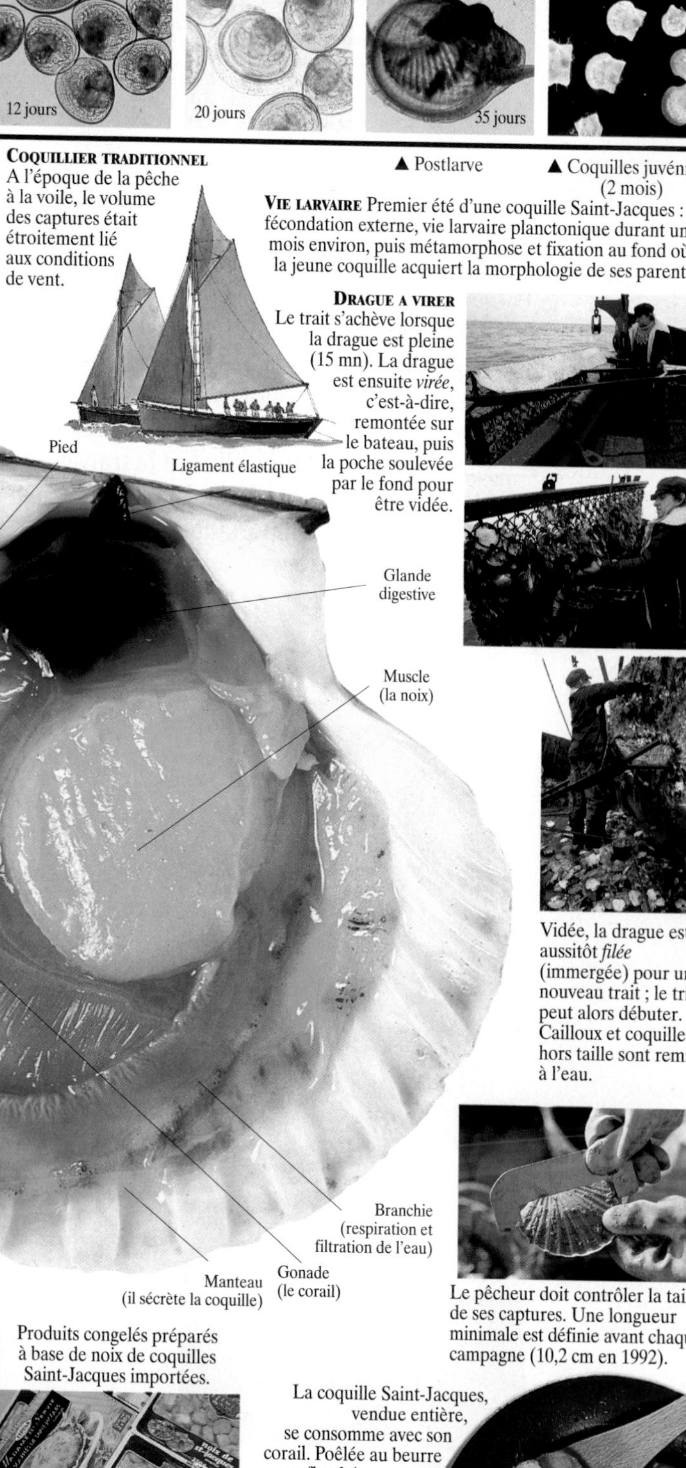

Vidée, la drague est aussitôt *filée* (immergée) pour un nouveau trait ; le tri peut alors débuter. Cailloux et coquilles hors taille sont remis à l'eau.

Le pêcheur doit contrôler la taille de ses captures. Une longueur minimale est définie avant chaque campagne (10,2 cm en 1992).

Produits congelés préparés à base de noix de coquilles Saint-Jacques importées.

La coquille Saint-Jacques, vendue entière, se consomme avec son corail. Poêlée au beurre ou flambée, pour ce produit exceptionnel, les recettes les plus simples sont les meilleures.

Lande

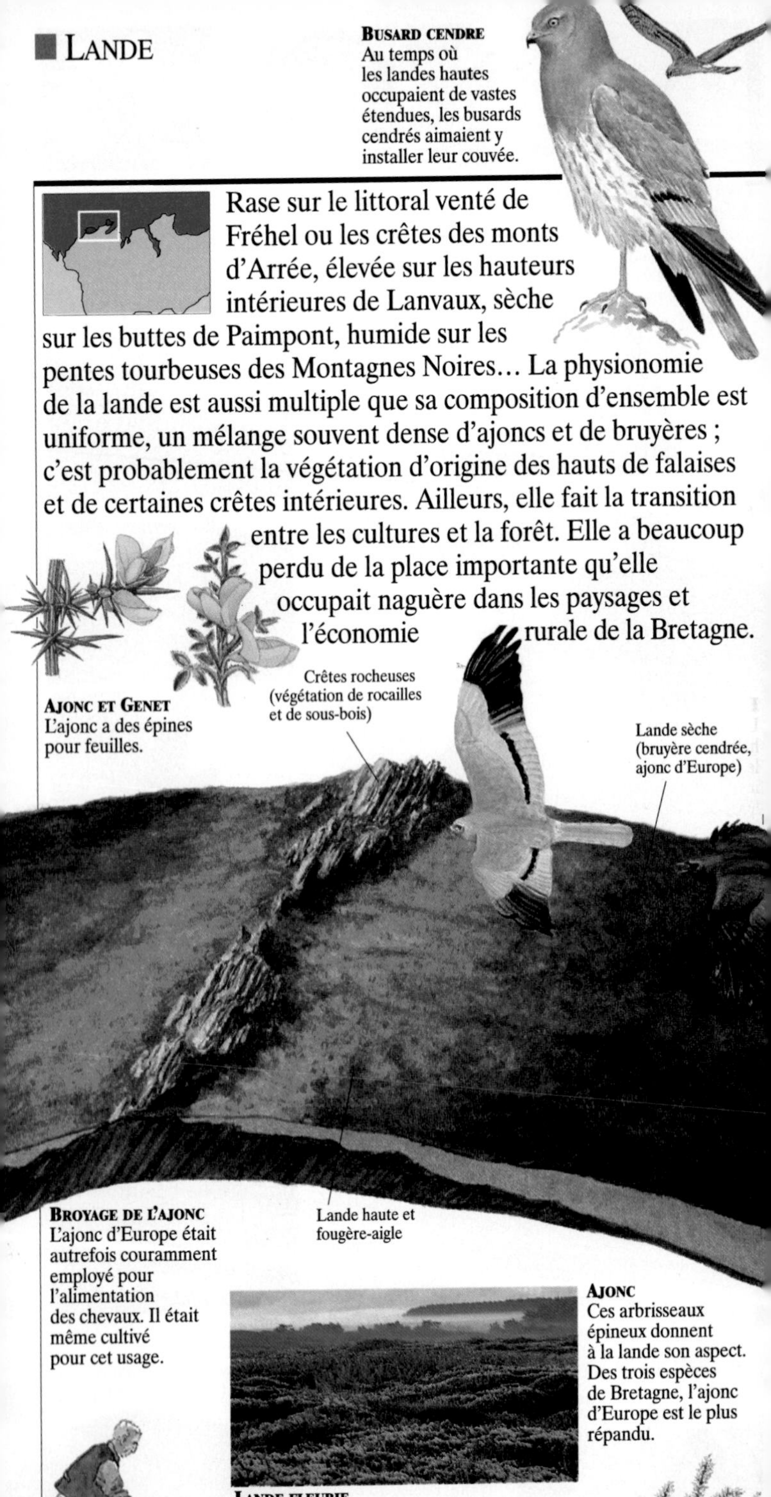

Busard cendré
Au temps où les landes hautes occupaient de vastes étendues, les busards cendrés aimaient y installer leur couvée.

Rase sur le littoral venté de Fréhel ou les crêtes des monts d'Arrée, élevée sur les hauteurs intérieures de Lanvaux, sèche sur les buttes de Paimpont, humide sur les pentes tourbeuses des Montagnes Noires… La physionomie de la lande est aussi multiple que sa composition d'ensemble est uniforme, un mélange souvent dense d'ajoncs et de bruyères ; c'est probablement la végétation d'origine des hauts de falaises et de certaines crêtes intérieures. Ailleurs, elle fait la transition entre les cultures et la forêt. Elle a beaucoup perdu de la place importante qu'elle occupait naguère dans les paysages et l'économie rurale de la Bretagne.

Ajonc et Genet
L'ajonc a des épines pour feuilles.

Broyage de l'ajonc
L'ajonc d'Europe était autrefois couramment employé pour l'alimentation des chevaux. Il était même cultivé pour cet usage.

Ajonc
Ces arbrisseaux épineux donnent à la lande son aspect. Des trois espèces de Bretagne, l'ajonc d'Europe est le plus répandu.

Lande fleurie
C'est au printemps que la floraison de l'ajonc d'Europe atteint son apogée : les landes forment alors d'impressionnantes étendues d'un jaune éclatant, à l'odeur délicate.

VERDIER
Construit souvent son nid dans les landes les plus hautes.
CALLUNE
BRUYERE CILIEE
Femelle
Mâle
BRUYERE CENDREE
Alors que la bruyère cendrée vit dans les parties les plus sèches, souvent sur les hauteurs, la bruyère ciliée occupe plutôt les pentes un peu humides. La callune s'adapte à ces deux milieux. Les zones les plus mouillées, voire tourbeuses, sont peuplées par la bruyère à quatre angles.
LINOTTE Typique des landes, elle revient au début d'avril d'Espagne et du Maroc.
FAUCON CRECERELLE
Chasse petits mammifères et gros insectes.
1
FAUVETTE PITCHOU
Un des rares oiseaux habitant aussi bien les garrigues et maquis méditerranéens que les landes bretonnes.
BRUANT JAUNE
Oiseau des lisières nichant dans ce type de végétation.
PIPIT FARLOUSE (1) ET TRAQUET PATRE (2)
Nichent dans les landes rases.
Lande humide (ajonc de Le Gall, bruyère ciliée, molinie)
Ruisseau et lande très humide
2
MYGALE
Une chaussette de soie dans le sol de la lande : le terrier d'une petite mygale.
BELETTE
Peut s'attaquer aux lapins, mais se contente le plus souvent de petits rongeurs et d'oiseaux.
MULOT
Habite tous les milieux, pourvu qu'il y trouve des graines.
LAPIN
En Bretagne, le lapin établit souvent ses garennes dans les talus et les grandes landes.

Carabe a reflets d'or
Une variété à reflets cuivrés habite les vieilles forêts bretonnes.

La Bretagne, l'une des régions les moins forestières de France, doit au bocage une apparence boisée. L'acidité des sols et l'influence atlantique ont toutefois donné à ses quelques massifs une physionomie originale : il s'agit pour l'essentiel de chênaies-hêtraies dont le charme est pratiquement absent et où l'if, relique des boisements primitifs, est inhabituellement répandu. La vie ne se résume pas aux seuls arbres, chevreuils et champignons… De l'humus aux plus hautes frondaisons, une foule d'animaux et de plantes participent chacun à sa mesure à la perpétuation de la forêt.

C'est aussi l'ambiance mystérieuse des sous-bois.

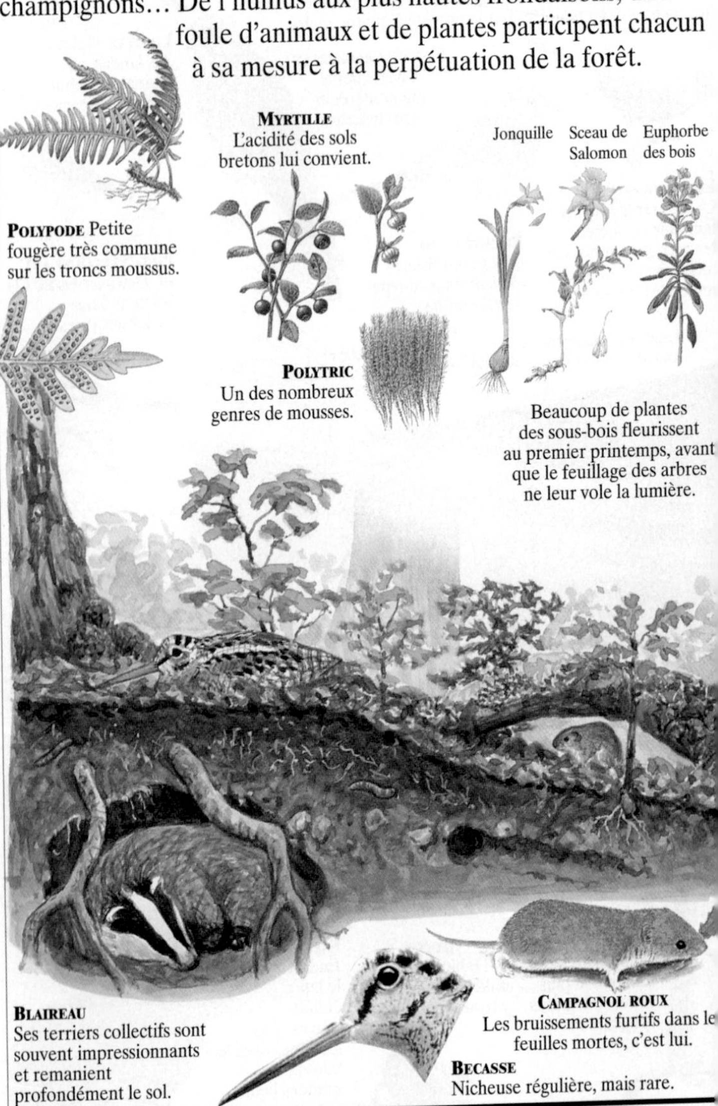

Myrtille
L'acidité des sols bretons lui convient.

Jonquille

Sceau de Salomon

Euphorbe des bois

Polypode Petite fougère très commune sur les troncs moussus.

Polytric
Un des nombreux genres de mousses.

Beaucoup de plantes des sous-bois fleurissent au premier printemps, avant que le feuillage des arbres ne leur vole la lumière.

Blaireau
Ses terriers collectifs sont souvent impressionnants et remanient profondément le sol.

Campagnol roux
Les bruissements furtifs dans le feuilles mortes, c'est lui.

Becasse
Nicheuse régulière, mais rare.

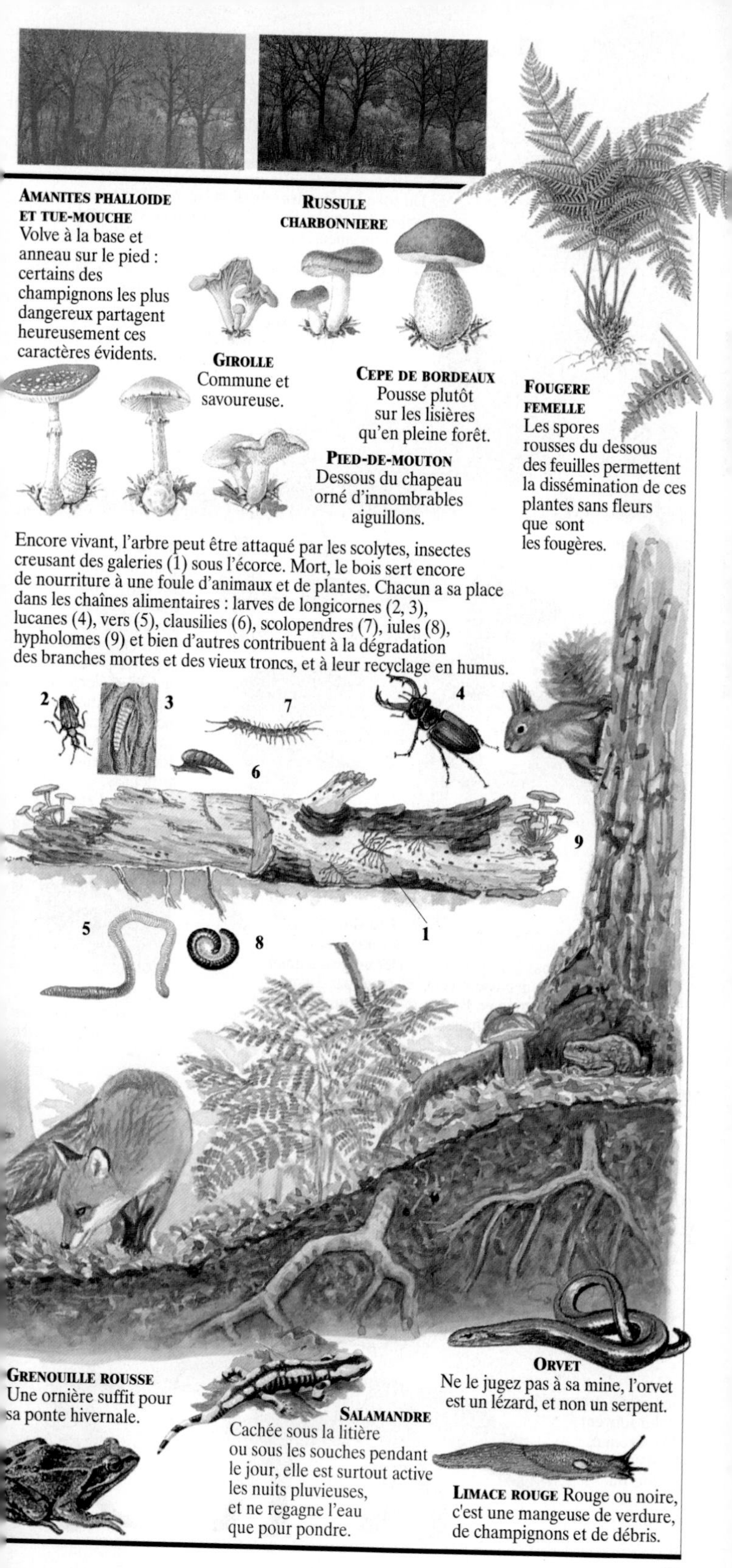

AMANITES PHALLOIDE ET TUE-MOUCHE
Volve à la base et anneau sur le pied : certains des champignons les plus dangereux partagent heureusement ces caractères évidents.

RUSSULE CHARBONNIERE

GIROLLE
Commune et savoureuse.

CEPE DE BORDEAUX
Pousse plutôt sur les lisières qu'en pleine forêt.

PIED-DE-MOUTON
Dessous du chapeau orné d'innombrables aiguillons.

FOUGERE FEMELLE
Les spores rousses du dessous des feuilles permettent la dissémination de ces plantes sans fleurs que sont les fougères.

Encore vivant, l'arbre peut être attaqué par les scolytes, insectes creusant des galeries (1) sous l'écorce. Mort, le bois sert encore de nourriture à une foule d'animaux et de plantes. Chacun a sa place dans les chaînes alimentaires : larves de longicornes (2, 3), lucanes (4), vers (5), clausilies (6), scolopendres (7), iules (8), hypholomes (9) et bien d'autres contribuent à la dégradation des branches mortes et des vieux troncs, et à leur recyclage en humus.

GRENOUILLE ROUSSE
Une ornière suffit pour sa ponte hivernale.

SALAMANDRE
Cachée sous la litière ou sous les souches pendant le jour, elle est surtout active les nuits pluvieuses, et ne regagne l'eau que pour pondre.

ORVET
Ne le jugez pas à sa mine, l'orvet est un lézard, et non un serpent.

LIMACE ROUGE Rouge ou noire, c'est une mangeuse de verdure, de champignons et de débris.

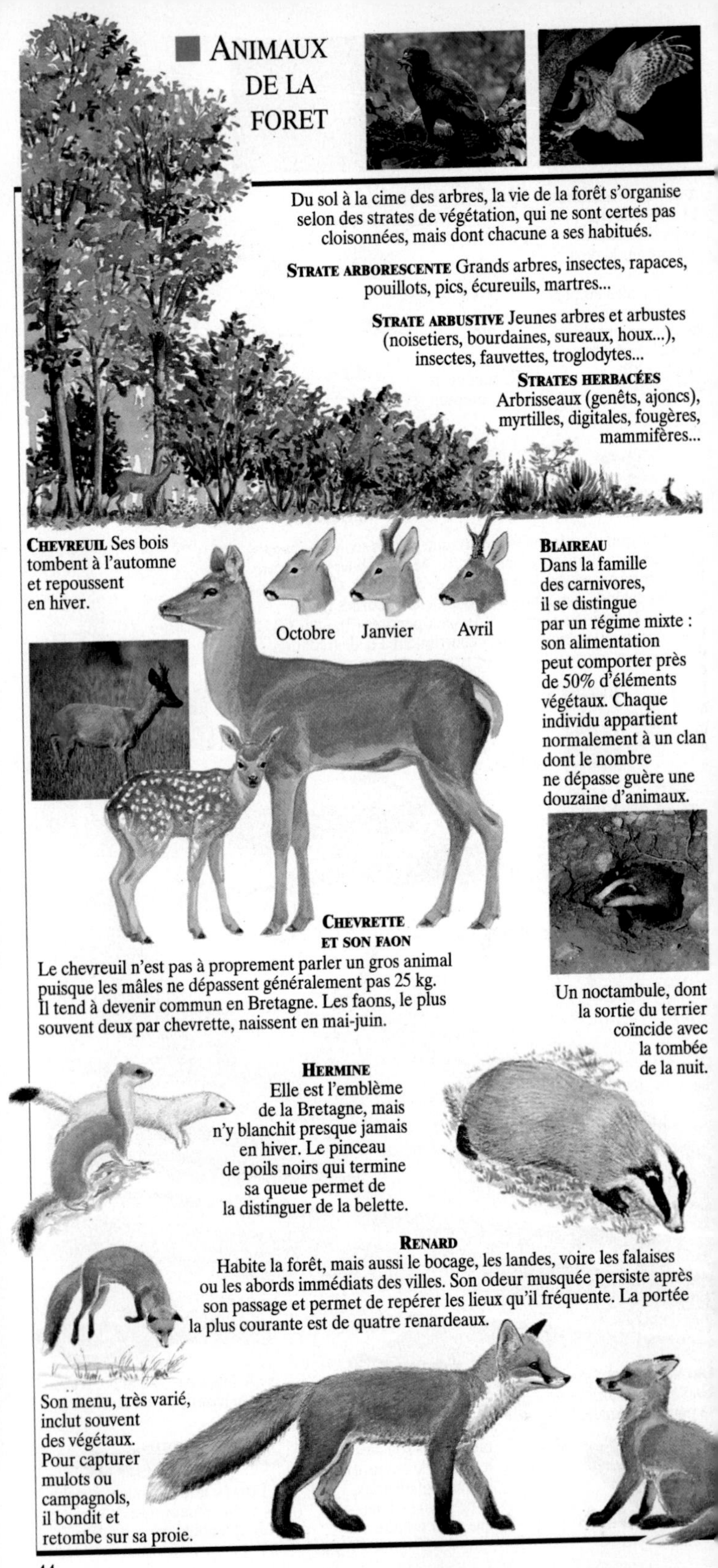

Animaux de la forêt

Du sol à la cime des arbres, la vie de la forêt s'organise selon des strates de végétation, qui ne sont certes pas cloisonnées, mais dont chacune a ses habitués.

Strate arborescente Grands arbres, insectes, rapaces, pouillots, pics, écureuils, martres...

Strate arbustive Jeunes arbres et arbustes (noisetiers, bourdaines, sureaux, houx...), insectes, fauvettes, troglodytes...

Strates herbacées Arbrisseaux (genêts, ajoncs), myrtilles, digitales, fougères, mammifères...

Chevreuil Ses bois tombent à l'automne et repoussent en hiver.

Chevrette et son faon

Le chevreuil n'est pas à proprement parler un gros animal puisque les mâles ne dépassent généralement pas 25 kg. Il tend à devenir commun en Bretagne. Les faons, le plus souvent deux par chevrette, naissent en mai-juin.

Blaireau
Dans la famille des carnivores, il se distingue par un régime mixte : son alimentation peut comporter près de 50% d'éléments végétaux. Chaque individu appartient normalement à un clan dont le nombre ne dépasse guère une douzaine d'animaux.

Un noctambule, dont la sortie du terrier coïncide avec la tombée de la nuit.

Hermine
Elle est l'emblème de la Bretagne, mais n'y blanchit presque jamais en hiver. Le pinceau de poils noirs qui termine sa queue permet de la distinguer de la belette.

Renard
Habite la forêt, mais aussi le bocage, les landes, voire les falaises ou les abords immédiats des villes. Son odeur musquée persiste après son passage et permet de repérer les lieux qu'il fréquente. La portée la plus courante est de quatre renardeaux.

Son menu, très varié, inclut souvent des végétaux. Pour capturer mulots ou campagnols, il bondit et retombe sur sa proie.

MARTRE
Cousine germaine de la fouine dont elle n'est pas toujours facile à distinguer : la tache de sa gorge est en général plus jaune. Elle est répandue en Bretagne.

ECUREUIL
Ses effectifs ont beaucoup diminué depuis les années cinquante. C'est dans les bois de pins, dont il consomme les graines, qu'on a le plus de chance de le voir.

BUSE
Parce qu'elle y bâtit son nid, la buse est souvent considérée comme un oiseau de forêt. En réalité, elle y chasse très peu. Les petits mammifères, qui constituent son menu ordinaire, sont en général chassés à l'affût.

POUILLOT SIFFLEUR
Chante et chasse dans le feuillage des futaies, niche au sol.

TROGLODYTE
Un des chants les plus sonores du sous-bois.

PIC VERT
Dans la famille des pics, le pic vert est sans doute le moins dépendant des arbres, puisqu'il trouve le plus souvent sa nourriture au sol.

PIC EPEICHE
Trois espèces de pics bigarrés nichent en Bretagne. L'épeiche en est la plus commune.

HULOTTE
Ses hululements familiers accompagnent les nuits de la forêt, du bocage et même des villes.

FAUVETTE À TETE NOIRE

GRIMPEREAU
Comme une souris grimpant le long des troncs et des branches, chassant de minuscules insectes dans les écorces et les fentes du bois.

SITTELLE
Une acrobate des troncs, capable même de les redescendre.

SANGLIER
Ce gros animal dont le poids peut atteindre 150 kg est plutôt rare en Bretagne. Typiquement forestier, il sort souvent pour s'alimenter dans les cultures, notamment dans les champs de maïs. En forêt, il est surtout friand de racines, de glands et de faînes. Dépourvu d'ennemis naturels, il peut se multiplier rapidement.

Comme le porc, le sanglier se vautre souvent dans des souilles de boue.

MAISON A COLOMBAGE
Le bois peut constituer l'ossature complète d'une maison. Les «vides» sont alors comblés en maçonnerie selon les régions.

Les arbres qui aiment l'humidité atmosphérique et qui supportent les sols acides se plaisent en Bretagne. Le climat doux permet à des espèces frileuses, comme le pin maritime, de s'y adapter. On rencontre fréquemment chênes rouvres ou pédonculés, pins sylvestres et châtaigniers. Le chêne, bois noble, est utilisé par les fendeurs et surtout par les charpentiers ; le châtaignier, de dimensions plus modestes et de qualité moindre, par les fagotiers, les cercliers ou les feuillardiers. Il a l'avantage de se fendre plus facilement et, de son écorce, on extrait le tanin nécessaire à la conservation des peaux. Le hêtre est le bois des charbonniers, l'orme et le frêne ceux du charron.

Jadis la construction d'un vaisseau nécessitait plus de 2000 chênes.

Pour obtenir des bois de marine à forte courbure, on allait jusqu'à modifier la forme des arbres.

CHENE
Son bois solide et durable convient à de multiples usages. Apprécié pour son bel aspect, il est utilisé à la fabrication de meubles rustiques et d'objets sculptés.

En chêne ou parfois en châtaignier, les charpentes traditionnelles sont construites à partir de troncs de forte section.

Les scieurs de long débitent des planches destinées à la menuiserie.

Ce revêtement de bardeaux en châtaignier refendus protège les façades des intempéries.

BOIS TOURNE
Permet de fabriquer des manches, et des ornements pour le mobilier.

CHATAIGNIER
En forêt, on le cultive en taillis. Isolé, il fructifie abondamment et développe une large cime. Il se fend très facilement, il est tendre à travailler.

If Les Celtes prêtaient à ce bois, dont furent faits les arcs jusqu'au Moyen Age, des vertus d'immortalité.

Orme champetre La plupart des ormes ont été tués par une maladie, due à un champignon propagé par un insecte dont la larve se nourrit de bois : le scolyte.

Hetre
Le temps pluvieux lui convient parfaitement. De multiples objets usuels sont faits en hêtre car son bois se travaille facilement.

Sabotier
Après avoir taillé une ébauche à l'aide de sa hache et de son paroir, le sabotier creuse l'intérieur de la pièce de hêtre avec une gouge (appelée aussi cuillère).

Frene
Grand arbre au feuillage léger, le frêne pousse rapidement pourvu que le sol soit frais. On réserve son bois résistant pour les avirons et les gaffes.

Traditionnellement, on pêchait les anguilles avec des fagots de châtaîgniers ; de ce même bois, étaient faits des casiers.

Tonneaux
Ils sont faits soit de merrains en chêne maintenus par un cerclage en fer, soit de merrains en châtaignier associés à un cerclage de feuillard en châtaignier.

BOCAGE

Protection des cultures et du sol contre le vent, régulation de l'humidité, abri pour le bétail...

Si tu laisses ton champ ouvert
Aux bêtes sauvages, au vent de mer
Il ne te restera pas dedans
De quoi remplir l'escarcelle du barde.

On a tout dit sur les nombreux avantages et les quelques inconvénients des talus pour l'agriculture et l'environnement. Mais sans doute moins justement que ces quatre vers d'une chanson bretonne recueillie par J.-M. de Penguern vers 1835. Et qui se souviendra qu'avant le remembrement, le seul Finistère comptait 120 000 kilomètres de talus ? Trois fois le tour de la Terre de boisement linéaire dans un pays qui possède si peu de forêts.

Le talus est bien plus qu'une simple levée de terre : c'est une véritable construction.

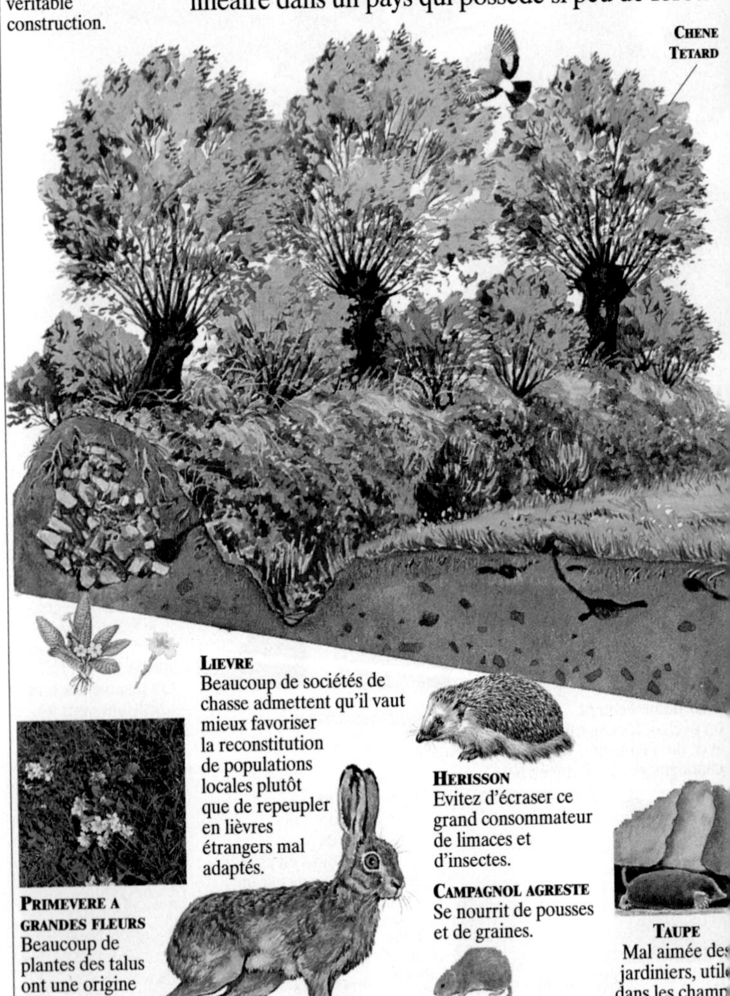

LIEVRE
Beaucoup de sociétés de chasse admettent qu'il vaut mieux favoriser la reconstitution de populations locales plutôt que de repeupler en lièvres étrangers mal adaptés.

HERISSON
Evitez d'écraser ce grand consommateur de limaces et d'insectes.

CAMPAGNOL AGRESTE
Se nourrit de pousses et de graines.

PRIMEVERE A GRANDES FLEURS
Beaucoup de plantes des talus ont une origine forestière.

TAUPE
Mal aimée des jardiniers, utile dans les champ

GRENOUILLE AGILE
MERLE NOIR
Forestier à l'origine, il s'habitue de plus en plus au voisinage de l'homme.
ETOURNEAU
On le distingue du merle à sa queue plus courte. Ses effectifs reproducteurs ont augmenté en Bretagne depuis quarante ans. Mais c'est la venue de gros contingents migrateurs qui suscite des problèmes.
GRIVE MUSICIENNE
Une chanteuse très inventive.
CHOUETTE EFFRAIE
95% de ses proies sont des mulots, des campagnols et des musaraignes.
CHOUETTE CHEVECHE
Espèce menacée : les poteaux métalliques non bouchés en ont piégé des milliers.
ROUGE-GORGE
POUILLOT VELOCE
EPERVIER
Les populations de ce prédateur d'oiseaux ont connu un déclin préoccupant jusque dans les années 1970.
GEAI
A l'automne, les glands constituent 50% de son alimentation.
BOUVREUIL ET MESANGE CHARBONNIERE
IE ET CORNEILLE NOIRE
Les plus communs
et opportunistes
des corvidés bretons.
FOUINE
Une autre espèce forestière qui s'est bien adaptée à l'homme : elle adopte ses maisons, lui vole ses fruits et volailles... et le débarrasse de ses rats.
Papillon citron
Lychnis fleur de coucou
Plantain lancéolé
ENONCULE ACRE
une des trois espèces
mmunes de boutons d'or.
ORCHIS A FLEURS LACHES
Fleurit en mai dans les prairies naturelles.
Grande marguerite
Compagnon rouge

La viande du mouton de «pré-salé» doit sa qualité aux plantes littorales qu'il consomme.

Les cultures maraîchères traditionnelles telles que la pomme de terre ou le chou-fleur ont été longtemps privilégiées le long de la côte rocheuse. Mais l'apparition des techniques d'élevage intensif a entraîné la régression des cultures de primeurs. La baie du Mont-Saint-Michel forme une zone distincte de la côte en matière agricole. Elle est surtout réputée pour sa production d'agneaux de «pré-salé», viande excellente, bien connue des gastronomes.

PIE NOIRE
La plus rustique des races bretonnes, présente dans le Finistère Sud et dans le Morbihan.

A partir des années 1960, le marché au cadran se substitue à la foire aux bestiaux traditionnelle, lieu d'échanges mais aussi de fête et de convivialité.

Les nombreuses industries laitières bretonnes diversifient de plus en plus leur gamme de produits.

FROMENT DU LÉON
A l'est du Trégor, entre Lannion et Saint-Brieuc.

ARMORICAINE
Dans la région du Léon jusqu'aux monts d'Arrée.

LAITERIE INDUSTRIELLE
En organisant le ramassage du lait dans les fermes, elle a bouleversé la fabrication et la distribution des produits laitiers.

BARATTE

Jusqu'au début des années 1960, chaque ferme était équipée d'une écrémeuse et d'une baratte, la fabrication du beurre étant alors encore purement domestique. Aujourd'hui, la plupart des agriculteurs sont livrés par la laiterie.

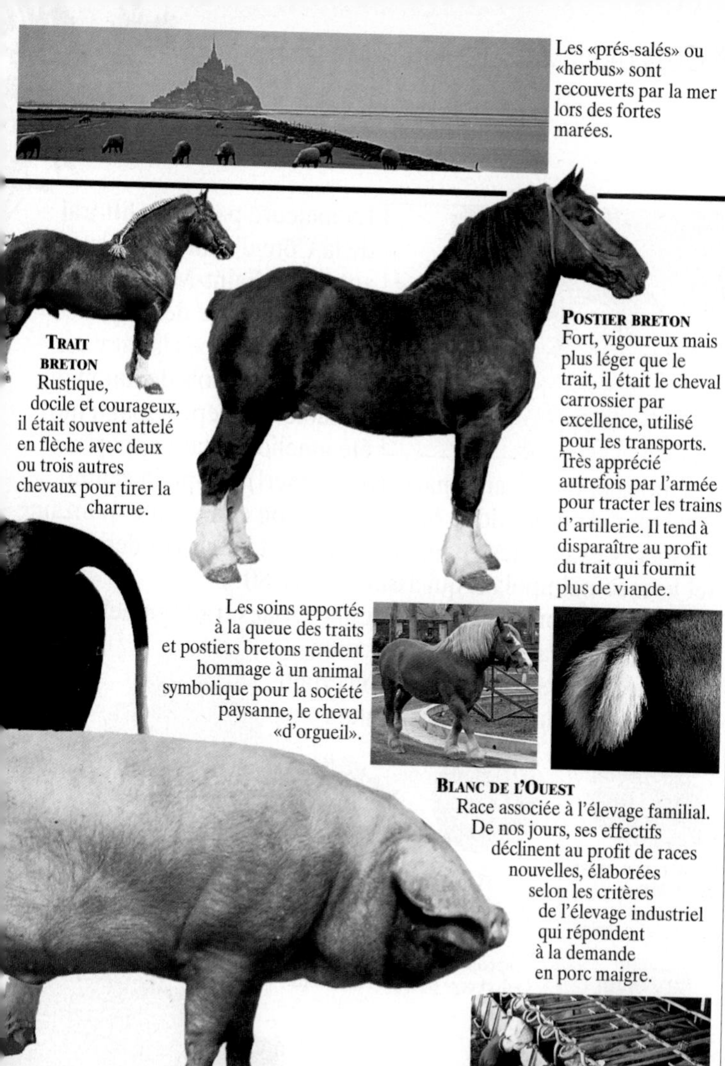

Les «prés-salés» ou «herbus» sont recouverts par la mer lors des fortes marées.

TRAIT BRETON
Rustique, docile et courageux, il était souvent attelé en flèche avec deux ou trois autres chevaux pour tirer la charrue.

POSTIER BRETON
Fort, vigoureux mais plus léger que le trait, il était le cheval carrossier par excellence, utilisé pour les transports. Très apprécié autrefois par l'armée pour tracter les trains d'artillerie. Il tend à disparaître au profit du trait qui fournit plus de viande.

Les soins apportés à la queue des traits et postiers bretons rendent hommage à un animal symbolique pour la société paysanne, le cheval «d'orgueil».

BLANC DE L'OUEST
Race associée à l'élevage familial. De nos jours, ses effectifs déclinent au profit de races nouvelles, élaborées selon les critères de l'élevage industriel qui répondent à la demande en porc maigre.

ELEVAGE INDUSTRIEL PORCIN
La Bretagne est la première région de France dans ce secteur agricole. Certaines exploitations sont désormais gérées par ordinateur.

ABATTAGE DU COCHON
Une fois par an, en hiver, l'abattage du cochon est l'occasion d'une fête (fest an hoc'h). Une fois ébouillanté, le porc est nettoyé de ses soies et pendu dans la grange une nuit durant, après avoir été vidé de ses viscères. Le lendemain, il sera découpé.

Les abats (frikassen) et quelques morceaux de viande douce sont consommés sur place. Le reste, dont le lard, sera salé ou fumé.

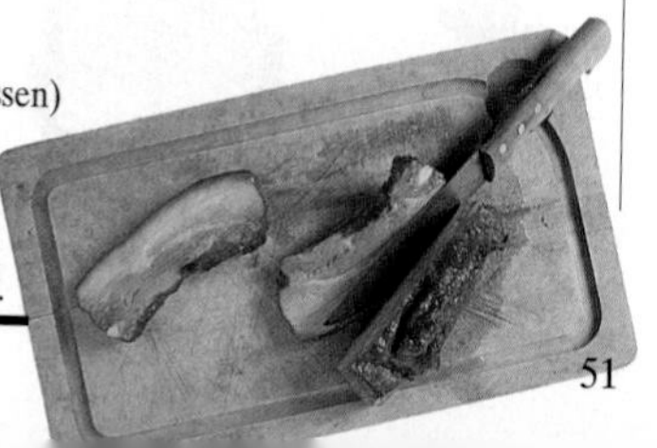

CULTURES MARAICHERES

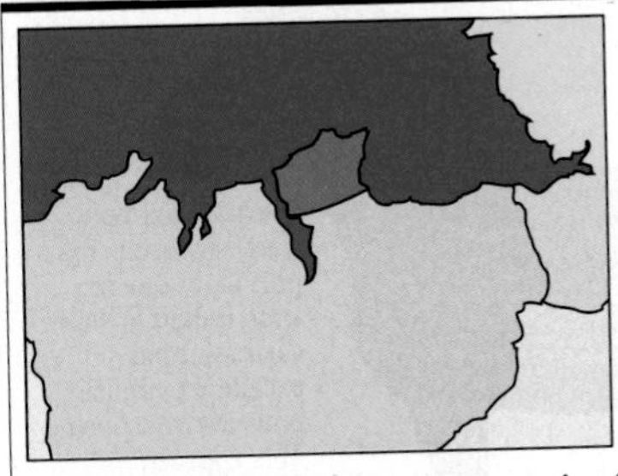

La majeure partie du littoral de la Côte d'Emeraude, surtout autour de Saint-Malo, se prête bien à la culture des légumes et à l'élevage. Le climat y est tempéré. Les sols de limon ou de sable ont depuis longtemps été améliorés par l'apport de goémons et de calcaire marin (trez, maërl). En plein champ, sous tunnel en plastique ou sous serre, on cultive une quinzaine d'espèces exigeantes en main-d'œuvre, et le haricot demi-sec tel le coco paimpolais, qui assurent 50 à 80 % de la production française. Certaines zones traditionnelles ont disparu à cause de l'urbanisation. Comme ailleurs, l'avenir reste incertain dans le cadre du Marché Commun.

CHOU CABUS, FRISE OU DE MILAN
Utilisé dans les recettes régionales.

Sous serre, on produit toutes sortes de salades (laitues, scaroles...). De nouvelles cultures apparaissent, comme la laitue «Iceberg» pour les Fast-Foods.

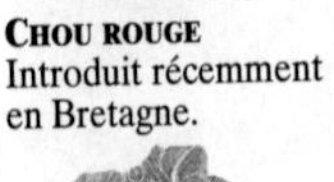

CHOU ROUGE
Introduit récemment en Bretagne.

ARTICHAUT
Il est peu apprécié dans les pays étrangers. La quasi-totalité de la production est donc consommée en France. Les fonds sont utilisés en conserverie.

CHOU-FLEUR
Principale culture légumière de la région.

CHOU DE BRUXELLES
Ce sont les bourgeons que l'on consomme.

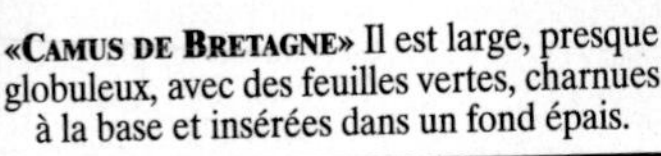

«CAMUS DE BRETAGNE» Il est large, presque globuleux, avec des feuilles vertes, charnues à la base et insérées dans un fond épais.

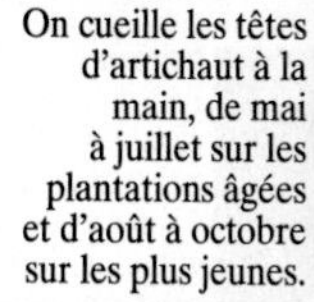

On cueille les têtes d'artichaut à la main, de mai à juillet sur les plantations âgées et d'août à octobre sur les plus jeunes.

Au printemps, on plante pour plusieurs années des œilletons prélevés sur les vieux pieds.

L'artichaut ressemble à un gros chardon dont on consommerait le bouton floral.

ECHALOTE
Elle est plantée en février sur un film en plastique noir qui réchauffe le sol et limite les mauvaises herbes. Les bulbes récoltés fin juillet, allongés (Jermor) ou ronds (Mikor), sont conservés dans un local sec et frais pour être vendus en hiver.

POMME DE TERRE PRIMEUR
Récoltée dès la mi-mai, elle a longtemps fait la renommée de la région. Aujourd'hui, la concurrence est dure avec les pays méditerranéens.

OIGNON Aujourd'hui encore, les «Johnnies» partent en Angleterre avec leur vélo ou leur camionnette vendre leur production d'oignons, comme le «Rose de Roscoff».

CHOU POMME
Le déclin de la pomme de terre primeur a favorisé le développement des cultures de choux pommés qui arrivent sur nos marchés en automne et en hiver.

MARCHE AU CADRAN
Une grosse partie de la production y est vendue. Il permet d'accorder l'offre et la demande.

FAUNE ET FLORE URBAINES

FOUINE
Installée dans les combles, elle n'a guère plus d'un pas à faire pour croquer volailles, fruits et rongeurs indésirables.

Cernées et pénétrées par un bocage omniprésent, les zones urbanisées, du hameau à la grande ville, ne sont évidemment pas dépourvues d'éléments naturels. A côté des animaux familiers, des plantes des parcs, des jardins ou des terrains vagues – qu'elles soient introduites ou non –, le village et la ville accueillent parfois des visiteurs plus inattendus : renard dans les faubourgs de Brest, hulotte au cœur de la ville de Rennes, genette fouillant les poubelles à Nantes...

OREILLARD

PIPISTRELLE

HORTENSIA
Existe-t-il un hameau breton qui n'ait pas sa maison décorée d'un buisson d'hortensias ? Roses, bleus ou violets, ils nous viennent de Chine ou du Japon.

CHAUVES-SOURIS
La clôture hermétique des greniers et des combles les prive souvent de gîtes et de sites de reproduction.

CHOUETTE EFFRAIE
Même si elle confie parfois son nid à un grenier, elle préfère la vie à la campagne.

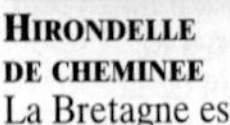

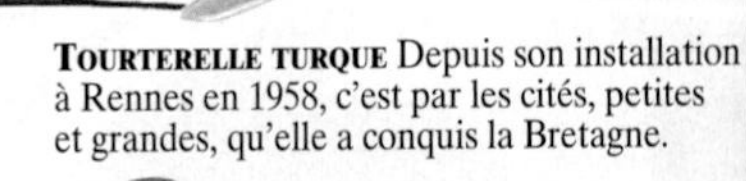

HIRONDELLE DE CHEMINEE
La Bretagne est une des régions où elle niche encore dans les cheminées.

TOURTERELLE TURQUE Depuis son installation à Rennes en 1958, c'est par les cités, petites et grandes, qu'elle a conquis la Bretagne.

ROUGE-QUEUE NOIR
Les bâtiments des villes et villages lui offrent tous les trous qu'il lui faut pour installer son nid.

MARTINET
Les rondes bruyantes des martinets animent les soirées de printemps et d'été dans tous les villages.

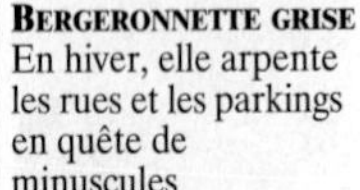

BERGERONNETTE GRISE
En hiver, elle arpente les rues et les parkings en quête de minuscules proies animales.

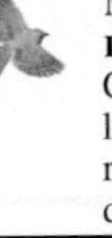

MOINEAU DOMESTIQUE
Comme son nom l'atteste, il est bien rare de le trouver loin des habitations.

Histoire et langue

LA PREHISTOIRE

3500 AV. J.-C.
Invention de l'écriture en Mésopotamie.

2700-2300 AV. J.-C.
Construction, en Egypte, des pyramides : Kheops, Khephren et Mykerinos.

8000 AV. J.-C. L'ARMORIQUE est peuplée dès le paléolithique de rares chasseurs qui poursuivent mammouths et cerfs. Entre 3000 et 1800 av. J.-C., la chasse et la cueillette cèdent la place à l'agriculture et à l'élevage. La civilisation mégalithique apparaît. Ses populations, organisées à l'abri de camps fortifiés, donnent naissance à l'art des pierres levées, qui s'accompagne d'un extraordinaire culte des morts. De très nombreux menhirs, dont certains pèsent 100 t, des cairns qui peuvent atteindre 70 m de longueur et des dolmens constitués de dalles de 20 t, sont érigés sur l'ensemble de la région. La fin de cette période se traduit par une ouverture sur le monde, le long de la vallée de la Loire ou par la mer.

1500 AV. J.-C.
Guerre de Troie. Ramsès II règne en Egypte.

1800 A 600 AV. J.-C. A L'AGE DU BRONZE, l'Armorique connaît une civilisation brillante qui commerce avec le Nord (Germanie et Scandinavie) et avec le Sud (péninsule ibérique). Elle produit entre autres des haches à talon et des épées à la facture originale. L'importance des dépôts d'objets en bronze retrouvés témoigne d'une incontestable prospérité.

L'ANTIQUITE

500 AV. J.-C.
Construction du temple d'Apollon à Corinthe.

Conquête de la Perse, par Darius Ier.

500 AV. J.-C. LES CELTES, qui maîtrisent la métallurgie du fer, pénètrent en Armorique, après avoir déferlé sur l'Europe, et bouleversent son économie. Habiles en toutes choses, ils s'imposent aux autochtones et s'organisent en «cités». Ce sont les Namnètes dans le nord de la région nantaise, les Vénètes dans l'actuel Morbihan, les Osismes à la pointe du Finistère, les Coriosolites dans les Côtes-d'Armor, et les Redones dans le nord-est de la péninsule. Les Celtes, dont la société est hiérarchisée en classes, entretiennent des ateliers où l'on travaille à merveille les métaux précieux.

31 av. J.-C.
Cléopâtre et Antoine sont vaincus à Actium.

Rome est à son apogée.

57 AV. J.-C. LES ROMAINS tentent d'achever la conquête de la Gaule, mais les puissants Vénètes, excellents marins, s'y opposent. Ils résistent également sur terre mais, contre toute attente, ils sont défaits sur mer un an plus tard. L'Armorique devient gallo-romaine. Elle va tirer profit de la *pax romana*. Les uns et les autres semblent vivre en bonne intelligence sans perdre leur identité. L'activité agricole est intense et le commerce florissant. Il se développe aussi bien sur mer que sur terre où des voies larges et nombreuses, jalonnées de bornes milliaires, quadrillent le pays.

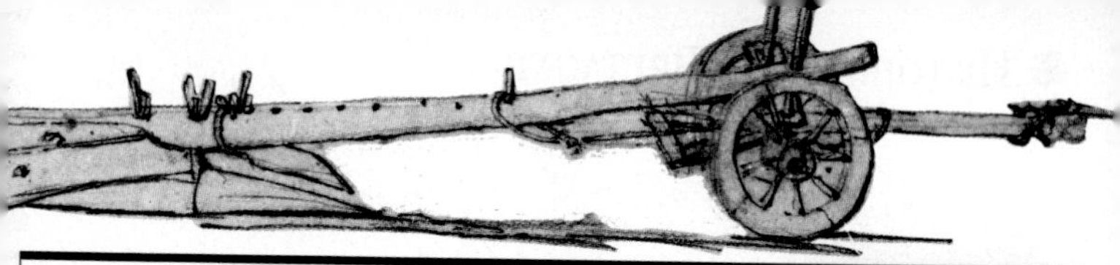

Ve SIECLE. ARRIVEE DES BRETONS. L'Empire romain s'étiole progressivement entre 235 et 400, et des peuples barbares venus d'Europe centrale en profitent pour l'envahir. L'Armorique n'échappe pas aux destructions et aux pillages, occasionnels puis systématiques, qui mènent l'économie à la ruine. Cependant, la pression des Scots d'Irlande

et la colonisation de l'île de Bretagne par les Saxons vont provoquer l'immigration des Bretons vers la péninsule armoricaine. Déjà chrétiens, ils évangélisent l'Armorique, organisent les paroisses et fondent les premiers monastères.

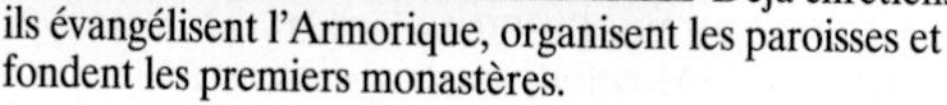

400 A 938. NAISSANCE DE LA BRETAGNE. Une période de conflits entre les Bretons et les Francs, notamment les Carolingiens, s'ouvre en 751. Elle s'achève en 831, lorsque Louis le Pieux nomme un envoyé impérial, Nominoë, à la tête de la Bretagne. Cet aristocrate breton va très vite tirer profit de la mort de son protecteur, en 840. Il engage son pays vers l'indépendance, écrase les Francs près de Redon en 845, oblige Charles le Chauve à signer la paix et poursuit sa conquête vers l'est, donnant ainsi une identité à la Bretagne. Il meurt à Vendôme, en 851, ce dont Charles le Chauve tente de tirer parti. Mais le fils de Nominoë, Erispoë, entend bien poursuivre l'œuvre paternelle et son armée écrase une nouvelle fois les Francs. Erispoë est assassiné par son cousin Salomon (Salaün), qui étend son territoire jusqu'au Cotentin. A son tour, Salomon périt, victime des membres de sa famille qui se partagent la Bretagne avant de s'entre-déchirer. Les Normands, qui se sont déjà livrés à plusieurs incursions, en profitent, à partir de 913, pour envahir et ravager le pays, détruisant notamment l'abbaye de Landévennec. Ils sont chassés par Alain Barbe-Torte qui, fort de ses victoires, s'impose comme duc en 938. La Bretagne entre ainsi de plain-pied dans le système féodal. Nantes en est la capitale. La langue bretonne est parlée dans tout l'Ouest, suivant une ligne Dol–Rennes–Saint-Nazaire.

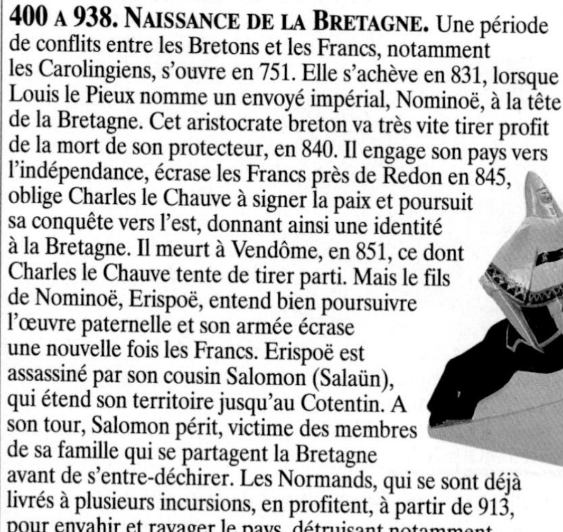

200-300
Invasions mongoles.

Ve SIECLE
Début de la civilisation maya.

500
Expédition des Vikings en Amérique.

571-632
Mahomet.

VIe SIECLE
Invasions arabes.

800
Charlemagne est couronné empereur d'Occident.

962
Constitution du Saint-Empire romain germanique.

LE MOYEN AGE

982
Erik le Rouge (Viking) découvre le Groenland.

1099
Les chrétiens prennent Jérusalem.

1271
Premier voyage de Marco Polo.

1325
Fondation de Tenochtitlàn (Mexico) par les Aztèques.

1348
Grande peste.

938 A 1213. BRETAGNE DUCALE. La période qui suit n'est que querelles et révoltes. Les prétendants au duché de Bretagne complotent, se font la guerre, s'assassinent et se déchirent jusqu'à ce que Philippe Auguste marie Alix, fille de Conan IV, à un prince capétien, Pierre Ier de Dreux, dit Mauclerc, qui s'empresse d'organiser le duché et d'en reconstituer l'unité. Il met en place une administration efficace, développe le commerce maritime, n'hésitant pas à s'allier à l'Angleterre. Ses successeurs œuvrent dans le même sens. La Bretagne est prospère et paisible mais pour peu de temps.

1341. GUERRE DE SUCCESSION. En 1341, à la mort de Jean III, Jean de Montfort, son demi-frère, et Jeanne de Penthièvre, sa nièce, épouse de Charles de Blois, rivalisent pour la succession du duché. Montfort obtient l'aide du roi d'Angleterre, Edouard III, déjà engagé dans la guerre de Cent Ans. En 1347, Charles de Blois est capturé par les Anglais et la guerre de Succession s'enlise jusqu'à ce que, en 1365, Jean de Montfort soit reconnu par le roi de France, Charles V, et devienne Jean IV. Mais l'accord est vite annulé car le duc se range à nouveau au côté des Anglais. Le conflit franco-breton prend fin en 1381 quand Jean IV prête hommage au roi de France. Le règne de Jean V (1399-1442) marque l'apogée de la civilisation bretonne.

LES TEMPS MODERNES

1440
Gutenberg met au point l'imprimerie.

1453
Chute de Constantinople.

1492
Christophe Colomb découvre l'Amérique.

1488. ANNE DE BRETAGNE. Elle est la fille du duc François II, mort en 1488 et dont les troupes ont été battues à Saint-Aubin-du-Cormier par l'armée royale. Alors qu'elle n'a que douze ans, elle épouse par procuration l'archiduc Maximilien de Habsbourg. Mécontent, Charles VIII envoie ses troupes en Bretagne et conquiert la plupart des villes. Réfugiée dans Rennes encerclée par les Français, la duchesse, abandonnant l'archiduc, accepte d'épouser le roi. Le mariage a lieu au château de Langeais en décembre 1491.
Charles VIII meurt en 1498. Anne en profite aussitôt pour frapper sa monnaie, rétablir la chancellerie et réunir ses états. En janvier 1499, elle épouse à Nantes un autre roi de France, Louis XII d'Orléans, qui lui laisse tout loisir pour s'occuper de son duché, lequel connaît paix et prospérité. Lorsqu'elle meurt,

le 9 janvier 1514, Anne est devenue la figure emblématique dans laquelle se reconnaît le peuple de Bretagne. A la mort de Louis XII, en 1515, Claude, leur fille aînée , apporte le duché en dot à François Ier. Ce dernier s'empresse d'obtenir l'aval des états de Bretagne, moyennant la préservation de quelques droits spécifiques, dont un parlement. Le 21 septembre 1532, la Bretagne devient une province de la France.

1600. L'ANCIEN REGIME. Dès lors, le pouvoir central contrôle et gère la Bretagne, qui bénéficie en contrepartie d'aides économiques. L'argent afflue, le commerce maritime et les industries se développent. La croissance démographique décolle. En 1561, Rennes devient le siège du Parlement, au détriment de Nantes, moins proche de Paris. Cette cour de justice a autorité sur les cours locales. Le ralliement de Mercœur, gouverneur de Bretagne, à la cause des ligueurs fait entrer le pays dans les guerres de Religion (1588-1598). Des brigands tels que La Fontenelle en profitent pour mettre le pays à feu et à sang. Au début du

règne de Louis XIV, les exactions fiscales (impôts sur le papier timbré, le tabac et la vaisselle d'étain) provoquent les révoltes de 1675, celle du papier timbré dans les villes de Haute-Bretagne et celle des Bonnets rouges dans les campagnes de Basse-Bretagne. La répression est féroce. Elle laisse la Bretagne exsangue et s'accompagne de mesures qui détruisent son commerce, en particulier, à l'initiative de Colbert, celui des toiles de lin exportées vers l'Angleterre.

1789. La bourgeoisie rennaise, très au fait des idéaux en vogue et animée d'un sentiment anti-nobiliaire, entre en conflit avec la noblesse dès janvier 1789 à l'occasion de la session des états de Bretagne. Des heurts, qui font trois victimes, ont lieu les 26 et 27. Ce sont

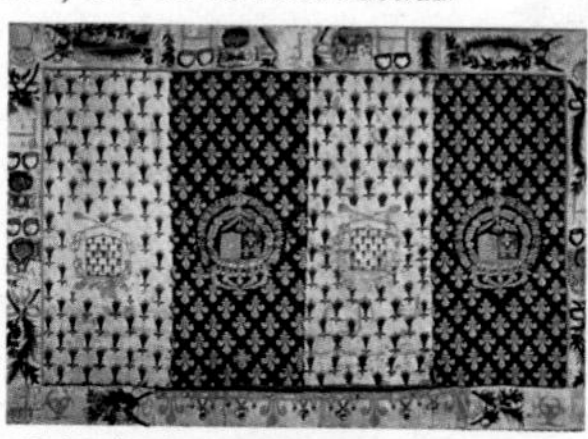

les premières violences de la Révolution. Rapidement pourtant, la Bretagne va faire marche arrière : le peuple, composé à 90 % de paysans, s'interroge sur le rôle réel des bourgeois dont il craint le comportement futur et réagit vivement à l'obligation du serment civil exigé du clergé et refusé d'emblée par 80 % des prêtres. L'annonce de la conscription obligatoire de trois cent mille hommes par tirage au sort met le feu aux poudres. La première émeute a lieu à Cholet le 2 mars 1793.

1497
Vasco de Gama découvre la route des Indes par le cap de Bonne-Espérance.

1517
Réforme luthérienne.

1520-1566
Règne de Soliman le Magnifique et apogée de l'Empire turc.

1588
Défaite de l'Invincible Armada (fin de la suprématie maritime espagnole).

1602
Fondation de la Compagnie hollandaise des Indes orientales.

1762-1796
Règne de Catherine II de Russie.

17 SEPTEMBRE 1787
Adoption de la Constitution américaine.

Lorsque la Vendée se soulève contre la République, elle est suivie par la chouannerie bretonne. Cette dernière se limitera au pays gallo et à quelques cantons bretonnants du Morbihan et des Côtes-du-Nord. Les uns et les autres seront rapidement vaincus.

XIXe ET XXe SIECLES

1869
Inauguration du canal de Suez.

1917
Révolution russe.

L'Empire, comme la Révolution avant lui, saigne l'économie bretonne et les classes ouvrière et paysanne. Le terrain est favorable à l'implantation du socialisme chrétien et au développement, à partir de 1884, année de sa légalisation, d'un syndicalisme ce qui provoque de nombreuses grèves et de violents affrontements dans les cinq départements bretons. Au même moment naît un courant régionaliste, le premier *Emzav*, qui s'exprime à travers des associations et des organisations culturelles et politiques : l'Union régionaliste bretonne, le *Gorsedd*, le *Bleun Brug* de l'abbé Yann-Vari Perrot, le Parti nationaliste breton, et bien d'autres encore qui vont disparaître lors de la Première Guerre mondiale.

1914. PREMIERE GUERRE MONDIALE

1918
Les Etats-Unis accèdent au rang de première puissance mondiale.

Lors de la Grande Guerre, la Bretagne paie à la nation un tribut particulièrement lourd : au bas mot cent vingt mille tués, peut-être le double, comme l'affirme le cénotaphe érigé en 1932 sur l'esplanade de Sainte-Anne-d'Auray.

Cette hécatombe, égrenée comme une litanie, sur tous les monuments aux morts de Bretagne, donne naissance au deuxième *Emzav*, courant qui regroupe des mouvements politiques souvent fédéralistes, parfois nationalistes, voire indépendantistes. Le plus célèbre d'entre eux est *Breiz Atao*, fondé en 1918 par Morvan Marchal — créateur de l'actuel drapeau breton —, fédéraliste et pacifiste, dont les idéaux s'opposent bientôt à ceux d'Olier Mordrel, rédacteur en chef activiste du journal du parti, dont il se détache dès 1924. Les autres mouvements sont la revue *Gwalarn*, la Ligue fédéraliste de Bretagne de Marchal et Debauvais, le Parti national breton de Mordrel, la société secrète *Gwenn ha Du*, le *Bleun Brug* et enfin l'*Adsao* de l'abbé Madec. Les mouvements culturels, tels *Ar Falz* de Yann Sohier et *Gwalarn* de Roparz Hemon, s'efforcent de redonner vie à la culture et à la langue bretonnes en même temps que se développe un courant artistique brillant et moderne .

1922
Marche des fascistes italiens sur Rome.

1927
Charles Lindbergh effectue la première traversée aérienne sans escale de l'Atlantique.

1933
Hitler devient chancelier du Reich.

1939. Seconde Guerre mondiale. Dès juin 1940, des centaines de jeunes Bretons quittent la France pour rejoindre de Gaulle. Ils participeront, aux côtés des Alliés, aux campagnes d'Afrique et de France. D'autres mettent en place des mouvements de résistance qui jouent un rôle prépondérant lors de la libération de la Bretagne par les troupes américaines. D'autres enfin, issus pour la plupart des mouvements nationalistes de l'entre-deux-guerres, voient dans l'occupation allemande une occasion inespérée de faire aboutir leurs revendications et collaborent ouvertement, portant un grave préjudice à l'image du renouveau culturel. En juin 1941, Vichy sépare la Loire-Inférieure, l'actuelle Loire-Atlantique, de la Bretagne. Saint-Nazaire, Lorient et Brest, où l'occupant a construit des bases pour sous-marins, ainsi que Saint-Malo sont prises sous un déluge de bombes lâchées par les aviateurs alliés et sont pratiquement rayées de la carte.

1950. Apres-guerre. Le CELIB (Comité d'études et de liaison des intérêts bretons), qui naît en 1951 et que dirige Joseph Martray, le militantisme des cercles celtiques, des syndicats, paysans et ouvriers, ainsi que des petits partis politiques renforcent l'identité commune et transforment le pays, dont les électeurs restent modérés et conservateurs. L'agriculture traditionnelle fait place à une agriculture spéculative qui délaisse les emblavures pour les légumes. De grandes coopératives agricoles naissent, attirant les industriels de l'agro-alimentaire, la décentralisation industrielle est effective avec l'installation de Citroën à Rennes et du CNET à Lannion. Des routes, des ports, des voies ferrées sont aménagés et, en l'espace de seize ans, de 1951 à 1967, année de la mise en service de l'usine marémotrice de la Rance, la Bretagne sort de son isolement.
Le régionalisme avoué des notables fait renaître provisoirement les mouvements autonomistes clandestins, tels l'ARB (Armée révolutionnaire bretonne) et le FLB (Front de libération de la Bretagne). Ces mouvements qui se signalent par des plasticages, dont celui de l'émetteur de télévision française du Roc'h Trédudon dans les monts d'Arrée, sont sévèrement réprimés. En 1965, le breton est admis parmi les épreuves de langue du baccalauréat, les Festivals celtiques prospèrent et, en 1977, l'école Diwan, qui dispense un enseignement bilingue, voit le jour. Un an plus tard, le pétrolier *Amoco-Cadiz* échoue devant le port de Portsall. Une marée noire de 230 000 t de pétrole léger pollue 400 km de côtes. Jugeant les indemnités proposées insuffisantes, soixante-seize communes sinistrées se constituent en syndicat pour intenter un procès à la compagnie Amoco. Elles obtiennent finalement gain de cause en mai 1992.

4 au 11 février 1945
Conférence de Yalta à laquelle participent Roosevelt, Churchill et Staline.

6 aout 1945
Hiroshima est détruite par la première bombe atomique américaine.

1947
Indépendance de l'Inde.

1948
Assassinat de Gandhi.

1963
Assassinat de J.-F. Kennedy.

1969
Le premier homme marche sur la Lune.

1975
Réunification du Viêt-nam après trente ans de guerre.

Novembre 1989
Chute du mur de Berlin.

1991
Création de la CEI (Communauté des Etats indépendants).

«ON ME MET EN TERRE, ON ME TIRE DE TERRE,
ON ME MET DANS L'EAU, ON ME TIRE DE L'EAU,

Du XVIe au XVIIIe siècle, la culture du lin et du chanvre, la fabrication des toiles et leur exportation vers l'Angleterre, l'Espagne et ses colonies d'Amérique occupent une main-d'œuvre considérable et font la richesse de toute la Bretagne.

Le travail du lin commence à la mi-juillet par l'arrachage des plants par la racine. Le lin est ensuite mis à rouir au ruisseau ou dans des cuves maçonnées. Cette opération consiste à faire tremper les plants durant une dizaine de jours afin que l'eau dissolve la gomme et agglutine les fibres. Ensuite on égrène le lin à l'aide d'un peigne en acier puis les tiges sont liées en petites bottes. L'égrenage se pratiquait parfois avant le rouissage. Les graines servent à la semence suivante ou à la fabrication de l'huile. Puis on procède à l'écouchage qui consiste à gratter les fibres avec un morceau tranchant de verre ou de fer pour en éliminer les impuretés. Les fibres courtes servent d'étoupe pour le calfatage des bateaux ou , mélangées à de l'huile, au bouchage des bouteilles de vin, à une

ON ME CASSE LES COTES, LES PETITES COMME LES GROSSES,
JE SERS À TABLE, LES GENS RESPECTABLES,
JE LES CONDUIS MEME JUSQU'AU TOMBEAU,
QUI SUIS-JE? LE LIN, BIEN SUR!»

époque où le bouchon de liège n'existe pas encore. Les filassiers vont ensuite, de ferme en ferme, mettre en place les filasses sur des cadre de bois. Les femmes filent au fuseau dans un champ où près de la cheminée et parfois au rouet à main ou à pédale. Les bobines sont alors mises bout à bout et posées sur un dévidoir qui permet de confectionner les écheveaux. Ces derniers sont acheminés chez le teilleur qui

confectionne la toile. A Merdrignac on fabrique les "Oléronnes", à Rennes les "Noyales, à Locronan les "Olonnes", dans le Léon les "Crées" et dans le Trégor,

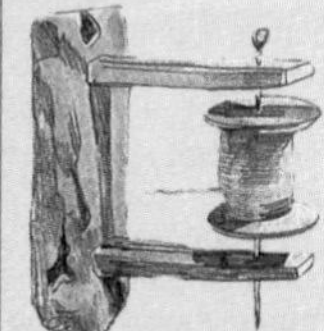

entre Saint-Brieux et Pontivy les "Bretagnes légitimes". La culture du lin continue dans le Trégor jusqu'aux années 1950 mais doit cesser, victime des prix imposés par les filatures du Nord.

Ce furent les Anglais qui les premiers découvrirent les vertus climatiques de la Bretagne et y établirent leurs résidences secondaires, suivis par quelques Américains et d'autres «étrangers» à la région. La conviction que les bains de mer permettaient de traiter certaines maladies attira, vers 1838, les premiers touristes à Saint-Malo. Mais ce n'est que sous le Second Empire que la vague du tourisme balnéaire commença à se propager avec, entre autres, la naissance des stations de Dinard et de Paramé.

Au siècle dernier, les habitants de Saint-Malo, en parlant de Dinard, Saint-Enogat, Saint-Lunaire et Saint-Briac, disaient : «l'autre bord de l'eau», traduction littérale du mot *poudouvre* utilisé autrefois. Ce n'est qu'en 1890 qu'Eugène Herpin, opposant à la Côte d'Azur «toute la suite de plages pittoresques, [...] qui s'étagent depuis la pointe sauvage du cap Fréhel jusqu'à la baie de Cancale», vint à conclure : «Si notre ciel à nous se voile pendant l'hiver de brumes mélancoliques, il se colore du moins dès les premiers soleils printaniers d'un bleu infiniment doux et pâle... Les flots se mettent à verdoyer [...] toute cette étrange symphonie de verts différents m'a fait appeler notre côte, la Côte d'Emeraude».

UNE FETE QUOTIDIENN[E]
Paramé et Dinard rivalisaient pour distraire le[ur] clientèle huppée et cosmopolite. Leur casino donna[it] directement sur la mer. On prenait le thé en terrass[e] face à la grève, sur fond de musique tzigan[e]. En soirée, les salles de fête et de bal, les salles d[e] billard et de jeu ne désemplissaient pas. Le casino d[e] Dinard abritait même un petit théâtre, peint par Jul[es] Chéret, décorateur de l'Opéra de Pari[s].

UNE BRETAGNE ÉLÉGANTE
Les sociétés de chemin de fer lancèrent de grandes campagnes pour vanter les mérites de la Côte d'Emeraude. Peu de scènes folkloriques, mais des panoramas et des sentiers côtiers.

AU RENDEZ-VOUS DES ARTISTES
La recherche d'un certain exotisme attira sur la côte peintres et écrivains. Dès 1889, Louis Tiercellin (1846-1915) et quelques-uns de ses confrères, tel Anatole Le Braz, venaient passer l'été à Paramé ▲ *217*. Théophile Briant, à son tour, ayant élu domicile au bourg de Saint-Ideuc, en fit un rendez-vous littéraire avec la publication de sa revue *Le Goéland* ▲ *211*. Les peintres Henri Rivière, Paul Signac, Emile Bernard et Auguste Renoir jetèrent quant

à eux leur dévolu sur Saint-Briac, entre 1884 et 1890. A la génération suivante, Pablo Picasso préféra Dinard, où il passa les étés 1922, 1928 et 1929, qui lui inspirèrent la série des *Baigneuses* ● *116*

Tous les jours Concerts, Bals, Salons de Jeux, de Lecture, Fêtes de toutes espèces

BRETON ET GALLO

«Perdez-vous donc en chemin !
- Est-ce bien loin la ville ?
- Ya.
- Quelle route faut-il prendre pour y arriver ?
- Ya. Vous êtes suffisamment renseigné.»

LE DRAPEAU GWENN HA DU, fut créé en 1925 par Morvan Marchal.

Les deux couleurs symbolisent la partition linguistique de la Bretagne. «Au coin gauche du drapeau, un quartier d'hermines innombrables, neuf bandes égales, alternativement noires et blanches, couleurs traditionnelles, lesquelles bandes représentent, les blanches les pays bretonnants : Léon, Trégor, Cornouaille, Vannetais ; les noires les pays gallos : Rennais, Nantais, Dolois, Malouin, Penthièvre.»

AUX ORIGINES

Depuis des siècles, la Bretagne est partagée en deux zones linguistiques : à l'est, la Bretagne gallo, à l'ouest, la Bretagne bretonnante. Avant que le français ne devienne leur outil de communication, à l'époque moderne, ces deux groupes ne se comprenaient pas.
Une différence notable existe entre gallo et breton ou *brezhoneg* : le premier est un dialecte roman, issu de la langue d'oïl ; le second est une langue celtique, au même titre que le gaélique d'Irlande et d'Ecosse et le gallois.
Le breton doit en effet son origine à un apport brittonique : vers le Ve siècle, des Bretons insulaires originaires du Devon, de Cornouailles et du Pays de Galles, émigrèrent dans la péninsule et enrichirent le gaulois qui y était parlé.
A l'origine cantonné dans le nord et l'ouest de la péninsule, le breton progressa au fil des siècles. Vers 1050, on le parlait jusque dans la baie du Mont-Saint-Michel et dans la région de Saint-Nazaire. Mais il entrait déjà dans sa phase de régression. Le gallo, quant à lui, était prédominant dans les marches orientales du duché; dans le centre de la Bretagne, il coexistait avec le breton. Pendant le Moyen Age, l'usage du dialecte roman progressa sensiblement vers l'ouest, déplaçant la frontière linguistique (voir carte en page de droite). Depuis, celle-là est restée la même.

PRÉDOMINANCE DE L'UN, DIALECTALISATION DES AUTRES

Du fait de son prestige dans les milieux lettrés et administratifs, le français tint lieu à partir de la fin du XIIIe siècle de langue diplomatique; dès cette époque, les villes de basse Bretagne devinrent bilingues. Le breton, langue marginale des campagnes et du petit peuple, fut ressenti comme un lourd handicap. Par ailleurs, il se fragmenta en quatre dialectes répartis en deux groupes : le KLT (cornouaillais, léonard, trégorrois) et le vannetais (avec le breton de Batz-sur-Mer, au nord-ouest de la Loire-Atlantique, qui a disparu dans les années 1960-1970). Malgré les efforts de certains lettrés, la dialectalisation ne put être entravée ; peu à peu, chaque paroisse eut son breton et le clergé fut le seul à l'écrire, le corrompant à sa manière. Citons, parmi les tentatives

«NOTRE BRETON PARLE LUI-MEME ACHEVE DE S'ABATARDIR PARCE QU'UNE LANGUE QU'ON N'ECRIT GUERE MANQUE DE FORTIFICATIONS. C'EST UNE FALAISE RONGEE PAR LA MER.»

P.J. HELIAS

pour faire connaître la langue, l'œuvre de Jehan Lagadeuc, un Trégorrois qui composa en 1464, le *Catholicon*, premier dictionnaire trilingue breton-français-latin à l'usage des clercs bretons pauvres. En 1659, *Le Sacré Collège de Jésus*, un livre s'adressant aux recteurs et aux missionnaires, tenta de rationaliser et de codifier la langue commune.

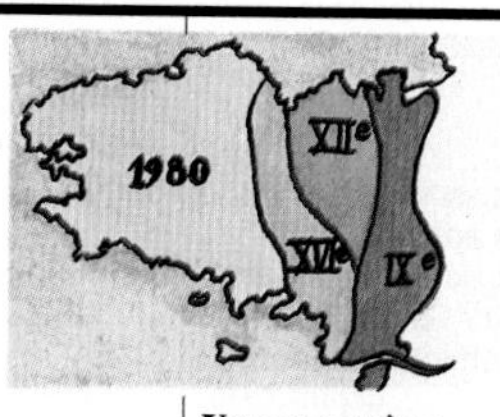

UNE FRONTIÈRE MOUVANTE
Cette carte illustre les reculs successifs de la langue bretonne du IXe siècle à nos jours.

LA JUSTE REVANCHE

Au début du XIXe siècle, il y eut cependant une réaction. Bannissant les emprunts au français, le grammairien et lexicographe Le Gonidec prôna une normalisation orthographique et grammaticale. Sa tentative, trop dogmatique et puriste, échoua. Elle fut néanmoins à l'origine d'un renouveau littéraire, comme en témoigne la publication du *Barzaz-Breiz* ou *Chants populaires de Bretagne* (Hersart de La Villemarqué, 1839). De veine religieuse et ecclésiastique à l'origine, la littérature se fit profane. La production écrite progressa, et cette tendance s'amplifia au XXe siècle. Le breton, bien que menacé, trouva enfin une place dans les media et dans l'enseignement ; l'école laïque qui l'avait proscrit

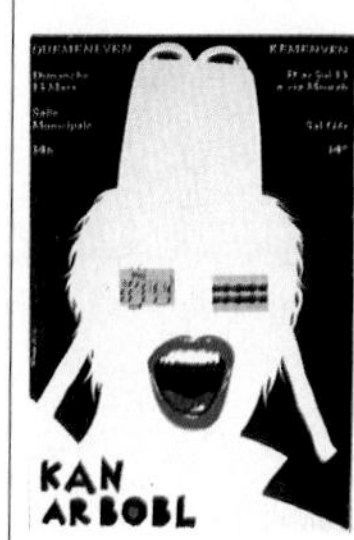

les premières écoles *Diwan*, où l'enseignement se fait entièrement en breton dès la maternelle ; l'étude du français se faisant à partir du CE1. A la rentrée 1991, il existait 27 écoles dont l'effectif est d'environ 850 élèves répartis dans les cinq départements bretons. Actuellement, seul un tiers de la population de basse Bretagne est bretonnant. Quant au gallo de haute Bretagne, il a connu un sort analogue. Peu à peu, les ruraux qui le parlaient se raréfièrent et son territoire s'en trouva réduit. C'est dans le Mené cependant, en Côtes-d'Armor, que sa transmission s'est le mieux opérée. Ecarté de l'écrit jusqu'à l'époque contemporaine, on ne le trouve dans les œuvres littéraires ou les documents rédigés en français que sous la forme d'emprunts lexicaux. Les textes administratifs et juridiques anciens emploient à l'occasion *claveure* pour «serrure», *glé* pour «chaume», *jan* pour «ajonc», etc.

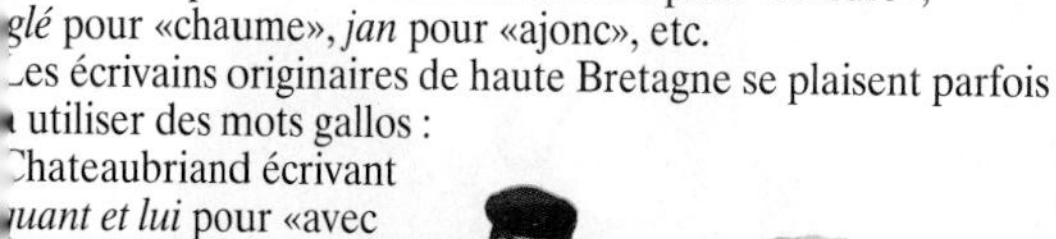

Les écrivains originaires de haute Bretagne se plaisent parfois à utiliser des mots gallos : Chateaubriand écrivant *quant et lui* pour «avec lui», Paul Féval *vache de chêne* pour «hanneton»,

faine pour «malchance», Louis Guilloux *chômé* pour «dressé», *gargate* pour «gosier», etc. Il fallut attendre la fin du XIXe siècle pour que paraissent, timidement, des contes, des poésies, des pièces de théâtre composés en gallo.

LA SIGNALISATION EN BRETON
Le département des Côtes-d'Armor est le premier à avoir mis en place, depuis 1985, une signalisation routière bilingue.

CANCALE

kankaven

Les panneaux des noms de communes ou de lieux-dits sont financés par les communes.

NOMS DE LIEUX ET NOMS DE PERSONNES

Les noms de lieux, très variés dans leur forme, reflètent la partition linguistique. Plus de la moitié des communes de la péninsule portent des noms d'origine bretonne, le reste se partageant entre mots gaulois, gallo-romains, bas-latins et français. Parmi les noms bretons antérieurs au Xe siècle, ceux formés avec *ploe* (du latin *plebem,* «communauté de fidèles, paroisse») subsistent aujourd'hui dans les formes plou-, plo-, plu-, plueu-, plé-, pli- et parfois poul-. Le mot *ploe* signale l'emplacement des paroisses primitives des VIe et VIIe siècles. Dans les trois quarts de ses emplois, il est suivi d'un nom de saint du haut Moyen Age, tout comme *lann*, terme qui signifie «ermitage, monastère». Dans les noms bretons du XIe au XIVe siècle, il faut surtout retenir *ker* (ferme, village), *caer* en vieux breton. C'est le terme le plus représenté : il est à l'origine de plus de dix-huit mille noms de lieux habités. Le Bihan (le petit); Le Coant (le joli); Le Coz (le vieux); Le Treut (le maigre); Le Guen (le blanc); Pennec (qui a une grosse tête); Pensec (fessu); Le Fur (le sage); Quéfellec (bécasse); Le Guével (le jumeau); Le Hénaff (l'aîné); Person (recteur)... Ces sobriquets familiers et affectueux, si typiquement bretons, se multiplièrent dès le XIe siècle et devinrent peu à peu héréditaires. Mais il fallut attendre le XVIe pour qu'ils se fixent, après que la tenue des registres d'état civil eut été rendue obligatoire, en 1539, par l'ordonnance de Villers-Cotterêts. Ils représentent aujourd'hui la majorité du corpus des noms propres.

Arts et traditions populaires

Si les éléments du mobilier breton étaient à peu de chose près les mêmes dans toute la province, leur décoration différait d'une région à l'autre. Sur la Côte d'Emeraude, l'influence des ébénistes malouins fut décisive. Ils introduisirent, dès la fin du XVIIe siècle, des bois exotiques et un style dépouillé. Ces modèles bourgeois furent copiés par les artisans de la Rance et du Penthièvre.

INTERIEUR RURAL DE HAUTE BRETAGNE
Il était plus clair qu'en basse Bretagne, car la pièce principale possédait de plus larges fenêtres. Les meubles (coffre, armoire, vaisselier, bancs, table-huche et lit-clos) étaient alignés sur un sol en terre battue, tout le long de la pièce commune, en fonction de la cheminée. Celle-ci était souvent encadrée de deux bancs appelés joliment «sièges-aux-grincheux», car les vieux venaient s'y réchauffer après le repas. La table, placée dans l'axe de la cheminée, était, quant à elle, flanquée de deux bancelles (bancs sans dossier).

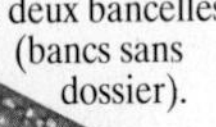

ARMOIRES FIN XVIIe SIECLE
Les artisans malouins, s'inspirant du style hollandais, réalisèrent pour les armateurs de lourdes armoires, le plus souvent en chêne sombre, à quatre battants, décorées de motifs géométriques et agrémentées de six paires de colonnettes torsadées. Trois tiroirs, en bas du meuble, permettaient de ranger le linge. Les quatre faces étaient simplement emboîtées et donc démontables.

LE MOBILIER EN BOIS PRECIEUX DES ARMATEURS ETAIT FORT RARE, MAIS IL SERVIT DE MODELE AUX ARTISANS RURAUX, QUI ADAPTERENT SON STYLE AVEC RETARD. CE MOBILIER POPULAIRE ETAIT ALORS REALISE EN CHENE OU EN CHATAIGNIER.

AU XVIIIe SIECLE
Les armateurs optèrent pour un mobilier beaucoup plus dépouillé, en raison de la dureté des bois exotiques travaillés (acajou, palissandre et gaïac). Les armoires de cette deuxième période comportaient le plus souvent deux battants lisses, que venaient égayer de simples garnitures en laiton découpé.
Leur principale caractéristique était d'être démontables, comme les meubles de bateau.

LIT-CLOS
En usage dans plusieurs provinces françaises, persista plus longtemps en Bretagne, et donnait une certaine intimité au couple en conservant la chaleur grâce à ses deux portes coulissantes. Un coffre attenant au lit-clos servait tout à la fois de marchepied et de support au berceau du nouveau-né.

Les Malouins commandaient à leurs ébénistes des armoires à motifs hexagonaux, des buffets à quatre portes et des commodes cintrées ou à arbalètes. Ces meubles précieux furent adaptés par les artisans ruraux à des bois plus rustiques.

Au cours du XVIIIe siècle, l'enrichissement relatif de la paysannerie entraîna une formidable diversification des costumes. Pour ces populations souvent repliées sur elles-mêmes, le vêtement servait de signe de reconnaissance entre paroisses et pays traditionnels.

Jeune fille de Saint-Malo portant une «coiffe à cul» ainsi nommée à cause de l'importance donnée à son fond.

DES COIFFES ÉLOQUENTES
En haute Bretagne, les costumes masculins subirent, dès le milieu du XIXe siècle, l'influence citadine. Les vêtements féminins résistèrent plus longtemps, surtout les coiffes tel le «coq malouin», redressé comme une crête, la «grand-coëffe»de Cancale, qui diminua jusqu'à ne mesurer que quelques centimètres et la «coiffe doloise» à grandes boucles, parente de celle de Saint-Brieuc.

Les femmes de Dinard portaient une variante de coiffe baptisée «coq».

GRANDE TOILETTE CANCALAISE
Les costumes de fête étaient taillés dans des coupons de lin ou de soie, et les coiffes adoptaient des formes fantaisistes.

A partir de 1840, le pittoresque du vetement sert a «vendre» la region. Les stereotypes du chapeau rond et de la coiffe bigouden font oublier la diversite des costumes

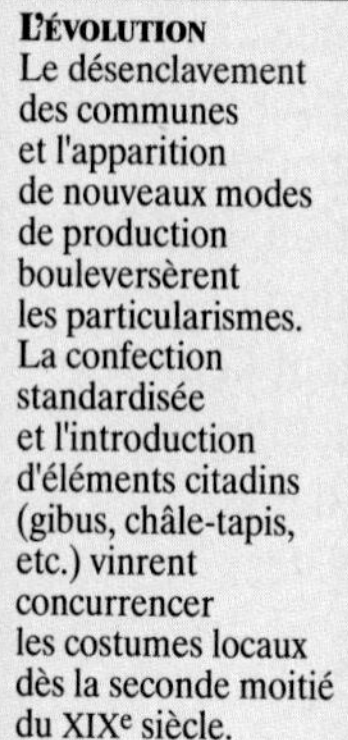

L'évolution
Le désenclavement des communes et l'apparition de nouveaux modes de production bouleversèrent les particularismes. La confection standardisée et l'introduction d'éléments citadins (gibus, châle-tapis, etc.) vinrent concurrencer les costumes locaux dès la seconde moitié du XIXe siècle.

Les affiches des Chemins de fer de l'Ouest utilisèrent le pittoresque vestimentaire comme argument publicitaire pour vanter la région.

Un signe de reconnaissance
Le vêtement marquait non seulement l'identité d'un groupe territorial mais aussi l'appartenance à une catégorie sociale, à une classe d'âge ou à un groupe socio-professionnel. Pêcheurs d'huîtres de Cancale et gabariers de la Rance possédaient ainsi un costume de travail caractéristique. Cette pêcheuse d'huîtres et cet homme de Cancale en costume de travail furent peints vers 1843-1844 par Hippolyte Lalaisse.

Femmes de Pleudihen (à gauche) et de Plancoët (à droite).

Les gabariers de la Rance, sont reconnaissables à leurs larges culottes de toile blanche, qui ressemblent à un jupon.

Il y a encore quelques années, l'existence des villageois était rythmée par de grandes fêtes religieuses. Les rogations, l'Assomption, les fêtes patronales et la bénédiction des terre-neuvas donnaient lieu à des processions spectaculaires où se rencontraient plusieurs paroisses, voisines et rivales.

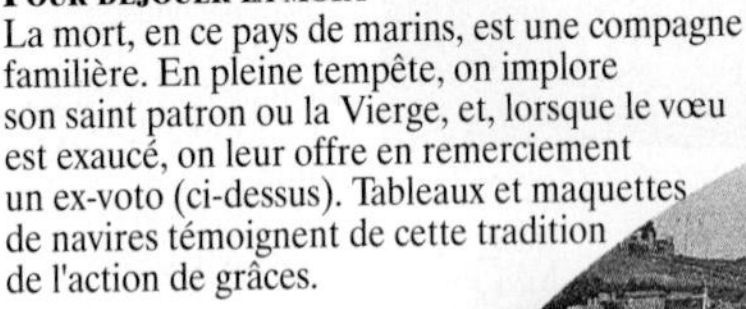

POUR DÉJOUER LA MORT
La mort, en ce pays de marins, est une compagne familière. En pleine tempête, on implore son saint patron ou la Vierge, et, lorsque le vœu est exaucé, on leur offre en remerciement un ex-voto (ci-dessus). Tableaux et maquettes de navires témoignent de cette tradition de l'action de grâces.

UN PANTHEON BRETON
La statuaire bretonne reflète une piété particulière. Les fidèles s'adressaient aussi bien aux figures fondatrices du catholicisme (Sainte Trinité, Vierge, apôtres) qu'à des saints moins connus et officiels. Ceux qui évangélisèrent le pays furent peu reconnus par l'Eglise.

LA BENEDICTION DES NAVIRES
Quelques jours avant le départ des marins pour Terre-Neuve, en novembre, l'évêque du diocèse venait bénir les navires et placer la campagne morutière sous la protection de Dieu. Cette fête de la Sainte-Ouine donnait lieu à des processions spectaculaires tant à Cancale (en haut) qu'à Saint-Malo (à droite), où fidèles et officiants faisaient le tour de la ville close.

Vœux et processions
Il arrivait que tous les marins d'un village fassent un vœu collectif en début de campagne. Le plus souvent, ils demandaient à leur saint patron qu'aucun d'entre eux ne périsse en mer. A leur retour, si leur souhait avait été exaucé, ils se rendaient en procession jusqu'au sanctuaire, en chemise et pieds nus.

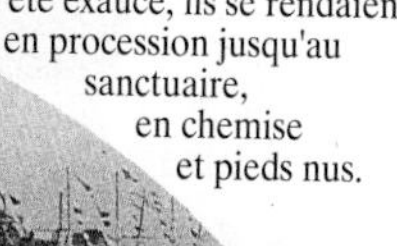

Le drapeau paroissial
Le patriotisme paroissial était très vif en Bretagne car, peu inquiété par l'autorité royale ou provinciale, il pouvait s'exprimer librement. Bannières flamboyantes et hauts clochers en étaient les emblèmes les plus visibles. Au début du siècle, l'Eglise dut refréner ce sentiment exacerbé qui provoquait des bagarres, obligeant les porteurs de bannières des deux paroisses limitrophes qui se rencontraient au cours d'un pardon (fête patronale) à incliner leurs drapeaux l'un vers l'autre et les faire se toucher par le haut en un baiser de paix.

Terre-neuvas soufflant dans une corne de brume.

Les traditions maritimes, très présentes autour de Saint-Malo et de Cancale, s'estompent dès que l'on pénètre dans le Penthièvre et le pays de Dol, où l'on retrouve les pratiques musicales répandues dans la plupart des zones rurales de haute Bretagne. D'ouest en est se superposent des traditions de vielle, de violon et d'accordéon diatonique pour accompagner les danses populaires, depuis les guédennes et passe-pieds jusqu'aux multiples formes d'avant-deux. Le chant, qui n'est pas ici associé à la danse, est aussi un élément important de la culture locale.

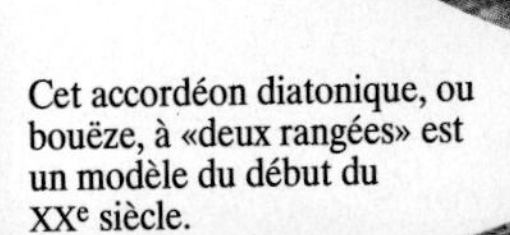

Cet accordéon diatonique, ou bouëze, à «deux rangées» est un modèle du début du XXe siècle.

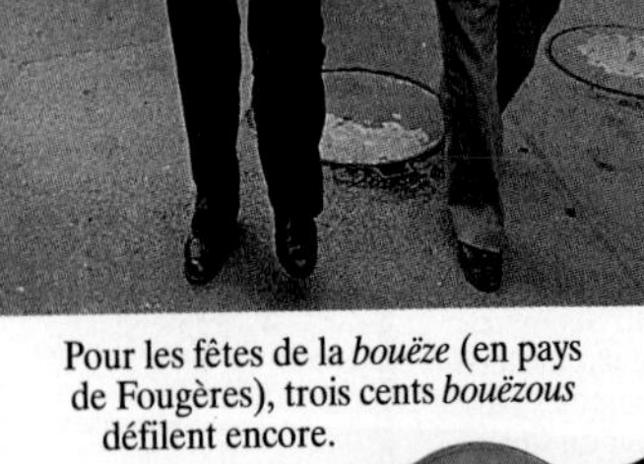

Pour les fêtes de la *bouëze* (en pays de Fougères), trois cents *bouëzous* défilent encore.

Au XIXe siècle, on jouait du violon sur tout le territoire d'Ille-et-Vilaine et dans l'est des Côtes-d'Armor. Instrument très populaire jusqu'au début du XXe siècle, il a peu à peu cédé la place à l'accordéon.

«En voilà une, En voilà deux,
En voilà trois, La quatrième en bas,
La cinquième ne compte pas»

Chanson à saler

On connaît la tradition des chants de marins, chants de travail ou de gaillard d'avant. Souvent aussi, le cap-hornier ou le terre-neuvas embarquait avec son accordéon, son violon ou, comme ici, sa vielle.

Le jeu d'Elie Guichard, avec les ornements et les doubles cordes de son instrument est l'une des références des jeunes violoneux de haute Bretagne aujourd'hui. On le voit ici lors du concours de Monterfil, au début des années 1980.

Les avant-deux
Issus d'une partie du quadrille au cours du XIXe siècle, les avant-deux constituent la famille de danses la plus répandue. De Jugon à Fougères, aujourd'hui encore, on danse l'avant-deux dans tous les bals populaires.

La vielle a connu des fortunes diverses en Bretagne. Répandue au XIXe siècle dans toute la frange nord du pays gallo, elle ne survivra de façon dynamique que dans le Penthièvre. Plusieurs sonneurs ont cependant été répertoriés entre Rance et Arguenon jusqu'en 1930-1940.

GASTRONOMIE
LA GALETTE DE BLÉ NOIR

La galette de sarrasin constitua pendant des siècles la base de l'alimentation paysanne. En haute Bretagne, ce mets rustique était généralement accompagné de sardines ou d'un œuf. Aujourd'hui, on l'agrémente de jambon ou de saucisses. Découpée en morceaux, elle se trempait dans du lait baratté appelé lait ribot, ou dans une soupe. En basse Bretagne, la galette est consommée telle quelle avec du beurre et demande une pâte plus fine et plus légère.

1. Dans une terrine, travailler énergiquement pendant 10 min la farine et le sel.

2. Incorporer peu à peu l'eau jusqu'à ce que la pâte devienne onctueuse et coulante.

5. A l'aide d'une louche, verser un peu de pâte sur la galetière, appelée aussi gauferoué.

6. Étaler la pâte avec le rouable, petite raclette en bois.

9. Pour faire une galette dite «complète», placer une tranche de jambon sur la galette.

10. Casser un œuf sur la galette et laisser cuire.

Le sarrasin, robuste céréale originaire d'Asie centrale, n'est autre que le blé noir. Introduit en Europe au cours des croisades, il est aujourd'hui cultivé en Bretagne sous le nom de «harpe noire».
Si la galette de haute Bretagne et la crêpe de basse Bretagne sont toutes deux faites à base de sarrasin, la farine n'est pas moulue (blutée) de la même manière.

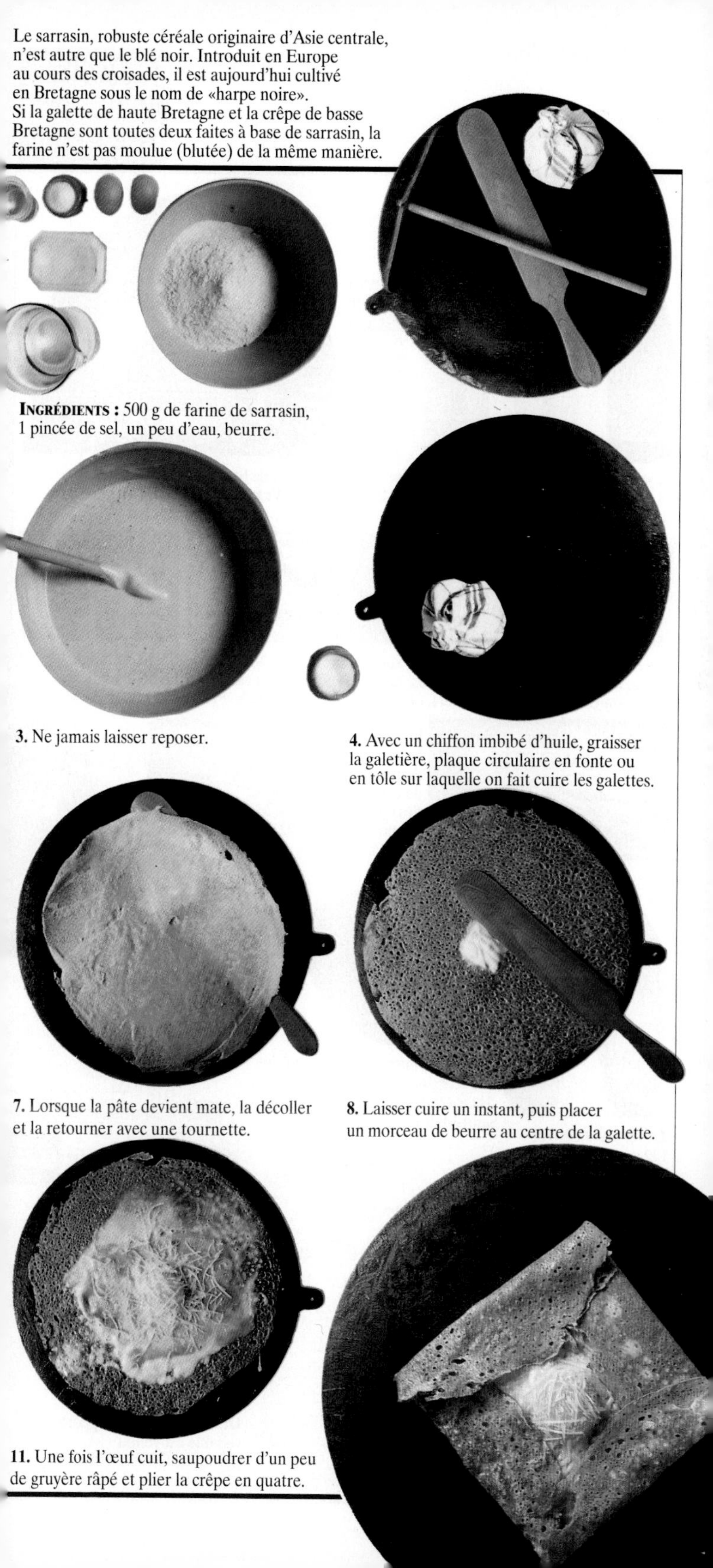

Ingrédients : 500 g de farine de sarrasin, 1 pincée de sel, un peu d'eau, beurre.

3. Ne jamais laisser reposer.

4. Avec un chiffon imbibé d'huile, graisser la galetière, plaque circulaire en fonte ou en tôle sur laquelle on fait cuire les galettes.

7. Lorsque la pâte devient mate, la décoller et la retourner avec une tournette.

8. Laisser cuire un instant, puis placer un morceau de beurre au centre de la galette.

11. Une fois l'œuf cuit, saupoudrer d'un peu de gruyère râpé et plier la crêpe en quatre.

Val de Rance
Grand Cidre Bouché
Cru Breton

LE MUSCADET ici rappelle les «Minquiers» ou le «Renard» de Surcouf (Ets. Gaillard, 25, av. Franklin-Roosevelt, 35400-Saint-Malo). **L'EAU DE PLANCOËT,** riche en sels minéraux, vient de la source de Sassay.

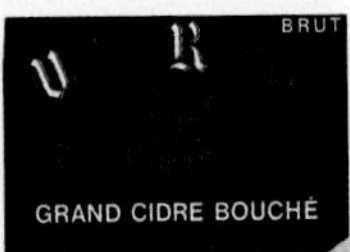

LES CIDRES DE LA VALLÉE DE LA RANCE sont réputés, qu'il s'agisse de la Bolée bretonne ou du Val de Rance (Celliers associés, 22690-Pleudihen), du cidre bouché ou du cidre de table brut (Sorre, 35540-Pleuguer), ou du cidre fermier de J.-Y. Prié (22690-Pleudihen).

LES GAVOTTES, fondantes, lanières roulées de crêpe dentelle, nature ou enrobées de chocolat, sont la fierté des Crêperies de Loc Maria (route de Dinard, 22100-Dinan).

YAOURT MALOUIN

LE CRAQUELIN, pâte broyée, ébouillantée, sèchée puis mise au four (73 rue de Riancourt, 35400 Saint-Malo).

LA MALOUINE, célèbre casquette à écusson, est due au chapelier Binic (16 rue de Dinan, 35400-Saint-Malo).

LES SABOTS de Dol (32 rue des Ponts, 35120-Dol).

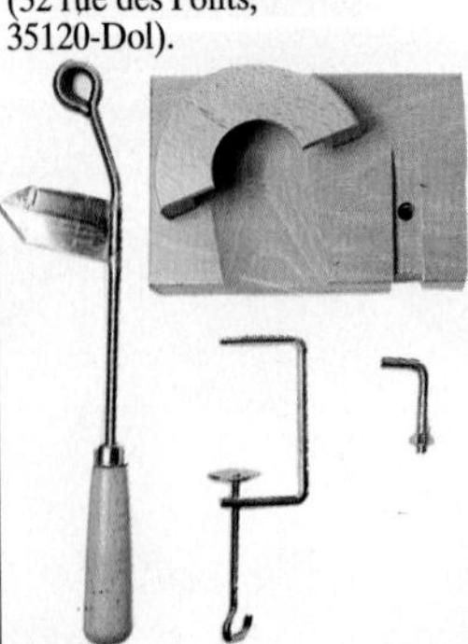

«OUEST-FRANCE», quotidien le plus diffusé de France, couvre douze départements avec trente-huit éditions, dont une malouine. Il détient l'hebdomadaire *Le Pays malouin*

OUVRE-HUITRES à support vissable est vendu par Louis Gleron, l'inventeur, (29 av. Pasteur, 35260-Cancale).

ARCHITECTURE

On trouve en Bretagne de nombreux mégalithes. Ces menhirs, «pierres longues», et ces dolmens, «tables de pierre», édifiés entre le Ve et le IIe millénaire avant notre ère, servaient de sépultures ou, parfois, de lieux de culte.

LES MENHIRS, isolés ou regroupés en cercles ou en alignements, peuvent remonter au Néolithique.

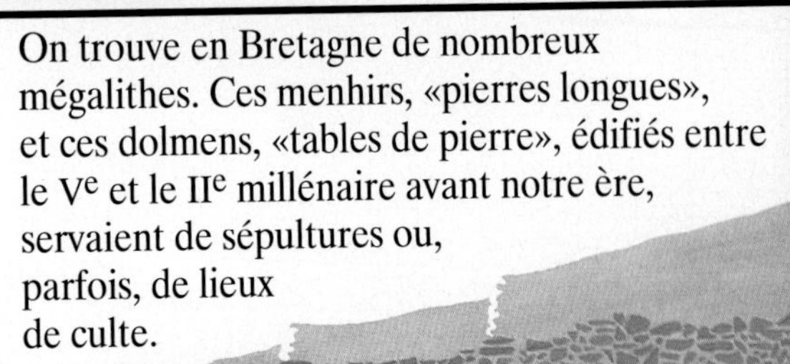

LE DOLMEN est un monument funéraire de construction complexe : un long couloir mène à une ou plusieurs chambres formées de grosses dalles et parfois d'une voûte en pierres plus petites. Ce tombeau, qui abrite le plus souvent des sépultures collectives, est soit construit d'abord en surface, puis recouvert d'une butte de terre (tumulus), soit creusé dans le sol ou aménagé dans une grotte artificielle. Une série de blocs ou un parement de pierres sèches enserre le monument.

LES PIERRES DRESSÉES ont été détruites ou christianisées. Sur le menhir de Saint-Uzec (Côtes-d'Armor), les instruments de la Passion furent gravés au-dessus d'un Christ peint, aujourd'hui effacé.

L'ART MÉGALITHIQUE permet de dater les monuments. Dès le IVe millénaire apparaît un décor gravé par piquetage léger : lignes brisées, serpents, haches et crosses. Au IIIe millénaire, poignards, palettes, haches, paires de seins ornées de colliers sont sculptés en relief dans les allées couvertes. Les idoles féminines groupées par deux dénotent une influence venue du Proche-Orient.

Chant des bardes sur le dolmen de Kenac'h-Laëron, aux environs de Gouarec (Côtes-d'Armor).

LES ALIGNEMENTS L'astronomie a présidé à l'organisation de la composition de ces monuments orientés selon les solstices et liés aux rythmes de la vie agricole. Elevés vers 3500 av. J.-C. par les paysans du néolithique, ils comprennent des files de menhirs complétées, aux extrémités, par des cercles ou des hémicycles.

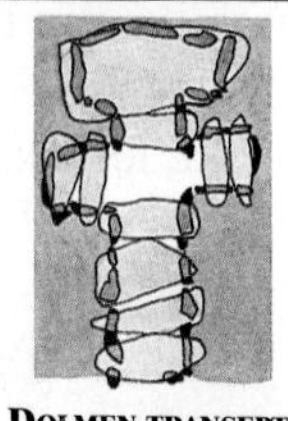

DOLMEN TRANSEPTE

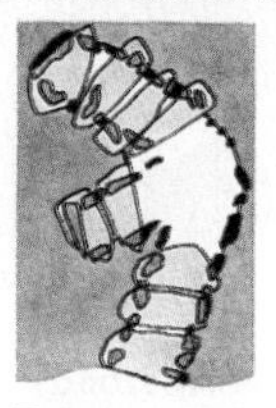

DOLMEN COUDE

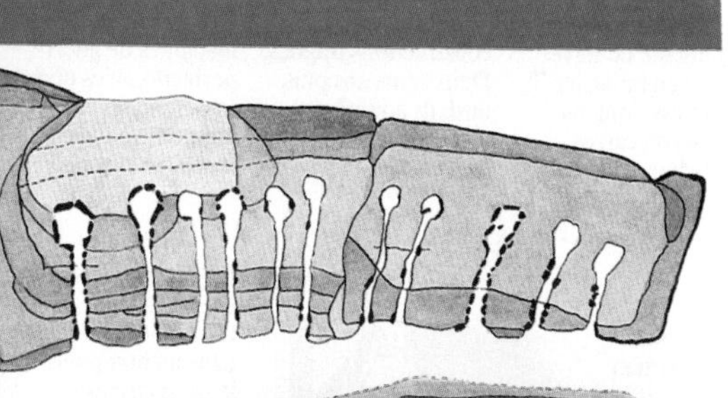

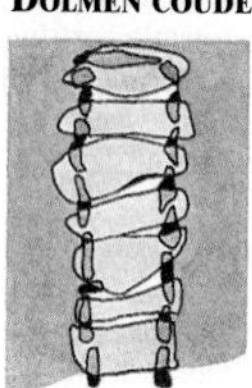

ALLEE COUVERTE

LE CAIRN de Barnenez, dans la baie de Morlaix, est une nécropole de onze dolmens, groupés au sein d'un agencement de pierres très précis.

DOLMEN A COULOIR

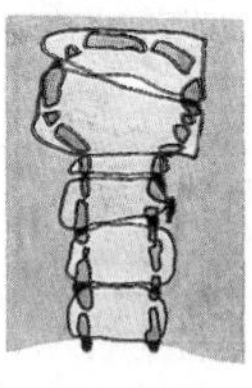

DOLMEN EN V

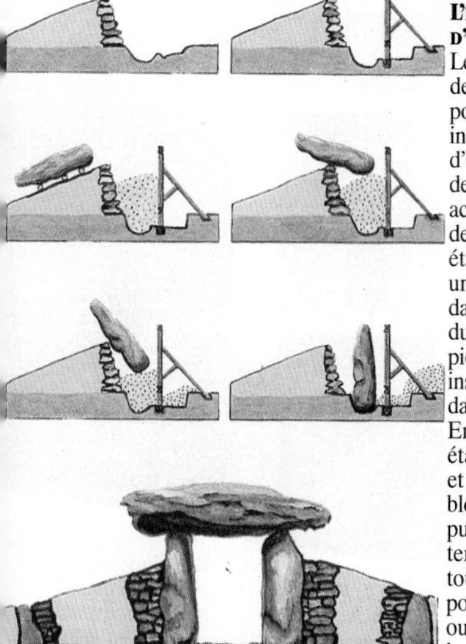

L'EDIFICATION D'UN DOLMEN Les énormes blocs de pierre étaient poussés sur un plan incliné recouvert d'un chemin de rondins. Une fois acheminés en haut de la pente, ils étaient basculés dans une fosse, freinés dans leur chute par du sable ou des pièces de bois. On installait ensuite les dalles de couverture. Enfin l'ensemble était équilibré et consolidé par un blocage de pierres, puis entouré d'un tertre, qui recouvrait tout le monument pour les dolmens, ou arrivait sous les dalles pour les allées couvertes.

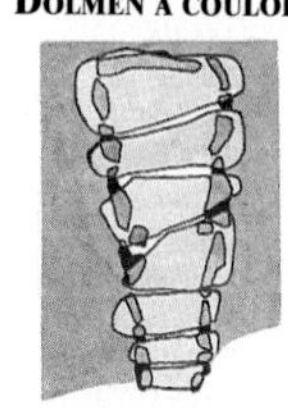

Château de Montmuran.

L'architecture militaire bretonne se développe au XIVe siècle, avec de grands donjons habitables de plan complexe. Au siècle suivant, les châteaux sont bâtis sur les marches de l'Est, face à la France, et sur la façade maritime. Aux silhouettes élancées des premières forteresses (Suscinio, La Hunaudaye, Vitré) succèdent, après 1450, des masses plus compactes, conçues pour mieux résister aux progrès rapides de l'artillerie.

La motte feodale
La résidence seigneuriale fortifiée est longtemps restée une simple tour de bois, plantée au sommet d'un monticule de terre. Vers l'an mille, les premiers donjons de pierre, carrés ou rectangulaires, remplacèrent ces constructions fragiles. Deux cents ans plus tard, ils adoptèrent un plan circulaire afin de mieux faire front aux assauts des machines de guerre perfectionnées et de se défendre contre les attaques venues de toutes les directions.

Chatelet
Ouvrage défensif de la porte et du pont-levis, qui abritait une partie de la garnison.

Coupe sur le Chatelet

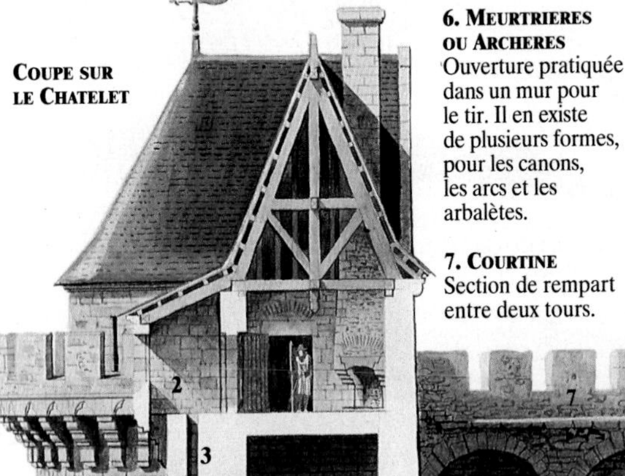

1. Pont-levis à fleches
Ce pont mobile est actionné par un contrepoids. Un seul homme suffisait pour le relever.

2. Breteche
C'est une construction en saillie au dessus du pont-levis, qui améliorait la défense grâce à des assommoirs.

3. Assommoirs
Ouvertures verticales pratiquées au-dessus du passage d'entrée, qui permettaient aux soldats de jeter des pierres et de la poix.

4. Salle des gardes
Lieu d'où était actionnée la herse.

5. Poterne
Par cette porte dérobée, les soldats restés à l'extérieur lors d'une attaque pouvaient quand même y rentrer alors que le pont-levis était fermé.

6. Meurtrieres ou Archeres
Ouverture pratiquée dans un mur pour le tir. Il en existe de plusieurs formes, pour les canons, les arcs et les arbalètes.

7. Courtine
Section de rempart entre deux tours.

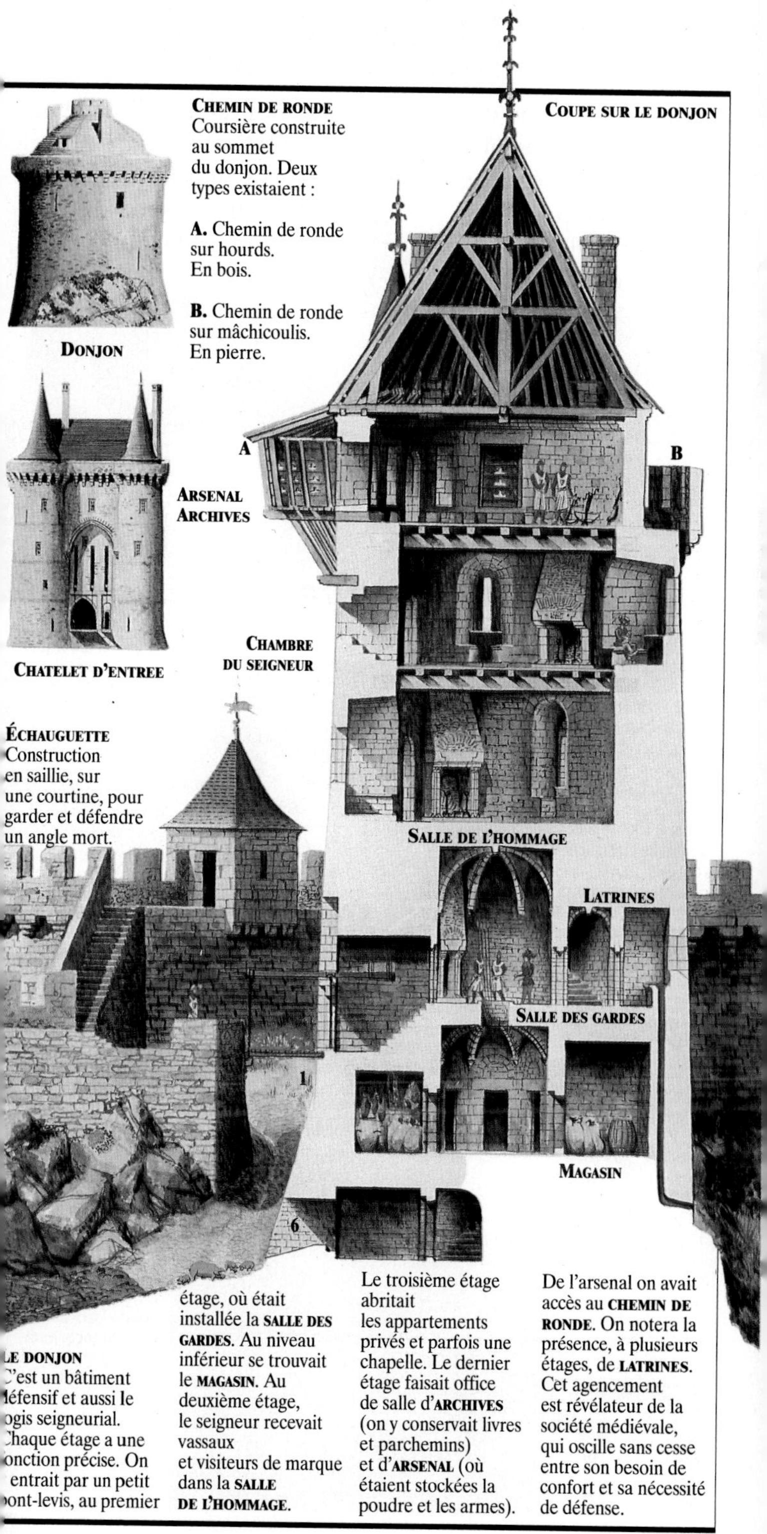

CHEMIN DE RONDE
Coursière construite au sommet du donjon. Deux types existaient :

A. Chemin de ronde sur hourds. En bois.

B. Chemin de ronde sur mâchicoulis. En pierre.

ÉCHAUGUETTE
Construction en saillie, sur une courtine, pour garder et défendre un angle mort.

LE DONJON
C'est un bâtiment défensif et aussi le logis seigneurial. Chaque étage a une fonction précise. On y entrait par un petit pont-levis, au premier étage, où était installée la **SALLE DES GARDES**. Au niveau inférieur se trouvait le **MAGASIN**. Au deuxième étage, le seigneur recevait vassaux et visiteurs de marque dans la **SALLE DE L'HOMMAGE**. Le troisième étage abritait les appartements privés et parfois une chapelle. Le dernier étage faisait office de salle d'**ARCHIVES** (on y conservait livres et parchemins) et d'**ARSENAL** (où étaient stockées la poudre et les armes). De l'arsenal on avait accès au **CHEMIN DE RONDE**. On notera la présence, à plusieurs étages, de **LATRINES**. Cet agencement est révélateur de la société médiévale, qui oscille sans cesse entre son besoin de confort et sa nécessité de défense.

Manoir des Ormes.

Concentrés surtout dans le nord de la Bretagne, les premiers manoirs apparaissent à la fin du XIVe siècle. Le XVe siècle précise les particularités de cette architecture résidentielle volontiers ostentatoire, telles la grande salle au rez-de-chaussée et la tour d'escalier, devant ou derrière le logis.

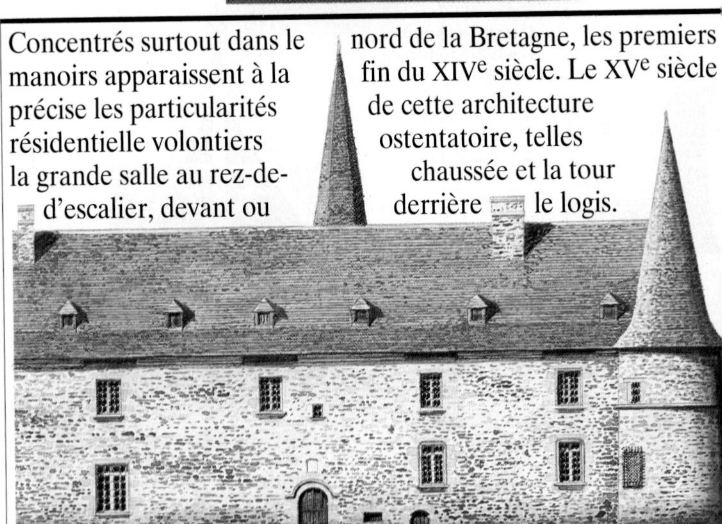

L'influence de la Renaissance ne se manifeste en Bretagne que vers 1560 : symétrie des façades, nouveau décor des cheminées, rampes d'escalier droites. La guerre de la Ligue brise cet élan. Au XVIIe siècle, quand la construction reprend, la noblesse délaisse les manoirs au profit des châteaux.

Boissorcant, Noyal-sur-Vilaine (Ille-et-Vilaine)
Ce fut la demeure d'un financier de la duchesse Anne. La suppression des quatre lucarnes, au siècle dernier, prive sa façade (XVe siècle) de l'harmonie et du faste qui ont, en revanche, été conservés à l'intérieur.

La Chataignerie, Saint-Nicolas-du-Tertre (Morbihan)
Ce manoir, construit en 1634, ne se dote que tardivement d'un décor Renaissance. Le cas est fréquent, car la Bretagne découvre avec un certain décalage la révolution artistique opérée au XVIe siècle : celle-ci touche la haute noblesse, avant de descendre l'échelle sociale et de se normaliser dans les logis plus modestes.

Blason du château de Rochefort-en-Terre (Morbihan)
Les emblèmes de la noblesse ornent de nombreuses demeures : au XVIIIe siècle, 1% des Bretons sont nobles.

Oculus du manoir de Kerligonan, à Kergloff (Finistère

Le Golledic, Lanrivain (Cotes-d'Armor)
C'est un manoir du XVIIe siècle. La symétrie, l'un des points forts du style Renaissance, aura une influence décisi et durable : désorma la porte d'entrée est centrale. A noter également le porche typique à double entrée, charretière et piétonne.

Coatcouraval, Glomel (Cotes-d'Armor) Ce manoir, construit au milieu du XVe siècle par les Boutteville, peut être considéré comme l'archétype du manoir breton. A l'arrière de cet édifice isolé au milieu des bois se dresse la tour d'escalier, couronnée d'une pièce haute.

Écusson du manoir de Keriar, Plonevez-Porzay (Finistere)

Kerponner, Noyal-Pontivy (Morbihan) Même modeste, le manoir cherche à se démarquer de la simple architecture paysanne. Ici la façade, sobre, comme il se doit, est surmontée d'une lucarne à fronton et couronnée par un rang de boulins (poteries décoratives où nichent les pigeons, évoquant les privilèges des nobles, propriétaires d'un colombier).

Porte de style gothique du manoir de Keriar

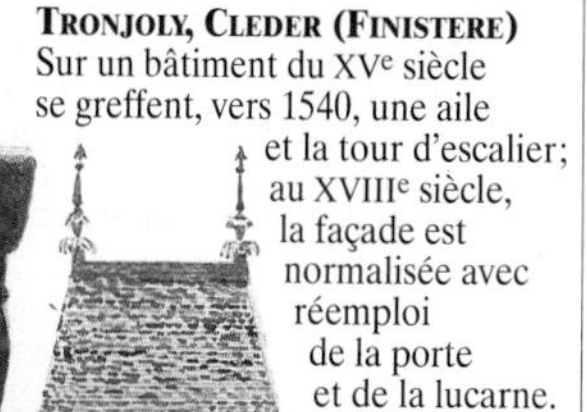

Vasque Renaissance du manoir de Tronjoly La mode des fontaines italiennes gagne la Bretagne durant le XVIe siècle.

Tronjoly, Cleder (Finistere) Sur un bâtiment du XVe siècle se greffent, vers 1540, une aile et la tour d'escalier; au XVIIIe siècle, la façade est normalisée avec réemploi de la porte et de la lucarne.

Château de Caradeuc à Plouasne.

L'architecture des châteaux bretons, après avoir conservé longtemps la marque du gothique, développe un style dépouillé inspiré de la seconde Renaissance. Aux XVIIe et XVIIIe siècles, la noblesse fait construire des demeures confortables au goût du jour, adaptées du classicisme français.

FENETRE RENAISSANCE

A meneau en pierre, elle est encadrée sur les côtés par des pilastres, au-dessous par un socle, et sur le dessus par un entablement.

UN CHATEAU RENAISSANCE, LA CHAPELLE-CHAUSSEE (ILLE-ET-VILAINE)

Ce petit château, situé près de Rennes, est un bel exemple de l'architecture de la Renaissance apparue dans le dernier quart du XVIe siècle : plan ramassé et complexe, avec de multiples décrochements et pavillons. Les élévations et les façades sont symétriques, rythmées par des travées, et quadrillées par des pilastres et des bandeaux.

FENETRE XVIIe SIECLE

A meneau en bois, à linteau droit et à bandeau plat, elle est ornée d'un mascaron.

UN CHATEAU DU XVIIe SIECLE, LE ROCHER-PORTAIL (ILLE-ET-VILAINE)

Construit en 1617, Le Rocher-Portail est plus imposant qu'ornemental. Comme à Kerjean (1580), dans le Finistère, les divers bâtiments s'ordonnent autour d'une cour carrée, avec ailes en retour e[t] galeries sur arcades.

Plan d'un jardin à la française.

UN CHATEAU GOTHIQUE, JOSSELIN (MORBIHAN)
Construit par Jean II de Rohan de 1490 à 1505 contre la muraille d'une forteresse du XIIIe siècle, il est typique des demeures bretonnes édifiées jusqu'en 1550 : le plan simple et allongé (les pièces se suivent en enfilade) et l'attachement au style gothique flamboyant sont hérités du manoir médiéval. Le faux chemin de ronde somptueusement ajouré et les grandes lucarnes révèlent, quant à eux, l'influence du Val-de-Loire.

FENETRE GOTHIQUE

A meneau et à traverses en pierre, elle est moulurée et surmontée d'une accolade sculptée.

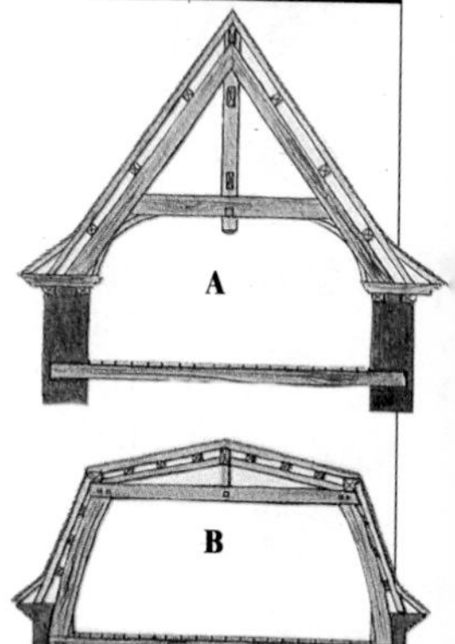

LA FORME DES TOITS
La Bretagne est caractérisée par un attachement tardif aux grandes toitures à double pente (**A**) terminées à leurs extrémités par des pignons ou des croupes. Le toit brisé présente, sur le même versant, deux pentes différentes séparées par une arête (**B**). Dans la partie basse, appelée brisis, on peut installer un étage de comble carré aux murs verticaux. Ce toit «à la Mansart» est utilisé à partir de 1650 dans l'architecture savante.

1 2

3

LES SIGNES DISTINCTIFS D'UNE DEMEURE NOBLE
Dès le XVIe siècle, une chapelle (**2**) prend place à l'un des angles de la cour du château. Au siècle suivant, on l'associe souvent à un colombier (**1**), privilège exclusif de la noblesse. Les deux bâtiments encadrent un portail à deux ou trois passages (**3**), que surmonte un fronton sculpté aux armes du seigneur.

FENETRE XVIIIe SIECLE

Emploi du tuffeau (pierre calcaire) dans la construction. Le meneau disparaît tandis que les nouvelles techniques de fabrication du verre permettent l'emploi des carreaux.

LE STYLE MILITAIRE DU XVIIIe SIECLE, KERANROUX (FINISTERE)
vec le XVIIIe siècle, s ingénieurs litaires introduisent Bretagne un style sévère et imposant : toits à deux versants, avant-corps, fenêtres en arc segmenté, absence de sculpture sur les façades, sauf sur les frontons, souvent triangulaires.

A la fin du XVIIe siècle, enrichis par la course, et le contrôle de la Compagnie des Indes, les armateurs de Saint-Malo construisirent en pleine campagne de grandes maisons de plaisance. Ces gentilhommières furent marquées par la sobriété militaire des architectes de Vauban. On en a recensé plus de cent douze, regroupées dans le Clos-Poulet ▲ 160.

Les malouinières, malgré des différences de taille, ont toutes un air de famille. Leur architecture homogène comprend une façade crépie de blanc, des bandeaux, des encadrements de portes et de fenêtres et des chaînons en granite. Les larges toits à pente raide sont presque toujours coiffés de pots à feu de plomb ou de terre cuite et de cheminées élancées.

La symétrie des façades est soulignée par des lucarnes de pierre qui, dans la tradition du XVIIe siècle, sont maintenues à l'aplomb des travées. Ce style austère est bien éloigné de celui des folies contemporaines construites à Paris, Nantes ou Montpellier.

Coupe et élévation de la malouinière du Bos, à Quelmer, seule malouinière ouverte aujourd'hui au public ▲ *202*.

Ci-dessous, malouinière du Mur-Blanc, en Saint-Méloir-des-Ondes, construite vers 1730.

La décoration intérieure de ces demeures était souvent somptueuse. De leurs voyages, les armateurs rapportaient du bois des îles pour le mobilier et les parquets, des porcelaines de la Compagnie des Indes, du marbre d'Italie pour les cheminées. Les pièces sont lambrissées de chêne. Les parcs ont parfois conservé leurs parterres à la française.

Malouinière du Montmarin, en Pleurtuit. Page de droite, reconstitution du jardin à la française de La Mettrie-aux-Houets.

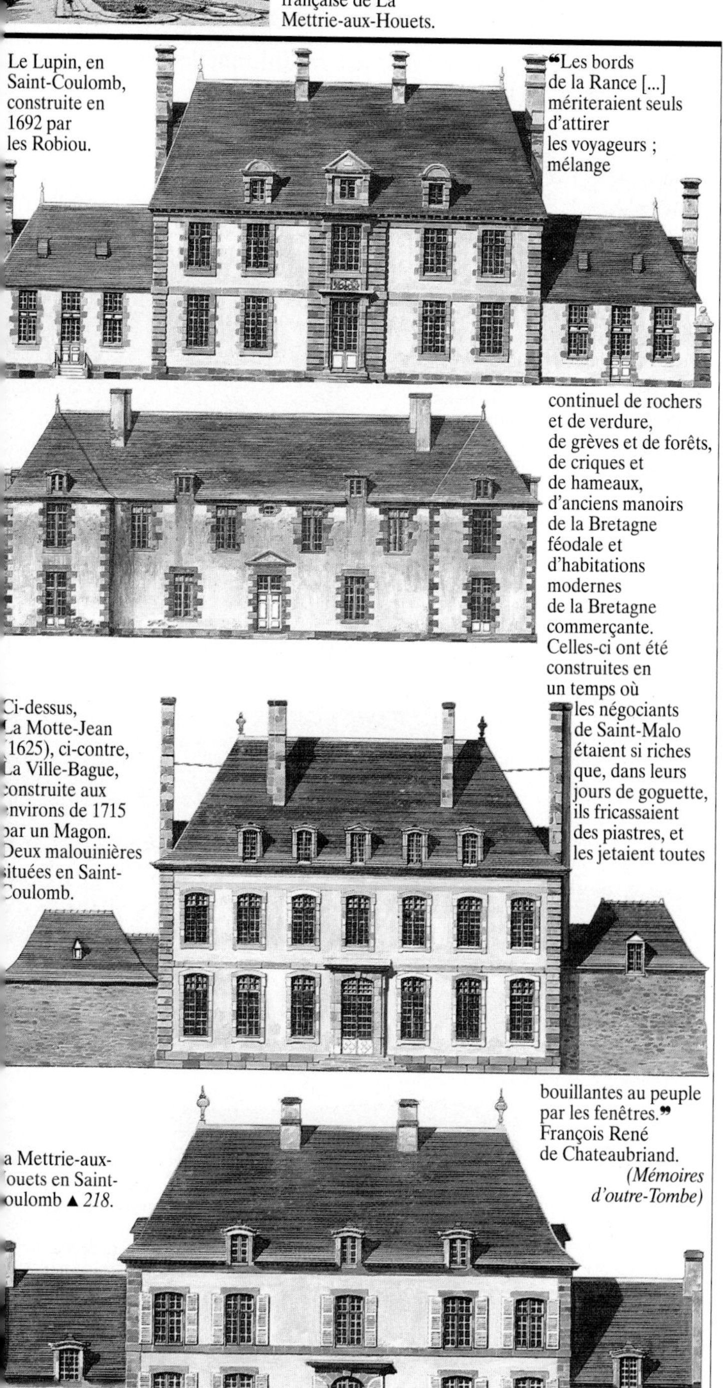

Le Lupin, en Saint-Coulomb, construite en 1692 par les Robiou.

Ci-dessus, La Motte-Jean (1625), ci-contre, La Ville-Bague, construite aux environs de 1715 par un Magon. Deux malouinières situées en Saint-Coulomb.

La Mettrie-aux-Houets en Saint-Coulomb ▲ 218.

“Les bords de la Rance [...] mériteraient seuls d'attirer les voyageurs ; mélange continuel de rochers et de verdure, de grèves et de forêts, de criques et de hameaux, d'anciens manoirs de la Bretagne féodale et d'habitations modernes de la Bretagne commerçante. Celles-ci ont été construites en un temps où les négociants de Saint-Malo étaient si riches que, dans leurs jours de goguette, ils fricassaient des piastres, et les jetaient toutes bouillantes au peuple par les fenêtres.”
François René de Chateaubriand.
(Mémoires d'outre-Tombe)

L'architecture traditionnelle des campagnes bretonnes, dans sa grande variété, reflète l'originalité de chaque terroir. Elle est aussi révélatrice du cloisonnement et du conservatisme qui ont dominé la société rurale jusqu'aux lendemains de la Seconde Guerre mondiale.

La Bretagne n'est pas seulement le pays du granite, c'est aussi celui du schiste, du grès et du pisé (terre). Il arrive souvent que l'on utilise plusieurs matériaux pour la construction d'un seul et même bâtiment. Les toits, à forte pente, sont, depuis le siècle dernier, recouverts d'ardoises d'Angers, et non plus de chaume, jugé trop dangereux. De la ferme basse, à étage unique, où sont logés ensemble bêtes et gens, aux maisons d'artisans, de tisserands, de négociants ou même d'ecclésiastiques, qui constituent l'«aristocratie» rurale, l'éventail est large. Chaque région a ses traditions : maisons à avancée du Nord-Finistère, maisons basses de l'est du Morbihan, et maisons en pisé du bassin de Rennes.

MAISON DATEE DE 1567, SAINT-BRICE-EN-COGLÈS (ILLE-ET-VILAINE) La région du Coglès, au nord de Fougères, a conservé un habitat du XVIe siècle, remarquable par sa densité et sa qualité. Ce bâtiment sert à la fois de logement, d'étable et de grenier.

MAISON LE FRESNAY, FIN DU XVIe SIECLE, MELESSE, (ILLE-ET-VILAINE)
Elle est construite en pierre et pans de bois. En zone rurale, cette technique n'est utilisée que dans la périphérie de la ville de Rennes.

ARDOISES DE LIGNOLET DÉCOREES
Régions de Commana et de Sizun, Finistère (XIXe siècle).

FOUR A PAIN, TREGUNC (FINISTERE)
Sa voûte, en granite ou en brique, est recouverte de terre ou d'un toit d'ardoises.

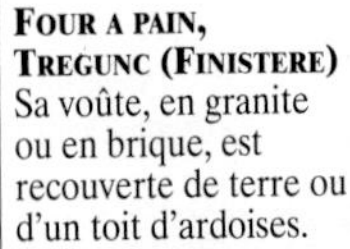

MARQUE D'UNE MAISON DE PECHEU
Reconnaissable à l'ancre de marine (Côtes-d'Armor).

MAISON DATEE DE 1622, CAULNES (COTES-D'ARMOR)
Elle comprend, sur deux étages, une salle, une étable et un grenier. Sa construction, en pierre et en terre, donne à la façade des tonalités plus chaudes que celles du granite. Ces matériaux sont caractéristiques de la régio de Caulnes-Evran-Bécherel.

Ardoises de lignolet sculptées (ornement de faîtière) d'une maison du village de Ruffiac, Morbihan.

Maison du XVIIe siècle, Saint-Rivoal (Finistere)
Cette bâtisse à avancée (*kuz-taol*) et à appentis couvrant l'escalier de façade est typique des monts d'Arrée.

Porte a husset
Porte s'ouvrant en deux parties; la partie basse empêche le bétail de rentrer.

Maison du XVIIe siecle, Pleumeur-Bodou (Cotes-d'Armor)
Maison haute en pierre de taille de granite, avec chambre et grenier à l'étage.

Linteau sculpte, 1722, Kergrist (Morbihan)
Le calice signale la maison d'un prêtre.

Puits, Guern (Morbihan)
La traverse en granite ornée de boules caractérise les puits de la région.

Maison a Cleden-Cap-Sizun, 1858 (Finistere). Dans les régions côtières, on protégeait les façades des maisons avec un enduit.

Ferme, XVIe et XVIIe siecles, Saint-Nicolas-du-Pelem (Cotes-d'Armor)
Ce logis de cinq pièces comptait trois salles, une étable et un grenier. A l'étage, desservi par un escalier extérieur, logeait un prêtre.

Ferme, Brandivy, XVIIe siecle (Morbihan)
Plan allongé, avec grenier dans le comble. Les rangées de trous servaient d'abri à pigeons. Les toits de chaume du Morbihan sont les mieux conservés.

En raison de son très fort marnage, la Rance était bordée par de nombreux moulins utilisant la marée comme source d'énergie.

L'architecture de ces maisons marines ressemble fort à celle des maisons paysannes qui les entourent : mêmes matériaux (granite clair près de l'estuaire, granite sombre à partir de Plouër et de Pleudihen), même forme carrée aux ouvertures étroites et rares : «Les moulins de la Rance, écrit Roger Vercel, [...] ressemblent à des monastères parce qu'ils s'interdisent les corniches, les saillies, toutes avancées vers le monde».
Leur fonctionnement était simple : à marée montante, deux portes pivotant sur la digue cédaient à la pression de l'eau pour remplir le réservoir et se refermaient d'elles-mêmes lorsqu'il était plein. Au reflux, il suffisait de lever une vanne à aubes pour que l'eau de l'étang artificiel s'écoule et entraîne la roue du moulin. Les meuniers possédaient souvent, un moulin à vent à proximité pour pallier aux heures creuses de la morte-eau.
Ci-contre, de haut en bas et de gauche à droite : le moulin de Rochefort ; le moulin du Prat à La Vicomté-sur-Rance (en ruine actuellement) ; le moulin du Beauchet à Saint-Suliac ; le moulin du Montmarin, dont il ne reste aujourd'hui que les piles ; et le moulin de la Cale à Plouër.

Moulin
de La Quinardais
à Saint-Jouan-
des-Guérets.

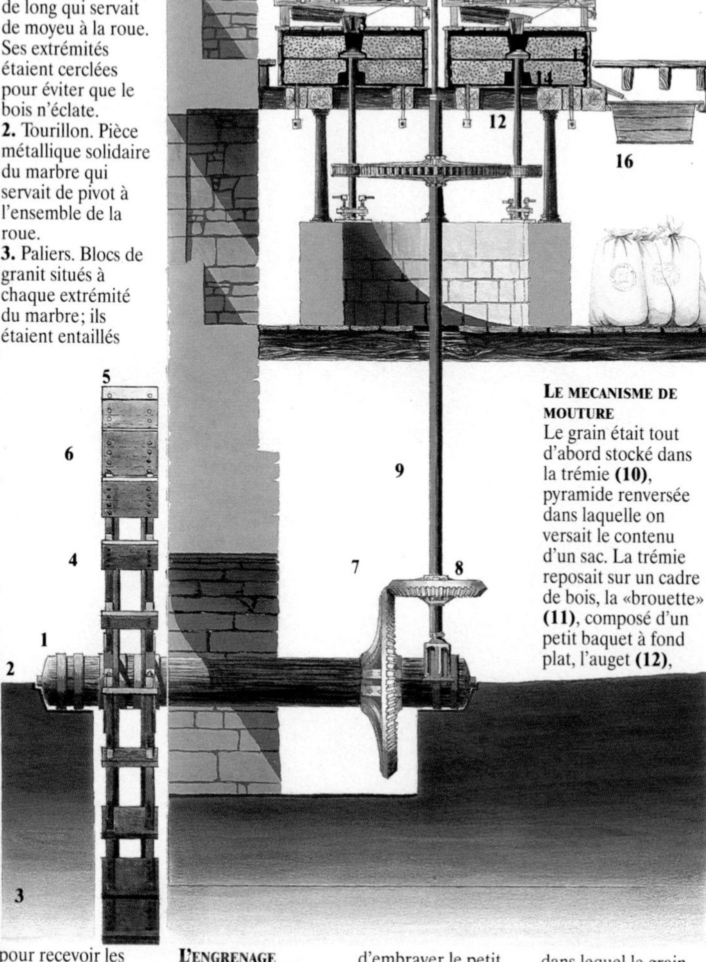

La roue

1. Marbre. Tronc de chêne vert d'environ 4 ou 6 m de long qui servait de moyeu à la roue. Ses extrémités étaient cerclées pour éviter que le bois n'éclate.
2. Tourillon. Pièce métallique solidaire du marbre qui servait de pivot à l'ensemble de la roue.
3. Paliers. Blocs de granit situés à chaque extrémité du marbre; ils étaient entaillés pour recevoir les pivots.
4. Bras de la roue. Généralement au nombre de huit, chacun mesurait l'équivalent du diamètre de la roue.
5. Couronne.
La jante de la roue était formée de segments de cercle de chêne.
6. Palettes.
Planchettes de hêtre chevillées, formant un butoir contre lequel l'eau venait frapper perpendiculairement.

L'engrenage

Le moulin à marée à roue verticale nécessitait un renvoi de transmission à 90°. Ce renvoi était composé de deux éléments qui jusqu'au début du XIXe siècle étaient taillés dans du bois.
7. Rouet. Couronne de bois fixée au marbre qui tournait dans le même sens que la roue. Ses dents en bois dur (pommier ou poirier) permettaient d'embrayer le petit pignon de renvoi situé au-dessus.
8. Lanterne. Pignon fixe monté perpendiculairement au rouet sur un axe vertical qu'il entraîne. Celui-ci, le «pied de fer» **(9)**, servait de pivot aux meules et leur communiquait un mouvement rotatif.
Au XIXe siècle, il entraînait par renvois successifs jusqu'à quatre meules (dessin ci-dessus).

Le mecanisme de mouture

Le grain était tout d'abord stocké dans la trémie **(10)**, pyramide renversée dans laquelle on versait le contenu d'un sac. La trémie reposait sur un cadre de bois, la «brouette» **(11)**, composé d'un petit baquet à fond plat, l'auget **(12)**, dans lequel le grain tombait. Son inclinaison réglait le débit du grain dans la toupie **(13)**, sorte d'entonnoir qui alimentait les meules. Les pierres meulières étaient formées d'une meule inférieure fixe, dite «dormante» **(14)** et d'une meule supérieure tournante **(15)**. Sous l'action de la force centrifuge, le grain était broyé, puis expulsé à l'état de farine dans une boîte à farine **(16)**.

● FORTIFICATIONS COTIERES

1. COURTINE
Portion d'enceinte située entre deux bastions.

2. BASTION
Ouvrage en terre plein, de plan pentagonal, pour permettre des tirs croisés.

3. FOSSE

4. ARSENAL
Entrepôt et atelier de réparation pour l'armement.

5. CAVALIER
Terre-plein surélevé porteur d'artillerie.

La fortification moderne, en Bretagne, se concentre sur les côtes et dans les îles, convoitées comme bases d'opération par l'ennemi. Les forts adoptent un plan angulaire vers la terre, pour permettre de croiser les tirs dans les fossés, et circulaire vers la mer, pour permettre des tirs dans toutes les directions.

DU BASTION AU PORT DE GUERRE
A la fin du XVIe siècle, le duc de Mercœur, gouverneur de Bretagne durant la Ligue, décide la construction de bastions sur les principaux lieux stratégiques (Nantes, Suscinio, Port-Louis, Brest). Au siècle suivant, Colbert crée des ports de guerre à Brest et à Lorient et met en place la protection de la cité corsaire de Saint-Malo. Dès lors, à l'entrée des baies (Morlaix, Cancale) se multiplient les forts et les batteries, sans cesse réactualisés jusqu'à la mutationde l'artillerie, vers 1870.

LA CITADELLE DE BELLE-ILE-EN-MER (AU PALAIS)
Belle-Ile offre un système complet de défenses insulaires : une citadelle Vauban et une enceinte urbaine du premier Empire, des tours-réduits et des batteries contrôlant tous les points de débarquement possibles.

6. Contrescarpe
Paroi du fossé du côté extérieur.
7. Flanc du bastion
Côté d'un ouvrage défendant l'enceinte en tir d'enfilade.
8. Escarpe
Paroi du fossé du côté du corps de place.
9. Magasin a poudre
10. Caserne au rempart
Logement de troupes adossé à l'enceinte.
11. Demi-lune
Ouvrage triangulaire en avant de la courtine.
12. Glacis
Terrain reprofilé pour les tirs rasants.
13. Chemin couvert avec traverses
et sectionné d'obstacles pour empêcher sa prise d'enfilade.

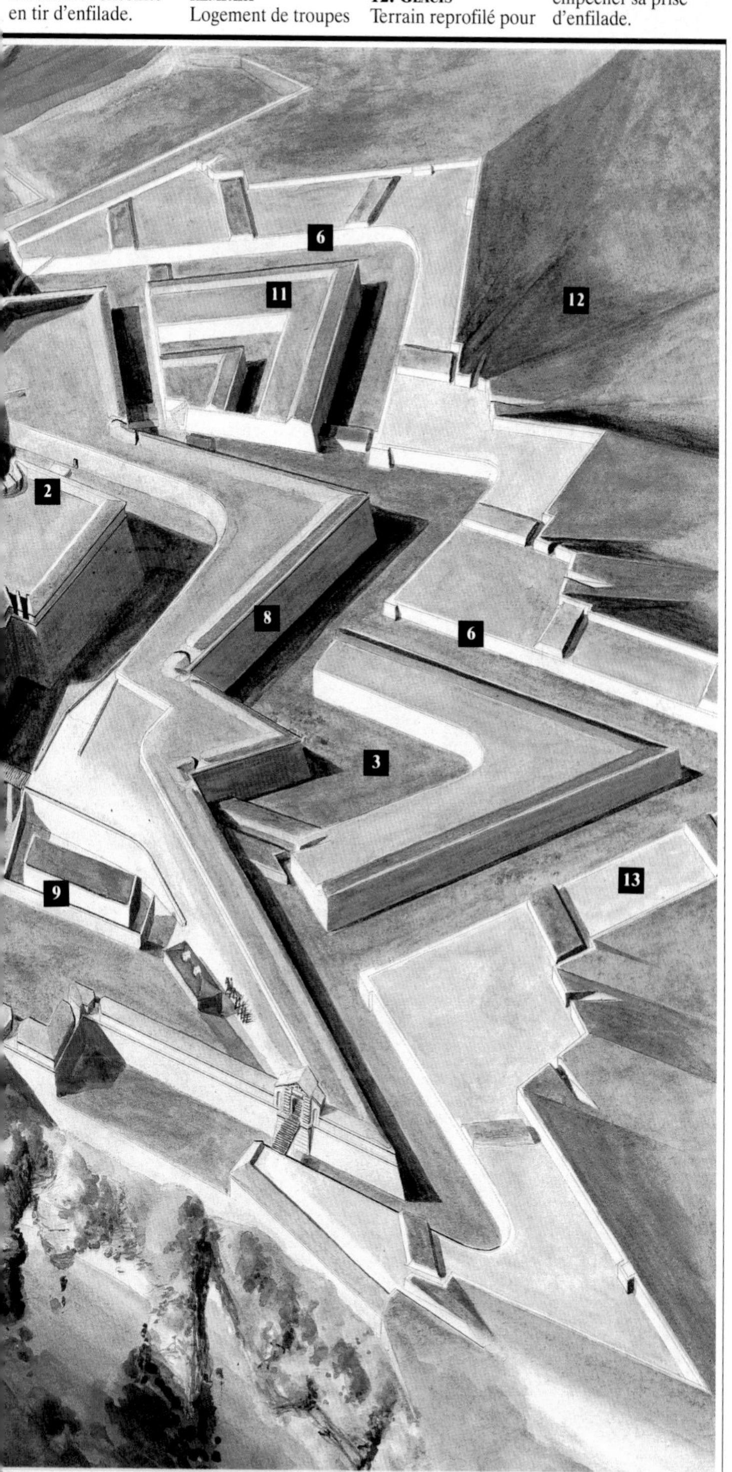

La Grande Rue à Dol.

Les villes bretonnes connaissent deux étapes dans l'évolution de leur architecture. Le XVIIe siècle voit disparaître, avec les «grandes brûleries», les traditionnelles maisons à pans de bois médiévales, qui sont remplacées par des maisons et hôtels particuliers en pierre. Au XVIIIe siècle, sous l'impulsion des ingénieurs, leur urbanisme est rationalisé.

MAISON A PORCHE, DINAN (COTES-D'ARMOR)
C'est le type même des plus anciennes maisons à pans de bois (XVe siècle) : construction soignée et ne comportant guère de sculptures.

MAISONS, RUE DE LA VICTOIRE, À SAINT-MALO (ILLE-ET-VILAINE)
A la suite des «grandes brûleries», des édits obligent à reconstruire en pierre. Les villes closes sont confrontées à un manque de place. Apparaît alors une architecture haute où les vides des baies sont plus importants que le plein des murs.

NICHE D'ANGLE
Fin XVIIe siècle
Saint-Malo

MAISON A DEMI-COLONNES RENFLEES, LAMBALLE (COTES-D'ARMOR)
Vers la fin du XVIe siècle et le début du XVIIe, chaque terroir se particularise : maisons à colonnes pour le Penthièvre, à baies ininterrompues dans le Trégor.

MAISON DITE DE LA DUCHESSE ANNE, MORLAIX (FINISTERE)
A partir de 1500, il est fréquent que les maisons gothiques soient ornées d'un décor sculpté.

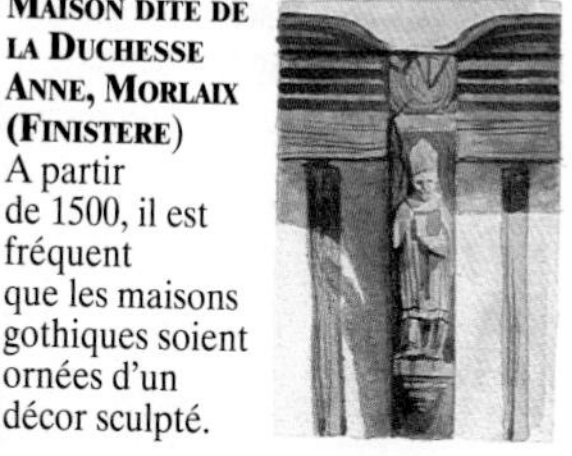

MAISON A VITRINES RUE PELICOT, SAINT-MALO
Ces maisons apparaissent dans la région dès la fin du XVIe siècle.

MAISON A ESSENTAGE, RUE KEREON A QUIMPER (FINISTERE)
L'essentage d'ardoise ou de bardeau protégeait le façades des intempéries.

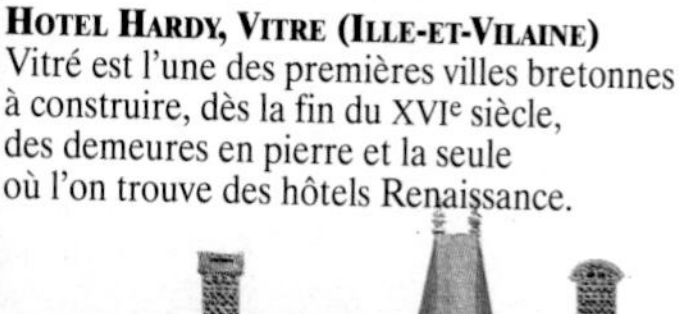

HOTEL HARDY, VITRE (ILLE-ET-VILAINE)
Vitré est l'une des premières villes bretonnes à construire, dès la fin du XVIe siècle, des demeures en pierre et la seule où l'on trouve des hôtels Renaissance.

HOTEL DE LIMUR, VANNES (MORBIHAN)
Au XVIIe siècle, les hôtels de pierre sont rares et restent l'apanage de l'aristocratie.

HOTEL DE CHÂTEAUGIRON, VERS 1730, RENNES (ILLE-ET-VILAINE)
Au XVIIIe siècle, les ingénieurs du roi imposent une architecture classique rigoureuse.

HOTEL DU QUAI BRANCAS, NANTES (LOIRE-ATLANTIQUE)
Ce style sévère s'applique aussi bien aux immeubles locatifs qu'aux manufactures et aux demeures privées. Ceux-ci ont alors l'allure de véritables palais. Cette architecture normalisée n'exprime plus la fonction des bâtiments qu'elle orne.

Une triple constante caractérise l'architecture religieuse bretonne : le savoir-faire de ses maîtres d'œuvre, l'intérêt qu'ils ont porté aux modèles étrangers et l'interprétation originale qu'ils ont su en donner à travers une structure et des volumes simples.

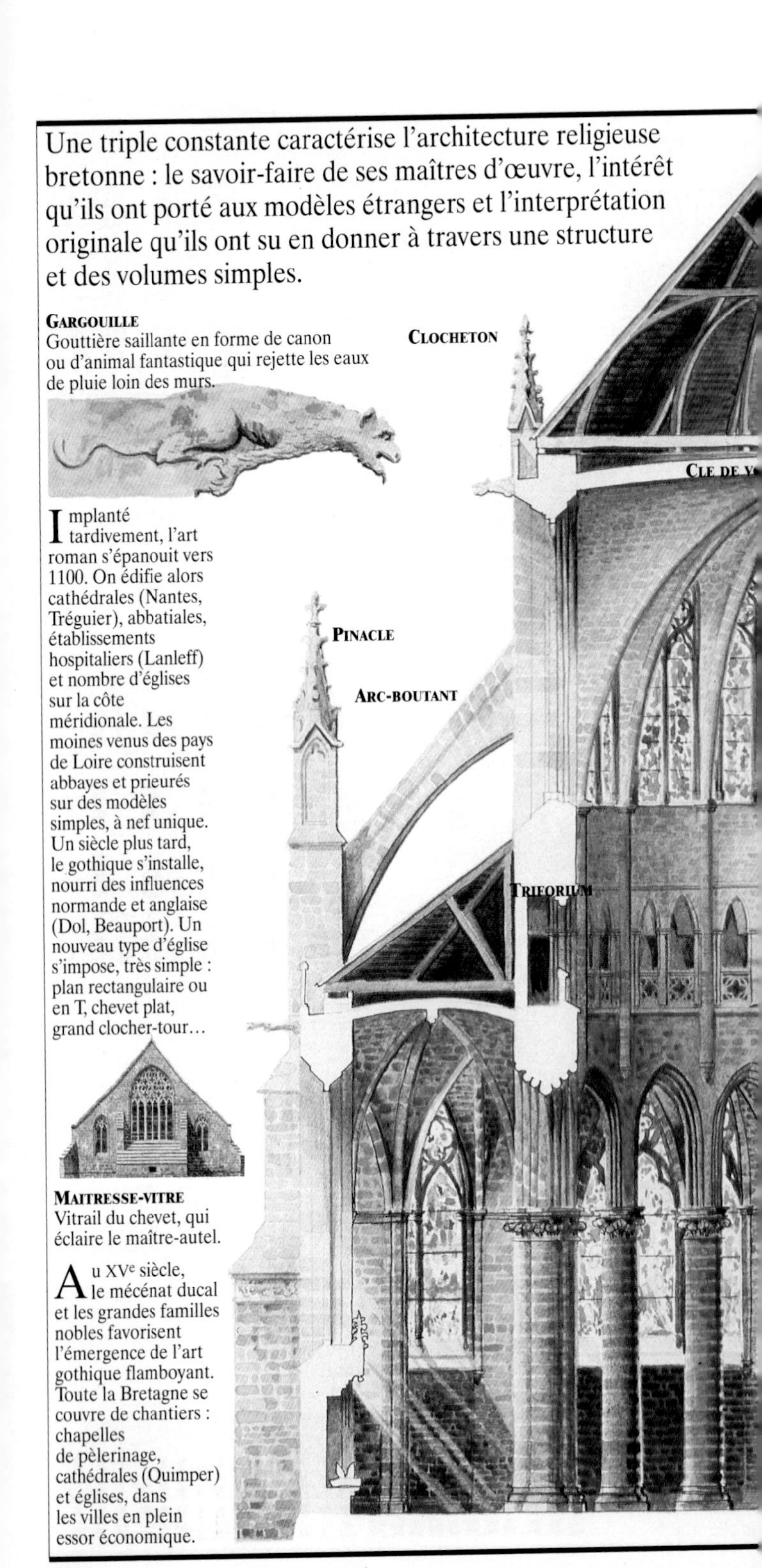

GARGOUILLE
Gouttière saillante en forme de canon ou d'animal fantastique qui rejette les eaux de pluie loin des murs.

Implanté tardivement, l'art roman s'épanouit vers 1100. On édifie alors cathédrales (Nantes, Tréguier), abbatiales, établissements hospitaliers (Lanleff) et nombre d'églises sur la côte méridionale. Les moines venus des pays de Loire construisent abbayes et prieurés sur des modèles simples, à nef unique. Un siècle plus tard, le gothique s'installe, nourri des influences normande et anglaise (Dol, Beauport). Un nouveau type d'église s'impose, très simple : plan rectangulaire ou en T, chevet plat, grand clocher-tour…

MAITRESSE-VITRE
Vitrail du chevet, qui éclaire le maître-autel.

Au XVe siècle, le mécénat ducal et les grandes familles nobles favorisent l'émergence de l'art gothique flamboyant. Toute la Bretagne se couvre de chantiers : chapelles de pèlerinage, cathédrales (Quimper) et églises, dans les villes en plein essor économique.

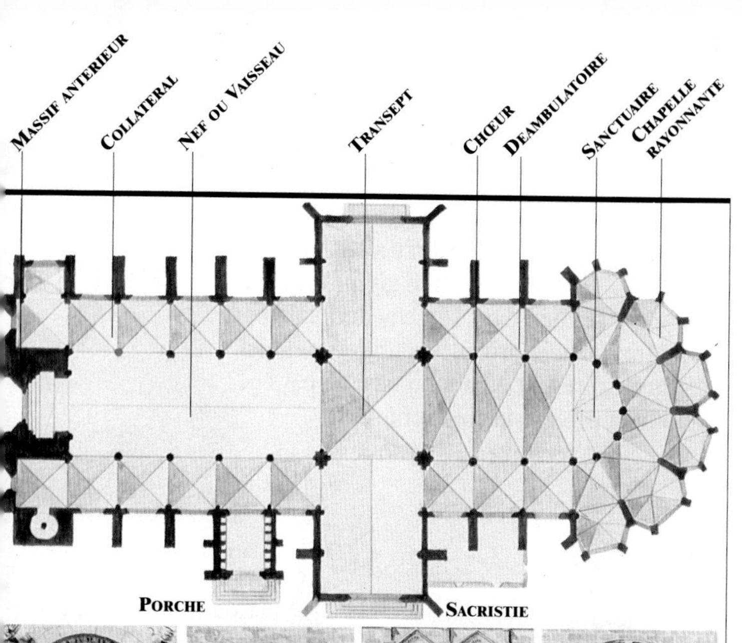

PORTAIL ROMAN
Le portail de l'église Saint-Sauveur (XIIe siècle), à Dinan, est inspiré des exemples aquitains : arcs à ressauts en berceau. Mais le tympan date de 1855.

PORTAIL GOTHIQUE
L'arc brisé du portail de la chapelle Kermaria-an-Isquit (XVe siècle), à Plouha, est orné de choux gothiques ; ses voussures retombent sur des colonnettes.

PORTAIL RENAISSANCE
L'église Saint-Malo (XVIe siècle),à Dinan, possède un portail Renaissance à deux portes en plein cintre, surmontées, chacune, d'un tympan sculpté.

PORTAIL BAROQUE
A la cathédrale Saint-Vincent de Saint-Malo (milieu du XVIIe siècle), la porte est inscrite dans une travée dorique couronnée d'un fronton sculpté.

La Renaissance renoue avec la simplicité et allège les volumes : les charpentes lambrissées ornées de sculptures remplacent souvent les voûtes de pierre. La réforme catholique qui suit le concile de Trente donne naissance, dans la seconde moitié du XVIIe siècle, à de grands couvents, qui marquent encore aujourd'hui le paysage urbain. Les ingénieurs de Louis XIV introduisent, au XVIIIe siècle, une architecture utilitaire, surtout autour de Brest, Saint-Malo et Guingamp. Enfin, le XIXe siècle agrandit et restaure dans le style néo-gothique.

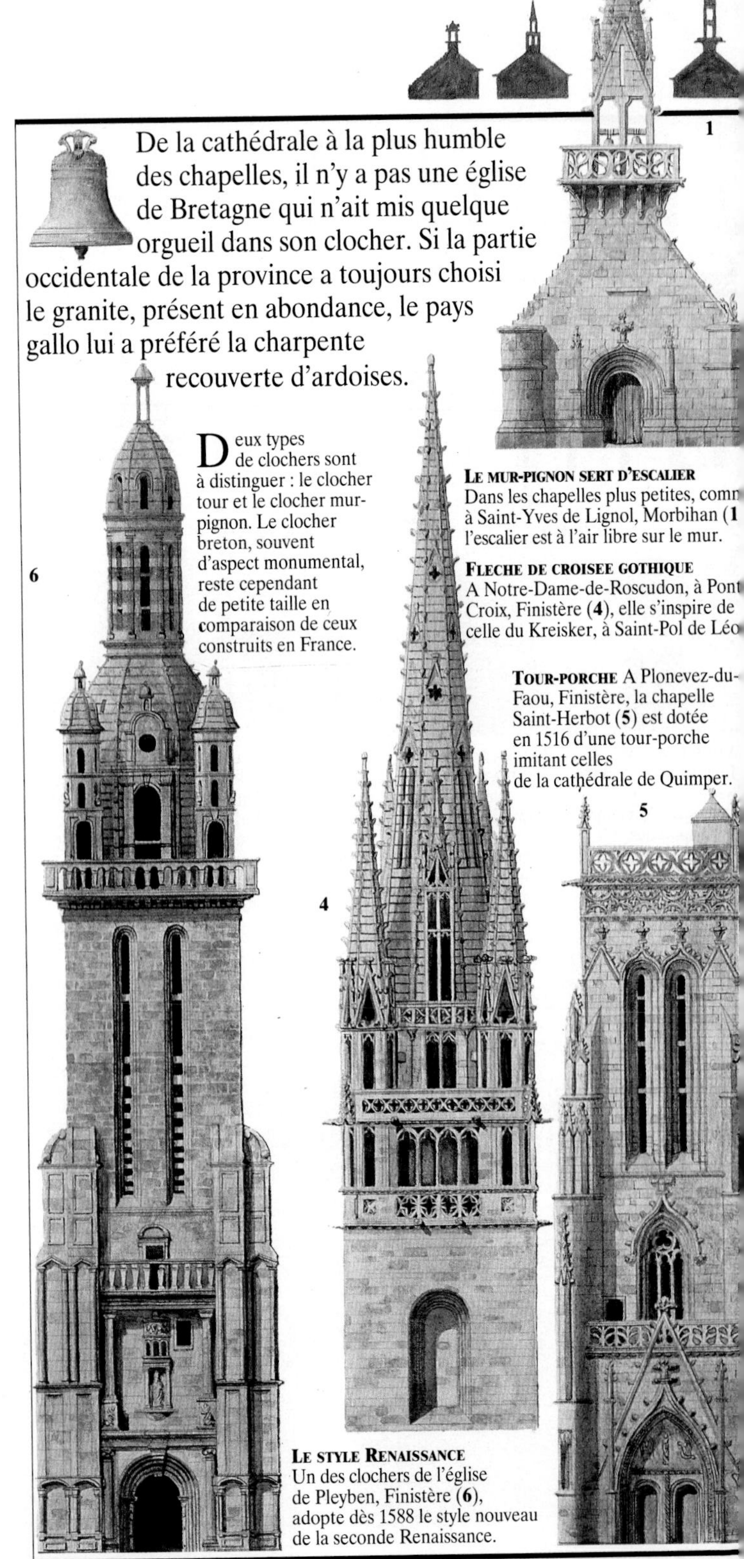

De la cathédrale à la plus humble des chapelles, il n'y a pas une église de Bretagne qui n'ait mis quelque orgueil dans son clocher. Si la partie occidentale de la province a toujours choisi le granite, présent en abondance, le pays gallo lui a préféré la charpente recouverte d'ardoises.

Deux types de clochers sont à distinguer : le clocher tour et le clocher mur-pignon. Le clocher breton, souvent d'aspect monumental, reste cependant de petite taille en comparaison de ceux construits en France.

LE MUR-PIGNON SERT D'ESCALIER
Dans les chapelles plus petites, comm à Saint-Yves de Lignol, Morbihan (**1** l'escalier est à l'air libre sur le mur.

FLECHE DE CROISEE GOTHIQUE
A Notre-Dame-de-Roscudon, à Pont Croix, Finistère (**4**), elle s'inspire de celle du Kreisker, à Saint-Pol de Léo

TOUR-PORCHE A Plonevez-du-Faou, Finistère, la chapelle Saint-Herbot (**5**) est dotée en 1516 d'une tour-porche imitant celles de la cathédrale de Quimper.

LE STYLE RENAISSANCE
Un des clochers de l'église de Pleyben, Finistère (**6**), adopte dès 1588 le style nouveau de la seconde Renaissance.

UR-PIGNON ET OCHER-PORCHE
ans le Trégor, formule diffère : ec l'utilisation contreforts d'une vis d'escalier, mme pour l'église Trédez, ôtes-d'Armor (**2**), réintroduit l'idée porche.

FAÇADE FRONTISPICE
A la chapelle Saint-Fiacre du Faouët, Morbihan (**3**), un véritable clocher cerné à sa base par une coursière en encorbellement est relié par des arcs à un ou deux escaliers à vis, abrités dans des tours-clochetons latérales.

LES CLOCHERS EN CHARPENTE
En haute Bretagne, l'emploi de la charpente s'impose. L'église de Chavagne du XVe siècle, en Ille-et-Vilaine (**7**), présente un exemple simple de flèche polygonale.
Au XVe siècle, pour l'église Saint-Etienne de Rennes, Ille-et-Vilaine (**8**), les charpentiers transcrivent en bois les dômes et lanternons qui sont couverts de plomb dans le reste de la France. D'autres exemples, comme l'église paroissiale du Faouët, Morbihan (**9**), témoignent de la riche diversité de formes que peuvent avoir les clochers bretons.

«BRETONS TETUS»
e votre obscur passé quand nous fendrons les voiles
Vos fiers clochers à jours baiseront les pavés!...
Nous prierons devant les étoiles :
Abattez-les, si vous pouvez!!!»
Théodore Botrel

MOBILIER D'EGLISE

1. Maître-autel
2. Tabernacle
3. Autel secondaire
4. Poutre de gloire
5. Lutrin
6. Jubé
7. Sablière historiée
8. Ex-voto
9. Retable
10. Lavabo
11. Gisant
12. Bannière
13. Chaire
14. Bénitier
15. Statue
16. Poinçon pendant
17. Entrait à engoulants
18. Fonts baptismaux
19. Enfeu
20. Dalle funéraire

L'intérieur de cette église reconstituée intègre les différents éléments de l'architecture religieuse bretonne.

MOBILIER D'ÉGLISE

A toutes les époques, le mobilier religieux breton a traduit le mélange intime des croyances populaires et de la doctrine officielle au travers d'œuvres artisanales aussi bien que savantes, encouragées par le mécénat ducal et la richesse des paroisses.

1. MAITRE-AUTEL
Situé dans le chœur, il est constitué d'une table consacrée, où le prêtre célèbre le sacrifice de la messe.

2. TABERNACLE
Petite armoire posée sur le maître-autel, qui abrite la réserve eucharistique.

3. AUTEL SECONDAIRE
En général dédié à certains saints.

4. POUTRE DE GLOIRE
Souvent historiée, elle fait la séparation entre le chœur et la nef. Elle supporte un Christ en croix, parfois entouré de la Vierge et de saint Jean.

5. LUTRIN
Pupitre élevé qui sert à porter les textes lus ou chantés debout.

6. JUBE
Clôture monumentale du chœur, surmontée d'une tribune accessible par un escalier.

7. SABLIERE HISTORIEE
Poutre de rive de charpente qui porte fréquemment des scènes sculptées, allant de la scène biblique aux sarabandes infernales.

8. EX-VOTO
Offrandes symboliques déposées en remerciement d'une grâce divine. Dans ce pays de marins, ils prennent souvent la forme de bateaux.

9. RETABLE
Ouvrage orné de représentations peintes ou sculptées servant de décor à un autel. De Quimper à Morlaix, ils sont en bois. Autour de Rennes, Vitré, Vannes et Pontivy, ils sont exécutés par les architectes lavallois, en marbre et tuffeau.

10. LAVABO
Sorte d'évier placé dans une niche-crédence dont l'étagère porte les burettes.

11. GISANT
Effigie sculptée d'un défunt représenté couché.

12. BANNIERE DE PROCESSION
Emblème d'une paroisse ou d'une confrérie, elle circule hors de l'église au moment des pardons.

13. CHAIRE
Sorte de tribune d'où le prêtre enseigne aux fidèles.

14. BENITIER
Cuve contenant l'eau bénite.

15. STATUE DE PROCESSION
La statuaire bretonne a su traduire dans les matériaux les plus variés (bois, granite, kersanton, marbre, calcaire) les thèmes traditionnels (vie du Christ, Vierge à l'Enfant, apôtres), les nouvelles dévotions proposées par la réforme catholique (rosaire, saint Joseph, etc.) et les saints intercesseurs.

16. POINÇON PENDANT
Pièce de charpente ouvragée apparaissant au sommet d'un lambris de couvrement.

17. ENTRAIT À ENGOULANTS
Poutre horizontale maintenant l'écartement de la charpente. Ses extrémités sont décorées à la façon des gargouilles.

18. FONTS BAPTISMAUX
Cuve sur pied servant à l'administration du baptême ; elle est parfois abritée par un baldaquin.

19. ENFEU
Niche allongée dans laquelle est placé un monument funéraire.

20. DALLE FUNERAIRE
Grande plaque de pierre souvent gravée qui recouvre une tombe.

LE PAYS VU PAR LES PEINTRES

DENISE DELOUCHE

«Derrière ces vaisseaux nous apercevions une masse noire cerclée de remparts, c'était Saint-Malo, vrai nid d'oiseaux de mer; et plus loin [...] une grande voix monotone; c'était l'océan»

Maurice de Guérin

C'est une mission qui amène l'académicien Jean-François Hue, l'un des premiers peintres de la Bretagne, à Saint-Malo, en 1791. Il est chargé par l'Etat d'achever une suite de tableaux documentaires sur les ports de France; exposée à Paris en 1798, cette *Vue de la ville, de la rade et du port de Saint-Malo* (détail) y est très appréciée. L'objectif est de décrire avec précision le site portuaire et son activité. Vue de Saint-Servan, la ville corsaire se profile en pleine lumière sous

un ciel d'orage, cadrée entre les moulins du Naye, à droite, et la Cité, à gauche.
La description est exacte, mais une violente tempête secoue les navires, et le peintre dramatise le premier plan, en décrivant un naufrage et la chaîne des sauveteurs. Le choix des éléments déchaînés est symptomatique du préromantisme. Peu après, en 1802, Chateaubriand dira la solitude désespérée de René errant sur les grèves de Saint-Malo avant de fuir vers les Amériques.

Les peintres commencent à aimer Cancale dans les années 1860. De 1888 – *Le Débarquement des huîtres à Cancale* (1), d'Auguste Flameng – aux années 1930 – Marin Marie (2), *La Caravane de Pâques* (3) – , leurs thèmes sont les mêmes : l'activité ostréicole et le dragage des huîtres dans la baie. D'autres artistes sont séduits par les Cancalaises, mais la vision qu'ils nous en donnent est nettement édulcorée.

Feyen-Perrin, un habitué de Cancale, avec son frère, dans les années 1870-1880, choisit ses modèles parmi les blondes au canon élancé, et il prête à *La Tricoteuse de Cancale* (4) une rêverie nostalgique peu conforme aux dures réalités de la vie, même si le costume est parfaitement exact. Le jeune Américain John Singer Sargent ne fait qu'un bref séjour à Cancale, en 1877, pour peindre ses sveltes *Ramasseuses d'huîtres* (5) dans un parti luministe qui a fait apprécier ce tableau en pleine période impressionniste.

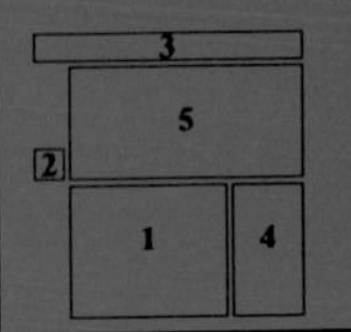

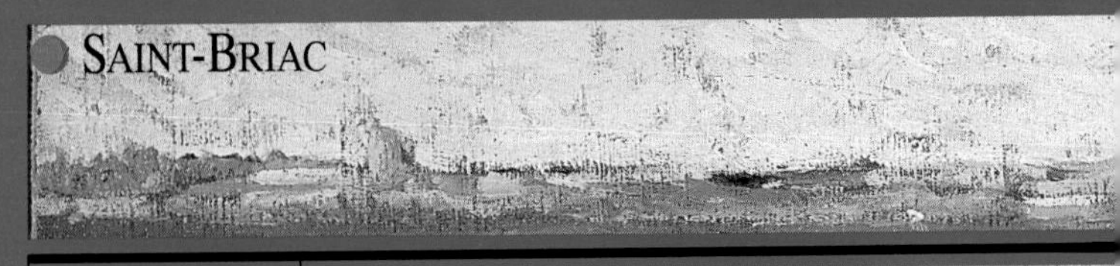

En 1884, à Saint-Briac, le jeune Paul Signac travaille *Le Moulin de Pierre Allée* (1) dans une veine impressionniste. L'année suivante, influencé par le néo-impressionnisme de son ami Georges Seurat, il cherche dans *La Croix des marins* (2) l'éclat de la couleur par une division plus systématique des tons purs et contrastés. Emile Bernard (3) est

souvent venu à Saint-Briac, avant et pendant sa fructueuse collaboration avec Gauguin; *La Moisson au bord de la mer* (4), avec ses formes simplifiées, ses plages colorées arbitrairement, est un bel aboutissement du style synthétiste créé à Pont-Aven. Quand il vient à Saint-Jacut, en 1909, le nabi Edouard Vuillard (5) recompose l'harmonie colorée du paysage

autour de *La Maison bleue* (6) et de l'ancien four à pain, en jouant d'une gamme étouffée.

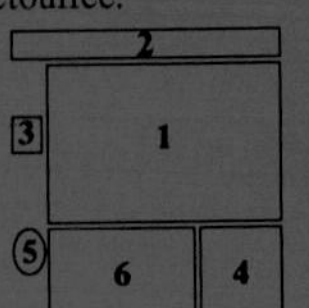

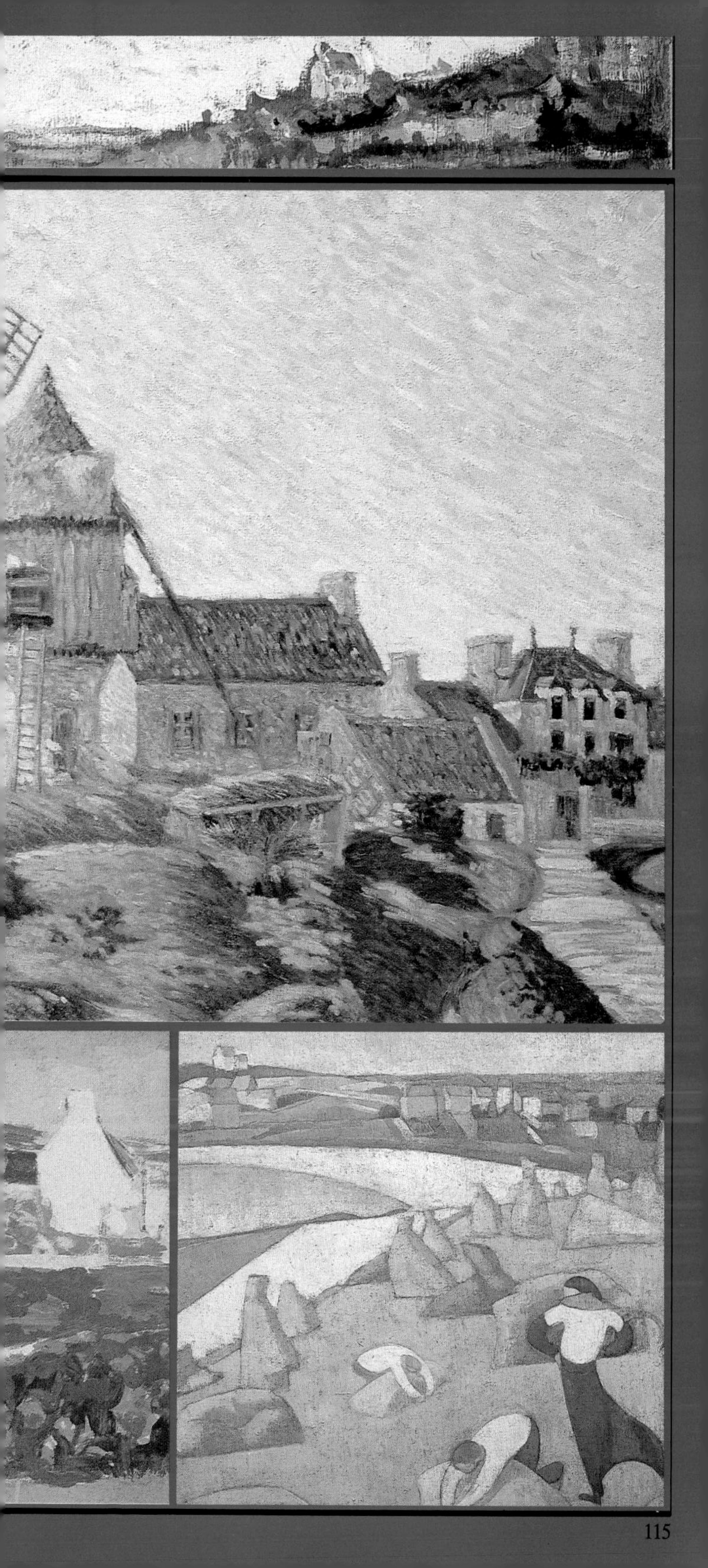

«DANS CES TABLEAUX, TOUT EST MOBILE,
TOUT SE POURCHASSE, S'AFFRONTE ET SE FUIT
DANS UNE EXPLOSION DE VIOLENCE DÉFIANT LES LOIS STATIQUES»

ANTONINA VALLENTIN

DINARD

Picasso a passé ses vacances à Dinard en 1922, 1928 et 1929. En 1922, ses dessins à la plume, d'une grande sobriété, représentent fidèlement les paysages de la Rance, de Saint-Malo, souvent vus depuis l'hôtel où il réside;

ses natures mortes restent cubistes, mais les scènes de plage sont marquées par le retour à un réalisme serein qui exprime le bonheur familial vécu aux côtés d'Olga et de son fils Paul. Mais l'ivresse des jeux sur la plage entraîne Picasso à la gageure de traduire le mouvement. *Deux femmes courant sur la plage,* ou *La Course* (détail), est une œuvre très célèbre; sur un fond de bleus très vifs, qui unissent mer et ciel, deux silhouettes aux formes généreuses et simplifiées traversent le champ de la toile comme ivres de vitesse, d'air pur, de joie de vivre. La monumentalité dans ce petit format permettra au peintre de réutiliser son sujet pour un rideau de scène. En 1928-1929, après la rencontre du surréalisme, Picasso, sur les mêmes jeux de plage, désarticulera les formes aplaties des corps, traduisant, là encore, l'ivresse du mouvement, mais à travers des œuvres violentes et inquiétantes.

En 1860, Corot n'est pas le premier mais reste le peintre le plus illustre de Dinan; il y peint *La Porte du Jerzual*, «sous la pluie et les pieds dans la boue», nous dit un ami, moins attentif au pittoresque médiéval qu'à l'harmonie des bruns et des gris mis en valeur par le bleu lavé du ciel, auquel répond le mince filet d'eau qui court sur le sol, et par les touches rouges d'un costume féminin (détail, 1). C'est en «fauve» repenti, ou vieilli, qu'Othon Friesz peint, en 1926, cette *Vue de Dinan* (2) : la perspective est traditionnelle, les couleurs redevenues sages, le portrait fidèle.

Yvonne Jean-Haffen, elle, n'est d'aucun groupe, se contentant de suivre les conseils de son maître Mathurin Méheut(3); elle connaît et aime Dinan, où elle habite, et choisit, dans *Dinan vu de Lanvallay* (détail, 4), le parti décoratif de deux couleurs pour exprimer librement les reliefs qui caractérisent le site.

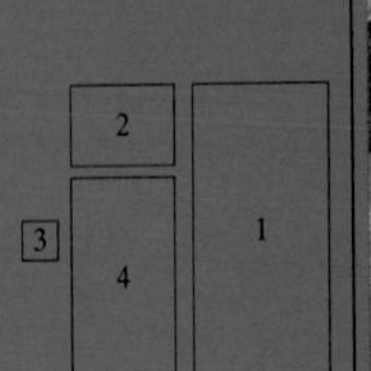

«De la Rance, elle apparaît comme une cascade de jardins. Les hêtres et les ormes, puis les lilas, les cytises, les lauriers-palmes coulent sur des pentes, jusqu'au pied des tours exactement vêtues de lierres» Roger Vercel

La Vallée de Rochegouët, huile sur toile de Henri Saintin, 1883 (musée de Tarbes).

LE PAYS VU PAR LES ÉCRIVAINS

La bataille de Cézembre

La Chanson d'Aiquin, *chanson de geste médiévale, fut sans doute composée à la fin du XIIe siècle, mais elle relate des événements contemporains des invasions normandes. La seule version connue est celle d'un manuscrit du XVe siècle qui fut retrouvé dans les ruines du couvent des récollets de l'île de Cézembre, bombardée par les Anglais en 1693. Ce passage raconte la bataille de Cézembre qui opposa le chef normand Aiquin aux Bretons. L'île de Cézembre était alors reliée à la terre par un gué qui devint impraticable à la fin du XVe siècle.*

“Maintenant je vais vous parler de l'émir Aiquin, qui est en Quidalet, la cité forte : il est très affligé, triste et inquiet, à cause de la flotte et des richesses que les chrétiens lui ont prises, et à cause de Dinard et de ses parents qui l'avant-veille ont été brûlés et abattus. Quand il y repense, la douleur l'étreint. Le roi Aiquin appelle ses gens : «Nobles compagnons, leur dit l'émir, ces chrétiens nous malmènent. Chaque jour ils nous attaquent dès l'aube; ils ont pris notre or qui venait d'aborder; ils ont tout emporté! Ils ont brûlé Dinard, ce qui me déshonore, ainsi que mes amis qui étaient si nombreux. En cette ville ils nous encerclent. Sur terre et sur mer ils nous entourent. Ils m'épient attentivement, on me l'a dit, de peur que je m'enfuie au pays où je suis né : une partie de leur armée s'est rendue à Cézembre ; ils y sont logés sous des tentes. Là, pour me guetter, ils se sont installés. [...] Ils n'ont que mille hommes, on me l'a dit. Armez-vous vite, nobles et glorieux guerriers : bientôt ce sera le soir et, le soleil couché, la lune luit, répandant une grande clarté. Leur roi ne se portera sûrement pas à leur secours car il ne sait rien de ce conseil secret. Avant le jour vous serez revenus.» [...] A minuit, les païens se mettent en route. Jusqu'à l'île vont sans s'arrêter. Là ils trouvent le duc Naimes et les Français. Ceux-ci se sont couchés (ils sont trop confiants!) et se sont endormis. C'est une très grande folie! Les Sarrasins trouvent leurs chevaux, les encerclent en silence. Alors les païens tirent leurs épées d'acier, tuent et taillent en pièces tous les chevaux. [...] Les Français s'éveillent, les voici levés ! [...] Chacun tire son épée acérée, ils frappent fort sur les païens maudits, à beaucoup ils séparent la tête du cou. Mais en vain, ils n'échapperont pas : contre un des nôtres il y a bien cinq démons! Ils sont faits prisonniers, c'est deuil et pitié C'est là qu'il y eut grande douleur et grand massacre! ”

La Chanson d'Aiquin, traduite et présentée par Jean-Claude Lozac'hmeur et Maud Ovazza, Jean Picollec, Paris, 1985

Chateaubriand et Saint-Malo

Chateaubriand (1768-1848) passa ses dix-huit premières années en Bretagne entre Saint-Malo ▲ 173, Plancoët, Dinan, Combourg ▲ 326 et Dol ▲ 361 Plus tard, il forgea l'image romantique d'une province sauvage, en harmonie avec son propre goût de la solitude. Les trois premiers livres des Mémoires d'outre-tombe, *qui racontent sa jeunesse, sont parmi les plus attachants.*

“Au second étage de l'hôtel que nous habitions, demeurait un gentilhomme nommé Gesril : il avait un fils et deux filles. Ce fils était élevé autrement que moi enfant gâté, ce qu'il faisait était trouvé charmant : il ne se plaisait qu'à se battre, et surtout qu'à exciter des querelles dont il s'établissait le juge. Jouant des tour perfides aux bonnes qui menaient promener les enfants, il n'était bruit que de ses espiègleries que l'on transformait en crimes noirs. Le père riait de tout, et *Joson* n'en était que plus chéri. Gesril devint mon intime ami et prit sur moi un ascendant incroyable : je profitai sous un tel maître, quoique mon caractère fût entièrement l'opposé du sien. [...] Nous étions un dimanche sur la grève, à l'*éventail* de la porte Saint-Thomas à l'heure de la marée. Au pied du château et le long du *Sillon,* de gros pieux enfoncés dans le sable protègent les murs contre la houle. Nous grimpions ordinairement au haut de ces pieux pour voir passer au-dessous de nous les premières ondulations du flux. Les places étaient prises comme de coutume; plusieurs petites filles se mêlaient aux petits garçons. J'étais le plus en pointe vers la mer, n'ayant devant moi qu'une jolie mignonne, Hervine Magon, qui riait de plaisir et pleurait de peur. Gesril se trouvait à l'autre bout du côté de la terre. Le flot arrivait, il faisait du vent; déjà les bonnes et les domestiques criaient : «Descendez, Mademoiselle! descendez, Monsieur!» Gesril attend une grosse lame : lorsqu'elle s'engouffre entre les pilotis, il pousse l'enfant assis auprès de lui; celui-là se renverse sur un autre; celui-ci sur un autre : toute la file s'abat comme des moines de cartes, mais chacun est retenu par son voisin; il n'y eut que la petite fille de l'extrémité de la ligne sur laquelle je chavirai qui, n'étant appuyée par personne, tomba. Le jusant l'entraîne; aussitôt mille cris, toutes les bonnes retroussant leurs robes et tripotant dans la mer, chacune saisissant son magot et lui donnant une tape. Hervine fut repêchée; mais elle déclara que François l'avait jetée bas. Les bonnes fondent sur moi; je leur échappe [...] mais cette nouvelle se répandit dans la ville, et le chevalier de Chateaubriand, âgé de neuf ans, passa pour un homme atroce, un reste de ces pirates dont saint Aaron avait purgé son rocher. »

CHATEAUBRIAND, *MÉMOIRES D'OUTRE-TOMBE*, 1848,
GALLIMARD, «BIBLIOTHÈQUE DE LA PLÉIADE»,
T. I PARIS, 1946

VICTOR HUGO ET DOL

Victor Hugo, guidé par Juliette Drouet, sa maîtresse, originaire de Fougères, découvrit la Bretagne en 1834. Enthousiasmé, il revint en 1836 dans la région de Fougères, Dol et Pontorson, où il situa son dernier roman, Quatrevingt-treize ▲ *356 ; cette partie de la Bretagne fut en effet traversée par la terrible virée de Galerne. Publié en 1874, ce récit de chouannerie exprime le déchirement de l'auteur, tiraillé entre un père qui servit chez les bleus et une mère vendéenne. Bien que victime des stéréotypes de son époque, il sut voir dans le soulèvement breton une manifestation de la lutte séculaire de l'ancien duché contre l'État français.*

« L'aubergiste de la Croix-Branchard avait dit vrai, une mêlée forcenée emplissait Dol au moment où il parlait. Un duel nocturne entre les blancs arrivés le matin et les bleus survenus le soir avait brusquement éclaté dans la ville. Les forces étaient inégales, les blancs étaient six mille, les bleus étaient quinze

cents, mais il y avait égalité d'acharnement. Chose remarquable, c'étaient les quinze cents qui avaient attaqué les six mille.
D'un côté une cohue, de l'autre une phalange. D'un côté six mille paysans, avec des cœurs-de-Jésus sur leurs vestes de cuir, des rubans blancs à leurs chapeaux ronds, des devises chrétiennes sur leurs brassards, des chapelets à leurs ceinturons, ayant plus de fourches que de sabres et des carabines sans bayonnettes, traînant des canons attelés de cordes, mal équipés, mal disciplinés, mal armés, mais frénétiques. De l'autre quinze cents soldats avec le tricorne à cocarde tricolore, l'habit à grandes basques et à grands revers, le baudrier croisé, le briquet à poignée de cuivre et le fusil à longue bayonnette, dressés, alignés, dociles et farouches, sachant obéir en gens qui sauraient commander, volontaires eux aussi, mais volontaires de la patrie, en haillons du reste, et sans souliers; pour la monarchie, des paysans paladins, pour la révolution, des héros va-nu-pieds; et chacune des deux troupes ayant pour âme son chef; les royalistes un vieillard, les républicains un jeune homme. D'un côté Lantenac, de l'autre Gauvain.»

VICTOR HUGO, *QUATREVINGT-TREIZE*, 1874, GALLIMARD, «FOLIO», PARIS, 1979

PAUL FÉVAL ET LA BAIE DU MONT-SAINT-MICHEL

Paul Féval (1816-1887), natif de Rennes, consacra une partie de son œuvre à la Bretagne, avec Le Loup blanc *(1843),* Contes de Bretagne *(1844),* Belle de nuit *(1849). L'intrigue de* La Fée des grèves *(1851) se déroule dans la baie du Mont-Saint-Michel, en 1450; l'action commence le jour de l'enterrement de Gilles de Bretagne dans la basilique du Mont-Saint-Michel et dure quarante jours, le temps du repentir du duc François, assassin de son propre frère* ▲ *289.*

«Julien était assis entre son père et sa mère. Tout le monde l'interrogeait des yeux. Il y avait sur son visage une émotion grave et triste. «Quand monsieur Hue de Maurever, commença-t-il avec lenteur, me conduisit au château du Guildo, apanage de monsieur Gilles de Bretagne, je vis de belles fêtes, mon père et ma mère! Il était jeune, monsieur Gilles de Bretagne et fier, et brillant. Maintenant, il est couché dans un cercueil de plomb, sous les dalles de quelque chapelle. Et tout le monde sait bien qu'il est mort empoisonné! [...] Notre seigneur François était jaloux de monsieur Gilles, son frère. Il le fit enlever nuitamment du manoir du Guildo par Jean, sire de la Haise, qui n'est pas un Breton, et Olivier de Méel, qui est un lâche! Jean de la Haise enferma monsieur Gilles dans la tour de Dinan. Et comme le pauvre jeune seigneur, prisonnier, faisait des signaux au travers de la Rance, Robert Roussel — un damné! — l'emmena jusqu'à Châteaubriant où les cachots sont sous la terre. Les cachots de Châteaubriant ne parurent point pourtant assez profonds. Jean de la Haise et Robert Roussel mirent leurs hommes d'armes à cheval par une nuit d'hiver, et conduisirent monsieur Gilles à Moncontour. A Moncontour, il y a des hommes. On plaignait monsieur Gilles. Jean de la Haise et Robert Roussel fermèrent sur lui les portes de la forteresse de Touffon. Et comme Touffon est trop près d'un village on chercha encore. On trouva, au milieu d'une forêt déserte, le château de la Hardouinays, où monsieur Gilles a rendu son âme à Dieu... [...] Jean de la Haise et Robert Roussel se fatiguaient de garder le captif. Ils voulurent d'abord le tuer

par la faim… [...] Mais quand les deux bourreaux geôliers virent que la faim ne tuait pas monsieur Gilles assez vite, ils achetèrent trois paquets de poison au Milanais Marco Bastardi, l'âme damnée du sire de Montauban. [...] Un soir, Reine de Maurever vint, comme de coutume, déguisée en paysanne. Elle frappa aux barreaux. Nul ne répondit. Monsieur Gilles était couché tout de son long sur la paille humide. Reine devina. Elle courut chercher son père qui se cachait dans les environs, et un prêtre. Monsieur Gilles put se lever sur son séant et se confessa à travers le soupirail. Quand il eut fini de se confesser, le prêtre lui demanda :
— Gilles de Bretagne, pardonnez-vous à vos ennemis?
— Je pardonne à tous excepté à François de Bretagne, mon frère, répondit le mourant, qui trouva un dernier éclair de vie; Abel n'a point pardonné à Caïn». ❞

PAUL FÉVAL, *LA FÉE DES GRÈVES*, 1851, JEAN PICOLLEC, PARIS, 1981

DUCLOS-PINOT, UN DINANNAIS LIBERTIN

Duclos-Pinot (1704-1772), né à Dinan, fut l'un des hommes d'esprit les plus recherchés de son siècle. Sa seule conversation lui valut d'être nommé membre de l'Académie des inscriptions et belles-lettres sans avoir encore rien écrit. Lié aux encyclopédistes, il fréquentait Voltaire et Rousseau au Procope. Un édit royal le nomma maire de Dinan en 1744 ▲ 248. *Cet historiographe de Louis XV était aussi un libertin, qui écrivit des* Considérations sur les mœurs de ce siècle, *un roman licencieux,* Madame de Luz, *et des mémoires sentimentales, les* Confessions du comte de X. écrites par lui-même, *dont voici un extrait.*

❝A peine eus-je quité cèle dont je viens de parler, que je fus obligé d'en sacrifier une autre aux devoirs de la société. Me Derval, c'était son nom, était ce qu'on appelle une bone fame. Elle avait le cœur droit, l'esprit simple, & de la candeur dans le procédé. Il était aussi nécessaire à son existence d'aimer que de respirer. Chez elle l'amour avait sa source dans le caractère, & ne dépendait point d'un objet déterminé. Il lui falait un Amant quelqu'il fut; son cœur n'aurait pas pus en supporter la privation ; mais elle en aurait eu dix de suite, pourvu qu'ils se fussent succédé sans intervale, qu'à peine se serait-elle aperçû du changement. Elle aimait de très bonne foi celui qu'elle avait, & conservait les mêmes sentiments à son successeur. La figure de Me Derval, qui était charmante, lui assurait toujours un Amant, l'inconstance naturèle aux Amants heureux le lui faisait bientôt perdre; mais il ne la quitait que pour faire place à un autre, dont le bonheur était aussi sûr et la constance aussi faible. D'ailleurs le bon air était de l'avoir eûe, & je voulus en passer ma fantaisie. Je comptais que ce serait une affaire de quelques jours; mais la bonté de son caractère, sa complaisance, ses atentions, ses caresses, son empressement pour moi, m'arêtèrent insensiblement. Je l'avais prise par caprice, je m'y atachai par goût, & il y avait deux mois que je vivais avec elle, sans songer à la quiter lorsque je reçus un billet conçu en ces termes. «Lorsque vous avez pris Me Derval, Monsieur, j'étais dans le même dessein; mais vous m'avez prévenu, votre fantaisie m'a paru toute simple, & j'ai pris le parti d'atendre qu'elle fut passée pour satisfaire la mienne. Cependant votre goût devrait être épuisé depuis deux mois; un terme si long tient de l'amour & même de la, confiance. J'espérais toujours que avous quiteriez Me Derval; j'atendai mon tour, & dans cète confiance j'ai rompu avec une Maitresse que j'aurais gardée. Vous êtes trop galant homme pour troubler l'ordre de la société; rendez-lui donc une fame qui lui appartient, vous devez sentir la justice de ma demande.[...] Dès ce moment je sentis mes torts; je songeai à les réparer, & je rendis dans le jour même à la société Me Derval, come un efet qui devait être dans le comerce.

DUCLOS-PINOT, *CONFESSIONS DU COMTE DE X. ÉCRITES PAR LUI-MÊME*, 1742

THÉOPHILE BRIANT ET LA MALOUINIÈRE DE LA FOSSE-HINGANT

Le poète Théophile Briant (1891-1956) ■ *129* ▲ 210 *se passionna pour l'histoire du Clos-Poulet, où il se fixa définitivement en 1934. Sa biographie de Chateaubriand (1948) et son essai sur les derniers marins cap-horniers (1954) sont aujourd'hui moins connus que son roman historique sur la conjuration de La Rouërie,* Les Amazones de la chouannerie ▲ *218 (1938).*

“Le château de la Fosse-Hingant est situé près de Saint-Coulomb, presque en bordure de la grand'route qui mène de Saint-Malo à Cancale. [...]

Le Goéland
feuille de poésie et d'ar
CHEMIN DU PHARE PARAMÉ EN BRETAG

Cette demeure isolée nichée dans un écrin de verdure, à deux lieues de Saint-Malo, desservie par les grèves désertes d'où les flottilles de la conjuration pouvaient s'élancer vers l'Angleterre, sembla donc tout indiquée comme quartier général à La Rouërie et comme lieu de rassemblement. Et c'est pourquoi, ce soir de Mardi gras, il y avait fixé l'assemblée plénière des conjurés.
Dès l'antichambre du château, Thérèse parut. Elancée, gracieuse, plus jolie que belle, avec ses yeux bleus, sa petite bouche à fossettes aux coins retroussés, sa lourde chevelure blonde, et sa taille d'amazone, elle était essentiellement racée, pareille à ces pur-sang sur lesquels elle sautait crânement comme un homme et qu'elle faisait cabrer, ou faire feu des quatre pieds aux pavés de la Cité corsaire. [...] Cependant dans l'ombre de Thérèse, et collé pour ainsi dire aux plinthes de chêne, se tenait un homme jeune, de tournure élégante, qui inspira au chevalier une inexplicable aversion. Le teint mat, les lèvres minces, il fixait sans aménité un curieux œil d'oiseau sur le couple formé par Armand et Thérèse. «Permettez-moi, dit La Rouërie à Tinténiac, de vous présenter le docteur Chèvetel de qui je vous avais parlé. Jadis il soigna ma femme, lors de la maladie qui devait l'emporter, avec un dévouement que je n'oublierai jamais. Nous nous aimons autant que nous nous estimons, n'est-ce pas, docteur ?
— C'est exact, dit Chèvetel d'une voix qui sonna faux. [...]
— Ce que le docteur ne vous dit pas, reprit La Rouërie, c'est qu'il a longtemps habité Paris, qu'il est mêlé à tout le mouvement d'avant-garde, et qu'il est lié d'amitié avec Danton et Marat.»
Soit perversion d'intellectuel, soit curiosité de Celte ouvert à trop de choses, La Rouërie semblait amusé d'avoir parmi ses relations, lui vieux monarchiste, un ami des deux plus féroces meneurs de la Révolution. Pourtant à l'annonce de ces deux

noms détestés, Tinténiac bondit. «Vous avez toujours aimé jouer avec le feu, La Rouërie.
— Pas le moins du monde, répondit le colonel en souriant. Nous espérons au contraire vivement, le docteur et moi, que l'amitié de Danton servira nos desseins». ”

THÉOPHILE BRIANT, *LES AMAZONES DE LA CHOUANNERIE*, 1938,
FERNAND LANORE, PARIS, 1974

BERNARD SIMIOT ET SAINT-MALO

Après de longues recherches sur la Compagnie des Indes en vue d'une thèse, Bernard Simiot comprit que seule la forme romanesque lui permettrait de raconter l'aventure de ces armateurs malouins et nantais qui avaient sillonné les mers sous le règne de Louis XIV. Une trilogie romanesque vit ainsi le jour, qui suit une même famille malouine, les Carbec, de 1670 à la dernière guerre mondiale : Ces messieurs de Saint-Malo, Le Temps des Carbec, Rendez-vous à la malouinière.

“C'était l'heure de la marée. En sortant de l'amirauté, Jean-Marie se mêla à la foule qu'aucun événement n'aurait empêché de venir attendre le poisson frais. Lui-même n'y manquait pas. Tout le monde le connaissait, bonjour cousin, et chacun s'imaginait que son père Mathieu avait amassé une petite fortune grâce à la Compagnie des Indes, à la morue et au *Renard*. Parce qu'ils en profitaient tous, bourgeois, prêtres, artisans, orfèvres, boutiquiers ou simples regrattiers, matelots, aubergistes et putains, les Malouins admiraient leurs corsaires. Ils redoutaient aussi d'être eux-mêmes attaqués par une flotte ennemie dont l'assaut ne pourrait être contenu par les légers navires de leurs jeunes capitaines. Déjà, sur plusieurs points de la côte, les Anglais avaient tenté, parfois réussi, quelques coups de main, et le bruit courait qu'ils se préparaient à incendier Calais, Dunkerque, Fécamp, plus encore Saint-Malo que les marchands de Londres appelaient le Nid de Guêpes. Pour rassurer les Guêpes, Vauban avait chargé son premier ingénieur, le chevalier de Garangeau, de multiplier les bastions sur la Conchée, Cézembre, l'Islet, Harbour, les Bés, et de couler du mortier au Fort-Royal et au Fort de la Reine. [...] Comme tant d'autres fois, il s'attarda sur les remparts, il ne parvenait pas à s'en arracher. Un jour d'équinoxe, quand il était enfant, Yves Le Coz l'avait longtemps observé, tout droit, immobile comme un pieu amarré au paysage, les yeux fixés sur la mer où galopaient les crinières blanches des chevaux fous. Le capitaine lui avait demandé :
«Que regardes-tu, fils ?
— Rien.
— A quoi penses-tu alors ?
— A rien.
— Tu es un vrai Malouin, avait conclu le capitaine».”

BERNARD SIMIOT, *CES MESSIEURS DE SAINT-MALO*,
ALBIN MICHEL, PARIS, 1983

COLETTE ET LA CÔTE CANCALAISE

S'inspirant de ses nombreux séjours à Roz-en-Ven, près de Cancale ▲ 213, Colette écrivit un feuilleton pour Le Matin *en 1922-1923 :* Le Blé en herbe. *Observant sa fille, Belle-Gazou, et les fils de son mari, Henri de Jouvenel, avec l'attention aiguë qu'elle savait prêter aux êtres, l'écrivain y dépeint merveilleusement la sensibilité de deux adolescents, troublés par la découverte de l'amour.*

“ Ils trouvèrent le long de la côte des crevettes, des trigles qui gonflaient d'air, pour épouvanter l'agresseur, leurs éventails de nageoires et leur gorge arc-en-ciel. Mais Phil suivait mollement les petits gibiers du roc et de la vague. Il endurait mal le soleil reflété dans les flaques et glissait comme un novice sur les chevelures gluantes des zostères. Ils capturèrent un homard et Vinca fourgonna terriblement le « quai» où habitait un congre.
«Tu vois bien qu'il y est! cria-t-elle en montrant le bout du crochet de fer, teint de sang rose.»
Phil pâlit et ferma les yeux.
«Laisse cette bête, dit-il d'une voix étouffée.
— Penses-tu! Je te garantis que je l'aurai… Mais qu'est-ce que tu as?
— Rien.»
Il cachait, de son mieux, une douleur qu'il ne comprenait pas. Qu'avait-il donc conquis, la nuit dernière, dans l'ombre parfumée, entre des bras jaloux de le faire homme et victorieux? Le droit de souffrir? Le droit de défaillir de faiblesse devant une enfant innocente et dure? Le droit de trembler inexplicablement, devant la vie délicate des bêtes et le sang échappé à ses sources ?…
Il aspira l'air en suffoquant, porta les mains à son visage et éclata en sanglots. Il pleurait avec une violence telle qu'il dut s'asseoir, et Vinca se tint debout, armée de son crochet mouillé de sang, comme une tortionnaire. Elle se pencha, n'interrogea pas, mais écouta en musicienne l'accent, la modulation nouvelle et intelligible des sanglots. Elle étendit une main vers le front de Philippe, et la retira avant le contact. La stupeur quitta son visage, où montèrent l'expression de la sévérité, une grimace amère et triste qui n'avait point d'âge, un mépris, tout viril, pour la faiblesse suspecte du garçon qui pleurait. Puis elle ramassa avec soin son cabas de raphia où sautaient des poissons, son havenet, passa son crochet de fer à sa ceinture comme une épée, et s'éloigna d'un pas ferme, sans se retourner. ”

COLETTE, *LE BLÉ EN HERBE*, 1923
GARNIER-FLAMMARION
PARIS, 196

Louis Tiercelin et Paramé

Louis Tiercelin ne se contenta pas d'animer L'Hermine, *la revue littéraire de la renaissance bretonne* ▲ 217, *mais prêcha lui-même l'exemple en parcourant toute la Bretagne avec Anatole Le Braz, en 1893. Ces pérégrinations inspirèrent un livre en prose,* La Bretagne qui croit, *et un recueil de poèmes,* La Bretagne qui chante, *d'inspiration parnassienne.*

La chanson du verger fleuri

Le printemps rassemble au verger
Fleurs de pommiers et coiffes blanches.
Le beau tumulte du verger,
Quand on y vient boire et manger,
Tous les dimanches.

Le soleil fait luire au verger
Fleurs de pommiers et coiffes
[blanches.
Sous les grands arbres du verger,
Les filles aiment à nicher
Leurs gaîtés franches.

Et l'amour unit au verger
Fleurs de pommiers et coiffes blanches.
Quels frais bouquets dans le verger,
Et quels baisers on peut gruger
Parmi les branches.

Louis Tiercelin, *La Bretagne qui chante,* Alphonse Lemerre, Paris, 1903

Théophile Briant et la tour du Vent

Théophile Briant, le « saint Vincent des poètes » ▲ *210, écrivit pour sa propre revue,* Le Goéland, *et publia deux ouvrages, en 1929 et en 1942 (*Premier recueil de poèmes *et* Deuxième recueil de poèmes*). Son art poétique conjugue une veine symboliste dans la tradition de Baudelaire et une écriture proche de celles de Max Jacob et de Guillaume Apollinaire, qu'il fréquentait à Paris.*

Sablier

Monte la nuit, tombe le jour
la vague féconde le sable
où meurt son écume d'amour.

Mieux que moi, la mer inusable
ondule encor vers son désir
sans jamais pouvoir s'assouvir.

Le sable fuit, l'heure succombe
le Présent glisse entre mes doigts
Voici le vide et voici l'ombre.

Plus d'étoile au ciel de ma vie
Rien que le rythme du trépas
qui forge ma lente agonie.

Mer, ensevelis ma pauvre âme
dans ton vieux moïse natal
et ton suaire de blancheurs.

Emporte mon cœur périssable
et bois mon dernier grain de sable
dans le tablier des douleurs.

Théophile Briant, *Vingt-Cinq Poèmes de la tour du Vent,*
Les Exemplaires, Paris, 1955

Théophile Briant

LA TOUR DU VENT

Tour éternelle
qu'elle était belle
au disque d'or
des brises nord,
sa chevelure
de goémons,
et sa ceinture de goélands.

Ma Tour du Vent
n'est plus d'ivoire
elle est sur champ
de pierres noires
et va-t'en voir
par les nuits noires
si vient m'y voir
le Fils du Vent.

Ma Tour est seule
amour enfui
Ma Tour est veuve
soleils bannis.
Aigres ventôses
soirs de nivôse
prunelles closes
rêve aboli.

THÉOPHILE BRIANT, *VINGT-CINQ POÈMES DE LA TOUR DU VENT*,
LES EXEMPLAIRES, PARIS, 1955

JEAN RICHEPIN ET LE VAL-ANDRÉ

Jean Richepin (1849-1926), qui passa ses vacances à Saint-Enogat, Saint-Jacut et Pléneuf-Val-André ▲ 312*, trouva dans la mer son meilleur thème d'inspiration. Romantisme, goût du pittoresque et amour des mots nouveaux fleurissent avec bonheur dans son recueil* La Mer.

MOUETTES, GRIS ET GOELANDS

Mouettes, gris et goëlands
Mêlent leurs cris et leurs élans.

Leur vol fou qui passe et repasse
Tend comme un filet dans l'espace.

Mouettes, goëlands et gris
Mêlent leurs élans et leurs cris.

Parmi les mailles embrouillées
Grincent des navettes rouillées.

Mouettes, gris et goëlands
Mêlent leurs cris et leurs élans.

Ces navettes à l'acier mince,
C'est leur voix aiguë et qui grince.

Mouettes, goëlands et gris
Mêlent leurs élans et leurs cris.

On voit luire en l'air dans les mailles
Des ors, des nacres, des écailles.

Mouettes, gris et goëlands
Mêlent leurs cris et leurs élans.

C'est un poisson que l'un attrape
Et qu'au passage un autre happe.

Mouettes, goëlands et gris
Mêlent leurs élans et leurs cris.

Holà! ho! Du cœur à l'ouvrage!
La mer grossit. Proche est l'orage.

Mouettes, gris et goëlands
Mêlent leurs cris et leurs élans.

Mais soudain, clamant la tempête,
Le pétrel noir au loin trompette.

Mouettes, goëlands et gris
Mêlent leurs élans et leurs cris.

Vite, vers leurs grottes fidèles
Ils retournent à tire d'ailes.

Mouettes, gris et goëlands
Rentrent leurs cris et leurs élans.

Lui, sa clameur stridente augmente.
Quand vient ce roi de la tourmente,

Mouettes, goëlands et gris
N'ont plus d'élans, n'ont plus de cris.

JEAN RICHEPIN, *LA MER*, 1886,
LES MARITIMES/
VOILE-
GALLIMARD,
PARIS, 1980

Angèle Vannier et Bazouges-le-Pérouse

Angèle Vannier (1917-1980), née à Saint-Servan, fut atteinte de cécité à vingt-deux ans et commença à écrire. Découverte par Théophile Briant, saluée par Paul Eluard, sa poésie est essentiellement d'inspiration celtique, même si elle devint au fil du temps de plus en plus intérieure. Revenue dans sa maison de Bazouges-le-Pérouse ▲ *351 en 1973, elle participa à de nombreux spectacles et créa, avec le harpiste Myrdhin, celui de* La Vie tout entière, *qui fit le tour de l'Europe.*

Poème fermé

à Théophile Briant

Un oiseau divisible existe dans l'espace
Et chaque battement de ses ailes enfante
Un compagnon de vol dans un univers clos.
Mon âme dort sous des paupières transparentes.

Egypte aux cheveux longs ma sœur en Osiris
Je vais sur ma bruyère en glanant des ibis
En cherchant les morceaux de mon rêve éclaté.
Je ne suis pas de cette histoire sans parole
Qu'on me raconte à la veillée pour m'endormir
Mes aïeux ont tourné la tête du menhir
Mais je connais le sol que ses racines mangent
Et mes fils au sang froid me trahissent tout haut
Machinistes du siècle esclaves de leur peau
A chaque tour de roue ils écrasent un ange.

Mon âme ouvre les yeux pour prendre du repos.

De son chant l'alouette efface mes péchés
De son aile m'écrit ma juste parabole.
Je sais que l'œil du lynx éventre la ténèbre
Que j'ai subi l'affront de vivre sans vertèbres
Que j'ai sept noms cachés dans un de mes regards
Que mon corps glorieux n'attend que mon audace
Pour marcher simplement dans un champ de blé noir.

Un oiseau divisé s'oriente dans l'espace.

Angèle Vannier, *Poèmes choisis*, La Maison du Poète, 1955,
Rougerie, Mortemart, 1990

Béatrice Balteg et Saint-Malo

Béatrice Balteg, née le 14 janvier 1936 d'une double ascendance bretonne et irlandaise, vit à Saint-Malo et préside l'association La Tour du vent qui prolonge l'activité éditoriale de Théophile Briant (revue annuelle Avel IX*) et propose des spectacles poétiques. Dans la meilleure tradition bardique, ses recueils* L'Ivoire liquide *(1971),* Maïva *(1976) et* Frontières abolies *(1980) célèbrent une subtile alchimie entre le corps et les éléments naturels. Béatrice Balteg met en chansons ses propres poèmes en s'accompagnant à la guitare.*

De roc
de roc et d'eau
la mer qui bat contre mes os
a la forme d'un oiseau

De vague
de vague et d'algue
le filet qui m'enserre
est tressé de mains d'eau

Au rythme de la vague
au rythme de l'eau
mes yeux s'ouvrent
et se referment
mon sang
est un soleil dans l'eau.

Béatrice Balteg, *Maïva*, Chambelland, Bagnols-sur-Cèze, 1976

GABRIEL-LOUIS PRINGUÉ ET LA CÔTE D' ÉMERAUDE

Gabriel-Louis Pringué (1885-1965), surnommé l'Homme à l'œillet pour son élégance d'un autre siècle — il laissait son œillet incarnat à l'entrée des églises et le reprenait à la sortie —, s'installa à Ploubalay durant la dernière guerre, laissant derrière lui les fastes de la mondanité parisienne. Sa famille étant originaire de Dinan et de Ploërmel, il connut toute la société cosmopolite de la Côte d'Emeraude, dont il laissa des descriptions attachantes dans ses recueils de souvenirs, Trente Ans de dîners en ville *et* Portraits et fantômes.

“ Sur tout ce monde trépidant d'élégance, régnait une délicieuse vieille dame quasi centenaire, Américaine de la Louisiane, pays réputé pour la beauté de ses femmes. [...] C'était Mrs. Hughes-Hallets. Avec beaucoup d'à-propos, elle avait conservé les modes du temps du Tribun Gambetta, tournures légères, traînes de soie de deux mètres de long et sur la tête une toute petite capote de fleurs ou de fruits attachée au menton par deux brides de velours noir. On l'appelait la reine de Dinard. [...] Elle vivait à Dinard pendant la saison, au milieu d'une cour d'Altesses, de grands seigneurs cosmopolites, de milliardaires américains et de ladies anglaises, distantes, ravissantes et lointaines qui ressemblaient à des peintures préraphaélites de Gabriel-Dante Rossetti. [...] Pendant la saison de Dinard, elle donnait un dîner de trente personnes tous les soirs dans sa villa et aussi un bal de trois cents invités toutes les semaines. [...] Mrs. Hughes-Hallets se couchait à cinq heures du matin et se levait à cinq heures du soir. Elle avait deux femmes de chambre, une de nuit et une de jour. On raconte (mais j'ignore si cette histoire est vraie) que pour entretenir la souplesse de ses muscles et de ses artères dans son cabinet de toilette, elle faisait à l'aurore des exercices sur un petit cheval mécanique, qui fonctionnait à l'électricité. Un matin à l'aube il y eut dans le courant une sorte d'accélération, le petit cheval prit le mors aux dents, Mrs. Hughes-Hallets faillit mourir désarçonnée. C'est l'influence de Mrs. Hughes-Hallets qui fit la renommée de Dinard, en y attirant cette société choisie qu'elle recevait chez elle avec une grande attention; car il fallait montrer patte blanche pour y être convié. ”

GABRIEL-LOUIS PRINGUÉ, *TRENTE ANS DE DINERS EN VILLE*, REVUE *ADAM*, PARIS, 1950

ROGER VERCEL ET CANCALE

Roger Vercel (1894-1957), grâce à un poste de professeur au collège de Dinan, se «convertit» à la Bretagne ▲ *242**. Dès 1931, avec* En dérive, *il se passionna pour l'Armor. Chacun de ses romans repose sur une enquête.* La Caravane de Pâques *(1948) décrit le petit monde cancalais* ▲ *220*.

❝ Le lendemain, dès le baissant, la Yande descendit à la grève. Sur le sable, entre les doris échoués, les tas d'huîtres pointaient. Elles ressemblaient si bien à des galets fangeux, qu'un terrien eût pu croire qu'on se proposait d'empierrer avec ces cailloux un coin du port. [...] Six femmes entouraient déjà le tas de la *Notre-Dame-des-Flots* et elles attendaient la patronne pour commencer le triage. [...] Ce fut en silence qu'elles commencèrent à trier.
Penchées en avant, elles jetaient les débris entre leurs jambes. Elles comptaient les huîtres, en les triant par grosseur. Dans chaque main, elles en prenaient deux : ces quatre huîtres formaient une «mannée». Devant les travailleuses s'alignaient des mannes d'osier, où les huîtres tombaient avec un bruit gras. Des gamins qui erraient par la grève, avec un air grave et des yeux attentifs, s'arrêtèrent à quelques pas derrière la Yande, et attendirent. Elle se retourna. «Y a rien à faire ici pour les rabinoux!» A chaque tri, les gosses fouillaient parmi les coques rejetées, dans le «gras», afin d'y découvrir de petites huîtres qu'ils vendraient quelques sous. La Yande n'aimait pas cela, car il arrivait souvent que les trieuses jetaient exprès des huîtres de bonne taille avec les déchets, pour grossir la glane de leurs gamins. Et la Yande avait reconnu parmi les chercheurs le gars de Mathurine Camus. [...] Comme elle ne le quittait pas du regard, le garçon prit un air indifférent, et entraîna les autres vers des tas voisins. ❞

ROGER VERCEL, *LA CARAVANE DE PÂQUES*, 1948, *IN* «LES ROMANS DE MER», ALBIN MICHEL, PARIS, 1988

RENÉ CONVENANT ET LA PÊCHE EN TERRE-NEUVE

René Convenant, originaire du petit village du Haut-Bout à Cancale ▲ 216, *s'embarqua sur un trois-mâts à quinze ans, en 1922, pour sa première campagne de pêche à la morue. Aujourd'hui, âgé de quatre-vingt-un ans, il se rappelle ces années noires, ce temps révolu où les marins partaient six mois par an, sans aucun confort ni aucune sécurité, travaillaient sans relâche pour des gains souvent maigres, et affrontaient dans leur doris la brume et les déferlantes. Un témoignage lumineux, poignant, sur la vie quotidienne de ces «galériens des brumes».*

❝ Les bancs, la pêche aux bulots, la première marée, presque la routine désormais pour le marin de dix-sept ans. Les premières sorties sont généralement très bonnes, le poisson mord bien à l'hameçon et les fonds n'ont pas encore été troublés. J'étais à l'aise dans ma fonction de «décolleur», et le terrible travail dans la baille à morues avait été laissé aux plus jeunes : le mousse et le novice. Pourtant, novice embarquant, je souhaitais embarquer et j'attendais l'occasion. Elle vint plus vite que prévu, après seulement quelques marées. C'était vers six heures du soir, les doris partis tendre leurs lignes rentreraient à bord dans une petite heure. Je termine une séance de «décollage» qui dure depuis ce matin. Tout le poisson a été préparé, ébrayé par les matelots, entassé dans le parc, décapité par moi, tranché, lavé, affalé dans la cale et salé. Le travail du poisson est terminé, les hommes font un tout petit peu de toilette. Un seau d'eau de mer permet de rincer le visage, les mains, les poignets et le ciré, le tout copieusement imprégné du sang des morues.
Tiens, voilà déjà un doris! A-t-il oublié quelque chose? Il semble qu'un seul homme tienne les avirons, l'autre est-il malade? Lorsque nous le hissons tant bien que mal, puisqu'il ne se sert que d'une seule main, toute l'ampleur de l'accident nous apparaît. Le garçon de vingt ans — débutant de doris — s'est laissé happer par un hameçon au cours de la mise à l'eau de la palangre. Cet hameçon s'est enfoncé dans sa main gauche, la traversant de part en part. Comment le sortir de là? Le second Capitaine arrive avec un marteau et un burin, le Capitaine avec l'habituelle teinture d'iode. Un demi-quart de «gnole» réconforte le jeune homme et lui remet les idées en place. La main du patient est placée sur une bitte, l'extrémité de l'hameçon reposant sur le métal. Le second, à l'aide du burin, entreprend de le cisailler sans s'occuper des cris

du blessé. L'hameçon retiré par le bout opposé, on verse la teinture d'iode dans le trou de la main. Une main quelque peu déchirée. Le patron du doris explique que le drame a été évité, le blessé ayant été entraîné hors du doris avec les lignes, il a réussi à le ramener à bord de l'embarcation. «Novice, remets ton ciré! Tu pars tendre les lignes…» Ça y est, voilà ma chance.”

RENÉ CONVENANT, GALÉRIENS DES BRUMES, L'ANCRE DE MARINE, SAINT-MALO, 1988

PAUL SÉBILLOT ET SAINT-CAST

*Paul Sébillot (1843-1918) fut le grand folkloriste de la haute Bretagne et vulgarisa la notion de littérature orale en France ▲ 301. Le premier, il transcrivit de façon scientifique contes populaires, chansons, dictons et proverbes gallos. De 1879 à 1891, il recueillit plus de deux cents contes dans les communes environnantes de Matignon, son bourg natal, mais aussi autour de Dinan, de Moncontour et dans l'arrondissement de Rennes, à Liffré. Il indiqua toujours le nom, l'âge, l'origine géographique et la profession de ces conteurs, souvent des femmes âgées ou des mousses. Les trois volumes publiés de 1880 à 1882 dans la Bibliothèque Charpentier (*Contes populaires de la haute Bretagne, Contes des paysans et des pêcheurs, Contes de marins*) constituent l'un des plus importants ensembles de contes populaires du domaine français.*

LA HOULE DE LA CORBIÈRE

“Au temps où les grands-pères les plus âgés de la paroisse n'étaient pas encore en culotte, Agnès Depais demeurait avec son mari dans une maison isolée, sur la route de la pointe de la Corbière, et c'était celle qui était la plus voisine de la Houle aux fées dont l'entrée se voit de la mer. Souvent, pendant le silence de la nuit, elle entendait le bruit d'un rouet à filer de la laine et le son assourdi semblait venir de sous la pierre de son foyer. D'autres fois un coq chantait sous la terre, un enfant pleurait, ou il semblait à Agnès ouïr le pilon d'une baratte qui battait le lait pour faire du beurre. Mais ni elle ni son mari n'avaient peur de ces bruits souterrains, car ils pensaient que les fées de la Houle de la Corbière étaient cause de tout cela; elles passaient pour n'être point méchantes, et personne n'avait jamais eu rien à leur reprocher. [...]

[Un jour] l'enfant d'Agnès tomba malade, si malade qu'il semblait prêt à trépasser, et sa mère se désolait, ne sachant ce que faire pour le secourir : «Ah! mon Dieu, s'écriait-elle en pleurant, mon pauvre petit gars va mourir!»

Elle entendit un bruit sourd qui venait de la cheminée, comme si quelqu'un heurtait par en dessous les pierres du foyer, et en même temps une voix disait :

«Ton enfant a le croup; lève-toi, et viens ici, je vais te donner quelque chose pour le guérir.»

Cette fois Agnès eut peur et son premier mouvement fut de se blottir sous ses couvertures; mais elle pensa à son enfant qui souffrait, et elle reprit courage. Elle sauta à bas de son lit, et ayant allumé une chandelle, elle vit remuer une des pierres du foyer qui se leva lentement; elle aida à la soulever, et quand la pierre ne toucha plus la terre que par un côté, une main passa par le trou béant, et elle présenta à Agnès une petite bouteille :

«Frotte ton enfant à la gorge et à la poitrine avec cette liqueur, dit une voix qui venait de dessous terre, et conserve soigneusement cette bouteille.»

La pierre du foyer retomba, et à la voir, on n'aurait pas cru qu'elle eût jamais été bougée de place. Agnès se hâta de frotter son petit gars qui aussitôt cessa de se plaindre, et ne tarda pas à être guéri. Elle était si contente qu'elle ne put s'empêcher de tout raconter à ses voisines : la nouvelle se répandit d'oreille en oreille jusque dans les villages, et Agnès qui était obligeante prêtait la bouteille à

«SOUVENT, PENDANT LE SILENCE DE LA NUIT, ELLE ENTENDAIT LE BRUIT D'UN ROUET À FILER DE LA LAINE ET LE SON ASSOURDI SEMBLAIT VENIR DE SOUS LA PIERRE DE SON FOYER.»

ceux qui avaient des enfants malades, et ils revenaient rapidement à la santé.
Longtemps après cela, la colique prit le mari d'Agnès, et il se tordait, tant la douleur était violente. Agnès alla chez sa voisine chercher la bouteille qui contenait encore un reste de liqueur; mais la voisine la laissa tomber, et elle se brisa en mille pièces. La pauvre femme revint chez elle bien désolée, car son mari allait de mal en pis et semblait prêt à trépasser. Elle s'assit près du foyer, et tout en pleurant elle disait :«Main bienfaisante, qui avez donné la bouteille qui a guéri mon petit gars et tant d'autres personnes, est-ce que vous allez laisser mon homme mourir?» Elle ne reçut aucune réponse; alors elle souleva avec un outil la pierre qui se levait, et elle cria au bord du trou en demandant du secours; à la fin, la fée allongea la main et lui donna une bouteille en disant : «Prends bien garde, Agnès; voici la dernière bouteille que je puis te donner; fais bien attention à ne la prêter à personne, et n'en parle à âme qui vive.»
Dès qu'Agnès eut frotté son mari avec la liqueur, il se trouva guéri, et cette fois elle ramassa soigneusement la bouteille dans son armoire. [...]
Tous ces prodiges donnaient à penser à Agnès qui se disait : «A quelque jour, ils monteront tous ici, et arriveront dans ma maison par le trou du foyer.»
Toutefois elle reprenait de l'assurance en songeant que les habitants de la Houle ne lui avaient jamais fait que du bien. [...] Une nuit qu'il ne restait pas une miette de pain à la maison, l'enfant d'Agnès eut faim, et pleurait pour en avoir un morceau ; elle entendit du bruit sous terre, et mit un marteau dans la main de son petit gars, en lui disant : «Frappe fort sur la pierre du foyer, et demande du pain à la bonne dame qui nous a déjà fait tant de bien.»
Elle parlait haut, pensant que sa voix serait entendue. Le petit garçon prit le marteau et frappa de toute sa force sur la pierre, en disant d'une voix câline : «Bonne dame, donnez-moi du pain; j'ai faim.»
Ils entendirent cogner, pan! pan! sous la pierre qui se leva, et une main déposa sur le foyer un tourteau de pain, pendant qu'une voix disait : «Tiens, mon petit, voilà de quoi manger toute ta vie, si tu sais conserver mon présent et n'en donner à personne qu'à tes parents.»
Le tourteau de pain ne diminuait point, et malgré qu'on en coupât, il restait toujours frais et entier, et cela dura plus de dix ans. Mais un soir que le mari d'Agnès était en ribotte, il amena avec lui un de ses amis, il tira du buffet la tourte des fées, et en coupa un morceau pour son camarade. Aussitôt le pain des fées disparut, et quoiqu'Agnès et ses enfants aient supplié maintes fois les dames de la Houle de leur donner un autre pain, elles sont restées sourdes à leurs prières. ”

CONTÉ EN 1879 PAR MARIE CHÉHU, DE SAINT-CAST, ÂGÉE DE QUATRE-VINGTS ANS.
PAUL SÉBILLOT, *CONTES POPULAIRES DE LA HAUTE BRETAGNE*, LAFOLYE, VANNES, 1892

GARGANTUA ET LA CÔTE D'ÉMERAUDE

Paul Sébillot se pencha également sur toutes les légendes ayant Gargantua pour héros. Cette figure de la mythologie celtique n'est pas spécifiquement bretonne; nombre de contes de l'Anjou, de la Touraine et de la Beauce en ont gardé le souvenir. Les habitants de la Côte d'Emeraude en ont fait, quant à eux, un géant sympathique qui marqua les bords de la Rance et la côte jusqu'à Plévenon ▲ *294.*

“Gargantua était né à Plévenon; il était fort et grand, et il avait les pieds si longs qu'on ne pouvait trouver d'arbre assez gros pour lui faire des chaussures : chacun de ses sabots pesait dix-huit cents livres. Un jour il lui prit envie de visiter Saint-Malo; il laissa ses sabots à Plévenon où ils sont restés depuis, et il se chaussa de souliers. Il n'était pas encore descendu dans les grèves du cap Fréhel : en descendant il mit un pied en haut qui est resté marqué sur un rocher, et son autre pied était sur la grève. [...]. Le voilà parti. Quant il fut à Saint-Malo il voulut manger : il épuisa toutes les provisions de la ville, toutes celles des aubergistes et mit à sec tous les tonneaux de cidre et toutes les barriques de vin. Lorsqu'il eut bien dîné, il se dit :
«Il faut que j'aille visiter Saint-Jacut et Saint-Cast.»

Quand il eut mis le pied à Saint-Jacut, il vit quatre ou cinq grands bateaux carrés; il en eut peur, et comme ils sentaient la raie pourrie, il dit :
«Je ne resterai pas ici, cela sent trop mauvais.»
Il mit le pied sur la pointe du Bé; mais comme il avait eu donger (répugnance) en passant par Saint-Jacut, le mal de cœur lui prit et il vomit le rocher du Bé. Il se remit en route; mais son mal ne lui passait point, il vomit encore la pointe de la Garde tout entière, et un peu plus loin du rocher de Becrond. Comme il s'approchait de la côte de l'Isle, il sentit quelque chose dans ses poches :
«Qu'est-ce que j'ai là? dit-il; ah! ce sont deux petits cailloux que j'ai ramassés, je n'en ai que faire.»
Il les jeta à la mer l'un d'un côté, l'autre de l'autre, et c'est pour cela qu'il y a une passe entre les deux cailloux, qui sont la Grande et la Petite Feillâtre. [...] Quand il arriva à la pointe de l'Isle, il vit deux gros navires qui se battaient à coups de canon :
«Je vais bientôt les séparer, dit-il; mais avant de les manger, il faut que je leur fasse de la place.»
Il s'accroupit auprès de la pointe, et quand il se releva, il laissa la Basse à Chiambrée, qui s'appelle ainsi parce qu'elle est sortie du ventre de Gargantua. Il trouva les deux navires, se pencha sur la mer et les avala, puis il retourna à Plévenon, et revint à la ferme où il était né. Il fit ses adieux à ses amis, et leur dit :
«Je vais faire mon tour de France; mais je vous laisse mes sabots pour vous chauffer.»
Les gens de Plévenon trouvèrent dans les sabots de quoi se chauffer avec pendant trente ans.
Voilà Gargantua parti pour l'Angleterre avec son aide de camp; en traversant la mer, il vit quelque chose qui remuait à ses pieds :
«Qu'est-ce qu'on aperçoit sur la mer? demanda Gargantua.
— Ce sont deux navires, répondit son aide de camp; ils sont forts; il y en a un de neuf cents tonneaux et l'autre de mille.
— Des navires! dit Gargantua; ce sont des guibettes (petites mouches).» Il s'approcha des navires, en prit un sous chaque bras, et, arrivé à Jersey, il les déposa

sur la place d'Armes, et vomit les deux qu'il avait avalés. Et je ne sais ce qu'il est devenu depuis.»

CONTÉ EN 1880 PAR ROSE RENAUD, DE SAINT-CAST, FEMME D'ETIENNE PIRON, PÊCHEUR. PAUL SÉBILLOT, GARGANTUA DANS LES TRADITIONS POPULAIRES, MAISONNEUVE, PARIS, 1883

EUGÈNE HERPIN ET LE CHÂTEAU DES BIGORNEAUX

L'avocat malouin Eugène Herpin, auteur de nombreux guides touristiques sur la Côte d'Emeraude au début du siècle, recueillit coutumes, chansons et contes de la région malouine. Contrairement à Paul Sébillot, il ne s'efface jamais derrière ses informateurs, mais réécrit leurs témoignages en leur donnant une tournure littéraire.

«C'était dans le vieux temps, bien différent du nôtre, où, à Saint-Malo, on était si peu curieux, qu'au lieu de loger, comme maintenant, dans des maisons de granit bien hermétiquement closes à tous les regards indiscrets, on pouvait loger impunément dans de transparentes maisons de verre. [...] Alors, dans la maison qu'on appelle le Château des bigorneaux vivait une pauvre vieille bonne femme qui était, de son métier, marchande de «brigaux» (bigorneaux). Les «brigaux» étaient, à cette époque, à peu près le seul gâteau connu dans le pays. C'était le seul, avec les cimereaux de Pleurtuit, qu'on vendait à la porte de la cathédrale, à la sortie de la grand'messe. [...] Malheureusement, cette année-là, notre marchande de «brigaux» avait attrapé une fluxion de poitrine en allant, par les rochers du Bey et de Malo, quérir sa marchandise. Avec la maladie, la misère était venue, venue pour elle et pour son gars. Autrefois, son gars, c'était un fier et rude Terreneuvas qui faisait de belles campagnes, gagnait de beaux écus et tournait la tête aux plus jolies filles du pays. Mais son gars, un jour, avait fait naufrage. Tout l'équipage avait péri, sauf lui. Encore lui, il avait, en réalité, pour ainsi dire, péri tout comme les camarades. Si la mer, en effet, n'avait pas voulu de son corps, elle avait pris son âme, son intelligence, sa raison. L'apeurement l'avait rendu innocent, innocent ainsi qu'un petit enfant. [...] Dans son lit, la vieille marchande de «brigaux» geignait à fendre l'âme, à cause de la fièvre qui la tracassait, et, dans son délire, elle disait qu'elle ne pourrait, le lendemain, à la sortie de la grand'messe, aller, comme de coutume, offrir ses écuellées de «brigaux», et qu'elle n'aurait rien non plus à mettre sous la dent de son pauvre grand innocent. Et son pauvre grand innocent comprit ce qu'elle disait. Et, ouvrant la fenêtre, il se mit à genoux en face du ciel bleu tout criblé d'étoiles, et, à l'Enfant Jésus qui le traversait alors, les mains pleines de joujoux, il demanda des écuellées de bigorneaux, tout plein son grand sabot de Terreneuvas. Lors, dans le ciel clair, les cloches se mirent à chanter et, dans le ciel clair aussi, il vit voguer, venant de la grève, comme un nuage étrange. Et les «brigaux» tombaient, tombaient, arrivant toujours plus nombreux, arrivant jusque de Saint-Jacut, jusque de Saint-Cast, jusque du cap Fréhel.[...] Et ce nuage, manne miraculeuse, vient se déverser, avec un bruit argentin, plein le sabot de l'innocent. Et les «brigaux» tombaient, tombaient, arrivant toujours plus nombreux, arrivant jusque de Saint-Jacut, jusque de Saint-Cast, jusque du cap Fréhel. Et ils se logeaient partout, partout où ils trouvaient place, sur les murailles, sur le toit et jusque dans les gouttières. Inutile d'ajouter que, le lendemain, à la sortie de la grand'messe, notre vieille marchande vendit à pleines écuellées ses merveilleux bigorneaux. C'est aussi depuis cette époque que, chaque année, durant la nuit de Noël, la maison qu'elle habitait alors se tapisse encore un moment d'une merveilleuse végétation de bigorneaux, que tous ceux qui n'ont pas une faute vénielle à se reprocher peuvent apercevoir, en passant par la rue.»

EUGÈNE HERPIN, *LA CÔTE D'ÉMERAUDE,* YACINTHE CAILLIÈRE, RENNES, 1844

Théodore Botrel et le pays malouin

Théodore Botrel (1828-1925), l'intarissable chantre breton, était natif de Dinan. Il célébra donc tout naturellement le pittoresque du pays malouin dans ses chansons : gabariers de la Rance, terre-neuvas, corsaires et personnages historiques tels que Du Guesclin et Jacques Cartier lui offrirent matière à composer.

Les Terr'-Neuvas

I. Les pêcheurs malouins ont quitté la Bretagne;
Leur voile, un beau matin,
Disparut au lointain.
On criait : « A Dieu, vat! »
Au bateau terr'-neuva…

II. Ce sont de rudes gâs ceux qui font la campagne;
Mais, s'ils chantaient ben fort
En dérapant du port,
Ils soupiraient tout bas
Les pauvres terr'-neuvas!

III. Deux frères sont partis : Yannik et puis Jean-Pierre;
Ils naviguaient, joyeux,
Ignorant tous les deux
Qu'ils ne reviendraient pas
Avec les terr'-neuvas!

IV. Leur bateau jeta l'ancre au large de Saint-Pierre;
Mais le poisson maudit,
N'ayant pas d'appétit,
Dédaignait les appâts
Des pauvres terr'-neuvas.

V. «Morue et capelan, hurla le capitaine,
Doivent être cachés
Derrière ces rochers!…
— Envoyez-nous là-bas»,
Dirent les terr'-neuvas!

VI. On arma vivement le doris de misaine;
Quand le patron du brick
Nomma Pierre et Yannik,
Ce fut un fier soulâs
Pour tous les terr'-neuvas…

VII. Ils durent faire, au loin, une pêche fameuse
Car les amis souvent
Entendaient, dans le vent,
Passer les gais vivats
Des heureux terr'-neuvas!…

VIII. L'Océan, tout à coup, mit sa robe brumeuse,
Jetant comme un linceul
Sur le canot, tout seul
Qui ne retrouva pas
Les bateaux terr'-neuvas!…

IX. La nuit dura huit jours aux bancs de Terre-Neuve…
On ne reverra plus
Les pauvres disparus…
Sonnez ! sonnez le glas
Pour les deux terr'-neuvas!

X. Deux de nous, l'an prochain, épouseront leurs veuves;
Ceux-là qui le pourront,
Jusque-là, nourriront
Les douze petits gâs
Des pauvres terr'-neuvas!

THÉODORE BOTREL, *CHANSONS DE CHEZ NOUS*, GEORGES ONDET, PARIS, 1898

FLEUR DE BLÉ NOIR
(chanson de berger)

Sur les bords de la Rance
Où j'ons vu le jour,
J'ons la douce espérance
D'être aimé d'Amour :
Dans une métairie,
Comme aide-berger,
Pour mieux voir ma jolie
Je me suis gagé...

Ah!
Nulle Bretonne
N'est plus mignonne
A voir
Que la belle
Que l'on appelle
Fleur de Blé noir!
Nulle Bretonne
N'est si mignonne
A voir
Que ma Fleur de Blé noir!

Lorsque je l'ons croisée,
Un soir, dans le Blé,
Si blanche et si rosée (*),
J'en fus aveuglé...
Et ma lèvre ravie
Murmura : «Bonsoir !
Salut à vous, Marie,
La Fleur de Blé noir!»

C'est dans les Blés , de même,
Par un soir doré,
Que je lui dis : «Je t'aime,
Toujours t'aimerai!»
C'est dans les Blés encore
Qu'au doigt je lui mis,
Un quinze Août, dès l'Aurore;
L'anneau des Promis!

Allons, gâs et fillettes,
Fauchez les moissons
Car, les récoltes faites,
Nous nous marierons;
Et puis, dans la nuit claire,
Tertous rassemblés,
Nous danserons sur l'aire
Où l'int bat les Blés...

Vivant la vie heureuse
Que Dieu nous fera,
Attendons la Faucheuse
Qui nous fauchera!
Quand vous verrez que tombe
Notre dernier Soir,
Semez sur notre tombe
Des fleurs de Blé noir.

Ah!
Nulle Bretonne
N'est plus mignonne
A voir
Que la belle
Que l'on appelle
Fleur de Blé noir;
Non,
Non,
Nulle Bretonne
N'est si mignonne
A voir
Que ma Fleur de Blé noir!

THÉODORE BOTREL, *FLEUR DE BLÉ NOIR*,
GEORGES ONDET, PARIS, 1912

(*) Le blé noir mûrissant est blanc et rose.

YANN NIBOR, LE POÈTE DES MATELOTS

Yann Nibor, de son vrai nom Albert Robin, naquit en 1857 à Saint-Malo et s'embarqua à l'âge de treize ans sur le vaisseau-école des mousses de Brest. Il commença par réciter les poèmes de La Mer, *de Richepin, puis inaugura son propre répertoire à l'occasion du naufrage, en 1889, de deux terre-neuvas qui transportaient à leur bord cent soixante-dix-neuf Malouins. Devenu Yann, comme le héros de Loti, il fut bientôt consacré «poète des matelots» : son répertoire et sa gouaille sont, en effet, exclusivement marins. Le ministère de la Marine lui demanda même de chanter sur les bâtiments de la flotte.*

PARTANCE

«Ah ! tonnerr' de maudit métier!
Dir' qu'à c't' heur' faut larguer la France!
Ah ! tonnerr' de maudit métier!
V'là bien l' moment d'appareiller!

— Pourquoi qu' tu pleur's, Yann, mon ami?
C'est-i pa'c' que j' somm' en partance?
Pourquoi qu' tu pleur's, Yann, mon ami?
C'est-i d' prend' la mer aujourd'hui?

— C'est qu' juste à l'heure où j' quittons l' port,
On met en bièr' mon p'tit Maurice;
C'est qu' juste à l'heure où j'quittons l' port,
On enterr' mon p'tit gas qu'est mort.

— J' comprends ta pein', mon pauv' mat'lot!
Et qu' tu maronn' après l' service;
J' comprends ta pein', mon pauv' mat'lot!
J' sais c' que c'est que d' perdre un marmot.

— Tiens, r'gard' donc, n' vois-tu pas comm' moi,
Mon p'tiot sous la rafal' de neige?
Tiens, r'gard' donc, n' vois-tu pas, comm' moi,
Le long d' la grèv' passer l' convoi?

— Oui, frère, et j' vois ta femme en deuil,
Qu'est sout'nu' par cell's du cortège;
Oui, frère, et j' vois ta femme en deuil,
Qui sanglot' derrièr' le cercueil.

— Pauv' femm', si j'tais près d'ell' ce soir,
Sa douleur s'rait p't-êt' bien moins vive!
Pauv' femm', si j'tais près d'ell' ce soir,
Son chagrin s'rait p't-êt' bien moins noir!

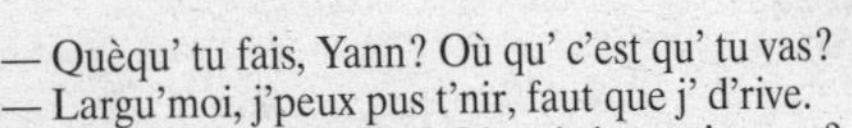

— Quèqu' tu fais, Yann? Où qu' c'est qu' tu vas?
— Largu'moi, j'peux pus t'nir, faut que j' d'rive.
— Quèqu' tu fais, Yann ? Où qu' c'est qu' tu vas?
— J' vas r'trouver ma femme et mon gas.»

Puis, il a sauté dans la mer
Pour gagner la côte à la nage;
Puis, il a sauté dans la mer
Qu'était tout' glacé' par l'hiver.

Le lend'main l' pauv' Yann fut r'trouvé
Parmi les goémons du rivage;
Le lend'main l' pauv' Yann fut r'trouvé...
Et près d' son p'tiot fut enterré.

YANN NIBOR, *CHANSONS ET RÉCITS DE MER*, FLAMMARION, PARIS, 1893

MARC-ANTOINE DÉSAUGIERS ET LES DOGUES MALOUINS

De 1555 à 1770, la police du port fut faite à Saint-Malo par des chiens de guet ▲ 164*. Mais la mort accidentelle d'un officier de marine qui rentra après le couvre-feu de chez sa fiancée, à Saint-Servan, et se fit dévorer par les molosses la nuit du 4 au 5 mars 1770, fit supprimer cette milice originale. Marc-Antoine Désaugiers s'inspira de cette anecdote et composa une pièce intitulée* Les Trois Étages ou L'Intrigue de l'escalier, *dont la chanson constitue le morceau final. Elle fut jouée pour la première fois le 8 août 1808 au théâtre des Variétés à Paris. On raconte même qu'un Malouin en colère bondit sur la scène et, montrant ses mollets, s'écria : «Regardez si les chiens de guet ont mangé les mollets de tous les Malouins!»*

BON VOYAGE, MONSIEUR DUMOLLET

Des polissons vous feront bien
des niches,
A votre nez riront bien des valets,
Craignez surtout les barbets,
les caniches,
Car ils voudront caresser vos mollets.

Refrain

Bon voyage, Monsieur Dumollet,
A Saint-Malo débarquez
sans naufrage,
Bon voyage, Monsieur Dumollet,
Et revenez si le pays vous plaît.

L'air de la mer peut vous être
contraire,
Pour vos bas bleus, les flots sont un écueil;
Si ce séjour venait à vous déplaire,
Revenez-nous avec bon pied bon œil.

Refrain

Mais si vous allez
voir la capitale,
Méfiez-vous des voleurs, des amis,
Des billets doux, des coups,
de la cabale,
Des pistolets et des torticolis.

Refrain

Là, vous verrez, les deux mains
dans les poches,
Aller, venir des sages et des fous,
Des gens bien faits, des tordus,
des bancroches,
Nul ne sera jambé si bien que vous.

SUZANNE SOLIDOR ET SAINT-MALO

Suzanne Rocher (1906-1989) naquit à Saint-Servan ▲ 180. Après la guerre, elle monta à Paris dans l'espoir de devenir mannequin. Modèle puis antiquaire, ce n'est qu'en 1934 qu'elle entama sa carrière de chanteuse, avec Les Filles de Saint-Malo, *sous un pseudonyme qu'elle emprunta à la tour Solidor de sa ville natale. Pendant trente ans, «la fille aux cheveux de lin» anima le club de l'opéra, exaltant d'une voix chaude et grave la mer, les marins, l'aventure et les ports ouverts sur le grand large :* L'Escale *(de Jean Marèze et de Marguerite Monnot) demeure un monument de la chanson réaliste.*

LES FILLES DE SAINT-MALO

I. Lorsque les marins bretons
s'en vont le vent dans les voiles,
ils chantent tous aux étoiles,
et gaiement cette chanson :

Les filles de Saint-Malo
ont les yeux couleur de l'eau.

II. En revenant des Antilles
on rêve des pays chauds,
et de cette superbe fille,
à la brune et douce peau.

III. Ah! c'est une riche affaire
de palper tous ces trésors,
de ces filles de corsaires,
dont les cheveux sont en or.

Les filles de Saint-Malo
ont les yeux couleur de l'eau.

IV. Qu'elles soient veuves ou pucelles
dans les lits clos, sans dire ouf,
on chavire bras ouverts,
comme au temps du grand Surcouf!

Les filles de Saint-Malo
ont les yeux couleur de l'eau.

V. On est vidé jusqu'aux cales
mais lesté de souvenirs,
puis à la prochaine escale,
on jure de revenir...

Aux filles de Saint-Malo
dont on va rêver sur l'eau.

LA CHANTEUSE FRÉHEL

Marguerite Boulch (1891-1951), fille de concierges parisiens originaires de Primel-Trégastel, fut lancée par la Belle Otéro au caf' conc' de l'Univers (futur Empire) sous le nom de Pervenche. En 1908 elle s'imposa sous le nom de Fréhel, en souvenir du cap breton, séduisit le tout-Paris, et notamment Maurice Chevalier, qui la quittera plus tard pour Mistinguett. Meurtrie, elle choisit de s'exiler loin de la capitale... pour mieux y revenir. 1923 marqua le retour de «l'inoubliable inoubliée». Fréhel enflamma le public avec un répertoire réaliste, dramatique et gouailleur. Interprète émouvante, elle chanta de sa voix rauque Du gris, La Java bleue, Tel qu'il est, L'Ecluse, *pour le plus grand plaisir de ses admirateurs.*

LA JAVA BLEUE

Refrain

C'est la java bleue,
la java la plus belle,
celle qui ensorcelle :
quand on la danse les yeux dans les yeux,
au rythme joyeux.
Quand les corps se confondent,
comme elle au monde, il n'y en a pas deux.
C'est la java bleue.

FRÉHEL DE L'OLYMPIA, IDÉAL SAPHIR, PARIS, 1927

Itineraires en Cote d'Emeraude

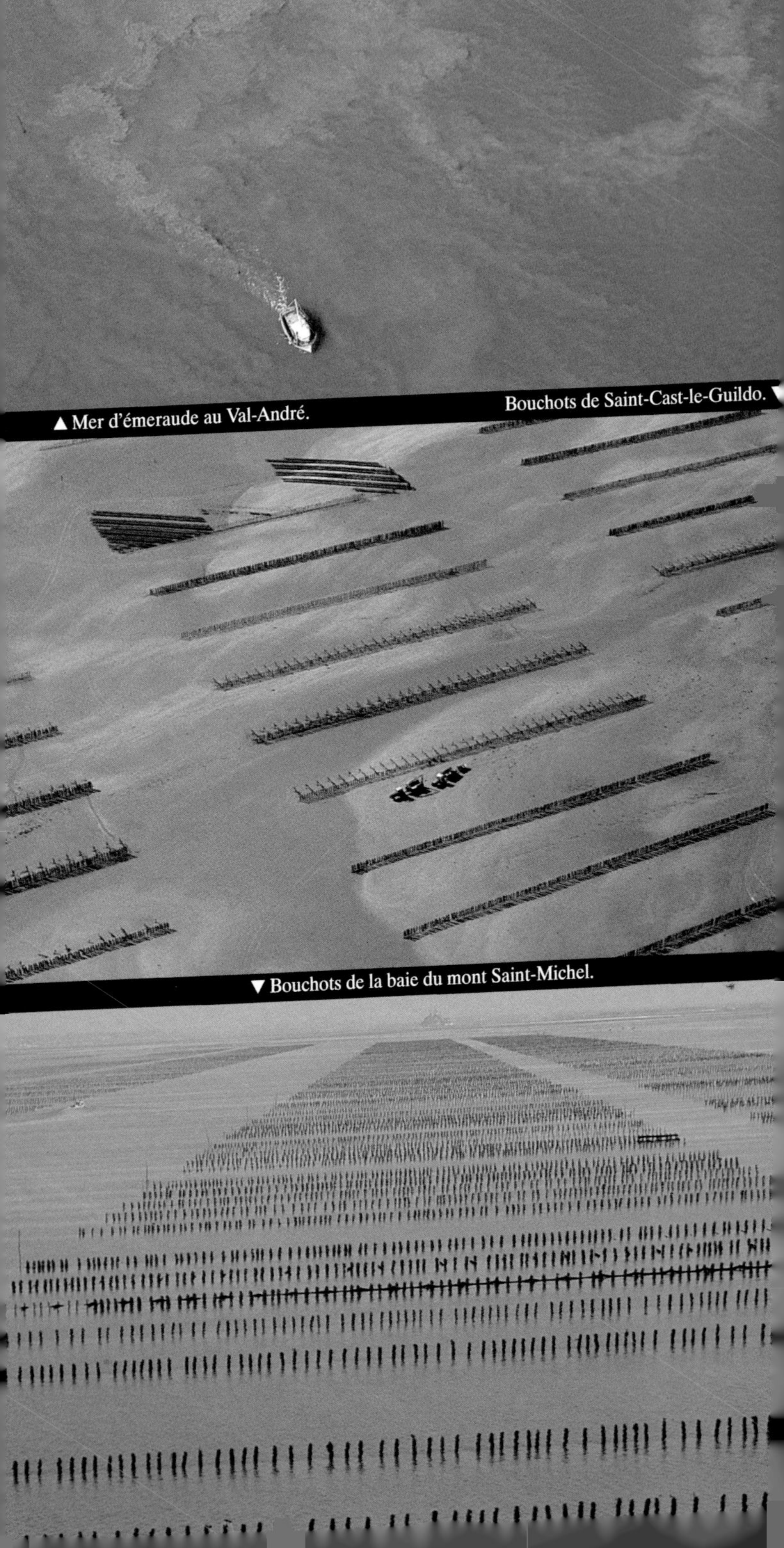

▲ Mer d'émeraude au Val-André.

Bouchots de Saint-Cast-le-Guildo. ▼

▼ Bouchots de la baie du mont Saint-Michel.

▲ Camp viking à Saint-Suliac-sur-Rance.

Pêcherie en baie du mont Saint-Michel. ▼

▼ Vasière en baie du mont Saint-Michel.

▲ Le rocher de Tombelaine et le mont Saint-Michel entre mer et terre.

▼ L'archipel des Hébihens prè

La ville close de Saint-Malo.▼

de Saint-Jacut-de-la-Mer.

▲ Paysage de la Rance maritime.

▲ Flotille de plaisance et de pêche à Saint-Cast-le-Guildo.

Côte d'Erquy. ▼

▲ Moutons des prés-salés.

La foule sur le Môle des Noires à Saint-Malo, un jour de régates ▼

▼ Le port marchand de Saint-Malo.

▲ Château de Combourg.

Paysage bocager aux environs de Dinan. ▼

▼ Château de Landal.

Saint-Malo et ses environs

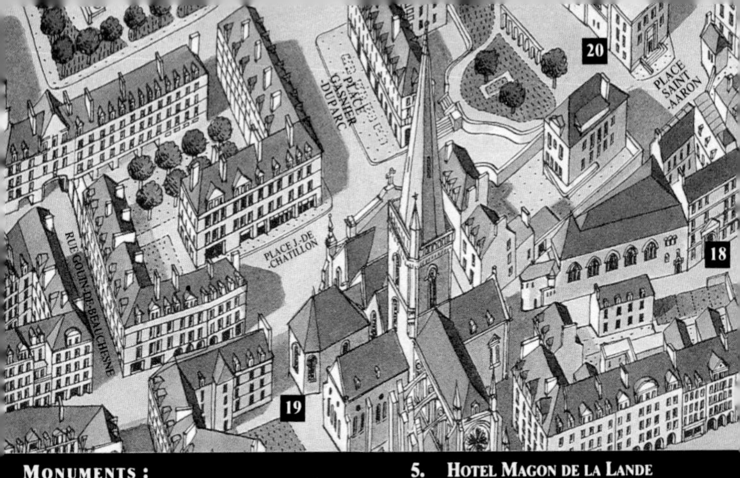

Monuments :

1. **Chateau-Musées**
2. **Boutiques**
3. **Hotel White**
4. **Hotel d'Asfeld**
5. **Hotel Magon de la Lande**
6. **Statue de Duguay-Trouin**
7. **Hotel Surcouf**
8. **Statue de Jacques Cartier**
9. **Cavalier des Champs-Vauverts statue de Robert Surcouf**

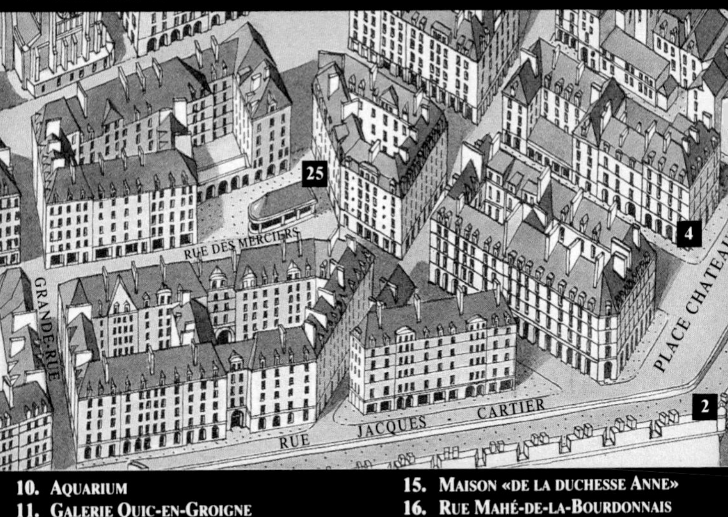

10. **Aquarium**
11. **Galerie Quic-en-Groigne**
12. **Hotel de la Gicquelais**
13. **Niches votives, rue de La Corne-de-Cerf**
14. **Cours de la Houssaye**
15. **Maison «de la duchesse Anne»**
16. **Rue Mahé-de-la-Bourdonnais**
17. **Rue du Pelicot**
18. **Hotel de Plouer**
19. **Cathédrale Saint-Vincent**
20. **Eglise Saint-Benoit**

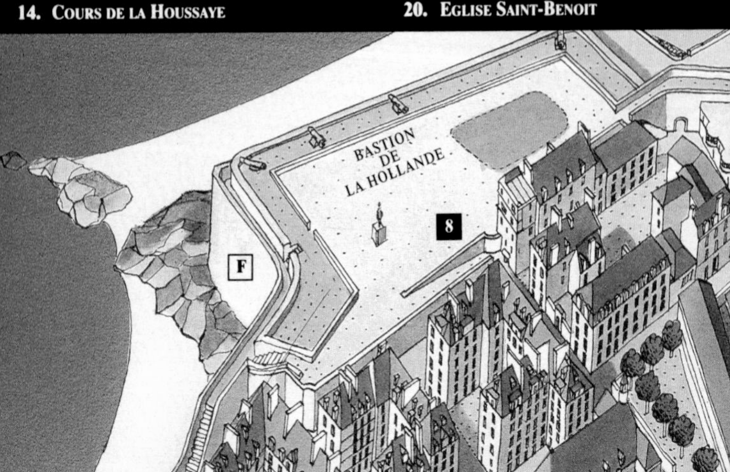

21. Statue de saint Malo, rue Thevenard
22. Passage à pan de bois, rue des Vieux-Remparts
23. Eglise Saint-Sauveur
24. Hotel Désilles
25. Halle aux poissons
26. Port de Plaisance

Remparts :

A. Porte Saint-Vincent
B. Grande-Porte

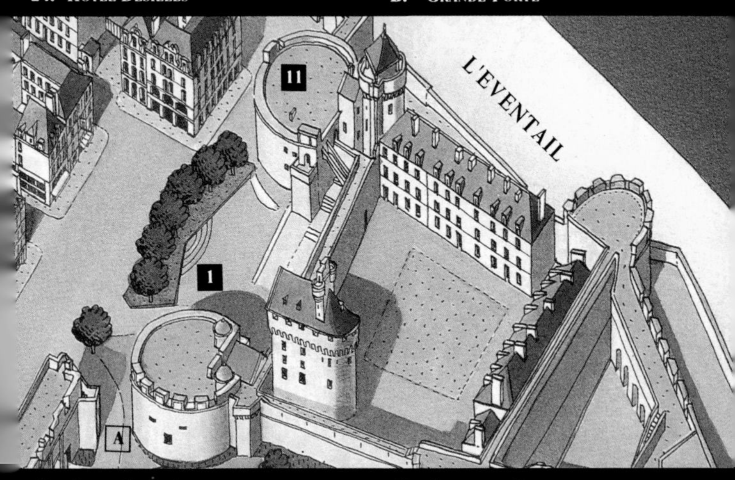

C. Porte Saint-Louis
D. Bastion Saint-Louis
E. Porte de Dinan
F. Poterne d'Estree
G. Porte Saint-Pierre
H. Porte des Bes
I. Porte des Champs-Vauverts
J. Tour Bidouane
K. Fort a la Reine
L. Porte Saint-Thomas

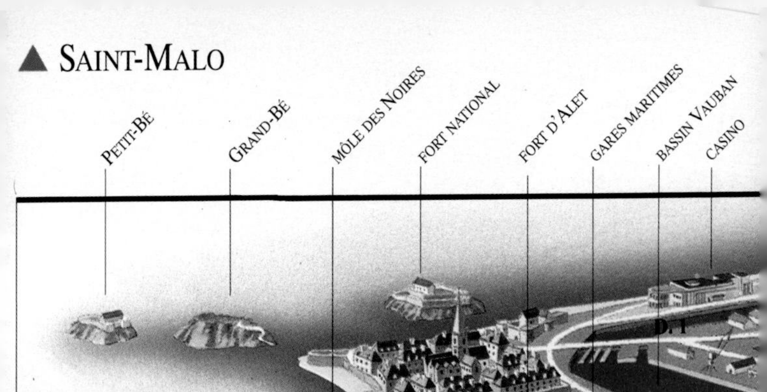

UNE VILLE INDEPENDANTE
A Saint-Malo, les évêques avaient le titre de seigneurs. Soucieux de leurs prérogatives, ils défendirent longtemps leurs privilèges face au pouvoir ducal. Ainsi, pour s'opposer au duc, la ville choisit-elle en 1394 le parti du roi Charles VI et devint enclave française. En 1590, c'est le gouverneur qu'elle rejeta en raison de son alliance avec Henri IV le prostestant : elle se proclama alors République.

SAINT-MALO ET LE CLOS-POULET

Entre la rivière de la Rance et la baie du Mont-Saint-Michel, bordé au sud par les marais de Dol et de Châteauneuf, s'étend le pays du Clos-Poulet. La région de Saint-Malo doit son nom à l'ancienne capitale gallo-romaine, Pagus Aleti, qui s'élevait à l'emplacement de l'actuel Saint-Servan ▲ *180*. Au milieu du XIIe siècle, Saint-Malo reçut le siège de l'évêché. La ville est alors administrée par l'évêque, qui en est le seigneur, et les chanoines. Les conflits avec le pouvoir ducal seront multiples et lors de celui qui l'oppose au duc Jean IV, de 1379 à 1394, la cité se tourne vers le roi et devient, pour vingt et un ans, une enclave française. C'est une ville prospère, grâce à son statut de port franc, que le roi Charles VI rend au duc Jean V en 1415, en échange de son alliance contre les Anglais. Mais, en 1590, la population s'insurge contre le gouverneur ▲ *172* partisan d'Henri IV et se proclame République indépendante. Elle le restera jusqu' à l'abjuration du roi, en 1594.

LE CLOS-POULET
C'est de la cité d'Alet que l'on a la vue la plus spectaculaire sur Saint-Malo, comme sur cette huile peinte par Othon Friesz en 1930. Alet et le Clos-Poulet, le pays de Saint-Malo, ont hérité leur nom de Pagus Aleti, l'ancienne ville gallo-romaine, qui devint dans un premier temps Plou d'Alet.

UNE VILLE D'ARMATEURS

Très tôt, les marchands malouins se sont transformés en spéculateurs : dès le XVIe siècle, Saint-Malo est un port mondial dont la richesse repose sur la pêche à Terre-Neuve, l'exportation des toiles de Bretagne et le commerce avec l'Espagne. Une classe d'armateurs-marins se développe. Familiarisés aux techniques financières les plus modernes, comme la lettre de change et la comptabilité double, et disposant d'un réseau de compatriotes immigrés, on les appellera, au XVIIe siècle, «ces Messieurs de Saint-Malo». Cet équilibre est rompu en 1688, lorsque Guillaume d'Orange accède au trône d'Angleterre. La France entière entre alors en guerre contre l'Europe et Saint-Malo devient une cible parfaite : les attaques anglaises de 1693

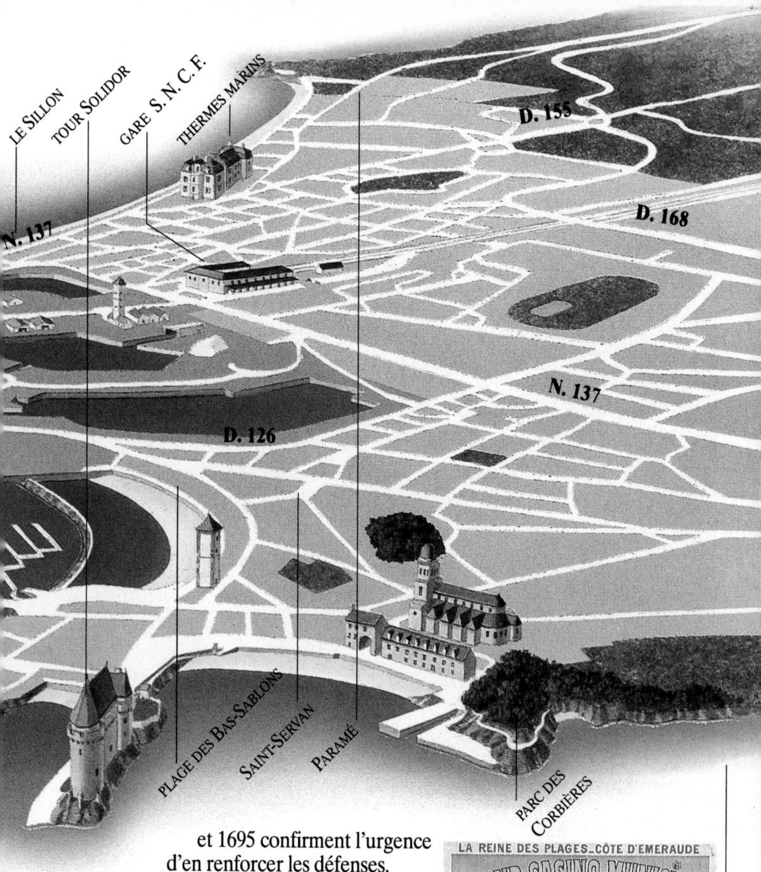

et 1695 confirment l'urgence d'en renforcer les défenses. Mais le plan de Vauban — transformer la ville en un vaste bassin à flot défendu par mer et par terre — est rejeté par les Malouins. La ville subit de simples extensions ▲ *162,* et sa côte est hérissée de forts. Les armateurs s'adapteront à la guerre; ils seront corsaires ou forceurs de blocus ▲192, ouvriront, en 1698, la route du cap Horn pour rallier les colonies espagnoles du Pérou et du Chili ▲ *182* et s'adonneront au trafic des mers du Sud.

Le déclin

La paix d'Utrecht de 1713 sonne le glas de la splendeur : finies, la course et les mers du Sud. Avec la mort de Louis XIV, les Malouins perdent même le contrôle du commerce indien et ne sauront pas s'adapter au trafic antillais qui enrichit Nantes, Bordeaux et Le Havre. Ni l'aménagement du canal d'Ille-et-Rance ▲ *338* et des bassins de Saint-Malo, dès 1834, ni l'arrivée du chemin de fer sous Napoléon III ne réussissent à ramener la prospérité. En 1944, pièce majeure du mur de l'Atlantique, Saint-Malo subit, après la percée d'Avranches, le feu des obus américains (6 - 14 août), qui détruisent à 80% le centre de la ville ▲ *178.*

La renaissance

La reconstruction a permis de moderniser le port. L'activité a connu un beau coup de fouet dans les années 1970, ouvrant la ville aux industries de la mer, de la construction navale aux produits de transformation. Saint-Malo a aussi su rester une station balnéaire prisée des congressistes et des festivaliers.

Une grande station balnéaire
En 1815 déjà, ses plages de Bon-Secours et de la Grande-Grève figuraient parmi les meilleures de France. Aujourd'hui, la ville accueille chaque année le festival de la chanson québécoise et le départ de la Route du rhum. Ci-dessus, le casino de Saint-Malo sur une affiche de Lem (1903).

UNE PROMENADE ROYALE ♥

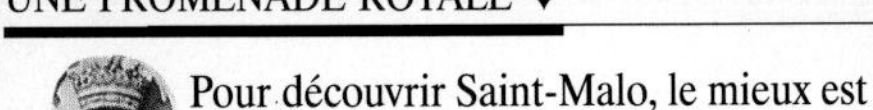

Pour découvrir Saint-Malo, le mieux est de commencer par faire le «tour des murs». C'est ainsi que les Malouins appellent leur promenade favorite autour des remparts, une sortie d'où l'on revient «l'esprit lavé, heureusement allégé» (Charles Courteuge). Ici, le visiteur saisira l'essence de cette cité sise sur un rocher, face à l'océan, «toutes fenêtres au large, mais bardée de murailles, comme un guetteur au col relevé» (Claudine Legardinier). Le spectacle de la mer, les couleurs changeantes du ciel, l'impressionnante stature des hôtels, tout confère à lui donner l'aspect d'un vaisseau de pierre en éternelle partance.

LA CITADELLE DES MERS. L'incendie de 1944 épargna les remparts dont l'enceinte primitive (XIIe) fut l'objet de quatre accroissements successifs, de 1708 à 1742, dus à SIMÉON GARANGEAU (1647-1741). Cet ingénieur-architecte de Vauban fixa non seulement l'apparence actuelle de la cité, mais il en modifia aussi les extérieurs avec la construction de forts en mer et l'assèchement des terres autour du port de marée. Dès 1689, Vauban avait conçu un vaste plan de défense allant de la pointe de la Varde au cap Fréhel pour protéger le premier port de commerce du royaume, proie de choix des Anglais en ces temps de conflits (guerre de Hollande, Ligue d'Augsbourg...). Les attaques anglaises de 1693 et 1695 en furent d'ailleurs la preuve. Mais, craignant que leurs activités commerciales ne périclitent au profit d'un port de guerre, les Malouins refusèrent son projet de faire du port d'échouage un bassin à flot. Garangeau fut alors chargé de fortifier les îlots de la baie et d'améliorer la défense de la ville en régularisant le tracé des remparts. Saint-Malo y gagna un tiers de sa superficie actuelle.

LES ARMOIRIES DE LA VILLE
Elles évoluèrent sensiblement depuis leur apparition au XIVe siècle et furent redessinées en 1949. On peut les définir ainsi : «un écu de gueules à une herse d'or mouvant de la pointe, sommée d'une hermine passante d'argent, accolée et bouclée d'or et lampassée de sable».

La porte Saint-Vincent

La porte. Aujourd'hui entrée principale de la ville, cette porte fut construite en 1708 pour décongestionner l'accès de la cité. On combla pour cela l'anse de Merbonne, située aux pieds des anciennes murailles, où venait se déverser l'égout du quartier Saint-Thomas, ce qui explique son surnom, « l'anse du Fiel ». Désormais, les charrettes n'eurent plus à attendre la marée basse sur le Sillon, la flèche sablonneuse qui reliait l'île à la terre ferme, pour traverser la grève et passer l'ancienne entrée principale : la porte Saint-Thomas. On baptisa le nouvel ensemble du nom de saint Vincent, diacre martyrisé en Espagne au IVe siècle, auquel la cathédrale était dédiée. En franchissant la porte, on peut voir deux écussons en bois aux armes de la ville et de la Bretagne, ainsi que la devise « Semper Fidelis ». Sous le passage piéton, la petite PORTE DU BIDORET cache une salle où l'on enfermait les retardataires qui n'avaient pas respecté le couvre-feu sonné tous les soirs à 22 h, du Moyen Age à l'an 1770, par la cloche appelée Noguette. L'heure venue, on lâchait sur les grèves les vingt-quatre dogues du chenil du bastion de la Hollande, entretenus grâce à l'impôt du « pain du chien ». Cette police fut supprimée après la mort accidentelle d'un officier. Le chansonnier Désaugiers l'évoque d'ailleurs fort ironiquement dans sa chanson *Bon voyage monsieur Dumollet* ● *143*. Aujourd'hui, la cloche Noguette, refondue en 1989, sonne toujours à 22 h, depuis la cathédrale...

Les boutiques. Avant de monter l'escalier qui mène au chemin de ronde, il est intéressant de jeter un coup d'œil aux TRENTE-DEUX BOUTIQUES surmontées de logements qui furent installées dans l'épaisseur même des remparts. Elles abritent entre autres le haut lieu gastronomique de la ville, La Duchesse Anne.

La place Chateaubriand et ses hôtels du XVIIIe siècle. Vue de haut, la place offre un bel exemple de cette architecture militaire qui s'imposa à Saint-Malo avec la venue des ingénieurs du roi et de leurs plans d'accroissement. Deux immeubles, reconstruits à l'identique après 1944, en sont un parfait modèle : L'HÔTEL WHITE (2, place Chateaubriand, où habita la famille de l'écrivain) et L'HÔTEL JACQUES VINCENT DES BASSABLONS (2, rue Saint-Vincent, où vécut Garangeau). Ces constructions de pierre, à sept niveaux parfois, reposent sur des fondations renforcées en raison du sol sableux. Au sous-sol, des caves, souvent sur deux étages, permettaient aux armateurs de stocker leurs marchandises. Au rez-de-chaussée, les arcades abritaient des magasins, des ateliers d'artisans ou des logements, que le négociant louait à des gens de condition modeste. Au premier et au deuxième étage se trouvaient les appartements

"Saint-Malo, bâti sur la mer et clos de remparts, semble, lorsqu'on arrive, une couronne de pierres posée sur les flots dont les mâchicoulis sont les fleurons. Les vagues battent contre les murs ou, quand il est marée basse, déferlent à leur pied sur le sable. De petits rochers couverts de varechs surgissent de la grève à ras du sol, comme des taches noires sur cette surface blonde. Les plus grands, dressés en rang à pic et tout unis, supportent de leurs sommets inégaux la base des fortifications, en prolongeant ainsi la couleur grise et en augmentant la hauteur."
Gustave Flaubert

Le restaurant La Duchesse Anne
L'une des meilleures adresses de l'intra-muros ; installé dans l'un des magasins conçus par Vauban et Garangeau, le restaurant est encastré dans les remparts.

"N'est-ce pas la main d'un Titan qui a fait surgir du roc ces demeures quadrilatérales aux proportions de carènes, qui a percé ces sabords luisant comme des prunelles de guetteurs, qui a coiffé les toits triangulaires de cheminées monumentales qu'on dirait sculptées à même le granit ?"
Théophile Briant

habités par l'armateur ou loués à un hôte de condition. Les grands combles à la française cachaient de vastes greniers, précieux dans une ville où la place manqua toujours; les Malouins les préférèrent aux toits brisés dits «à la Mansart». Les façades en granit de Chausey sont mises en valeur par des bandeaux en saillie, des bossages en anglets et un portail monumental. On remarquera celui de l'hôtel des Bassablons décoré de deux cornes d'abondance et d'un mascaron à tête d'Hercule. Enfin, d'immenses souches de cheminées et des épis de faîtage selon la mode versaillaise donnent aux toits leur belle silhouette familière.

NOTRE-DAME-DE-BON-SECOURS L'équipage d'un brick malouin en partance pour les Indes découvrit, dit-on, la statue flottant entre deux eaux et la recueillit. Comme le bateau ne cessait d'essuyer de terribles tempêtes, le capitaine comprit que la Vierge voulait gagner Saint-Malo. Il fit demi-tour. Depuis, de nombreux miracles lui ont été attribués et son culte fut âprement défendu lors de la Révolution par les poissonnières des halles voisines.

LA GRANDE-PORTE

LA PORTE. L'ancienne entrée principale de la ville est un bel ouvrage militaire du début du XVe siècle qui assurait la défense du port et servit de modèle à la tour Générale du château. Elle est composée de deux tours et d'une plate-forme de tir portée par des mâchicoulis à quadruple ressaut, décorés d'ornements tréflés caractéristiques de la seconde moitié du XVe siècle, que l'on retrouve à Vitré et à Montmuran. Ses vastes salles rondes abritent l'ASSOCIATION DU COTRE CORSAIRE qui, répondant au concours « Bateaux des côtes de France » lancé par la revue *Chasse-Marée*, a entrepris la construction de la réplique du *Renard*, le cotre armé par Surcouf.

LA STATUE DE N.-D. DE BON-SECOURS. En calcaire polychrome (XVe siècle), elle surplombe la Grande-Porte. Miraculeuse, elle aurait arrêté le grand incendie de 1661 qui détruisit plus de deux cent quatre-vingt sept maisons en bois, aux caves remplies de poix et de suif. Après cet incident, la construction en pierre fut imposée pour les façades sur rive; un incendie, en 1584, avait déjà rendu obligatoire l'utilisation de l'ardoise pour les toits, à la place du chaume ou «bedoue», ce roseau des marais de Dol et de Châteauneuf. Le mur qui court le long de la RUE DE CHARTRES fut construit lors du troisième accroissement (1721-1723) avec des matériaux récupérés dans l'ancienne fortification de la rue des Cordeliers. Il donne sur le BASSIN VAUBAN

et le PORT DE PLAISANCE, où trois cents bateaux peuvent accoster. L'écluse du bassin ne permet d'entrer que pendant les deux heures précédant et suivant la pleine mer. Le club house, également siège de la Société nautique de la baie de Saint-Malo, se trouve quai du Bajoyer.

La porte Saint-Louis

Elle fut percée en 1874 dans l'axe de la plus longue rue, celle de Toulouse. Deux hôtels épargnés par les bombardements l'encadrent : derniers vestiges du classique hôtel particulier à ailes sur cour, et non sur rue, et façade arrière sur jardin. **L'hôtel Trublet de Nermont (1724).** Il est aujourd'hui occupé par la Banque de France. Il possède un seul étage et sa façade, dégradée par la construction d'un bâtiment moderne, présente un avant-corps central et un toit à la Mansart. Les appartements de réception au premier étage ont conservé leurs lambris, leurs cheminées et leurs parquets d'origine, ainsi que les toiles peintes au-dessus des portes. **L'hôtel Magon de la Lande (1725).** Appelé aussi «hôtel d'Asfeld», il comprenait à l'origine des caves voûtées, des magasins au rez-de-chaussée et trois étages aménagés en appartements, le dernier en mansarde. Des remparts, l'on voit sa façade côté jardin, desservie par un escalier extérieur à double volée; l'écurie, le long de la rue de Toulouse, était surmontée d'un toit en terrasse d'où l'on pouvait surveiller le port. Il est possible de voir, entre la troisième et la quatrième fenêtre à droite, une pièce en mezzanine : il s'agit d'un *tréhory*, sorte de petit entresol typiquement malouin qui donnait sur la cuisine et où logeaient les domestiques. Le gérant du magasin de vins, Les Réserves de Surcouf, autorise la visite des CAVES DE L'HÔTEL, établies sur deux niveaux et impressionnantes par leur taille. Il est également possible de pénétrer dans la cour (5, rue d'Asfeld) pour admirer le grand escalier intérieur qui a conservé son ancienne rampe de ferronnerie, semblable à celle de La Chipaudière, malouinière des premiers propriétaires ● *90*. Les marches du premier étage sont en pierre, celles des autres étages en bois et tommettes. L'intérieur de l'hôtel, aujourd'hui résidence privée, a conservé sa décoration et présente une curieuse division de l'espace avec deux petits escaliers secrets qui mènent aux étages supérieurs. L'hôtel aurait été transformé en prison pour femmes pendant la Révolution. La mère de Chateaubriand y aurait séjourné avant d'être «conduite du fond de la Bretagne dans les geôles de Paris».

Hôtel d'Asfeld
On l'appelle également «hôtel Magon de la Lande». Pendant la Révolution, il aurait

été transformé en prison pour femmes et ses geôles auraient même accueilli la mère de Chateaubriand. Le petit médaillon en plâtre ornant le plafond de la cage d'escalier, et représentant un personnage portant bonnet phrygien, témoigne des heures révolutionnaires. L'hôtel, dont on voit ci-dessus et à gauche la façade côté remparts, est aujourd'hui une habitation privée.

La Grande-Porte
Ses deux tours du XVe siècle, surmontées d'une plate-forme de tir et couronnées de mâchicoulis, avaient pour rôle de défendre le port de la ville au Moyen Age. Aujourd'hui, elles regardent les voiliers se mettre à quai.

L'ILE DE CÉZEMBRE Au début du siècle, avant les bombardements, l'île avait l'aspect qu'on lui voit ci-dessus, en bandeau. «Voici Cézembre, une falaise sombre entaillée d'une large plage», dira Roger Vercel, expliquant que, dès le VIe siècle, l'île fut un lieu de retraite pour les moines et les ermites. Saint Malo y fera un séjour. Puis, dit Vercel, «Les Cordeliers de l'Observance y fondèrent un couvent que les Anglais dévastèrent en 1544. Les Récollets les remplacèrent. Mais en 1693, les Anglais revinrent [...]. Ce fut alors Vauban qui prit pied sur l'île [...] pour y retrancher une solide garnison.»

LE BASTION SAINT-LOUIS

Ce bastion remplaça l'ancien éperon édifié à la fin du XVe siècle, sous le duc de Mercœur. Sa construction se fit en deux étapes, de 1716 à 1721. On voit encore l'échauguette d'angle et

les anneaux auxquels on enchaînait les canons pour limiter le recul lors du tir. Avec le fort du Naye, situé en face, il défendait l'accès au bassin du port. L'escalier qui descend vers la ville est appelé escalier rouge : durant la Révolution, les exécutions ayant lieu sur l'actuelle place Chateaubriand, on remisait sans doute la guillotine dans un cellier du rez-de-chaussée.

LES HÔTELS. Du bastion s'ouvre une belle perspective sur quatorze façades d'hôtels du XVIIIe siècle dont les deux premiers n'ont pas été détruits. Leur construction s'échelonna sur près d'un demi-siècle, freinée par l'interdiction royale de continuer les expéditions dans les mers du Sud, qui étaient source d'énormes profits. Depuis 1973, un BRONZE DE DUGUAY-TROUIN, fondu d'après un original du XVIIIe siècle, surveille la CALE DE LA BOURSE et le pont coulissant (1986) qui conduit à la GARE MARITIME, futuriste vaisseau de granit, de verre et de métal. Plus de neuf cent mille voyageurs y transitent avant de s'embarquer pour les îles Anglo-Normandes et Portsmouth.

LA PORTE DE DINAN

LA PORTE. Appelée autrefois porte de la Marine, elle facilita, depuis 1714, l'accès de la ville aux Dinannais venus par la Rance, et aux évêques. Ainsi lorsqu'un prélat venait prendre possession de son siège épiscopal, il passait la nuit au presbytère de Saint-Servan, puis arrivait en bateau. Il entrait dans la ville par la porte de Dinan, où l'accueillait le clergé paroissial. A la cale de Dinan, on peut aujourd'hui s'embarquer pour Dinard à bord de petites vedettes et découvrir la beauté de la baie en une traversée d'un quart d'heure. De la porte, on découvre une belle échappée sur l'avant-port, les écluses, Alet, Saint-Servan, le môle des Noires — qui offre un beau but de promenade — et l'estuaire de la Rance. En contrebas, L'ESPLANADE SURCOUF est le lieu de rendez-vous des boulistes malouins; l'endroit doit son nom au célèbre corsaire qui habita de 1801 à 1827 le n° 1 de la rue Saint-Philippe.

LE BASTION SAINT-PHILIPPE. Il borde les maisons d'un quartier appelé au XVIIIe siècle «la Californie». Le rempart offre ici une superbe perspective avec, à gauche, l'estuaire de la Rance, Dinard, la pointe du Décollé et le cap Fréhel par beau temps; à droite, l'ILOT de HARBOUR — sur lequel, en 1693, Garangeau fit construire un fort, avec corps de caserne occupant la totalité de la surface, afin que l'ennemi ne puisse y débarquer et y établir une batterie —, le Petit-Bé ▲ *168* et enfin, à l'arrière-plan, l'île de Cézembre et le FORT DE LA CONCHÉE. Ce dernier est le

prototype même du fort-navire, tout en arrondi. Situé à 4 km au nord de Saint-Malo et à 1 500 m au nord-est de Cézembre, on le considère comme l'un des chefs-d'œuvre de Vauban. C'est l'une des premières fortifications construites sur un rocher que recouvre la mer. Les travaux (1692-1695) furent particulièrement difficiles, tant en raison du site que de l'incursion des Anglais, qui mirent le feu aux échafaudages et kidnappèrent les ouvriers en 1693, lorsqu'ils envoyèrent sur Saint-Malo la machine infernale ▲ *168*. Vauban viendra cinq fois contrôler le chantier : « Il n'y aura rien de mieux fait, ni de plus fort que les voûtes de la Conchée », écrivit-il à l'intendant des fortifications. Les voûtes et les souterrains, qui pouvaient contenir cinq cents hommes, sont restés intacts. Les bâtiments, eux, souffrirent des tirs d'essai allemands en 1944 et sont inaccessibles. Nettoyés lors de l'année Vauban en 1983 par une association de sauvegarde, ils sont en attente de restauration. On peut en revanche, l'été, se rendre à l'ILE DE CÉZEMBRE à partir de l'embarcadère de Dinan et y fouler la plage la plus blanche de la baie. Le reste de l'île est théoriquement interdit en raison des mines allemandes qui pourraient y rester. L'endroit fut en effet l'objet d'un bombardement intensif pendant vingt-huit jours de siège en août et septembre 1944.

Les filles de Saint-Malo avaient coutume d'aller autrefois en pèlerinage à l'oratoire de Saint-Brendan pour demander au saint de les aider à trouver un lézard à trois queues, condition nécessaire à leur mariage dans l'année. Avant d'arriver au bastion de la Hollande, on peut accéder par la poterne d'Esrées à la GRÈVE DU MÔLE. Là, une plage abritée permet aux amateurs de prendre le soleil dès le mois d'avril.

Bien dans le goût de la Belle Epoque, une caricature de Mars (1849-1912) se moquant gentiment du fort National, que l'on voit aussi depuis la cathédrale (en bas).

SOUS LES REMPARTS
Au pied de ses murs, Saint-Malo offre des plages praticables à marée basse. Celle de Bon Secours (page de gauche, en haut), ou celle du Môle (page de gauche, au milieu). Mais aussi, celle de l'Eventail (à gauche), près de la courtine Saint-Thomas, qui longe le château. Un lieu propice à la rêverie et à l'appel du grand large.

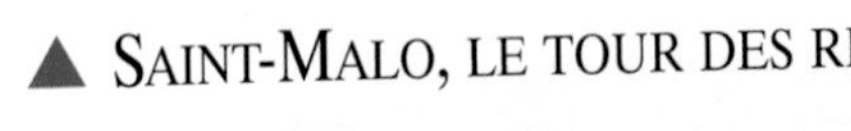

LA MACHINE INFERNALE
Le 29 novembre 1693, après trois jours de bombardements, les Anglais mettent le feu à un bateau bourré d'explosifs et le lancent contre les remparts de la ville. La marée retient cette machine infernale (ci-contre), qui s'échoue au large, sur des récifs, entre le Grand-Bé et le fort National.

CHATEAUBRIAND
Conformément à ses vœux, il fut inhumé en grande pompe au Grand-Bé, le 18 juillet 1848, à côté de l'ancienne chapelle :

«Je reposerai donc au bord de la mer que j'ai tant aimée.»

LE BASTION DE LA HOLLANDE

Elevé pour interdire l'accès de la baie aux Anglais, il abrita le chenil des chiens du guet ▲ *163*. Sur le terre-plein se dresse la STATUE DE JACQUES CARTIER, fondue par Bareau en 1905 grâce aux dons de Canadiens, que rassembla Théodore Botrel lors d'une tournée ● *140*.

ACCÈS AUX FORTS

La porte des Bés (1871) permet de sortir sur la PLAGE DE BON SECOURS et d'accéder à marée basse au Grand et au Petit-Bé.

LE FORT DU PETIT-BÉ. Construit par Garangeau (1689-1693) pour fermer l'entrée de la Rance, il possède un front arrondi pour les tirs croisés, côté mer, et un front bastionné, côté terre.

LE GRAND-BÉ. Il a accueilli la première commune de Saint-Malo lorsque, en 1308, les Malouins révoltés contre leur évêque s'y assemblèrent pour élire un maire. Vers 1360, des ermites y bâtirent une chapelle dédiée à Notre-Dame-du-Laurier puis à saint Ouen. La foire aux sifflets qui s'y tenait fin janvier prit ainsi le nom de petite Sainte-Ouine, par opposition avec celle de Saint-Servan.
Les vestiges d'une redoute, fortifiée en 1689 sur des ruines de 1555, sont encore visibles. En 1848 enfin, Chateaubriand y fut inhumé et le Grand-Bé devint un lieu de pèlerinage littéraire. Pendant la dernière guerre, les Allemands y installèrent blockhaus et batteries

anti-aériennes. Entre cette porte et la tour Bidouane, on aperçoit, depuis la plage, les créneaux des remparts du XIIe siècle, dits «PETITS-MURS».

LES CHAMPS-VAUVERTS

Le jardin du Cavalier, dominé par la statue de Surcouf, abrite la maison du Québec, où autrefois se tenait un arsenal militaire. La porte des Champs-Vauverts fut percée en 1879 pour faciliter l'embarquement des navettes de Dinard.

LA TOUR BIDOUANE. Après le parc à boulets, cette tour du XVe siècle, au plan en fer à cheval, a encore ses canonnières. De sa terrasse, on découvre le fort National et un bel horizon jusqu'à la pointe de La Varde, les plages de Paramé, Rochebonne et Minihic.

LE FORT NATIONAL. Accessible à marée basse, on peut y suivre une visite guidée pendant l'été ▲ *188*.

LA COURTINE DU CHÂTEAU GAILLARD. Elle longe l'Ecole de la marine marchande, où Charles VI avait élevé le château Gaillard en 1395.

LE BASTION-FORT À LA REINE

Il fut construit après l'envoi de la machine infernale de 1693 ▲ *168*. Près du château, les remparts abritent un AQUARIUM. Chateaubriand aimait à jouer ici enfant, le long du Sillon : « Nous grimpions ordinairement au haut de ces pieux pour voir passer au-dessous de nous les premières ondulations du flux.» ● *122*.

ROBERT SURCOUF (1773-1827). Il fuit l'école à 13 ans pour naviguer. Il se fait négrier à l'île Maurice avant de devenir corsaire contre l'Angleterre à bord de *L'Emilie* (1795), *La Clarisse* (1798), *La Confiance* (1801) et *Le Revenant* (1807). Enrichi par la course, il se retira à Saint-Malo en 1809 et devint armateur.

CHAUSSÉE DU SILLON Un raz de marée la ravagea en 1863 (en bandeau). C'est aujourd'hui la promenade favorite de l'aquarelliste de marine Marc Berthier.

«Ramasseurs de marne» de Zuber; au loin, Saint-Malo.

La légende de saint Malo
Parti avec ses disciples de Lancarvan, Malo est venu dans la région d'Alet pour restaurer la foi. C'était au VIe siècle. Son bateau fit d'abord halte sur l'île de Cézembre, où l'accueillit le moine Festivus après qu'il eut débarrassé l'île de son dragon. Il mourut à Saintes, d'où, au VIIIe siècle et grâce à l'appui du roi Childebert III, une délégation de religieux ramena à Alet la tête et la main de l'ancien évêque de la cité. Rue Thévenard, la statuette du saint est due à Bizette Lindet.

Une ville singulière

Après avoir fait le tour des remparts, il faut s'aventurer au cœur de la vieille ville et flâner au gré des ruelles, s'égarer et se laisser séduire par cette austérité grise et militaire qui fit dire à Stendhal : «Je ne sais comment je me suis laissé entraîner à perdre deux jours dans cette ville singulière, mais peu aimable : au fond c'est une prison.» Le charme de la cité intra-muros réside justement dans cette incroyable uniformité, dans cet espace restreint et sombre. Démolitions successives, bombardements de la dernière guerre et reconstructions ont modifié le visage de la ville : aussi chaque maison ancienne, chaque détail apparemment insignifiant peuvent se lire comme un indice et permettent de reconstituer la physionomie et l'histoire passées.

Autour du château

La place Chateaubriand. Cette place est le centre de la ville, l'endroit où l'on se donne rendez-vous, où l'on paresse sur les terrasses ensoleillées des trois célèbres cafés malouins, la Brasserie des Voyageurs, L'Univers et Le Chateaubriand. Les Voyageurs se distinguent par la présence de deux immenses

toiles de Gustave Alaux, dont l'une représente le port de Saint-Malo au XVIIe siècle, avec, au premier plan, une frégate corsaire qui traîne fièrement derrière elle un galion ennemi. L'UNIVERS a conservé son décor d'ancien siège du Yacht club : carapaces de tortue, tenue de scaphandrier, maquettes de trois-mâts. Les yachtmen et les jeunes l'apprécient tout particulièrement, surtout aux arrivées de courses. On dit aussi que le commandant Charcot y but son dernier verre en 1936, avant de partir pour son ultime voyage. Non loin de là, LE CHATEAUBRIAND séduit par son décor fin de siècle.

LE CHÂTEAU. Détaché du corps de la ville, cet édifice a toujours incarné pour les Malouins le pouvoir, d'abord ducal, puis royal. Son aspect actuel date de Vauban, qui le réaménagea en fonction des progrès de l'artillerie du XVIIe siècle. Le XIXe siècle priva l'ensemble de son caractère défensif en comblant les douves et en disposant une esplanade devant l'ancienne courtine de la ville. Chaque changement de pouvoir politique au cours des siècles se traduisit par une adjonction de tours, quelquefois tournées vers les Malouins eux-mêmes, dont l'esprit d'indépendance était redouté. Le château se réduisait au départ à une simple enceinte et au Petit-Donjon, construit en 1395 par Charles VI pour surveiller la ville à l'époque où celle-là se plaça sous la protection du royaume de France ▲ *160*. L'édifice de cinq étages est accolé à la tour Quic-en-Groigne et couvre en partie le chemin de ronde tel qu'il était cent ans avant la construction du château — pour le voir, se placer au pied de sa façade orientale. Le Château-Gaillard, situé au nord de la ville ▲ *169*, était alors le véritable centre du pouvoir. Mais, quand les ducs de Bretagne devinrent maîtres de la ville, ils l'abandonnèrent pour construire un ensemble défensif plus à l'est, à l'extrémité de l'isthme, sur le Sillon. Lorsque le pape confirma la suzeraineté du duc Jean V, en 1424, le chantier put commencer, non sans que l'évêque, soucieux de rappeler sa suprématie historique sur le Rocher, vienne bénir la première pierre. On ne pouvait parler alors d'un véritable château, l'édifice ne comprenant qu'un mur d'enceinte encadré de deux tours donnant sur la mer. Du haut de ses 34 m, le Gros-Donjon en fer à cheval avait pour mission de protéger l'entrée principale de la cité, la porte Saint-Thomas. Il abrite aujourd'hui le musée de la ville. En 1475, le pape accorda au duc François II, en guerre contre le roi de France, une place auprès du Gros-Donjon, dans l'anse de Merbonne, pour construire la Tour-Générale. Ses murs, qui ont par endroit 7 m d'épaisseur, accueillent aujourd'hui le Musée du pays malouin. Anne de Bretagne continua le renforcement du système défensif de 1498 à 1501, en confiant à des maîtres d'œuvre nantais l'élévation de la

LA LOI DU ROCHER
Pour apprécier l'architecture de la ville, il faut marcher la tête en l'air : les rues étroites n'autorisent pas le recul car, comme l'explique Roger Vercel, «la loi du Rocher imposait d'étroites servitudes. Tout était permis en hauteur et en largeur, rien en profondeur. Un hôtel qui eut voulu rompre l'alignement, et reculer de quelques pas, pour se dégager de la tourbe des masures, eût très vite heurté son dos au dos de la maison de derrière, ouverte sur une rue parallèle». Comme au début du siècle, la ville s'anime autour de la place Chateaubriand et de ses cafés.

Coupes et élévations du château et de ses dépendances, par Régnault (1857, *Atlas des bâtiments militaires*).

ABONDANCE DE TOURS
Chaque changement politique fut marqué par l'érection d'une nouvelle tour.
La tour des Moulins (ci-dessus) et la tour Quic-en-Groigne (ci-dessous) sont dues à la duchesse Anne. En haut à droite, la place du Château (plan de Garengeau, 1698).

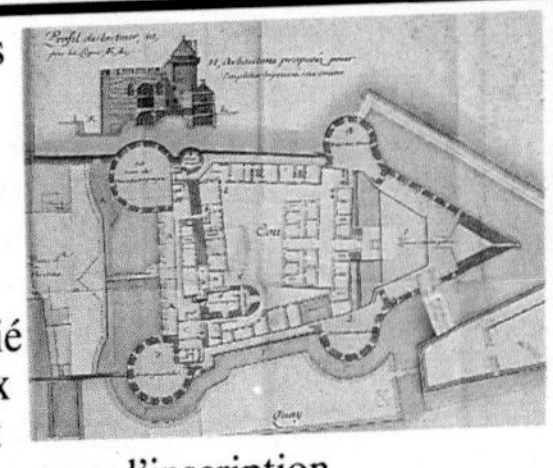

tour des Dames, de la tour des Moulins et de la TOUR QUIC-EN-GROIGNE. Cette dernière, qui est aujourd'hui la galerie Quic-en-Groigne, est tournée vers la mer. Pour répondre à l'évêque, qui avait excommunié les ouvriers du chantier, et aux chanoines, qui revendiquaient les terrains, la souveraine y fit graver l'inscription «Quic-en-Groigne / ainsi sera / tel est mon bon plaisir.» La tour y a gagné son nom. Deux nouvelles tours, reliées entre elles par des courtines, vinrent compléter le dispositif : la tour des Dames (celles-là auraient eu le droit d'y monter pour voir la mer) et la tour des Moulins. En 1500, le château prit ainsi la forme d'un carré encadré de quatre tours rondes, et protégé de l'extérieur par un éperon. Il faudra attendre Vauban pour qu'une grande campagne de travaux soit à nouveau lancée. Dans le but de renforcer l'accès du Sillon, on priva le Gros-Donjon de sa tourelle d'escalier et de la galerie du chemin de ronde, et deux corps de caserne, qui logent la mairie actuelle, furent

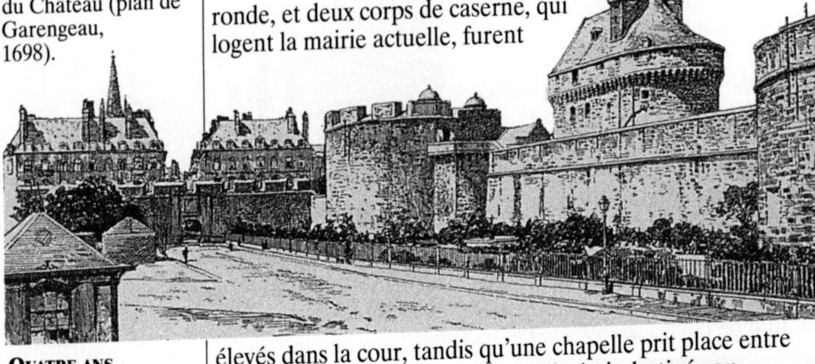

élevés dans la cour, tandis qu'une chapelle prit place entre le Donjon et la Tour-Générale : elle était destinée au gouverneur et à ses soldats, qui n'avaient pas le droit d'entrer dans la cathédrale. Dans la cour, on peut encore voir les immenses citernes d'une capacité de 300 000 l : une prudence d'autant plus nécessaire que la ville est dépourvue de source. C'est dans cette enceinte que se déroule le spectacle son et lumière «Saint-Malo, république de la mer».

LE MUSÉE D'HISTOIRE DE LA VILLE. A travers une collection d'objets de marine, de maquettes et de représentations picturales, l'histoire de Saint-Malo — et plus particulièrement celle de la course — est ici retracée. Il est conseillé de commencer la visite par le quatrième étage afin de suivre la présentation chronologique. Du haut des 34 m de la tourelle de guet, un panorama unique sur la ville et sur le port permet de saisir toute l'étendue de l'ensemble intra-muros. Les pièces marquantes du musée sont le fameux portrait de Chateaubriand d'après Girodet, ainsi qu'un étonnant petit tableau de sa chambre natale réalisé par son

QUATRE ANS DE RÉPUBLIQUE
En mars 1590, pendant la Ligue, les Malouins prirent d'assaut le château (ici la façade) pour protester contre la décision du gouverneur de Fontaine de se placer dans le camp du roi protestant Henri IV et de l'accueillir dans la ville.
Le gouverneur fut assassiné et, de 1590 à 1594, la ville se proclama en République et plaça à sa tête un sénat élu. A l'abjuration du roi, les Malouins changèrent de camp et abandonnèrent les ligueurs.

coiffeur avec les cheveux de l'écrivain, une immense figure de proue du siècle dernier représentant un corsaire du XVIIe siècle, de beaux objets de course ayant pour certains appartenus à Surcouf et enfin *Le Pardon des terre-neuvas,* de Paul Signac.

Le musée d'Ethnographie du pays malouin. Depuis 1989, la Tour-Générale abrite ce petit musée qui retrace l'aventure de la grande pêche, la vie quotidienne dans le Clos-Poulet et les débuts de la vie estivale malouine.

La galerie Quic-en-Groigne. Cette institution privée, fondée en 1947 par René Trotoux, met en scène les grands moments historiques de la ville et ses personnages célèbres à l'aide de figurines en cire et de décors peints. Le résultat est parfois très réussi, comme la reconstitution de la Grande-Rue, et intéressera beaucoup les enfants, mais l'ensemble a besoin d'une rénovation.

La rue Chateaubriand. Cette rue présente plusieurs hôtels en pierre caractéristiques du XVIIe siècle. Ces demeures, construites en granit de Chausey et en schiste de Saint-Cast, ont à l'ordinaire trois ou quatre étages et comportent deux travées percées de larges fenêtres dont les dimensions diminuent au fil des étages. Au n° 3, l'HÔTEL DE LA GICQUELAIS (1640), où naquit Chateaubriand, est composé de deux maisons jumelles qui partagent une même cour intérieure surplombée de galeries de bois vitrées. Dites «à ballets», ces galeries permettaient tout à la fois d'éclairer et de circuler à l'intérieur de la maison. Après l'incendie de 1661, elles furent interdites sur rue, car elles facilitaient la propagation du feu, et ne subsistèrent que dans les cours intérieures. Elles sont caractéristiques de l'architecture malouine de la fin du XVIe siècle et du début du XVIIe siècle, même si l'on en trouve aussi à Morlaix, à Nantes et sur la côte sud anglaise. Au n° 4, l'HÔTEL DE LA BLINAIS (1670) est «le type par excellence de la grande demeure du négociant-armateur de la fin du XVIIe siècle. [...] C'est une maison de trois étages, sans parties locatives, possédant une longue façade sur rue, un magasin, une écurie et une porte cochère pour atteindre la cour intérieure» (Philippe Petout). Il fut construit par Jean Magon de La Lande, considéré comme l'«âme et le mobile du commerce à Saint-Malo».

François René de Chateaubriand (1768-1848). Le plus célèbre des Malouins est né un jour de tempête «dont le bruit berça [son] premier sommeil». Dixième et dernier enfant d'une grande famille appauvrie, il vit le jour dans un modeste hôtel, près de la tour Quic-en-Groigne. Ne voulant ni entrer dans les ordres, ni faire du négoce, il s'engagea dans l'armée et partit pour Paris en 1786, à dix-huit ans.
Le premier, il fixa l'image de la Bretagne en littérature, pays ambivalent où la mer invite aux voyages aventureux tandis que la lande symbolise le monde immobile. Dès 1828, il choisit le Grand-Bé comme sépulture et fit pour cela des démarches. «Tout fut difficile dans ma vie, même mon tombeau», dira-t-il ● *122*.

LES ENSEIGNES DE DAN LAILLER
Le fondateur du musée des Cap-horniers, qui fut aussi conservateur du musée de Saint-Malo, est de surcroît un admirable peintre d'enseignes; on lui doit la plupart de celles qui s'affichent ici. Nombre de rues portent le nom des anciennes auberges aux enseignes piquantes : rue du Gras-Mollet, de la Pie-qui-Boit...

MAHÉ DE LA BOURDONNAIS
(1699-1753). Le rival de Dupleix apprit à naviguer sur les bateaux de son père négociant. Très tôt, il entra dans la Compagnie des Indes et se distingua en 1725 en prenant Mahé, sur la côte de Malabar. Devenu gouverneur des îles de l'océan Indien, à trente-cinq ans, il se révélera être un grand administrateur. En quatre ans, il élèvera Port-Louis au rang d'un «Saint-Malo des îles», avec magasins, arsenaux, hôpital et port en état de défense. Dupleix le fera embastiller en 1748 pour avoir préféré rendre Damas contre rançon aux Anglais, plutôt que de raser la ville. Il mourra quelques mois après sa mise en liberté.

Au n° 11, il faut entrer dans la cour intérieure pour découvrir les galeries vitrées et monter le petit escalier dont le travail de menuiserie rappelle l'art des charpentiers de marine. Au premier palier, comme sur les châteaux arrière des navires, la colonne porteuse de la galerie est placée derrière le ballet vitré, à l'abri des intempéries.

LE VIEUX SAINT-MALO

On y visitera les plus anciennes maisons de la cité intra-muros.
LES NICHES VOTIVES. A l'angle de la rue de la Corne-de-Cerf et de la rue Sainte, ainsi qu'au coin de cette dernière avec la rue Saint-Thomas, on découvre deux niches qui abritaient autrefois des statues de saints ou de Marie, telle la Vierge à l'Enfant visible aujourd'hui dans la cathédrale.
COUR DE LA HOUSSAYE. Au n° 2 se dresse la maison dite «DE LA DUCHESSE ANNE», un très beau logis à tourelle du XVe siècle qui offre un bon exemple, avec l'hôtel Beaumanoir à Dinan, ▲ *245* de ce qu'étaient les «ostels» urbains bretons de la fin du Moyen Age. La tradition qui voudrait que la duchesse Anne y ait demeuré lors des travaux du château est fantaisiste, mais il est certain que la maison appartenait à de riches notables dès la première moitié du XVIe siècle. Elle possédait à l'origine un jardin, chose courante à cette époque où l'espace urbain était très aéré; le surpeuplement de la cité intra-muros ne date que du XVIIe siècle. Les Monuments historiques lui ont redonné son aspect initial (à droite) en supprimant les deux étages qui avaient été ajoutés, en reconstituant la galerie et en recouronnant la tourelle qui servait autrefois de colombier. La baie centrale du second étage, dont on voit le détail ci-dessus, est une pièce rare, avec son linteau en accolade et son appui sculpté de pampres. Les fenêtres placées le plus près de la tourelle sont les plus anciennes. Au n° 10, le bel hôtel particulier privé (1673) cache un décor exceptionnel, mis au jour par les actuels propriétaires en 1979. Il s'agit d'un plafond à caissons peint en trompe l'œil réalisé sans doute par des artisans rennais dans la seconde moitié du XVIIe siècle. Des poutres à caissons, moulurées, délimitent trois travées; au centre, trois médaillons mettent en scène des figures allégoriques et mythologiques comme la Paix, la Renommée, la Providence ou un personnage enlevé par l'aigle de Jupiter (ci-contre, détail du médaillon central). On ne sait qui commanda ce décor, qui ne devait pas être unique dans les années 1670-1680, si l'on en juge par les boiseries du cabinet du maire, provenant d'un hôtel aujourd'hui disparu.

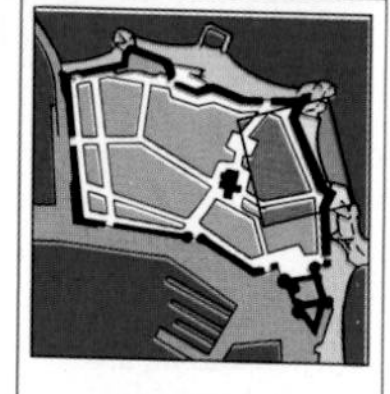

LES NICHES VOTIVES
Vierge à l'Enfant dans la rue Porcon-de-La-Barbinais.

LA MAISON DE LA DUCHESSE ANNE
Cette belle demeure de la fin du Moyen Age a fait l'objet d'une restauration méticuleuse. L'architecture du corps de logis et de la tourelle est typique des demeures des riches notables de la pré-Renaissance. Avant réfection, à gauche, elle était surélevée de deux étages. Aujourd'hui, à droite, elle a retrouvé son aspect de la fin du XVe siècle.

LES VITRINES MALOUINES
Au n° 5 de la rue du Pélicot, se trouve un bel exemple de vitrine, ce détail architectural caractéristique des maisons à pans de bois de Saint-Malo et de Dinan. La vitrine est en appui, à droite et à gauche, sur deux piliers intérieurs.

RUE DU PÉLICOT. Au n° 1, une petite maison à tourelle est un exemple des logis rustiques du début du XVIe siècle, tandis que les rez-de-chaussée en pierre, surmontés d'une galerie comme on peut en voir au n° 3 et au n° 5, avaient encore cours dans la première moitié du XVIIe siècle. Le n° 5 héberge la MAISON INTERNATIONALE DES POÈTES ET DES ÉCRIVAINS dirigée par la céramiste Dodick Jégou.

RUE MAHÉ-DE-LA-BOURDONNAIS. Au n° 2, on remarquera les motifs Renaissance du PORTAIL (détail ci-contre), dont une partie date du XVIe siècle, alors que la maison est de 1652. François Mahé de La Bourdonnais y serait né.

RUE DU COLLÈGE. Au n° 2, l'architecture de l'ancien HÔTEL DE PLOUËR (1698-1700), qui abrite le collège privé de la partie intra-muros de la ville, fait la transition entre les hôtels d'armateur du XVIIe siècle et le style militaire des accroissements du XVIIIe siècle. Edifié en 1698 sur l'emplacement d'un ancien cimetière par l'un des plus riches armateurs de la ville, Pierre de La Haye, comte de Plouër, l'hôtel fut l'un des premiers à posséder une cour suffisamment vaste pour permettre aux carrosses d'y accéder. Son portail monumental inaugurait un style nouveau, avec ses deux pilastres doriques supportant un fronton triangulaire et un entablement en pierre de Caen. Même chose pour la façade, où les encadrements avec appuis moulurés ont cédé la place à des bandes plates saillantes. L'abbé Jean-Marie de Lamennais l'acheta en 1808 pour y fonder un collège; on éleva un étage à la place des combles à la Mansart et une chapelle sur l'emplacement de trois maisons qui complétaient l'ensemble. Dans la cour du collège, le robinet de la fontaine arbore une tête de lion.

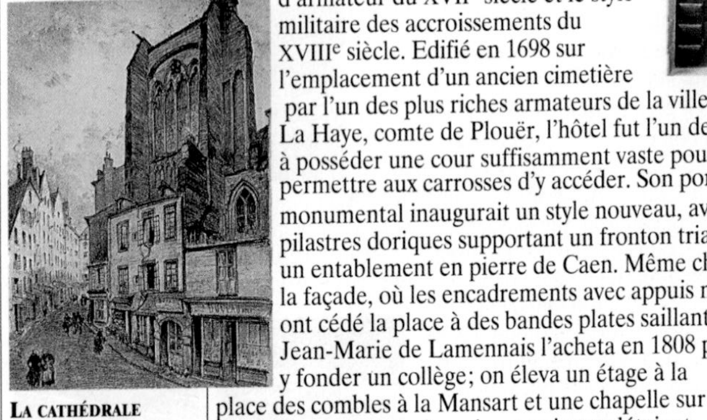

LA CATHÉDRALE SAINT-VINCENT
Sur cette lithographie (*La Vieille France,* Albert Robida, 1891), on aperçoit la rosace de la cathédrale. Le clocher fut reconstruit en 1971 dans le style qui était le sien en 1422 : la tour d'un étage, datant de cette époque, avait été surélevée et coiffée d'ardoise au XVIIIe siècle. Au XIXe, Napoléon III promit de financer la flèche. Elle fut construite, mais sans son aide, puis détruite en 1944.

LE QUARTIER DE LA CATHÉDRALE

Le quartier ecclésiastique qui fut le cœur de la ville jusqu'à la Révolution a aujourd'hui disparu; des voûtes et des passages séparaient l'opulente cité épiscopale du reste de la ville. Là vivaient le prélat dans son palais (au nord-ouest), les chanoines (au sud) et de nombreux religieux.

LA CATHÉDRALE. Pour découvrir la beauté de la cathédrale, il faut pénétrer à l'intérieur et ne pas se fier à son aspect néo-classique. On est alors frappé par le changement brutal de style entre la nef romane et le chœur gothique.

LE PREMIER ÉDIFICE ET LA NEF ROMANE. La venue de saint Malo sur le Rocher, au VIe siècle, donna

naissance à une communauté monastique, qui disposait d'une petite chapelle de pierre. En 1108, l'évêque d'Alet céda l'établissement à la riche abbaye bénédictine de Marmoutier; les moines commencèrent à agrandir l'édifice mais le prieuré leur fut enlevé en 1146, après que l'évêque Jean de Châtillon eut contesté le don de son prédécesseur et obtenu gain de cause auprès du pape. Le siège de l'évêché fut alors transféré d'Alet à Saint-Malo-en-l'Isle, et un chapitre de chanoines augustins fut instauré. On modernisa la nef par un procédé de voûtes bombées en moellons de granit, testé en 1150 dans la cathédrale d'Angers. C'est l'exemple le plus septentrional de voûtes angevines. Les gros piliers carrés servent de soutien et montent d'une seule traite jusqu'aux voûtes. Les chapiteaux, romans, rappellent l'église Saint-Sauveur de Dinan ▲ *243* par leurs motifs d'oiseaux, de monstres et de masques grimaçants.

LE CHŒUR GOTHIQUE. Après le siège de Pierre de Dreux (1234) et le retour d'exil en Normandie du prélat, en 1238, on élargit le chœur en suivant le profil du rocher. L'ensemble, en pierre de Caen, possède un style anglo-normand à chevet plat et à trois étages qui contraste étonnamment avec la nef, dont on abaissa le niveau. Dans le déambulatoire se trouve le sarcophage de pierre de l'évêque Jean de Châtillon, autrefois surnommé Jean de la Grille à cause de son tombeau clôturé de fer forgé. Dans les chapelles latérales nord, rajoutées au XVIe siècle, on a placé la tombe de Jacques Cartier et les restes de Duguay-Trouin, que l'on ramena de Paris en 1973. Au-dessus de la tombe de ce dernier, on peut voir une belle Vierge polychrome du XVIe siècle.

LE TRANSEPT ET LE COLLATÉRAL NORD. En 1591, Thomas Poussin, architecte du roi issu d'une famille de maîtres architectes dinannais, agrandit le transept et ajouta le bas-côté nord. Le style maniériste et italianisant de la façade influença l'architecture civile de la ville.

LA CHAPELLE DU SAINT-SACREMENT. Elevée au XVIIIe siècle, elle abrite des statues de la même époque en marbre de saint Maur et de saint Benoît, œuvres du Génois Francesco Schiaffino. A la sortie, ornée d'une ronde

TOUT DANS LE DÉTAIL
La ville se regarde en détail : ici, c'est un écusson (hôtel Desilles), là, un masque hilare (rue Mahé-de-La-Bourdonnais)...

JACQUES CARTIER
(1494-1557). Sur cette carte postale, les restes de la *Petite Hermine*, le vaisseau du pilote malouin. En 1534, François Ier chargea Cartier de découvrir, au-delà de Terre-Neuve, un passage vers la Chine ou, à défaut, des mines d'or. Cette première expédition lui fit reconnaître les côtes du Saint-Laurent. En 1535, il remonta jusqu'à l'actuel Montréal, où l'hiver l'immobilisa. Sa troisième tentative en 1541 fut aussi un échec, et il en restera le proverbe «faux comme un diamant du Canada» ▲ *212*. Ci-dessous, visible dans la cathédrale, la statue de Marie qui ornait autrefois la niche de la rue de la Corne-de-Cerf.

LES DUGUAY-TROUIN
Le corsaire appartenait à l'une des grandes familles d'armateurs de la ville. Il se tourna vers la course dès 1688, au début de la guerre avec l'Angleterre. L'aîné, le financier de l'ombre, anima les sociétés d'armement, tandis que l'illustre cadet, le corsaire, fut embarqué à seize ans pour mettre fin à une vie dissolue et promu capitaine-corsaire à dix-huit ans. Ses exploits furent couronnés en 1711 par la prise de Rio de Janeiro : à la tête d'une escadre de dix-sept navires, il força l'entrée de la baie et imposa une rançon de cent mille livres d'or à la ville. Le roi l'anoblit en 1709 et le nomma commandant de la Marine.

UN TAPIS DE BOMBES
Voici, à droite, ce qui restait de la place Chateaubriand et, en bas, des alentours du château, après le pilonnage aux bombes incendiaires de 1944.

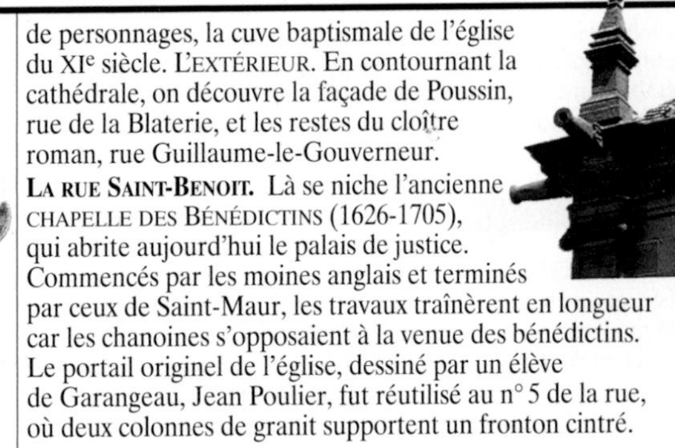

de personnages, la cuve baptismale de l'église du XIe siècle. L'EXTÉRIEUR. En contournant la cathédrale, on découvre la façade de Poussin, rue de la Blaterie, et les restes du cloître roman, rue Guillaume-le-Gouverneur.

LA RUE SAINT-BENOIT. Là se niche l'ancienne CHAPELLE DES BÉNÉDICTINS (1626-1705), qui abrite aujourd'hui le palais de justice. Commencés par les moines anglais et terminés par ceux de Saint-Maur, les travaux traînèrent en longueur car les chanoines s'opposaient à la venue des bénédictins. Le portail originel de l'église, dessiné par un élève de Garangeau, Jean Poulier, fut réutilisé au n° 5 de la rue, où deux colonnes de granit supportent un fronton cintré.

SAINT-MALO RECONSTRUIT

Le 14 août 1944 ▲ *161*, après une semaine de bombardements américains aux obus incendiaires, pour déloger une garnison allemande, Saint-Malo intra-muros était détruit à 80%. Selon les Monuments historiques, cent trente maisons pouvaient être reconstruites; trente-trois le seront réellement. Le maire de Saint-Malo, Guy La Chambre, se battit pour que la reconstruction s'harmonise avec les remparts

épargnés, et soit rapide. Ce grand bourgeois libéral, héritier d'une famille d'armateurs qui fit fortune dans le commerce du guano au milieu du XIXe siècle, resta maire de la ville jusqu'en 1965 et fut l'âme de sa reconstruction. Les architectes durent boucler leurs projets en trois mois sous la direction de Louis Arretche. Le résultat fut un «pastiche normalisateur» (André Mussat), qui respecta certains principes tels le plan parcellaire initial, la conservation de larges croupes de toits et de souches de cheminée imposantes. Seuls les linteaux, les corniches et les couronnements de lucarnes furent préfabriqués en ciment, par souci de rapidité et d'économie. Les travaux commencés en 1948 furent achevés en

Hôtels d'armateurs touchés par les obus incendiaires américains.

1953. Cette reconstitution fidèle est considérée comme l'une des plus réussies du genre.

Rue Thévenard. Après une section ancienne (n°s 11 à 19), cette rue débouche sur une COUR À ARCADES reconstruite par l'architecte Arretche et décorée de bas-reliefs de grès émaillé conçus par la Malouine Bizette Lindet. L'ensemble donne une assez bonne idée de la liberté laissée aux reconstructeurs.

Rue des Vieux-Remparts. Le PASSAGE À PANS DE BOIS qui enjambe la rue (ci-contre, vues ancienne et contemporaine) fut construit en 1720, lors de l'agrandissement du couvent des Récollets, pour rallier le nouvel immeuble élevé juste en face, au n° 8.

Rue de la Fosse. Au n° 4, le petit hôtel à tourelles daté de 1620 marque la limite entre l'ancienne enceinte et le deuxième accroissement de façon originale : les travaux d'agrandissement de la cité entraînèrent l'abaissement du niveau de la rue et la porte d'entrée de l'immeuble se trouva surélevée de 2 m. Aussi les propriétaires réclamèrent-ils la construction d'un escalier extérieur.

Place du Marché-aux-légumes. Au coin de la rue Désilles, la belle maison de l'époque Louis XIII abrite aujourd'hui la BIBLIOTHÈQUE MUNICIPALE. On continue de l'appeler l'hôtel Désilles en souvenir des propriétaires qui l'achetèrent en 1781 (voir ci-contre). Il fut construit dans les années 1630 et permettait au moins à deux familles de vivre sous son toit; chacune possédait un étage, une cave et un grenier, avec des chambres supplémentaires au troisième. A remarquer, la décoration des deux portes, les œils-de-bœuf et la tourelle, que coiffait à l'origine un dôme d'ardoises.

André Désilles
(1767-1790.)
Le héros de Nancy naquit dans l'actuel hôtel Désilles. Il s'illustra par un acte de courage lors de la période révolutionnaire : son régiment, posté à Nancy, se révolta en août 1790 contre les décisions de l'Assemblée nationale et refusa de se soumettre; pour empêcher une lutte fratricide, le jeune lieutenant se jeta devant les canons. Il mourut des suites de ses blessures le 17 octobre suivant.

Rue des Grands-Degrés. C'est au n° 17, à l'hôtel du Fer du Pin (1700) que furent mariés secrètement Chateaubriand et Céleste Buisson de la Vigne ▲ *329* par un prêtre réfractaire, en 1792; la cérémonie fut interrompue par l'oncle de la jeune fille qui réclamait un mariage en pleine cathédrale. Il fit aussitôt enfermer Céleste au couvent de la Victoire. Aussi fallut-il se résigner à un second mariage, devant un prêtre jureur.

Place de la Poissonnerie. Henri Auffret y a reconstruit une HALLE AUX POISSONS, dont la charpente à blochets est recouverte d'une toiture en tuiles de châtaignier. L'extérieur est décoré par un chien de mer dû au sculpteur Francis Pellerin.

Les anciennes halles
Sur cette carte postale, la place de la Poissonnerie avec sa halle aux poissons telle qu'elle se présentait avant la dernière guerre.

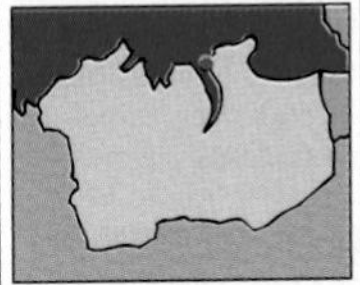

◷ de 1 à 2 heures

MONNAYAGE
L'ancienne capitale coriosolite du Ier siècle avant J.-C. a marqué le promontoire d'Alet de son empreinte. Le Centre régional d'archéologie d'Alet y a consacré plus de vingt ans de fouilles et organise, chaque été, des visites guidées. Ci-dessous, un exemple de monnaie coriosolite découverte sur les lieux. Le monnayage était constitué de statères et de quarts de statère en alliage de cuivre et d'argent.

Sur l'avers : une tête humaine aux cheveux bouclés. Au revers : un cheval et son cavalier ainsi qu'un sanglier ou une lyre tétracorde.

UNE CATHÉDRALE CAROLINGIENNE
Sur la place Saint-Pierre, les vestiges de la troisième cathédrale d'Alet, construite après le passage des Vikings, dont on remarquera la double abside très germanique.

LA CITÉ D'ALET

Ce promontoire rocheux accueillit une cité coriosolite au Ier siècle avant J.-C. Les fouilles menées par le Centre régional d'archéologie d'Alet permettent d'en retracer l'histoire. Ainsi la première capitale coriosolite, située en bordure de mer et le long de la Rance, devait-elle être un village de huttes en bois. Son port occupait l'anse Solidor, alors isolée de la mer, et commerçait avec le sud de la Grande-Bretagne et les îles Anglo-Normandes.

LA VILLE GALLO-ROMAINE. Les Romains choisirent de déplacer la capitale à l'intérieur du pays et créèrent Corseul ▲ *254*. Alet fut alors abandonnée mais son port subsista, comme en témoigne la découverte, dans l'anse Solidor, d'une STATION DE POMPAGE d'eau douce pour alimenter les navires relâchant dans le port. On peut aussi repérer à marée basse les vestiges de la chaussée en pierre qui menait au port gallo-romain. Il fallut attendre les incursions de pirates, à la fin du IIIe siècle, pour qu'Alet retrouve son importance en devenant un lieu de refuge. La ville s'entoura de REMPARTS. Vers 350, une partie de la Légion, fantassins et cavaliers, s'implanta dans la ville et on construisit un *castellum* pour la loger. Le MUR DU BASTION SOLIDOR et la base de la tour occidentale du château en renferment les vestiges.
Redevenue capitale, Alet hérite du tout nouvel évêché : la construction

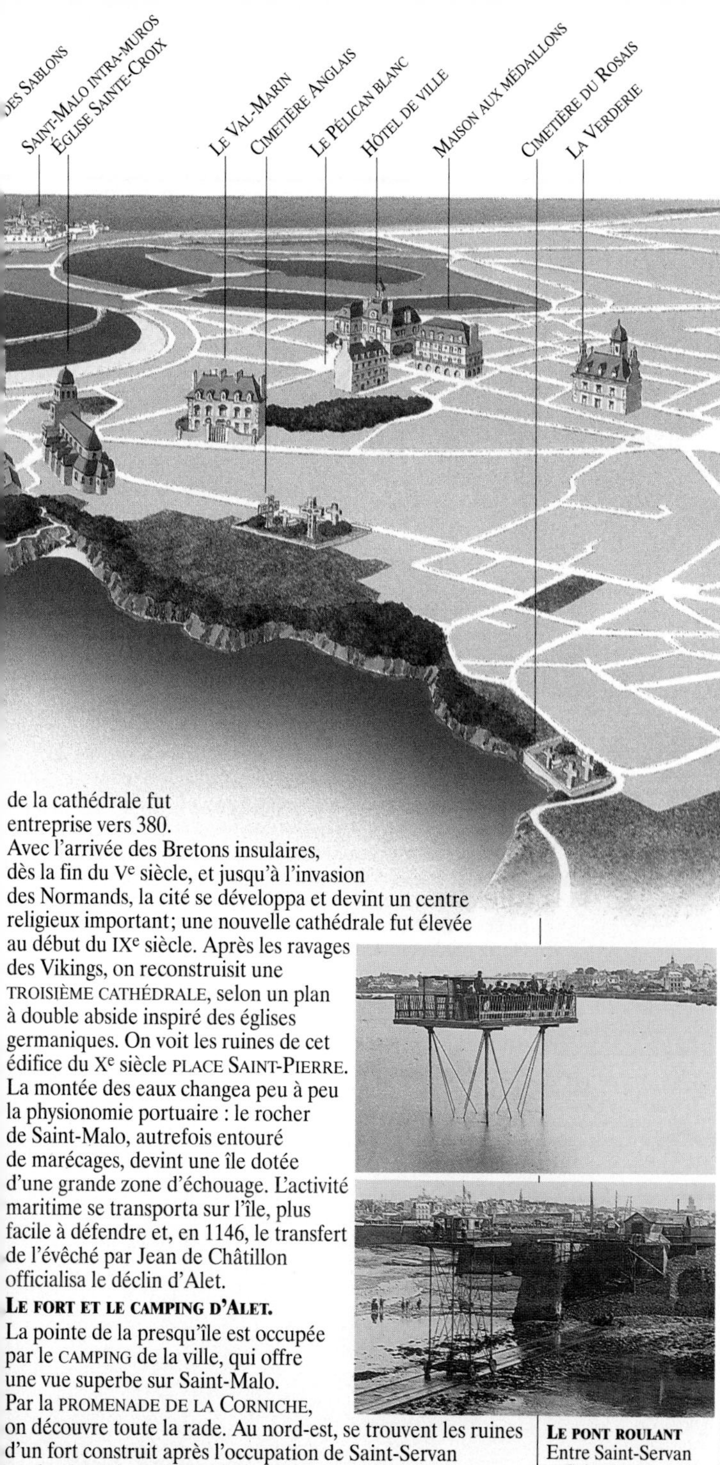

de la cathédrale fut entreprise vers 380.
Avec l'arrivée des Bretons insulaires, dès la fin du Ve siècle, et jusqu'à l'invasion des Normands, la cité se développa et devint un centre religieux important; une nouvelle cathédrale fut élevée au début du IXe siècle. Après les ravages des Vikings, on reconstruisit une TROISIÈME CATHÉDRALE, selon un plan à double abside inspiré des églises germaniques. On voit les ruines de cet édifice du Xe siècle PLACE SAINT-PIERRE.
La montée des eaux changea peu à peu la physionomie portuaire : le rocher de Saint-Malo, autrefois entouré de marécages, devint une île dotée d'une grande zone d'échouage. L'activité maritime se transporta sur l'île, plus facile à défendre et, en 1146, le transfert de l'évêché par Jean de Châtillon officialisa le déclin d'Alet.

LE FORT ET LE CAMPING D'ALET.
La pointe de la presqu'île est occupée par le CAMPING de la ville, qui offre une vue superbe sur Saint-Malo.
Par la PROMENADE DE LA CORNICHE, on découvre toute la rade. Au nord-est, se trouvent les ruines d'un fort construit après l'occupation de Saint-Servan par les Anglais, en 1758; l'entrée est protégée par des douves et un chemin couvert. Durant la dernière guerre, le promontoire fut aménagé en forteresse. Abris, citernes et centrales électriques furent enfouis sous terre. Inutilement puisque l'assaut allié vint de la terre et non de la mer. Actuellement, ce réseau souterrain sert de champignonnières.

LE PONT ROULANT
Entre Saint-Servan et Saint-Malo, un pont monté sur roues glissait sur des rails posés au fond de la passe. Ici, le pont à marée haute et à marée basse.

PORT SOLIDOR

LA TOUR SOLIDOR. Ce «château» du XIVe siècle, qui domine l'estuaire de la Rance du haut de ses 27 m, porte bien son nom qui viendrait du breton *steir dor* (porte de la rivière). C'est depuis 1970 le musée international du Long Cours cap-hornier. Si l'on ne connaît pas précisément la date de sa construction, sans doute plusieurs années avant 1379, sa présence est mentionnée en 1382 dans un envoi fulminatoire de l'évêque de Saint-Malo au duc de Bretagne. Assis sur les fondations du *castellum* romain ▲ *180*, il se compose de trois tours reliées par des courtines. Après avoir été délaissée, la tour Solidor fut transformée, de la Révolution à 1811, en prison pour des soldats français et des prisonniers de guerre britanniques; les relevés de graffitis témoignent de cette affectation. En 1886, l'architecte Ballu remplaça l'ancien toit par une toiture pentue, plus conforme à la couverture du XIVe siècle. En 1985, on planta une croix devant la tour pour rappeler que, de cet endroit, Jacques Cartier s'était embarqué pour son deuxième voyage en 1535 ▲ *212*.

LE MUSÉE INTERNATIONAL DU LONG COURS CAP-HORNIER. Les passionnés de marine à voile apprécieront ce petit musée installé dans un cadre exceptionnel. Les trois premières pièces sont consacrées à l'historique de la découverte du cap Horn, tandis que le reste de la collection retrace la vie quotidienne à bord des grands voiliers. Un énorme albatros empaillé, terreur des marins, ainsi que des cartes, des instruments de marine et de menus objets fabriqués lors des traversées, retracent cette aventure.

LE FORT DE MARS
Sur ce dessin de Mars (1849-1912), le fort d'Alet est vu du môle de Saint-Malo. Ce dessinateur belge consacra, en 1888, un album aux plages de Bretagne.

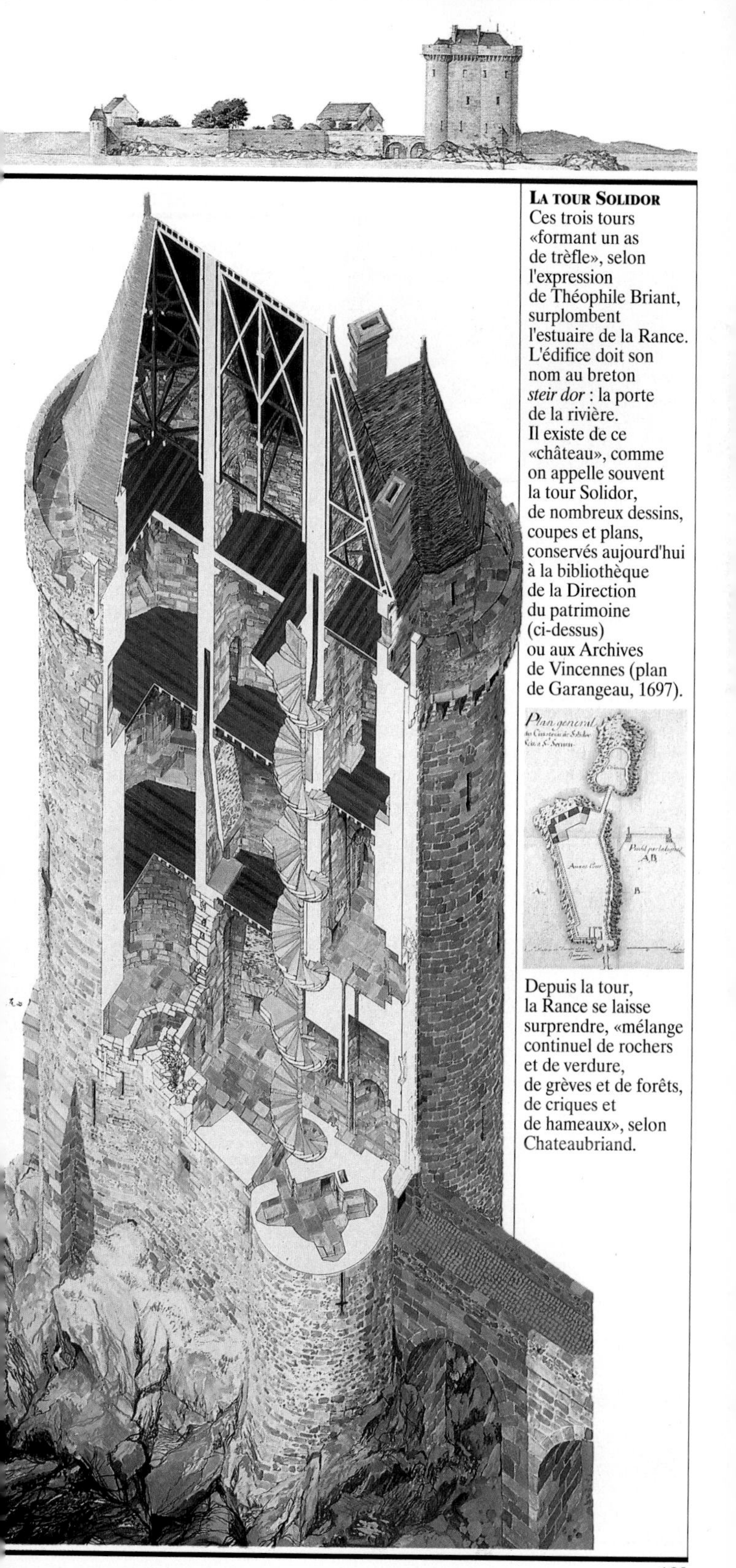

La tour Solidor
Ces trois tours «formant un as de trèfle», selon l'expression de Théophile Briant, surplombent l'estuaire de la Rance. L'édifice doit son nom au breton *steir dor* : la porte de la rivière. Il existe de ce «château», comme on appelle souvent la tour Solidor, de nombreux dessins, coupes et plans, conservés aujourd'hui à la bibliothèque de la Direction du patrimoine (ci-dessus) ou aux Archives de Vincennes (plan de Garangeau, 1697).

Depuis la tour, la Rance se laisse surprendre, «mélange continuel de rochers et de verdure, de grèves et de forêts, de criques et de hameaux», selon Chateaubriand.

LES MALOUINS ET LE CAP HORN

LES CAP-HORNIERS Malgré l'arrivée des bateaux à vapeur, la France continua jusqu'au début du XXe siècle à construire de grands voiliers. Ici, l'équipage du *Thiers*, un trois-mâts carré de 3 450 t, que seize hommes pouvaient manœuvrer et qui fut lancé en 1901. Le capitaine porte la casquette de drap et les armateurs le chapeau melon.

Après la conquête des Indes, Portugais et Espagnols cherchèrent, à partir de 1492, un nouveau passage vers l'océan Pacifique. Magellan, le premier, découvrit le détroit qui porte son nom au cours d'une expédition financée par Charles Quint, qui dura du 20 septembre 1519 au 6 septembre 1522. Il effectua ainsi la toute première circumnavigation et ouvrit une nouvelle route des épices. Mais très vite la suprématie espagnole et portugaise se heurta aux ambitions des Anglais et des Hollandais qui, grâce à l'expédition de Drake du 15 décembre 1577 au 26 septembre 1580, parvinrent à menacer la sûreté des galions et à briser le monopole commercial.
Les Hollandais établirent rapidement des factoreries aux Moluques, regroupées en 1602 par la célèbre Société hollandaise des Indes Orientales. Désormais, les marchands privés n'avaient plus le droit de passer ni par le cap de Bonne-Espérance ni par le détroit de Magellan. Pour contourner ce nouveau monopole, il fallait découvrir un autre passage. Deux audacieux, le marin Schouten et le marchand Lemaire, partirent le 16 mai 1615 de Horn et passèrent le fameux cap d'est en ouest le 16 mai 1616. La porte royale du Pacifique était ouverte. Le premier Français à l'emprunter officiellement fut un Malouin,

Gouin de Beauchesnes, qui, en 1698, tenta d'établir des relations commerciales paisibles avec le Pérou et le Chili. Malgré l'interdiction papale toujours en vigueur, le roi lui donna sa bénédiction tacite. Le long trajet — 20 000 km de Saint-Malo à Callao — comportait seulement deux étapes, aux Canaries et au Cap-Vert. D'autres expéditions suivirent. Elles demandaient une mise de fond considérable car, outre leur danger et leur durée — de vingt à vingt-huit mois — , elles reposaient sur le commerce de produits de luxe : toiles fines et soieries étaient échangées contre l'argent du Potosi. Leur financement ne fut possible que grâce aux capitaux drainés dans tout le royaume et aux actions émises par les sociétés d'armement puis diffusées dans toutes les places commerciales françaises. Ce commerce fournit à la France un véritable ballon d'oxygène monétaire. Mais lorsque l'Espagne devint son alliée, il fallut sacrifier le commerce dans les mers du Sud. Boudé pendant un demi-siècle, les voyages d'exploration du Pacifique et du continent austral remirent le cap Horn à l'honneur avec Byron, Bougainville et Cook au XVIIIe siècle. A partir de 1778, le cap devint aussi la route des baleiniers. Puis, en 1850, la découverte d'or en Californie redonna

Une vie à rude épreuve
Le long cours n'était pas une mince affaire. D'ailleurs, nombre de navires, pris dans les glaces australes, comme le montre cette peinture de Morhmann (1909), ne revenaient pas. Il arrivait parfois que la femme du capitaine voyage avec son mari. «Diable en lest» ou «mère des matelots», selon l'équipage, son rôle devait être difficile. Travail pénible et nourriture pauvre étaient monnaie courante pour le matelot. Cet homme qui embouteille un modèle n'a pas trente ans : les campagnes de huit à douze mois usaient prématurément les hommes. A raison de 120 à 150 milles par jour, il fallait soixante jours pour rallier le Chili depuis la Manche, mais on pouvait aussi bien mettre le double de temps. Et pour l'Australie, la fourchette allait de quatre-vingts à deux cent quarante jours...

PORT SOLIDOR
Autrefois, les bateaux corsaires venaient y décharger leurs prises. C'est aujourd'hui un lieu où il fait bon flâner : face au large, les terrasses du quai Solidor offrent une halte ensoleillée.

un nouvel élan à la navigation cap-hornienne : commençait désormais l'exploitation industrielle du Pacifique. Une fois l'or tari, le guano, ce curieux engrais naturel à base de fiente d'oiseaux récolté sur les îles Chinchas, en face de Valparaiso, au Chili, le remplaça. Puis la conquête de nouvelles terres, Ouest américain, Australie et Nouvelle-Zélande, amena d'autres échanges commerciaux. Les cap-horniers transportèrent la laine de Sydney, le blé de Californie et d'Orégon, le nitrate du Chili, le charbon de la Nouvelle-Galles

du Sud, la viande congelée de la Nouvelle-Zélande... Mais dès 1880, le règne des grands voiliers se trouva menacé par les vapeurs. Seuls les Français, les Allemands et les pays nordiques continuèrent jusqu'au début du XXe siècle à construire des bâtiments de plus en plus grands. L'ouverture du canal de Panama, terminée en 1914, et la Première Guerre mondiale marquèrent le coup d'arrêt définitif de cette grande aventure.

L'ANSE SAINT-PÈRE. A gauche du musée, le QUAI SOLIDOR offre des terrasses ensoleillées et une vue imprenable sur la tour et le port. Deux bonnes adresses sont à retenir : le marchand de galettes LA CARAQUE et le restaurant MARINA, où l'on déguste des huîtres et des moules excellentes.

L'ÉGLISE SAINTE-CROIX. Commencée en 1715, l'église ne fut réellement achevée qu'en 1840, date à laquelle la tour fut enfin ajoutée. Son mobilier Napoléon III et la qualité du décor, entre autres, justifient une visite. On peut y voir des statues de Jean-Marie Valentin et des fresques du peintre malouin Louis Duveaux. Un maître-autel en marbre blanc et une chaire offerte par Napoléon III complètent l'ensemble. A quoi s'ajoutent des retables richement ornementés, les plus anciens datant du XVIIIe siècle.

RUELLES DE CHARME
Le clocher de l'église Sainte-Croix tel qu'on l'aperçoit de la rue Duport-Dutertre. Aucune des ruelles situées derrière l'anse Saint-Père n'a changé depuis le siècle dernier.

UN FAUBOURG DU XVIIe SIÈCLE. A la fin du XVIIe siècle, Saint-Servan n'est encore qu'une agglomération éclatée en plusieurs villages. Ses espaces libres attirent les Malouins, qui fournissent la main-d'œuvre des chantiers navals. Vauban veut réunir Saint-Servan à Saint-Malo et l'urbaniser. En 1700, il propose un projet grandiose dont seules la place et la rue Royale seront réalisées. De belles maisons dans le style militaire du début du XVIIe siècle habillent la RUE DAUPHINE (n°s 16, 18 et 20) et la RUE GEORGES-CLEMENCEAU (n°s 47-49 et 83-85), l'axe commercial et piéton de Saint-Servan. Une intéressante maison se trouve au numéro 10 de la RUE VILLE-PÉPIN (1774), autrefois appelée «Auberge du Pélican blanc». Dans la même rue, le BAZAR PARISIEN, tenu par Jean Grivet, est un véritable capharnaüm de la Belle Epoque. La PLACE BOUVET est dominée par l'ancien hôtel de ville bâti en 1851 : Saint-Servan fut une commune indépendante de 1790 à 1967. A ses côtés, une maison à médaillons où figurent les personnalités locales date de la même époque. Une malouinière du XVIIIe siècle, le VAL-MARIN, au 7, rue Jean-XXIII, ouvre ses portes. Transformée en hôtel de charme, elle laisse admirer son bel escalier, ses boiseries et ses parquets d'époque. L'amiral Bouvet y habita, au siècle dernier, ainsi que l'architecte Yves Hémar, maître du néo-breton ▲ *304*.

LE PORT DES BAS-SABLONS. Ce port de plaisance de mille deux cents places fut créé en 1976 pour permettre le nautisme itinérant : sa profondeur de 1,80 m à basse mer évite l'éclusage. Un petit déjeuner à la terrasse du bar-restaurant LE CUNNINGHAM est conseillé : la vue est admirable.

DES CIMETIÈRES DE CHARME. Saint-Servan possède deux lieux de rêverie : il s'agit curieusement de deux petits cimetières. Le premier, rue Jeanne-Jugan, est l'ancien CIMETIÈRE ANGLAIS, réservé autrefois à la colonie britannique; ses tombes à personnages et à croix celtiques, la présence de nombreux arbres au feuillage délicat lui donnent un air romantique. Le CIMETIÈRE MARIN DES ROSAIS, en bordure de la Rance, offre quant à lui une vue superbe sur la grève, surtout si l'on choisit d'y aller au soleil couchant.

TOURELLE DE LA VERDERIE
Au n° 26 de la rue de Dreux, une petite malouinière de 1637 exhibe sa tourelle.

LA MAISON AUX MÉDAILLONS
Construite vers 1850, cette maison de la place Bouvet est ornée de curieux médaillons figurant des personnalités locales de l'époque. Tout à côté, avec ses murs roses, se dresse l'ancien hôtel de ville.

LE GRAND BAZAR SERVANNAIS
Cette carte postale du début du siècle représente la Grande-Rue de Saint-Servan et, au premier plan, l'étonnant Bazar.

Devenu très vulnérable avec les progrès de l'artillerie, le premier port de commerce du royaume est la cible stratégique des Anglais. Dès 1689, Vauban établira un vaste plan de défense allant de la pointe de La Varde au cap Fréhel pour prévenir les débarquements ennemis. Place aux forts.

FORT DE LA VARDE
L'ouvrage fut édifié en 1758 sur l'emplacement de la batterie Vauban et marque la limite des fortifications extérieures de Saint-Malo. En 1898-1899, des batteries modernes furent installées en bout de pointe, puis, pendant la Seconde Guerre mondiale, les Allemands fortifièrent le site, aujourd'hui classé.

LA CONCHÉE
Le fort est construit sur le principe d'occupation totale de l'espace. Situé à 4 km au nord de Saint-Malo et à 1,5 km au nord-est de Cézembre, il est bâti sur un rocher recouvert par la mer. Sa mission était de défendre la «passe aux Normands», une zone à trop longue portée des canons de La Varde ou de Cézembre. On le voit ici dans son état actuel.

MAQUETTE ET PLAN
Ci-contre, la maquette du plan-relief du fort de La Conchée, réalisée en 1700. A droite, le plan du même fort, exécuté en 1694 par Siméon de Garangeau. L'établissement de cet ingénieur du roi à Saint-Malo eut des répercussions considérables sur l'architecture militaire et civile de la ville. Il fut l'exécuteur des hautes œuvres de Vauban.

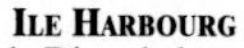

FORT NATIONAL

Construit sur le rocher de l'Islet par Garangeau, dès 1689, c'est l'une des fortifications les mieux conservées. Ouvert au public, on peut s'y rendre l'été à marée basse. Jusqu'en 1685, l'endroit servit de lieu d'exécution : quatre gibets et un bûcher pour les grands criminels s'y dressaient.

ILE HARBOURG

Située en face de Dinard, devant l'entrée de la Rance, cette île était autrefois rattachée au continent. C'est sur ce rocher que l'ermite Aaron accueillit saint Malo, qui arrivait de Grande-Bretagne, dit la légende. Garangeau y fit construire en 1697 un fort avec caserne occupant tout l'espace. Classé monument historique, le fort est actuellement propriété privée.

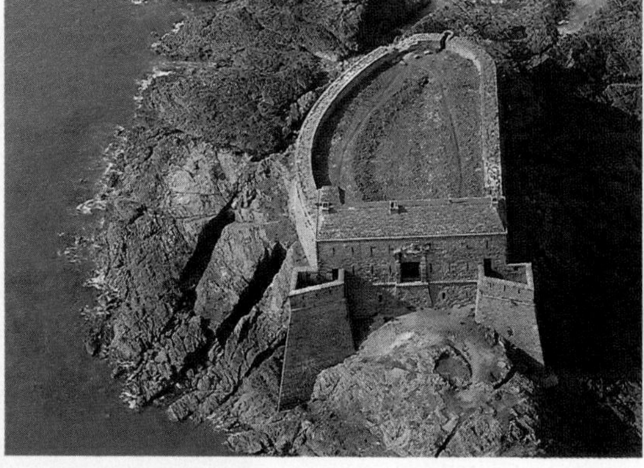

LE PETIT-BÉ

Ce fort fut élevé par Garangeau de 1689 à 1693 sur l'emplacement d'un ancien fortin construit en 1667. Il ferme l'entrée de la Rance. Inachevé, sa porte d'entrée donne sur le vide, en attente d'un pont-levis. L'ouvrage, entièrement construit en pierres appareillées, est remarquable et possède un angle de tir de 360°.

Le fort National
Le gardien de Saint-Malo se dresse sur le rocher de l'Islet, où, jadis, la seigneurie de Saint-Malo rendait sa justice. Le rocher était surmonté d'un phare, dit «pharillon», où, par les nuits sans lune, on brûlait des résines pour guider les navires. Le fort, en granit de Chausey, fut bâti pour défendre Saint-Malo. Soixante canonniers étaient nécessaires pour

manœuvrer les pièces d'artillerie. Dès 1693, le fort rendit d'énormes services à la cité : lors de l'attaque anglo-hollandaise dirigée par le duc d'Orange, c'est du haut de son échauguette que l'on aperçut la machine infernale. Baptisé et rebaptisé selon les régimes politiques, le fort connut sa dernière tragédie du 6 au 19 août 1944 : des Allemands y internèrent trois cent quatre-vingts Malouins qui assistèrent à la destruction de leur ville. Onze d'entre eux furent tués par les bombardements.

Les armateurs malouins ont gagné le titre de corsaires. Car en temps de guerre, ces négociants avisés furent aussi les acteurs de la grande histoire de la course. Instituée dès le XIIIe siècle pour renforcer la Marine officielle, réglementée en 1681 par Colbert, la course est l'action de courir en mer à l'abordage des navires ennemis. Elle permettait aux Malouins de s'enrichir rapidement.

ROBERT SURCOUF
L'un des derniers corsaires malouins (il pratiqua la course jusqu'en 1809). Ses prises anglaises en firent un héros.

Tombe de Surcouf au cimetière de Rocabey, à Saint-Malo. Ci-contre, scène d'abordage.

Hache d'abordage, baril de poudre.

LA PRISE DU «KENT»
La plus belle prise de Surcouf : le *Kent*, navire de la Compagnie anglaise des Indes.

LE «RENARD»
Ce cotre corsaire construit en 1813 fut armé par Surcouf en 1814. Sa réplique, lancée à la mer en avril 1991, est à Saint-Malo.

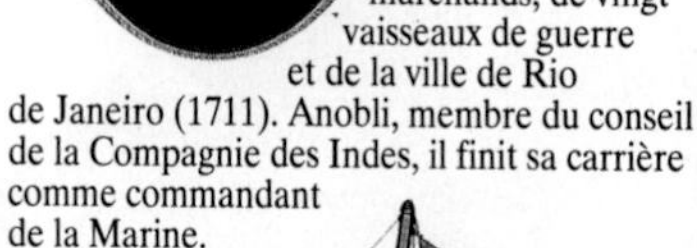

René Duguay-Trouin (1673-1736). Issu d'une famille d'armateurs, il s'embarque à quinze ans comme volontaire sur un vaisseau corsaire. Devenu corsaire lui-même, il s'empare de plus de trois cents vaisseaux marchands, de vingt vaisseaux de guerre et de la ville de Rio de Janeiro (1711). Anobli, membre du conseil de la Compagnie des Indes, il finit sa carrière comme commandant de la Marine.

Les corsaires ne sont pas des pirates ! D'abord parce qu'ils sont détenteurs d'une autorisation officielle de courir sur les ennemis, ensuite parce qu'ils partagent avec l'Etat les bénéfices retirés de la vente des prises. La guerre de course sera réglementée par Colbert en 1681, justifiée par Vauban «comme le moyen le moins à charge de l'Etat de faire la guerre», et abolie en 1856.

La pêche à la morue le long des côtes de Terre-Neuve fit la fortune de la région malouine et constitua, jusqu'au début du siècle, l'activité principale des ports de la côte nord. Après la Seconde Guerre mondiale, l'évolution des techniques de pêche et des habitudes alimentaires sonna le glas de ce métier.

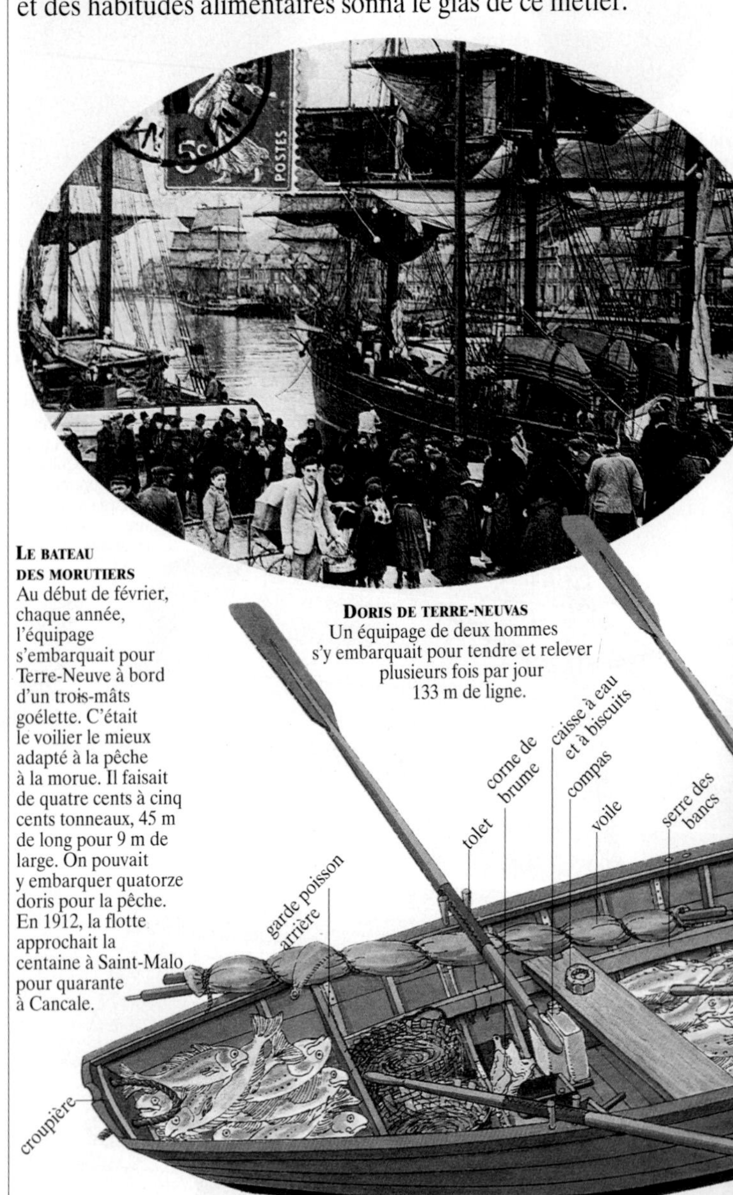

LE BATEAU DES MORUTIERS
Au début de février, chaque année, l'équipage s'embarquait pour Terre-Neuve à bord d'un trois-mâts goélette. C'était le voilier le mieux adapté à la pêche à la morue. Il faisait de quatre cents à cinq cents tonneaux, 45 m de long pour 9 m de large. On pouvait y embarquer quatorze doris pour la pêche. En 1912, la flotte approchait la centaine à Saint-Malo pour quarante à Cancale.

DORIS DE TERRE-NEUVAS
Un équipage de deux hommes s'y embarquait pour tendre et relever plusieurs fois par jour 133 m de ligne.

Sous l'Ancien Régime. Dès le XVIe siècle, des flottilles partaient pour cinq mois au large de Terre-Neuve pêcher la morue. Séchés au soleil, sur la grève, les poissons étaient ensuite expédiés dans le sud de l'Europe, où l'observance d'un long carême en avait fait l'un des mets les plus consommés. Les bateaux repartaient des ports méditerranéens chargés de produits du Levant ou d'Espagne (fers basques, laines de Castille, vins, etc.).

Au siècle dernier
Si les routes commerciales ont changé, la pêche, elle, reste la même au quotidien : un dur labeur. Le jour

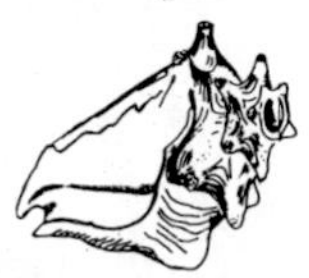

du pardon des terre-neuvas, en février, sonne le signal du prochain départ. Pour rejoindre Terre-Neuve, il faut vingt jours de mer lorsque les vents sont favorables et jusqu'à cinquante par gros temps. Des vols d'oiseaux et un froid très vif signalent l'approche des bancs. D'un coup de sonde, le capitaine détermine l'endroit où il va mouiller pour débuter la pêche. Là commence le travail des hommes. Tous les matins, dès l'aube, le «patron» et son «avant de doris» mettent à l'eau leur doris pour relever les 133 m de ligne qu'ils ont tendus la veille. Si la pêche est bonne, ils recommencent. Puis il faut travailler le poisson et le saler. Sur le pont, les hommes réparent les lignes qui seront retendues en fin d'après-midi. Et cela sans relâche, dans le mauvais temps ou la brume, jusqu'à ce que les cales soient pleines : 7500 quintaux de poissons, soit environ 370 000 morues. Les terre-neuvas «débanquent» au plus tard mi-septembre : ils sont cultivateurs l'hiver ou font la petite pêche. Mais aucun ne passe le printemps chez lui...

L'embarcation des pecheurs : le doris
Ces barques étaient toujours peintes en brun-rouge, sauf le liston, le plat bord et le sommier peints en vert. Une réglementation de 1905 imposait que le nom et le numéro de chaque doris ainsi que son port d'attache soient inscrits sur sa coque. Le peintre demandait pour cela un supplément de un sou par lettre...

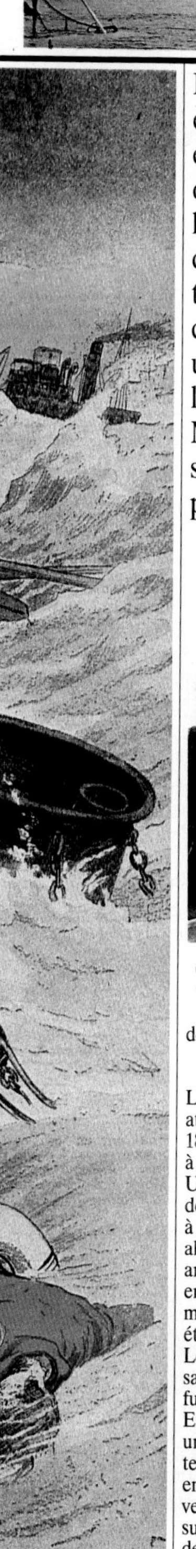

La côte entre Saint-Malo et Chausey est très dangereuse, en raison des courants de marée qui viennent buter sur le Cotentin. Nombre de naufrages la rendirent tristement célèbre. L'un des plus connus fut celui du Hilda, un bateau à vapeur qui assurait la liaison Southampton-Saint-Malo. Le 18 novembre 1905, il sombra avec environ cent trente passagers à son bord.

Parmi les victimes figuraient de nombreux marchands d'oignons de Roscoff.

Quand l'équipe de sauvetage put enfin approcher de l'épave, elle ne trouva que six hommes à demi morts de fatigue et de froid. Toute la nuit, ils s'étaient accrochés au mât de misaine qui résista aux efforts de la tempête. Pour la plupart, les autres passagers avaient été balayés par les vagues dès le naufrage du Hilda sur les Rochers des Portes.

Le bateau était attendu le 18 novembre 1905 à Saint-Malo. Une violente tempête de neige se leva à la tombée de la nuit alors que le bateau arrivait à quelques encablures de la côte malouine. La visibilité était nulle. Le capitaine fit siffler sa sirène et lança des fusées de détresse... En vain. Tout à coup, un craquement terrible se fit entendre. Le bateau venait de se fracasser sur les rochers des Portes.

Le Capitaine

Le récit du naufrage fut repris par la presse, qui lança des souscriptions pour venir en aide aux familles des disparus. Et on établit un câble téléphonique entre le phare du Jardin et le fort de Cézembre.

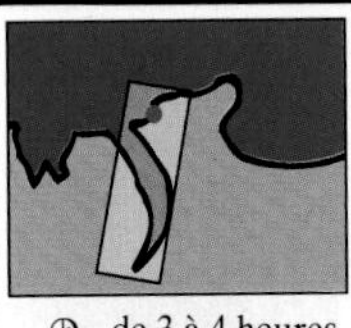

de 3 à 4 heures
environ 30 km
2 heures 30

La Rance maritime offre un paysage d'une douceur inhabituelle en Bretagne : «L'estuaire s'étale, bleu minéral, ceint de l'écharpe moirée des courants, découpé comme une feuille d'acanthe. [...] Les falaises sont couleur de miel, les flots propagent vers le sud leurs glacis soyeux. [...] La Bretagne, ici, est blonde, presque sensuelle.» La Rance a ses amoureux, dont l'écrivain Roger Vercel, à qui l'on doit ces quelques lignes extraites de son livre *La Rance*, un des textes les plus poétiques publiés sur cette région avec ceux de François René de Chateaubriand. Pour retrouver ces émotions, une première excursion de Saint-Malo à Dinan s'impose à bord d'une des vedettes d'Emeraude Lines ou du restaurant flottant Le Chateaubriand. Mais, pour découvrir en profondeur toute la richesse et toute la beauté de ces quelque 20 km, il faut descendre «dans le détail de ses baies, de ses lagons, car c'est là que la mer s'unit à la campagne, que "les Néréides attachent d'exquis festons au bas de la robe de Cérès"» (Vercel citant Chateaubriand) ▲ *268*.

Le cours supérieur du fleuve, près de Collinée. Voici deux des vingt gouaches de Jean Urvoy qui illustrent l'ouvrage de Roger Vercel, *La Rance*, publié en 1945 ● *134*.

LA RANCE D'AUTREFOIS. La rivière n'a pas toujours appartenu aux seuls plaisanciers. Jusqu'à la dernière guerre, elle était la principale voie de circulation des denrées entre l'arrière-pays et le port à marée de Dinan. Ses rives résonnaient alors des mille cris lancés par les bateliers, les rois du fleuve. Les bateaux, maintenant disparus, se croisaient en un ballet incessant entre Saint-Malo et Dinan. Emportés par le courant, les chalands filaient vers la mer avec leur chargement de bois ou de céréales. Puis ils remontaient la rivière en sens inverse, remplis de charbon et d'engrais. Construits exactement au gabarit des canaux, ces bateaux étaient tirés par des chevaux jusqu'à l'écluse du Châtelier, où les hommes prenaient le relais en poussant sur

A partir de 1838, les touristes de la côte d'Emeraude purent remonter la Rance jusqu'à Dinan à bord d'une vedette à vapeur. Jusque-là, seuls les plus aventureux se risquaient à embarquer à Port Solidor sur de petites barques. Il s'agissait alors d'un véritable voyage qui durait plus de quatre heures.

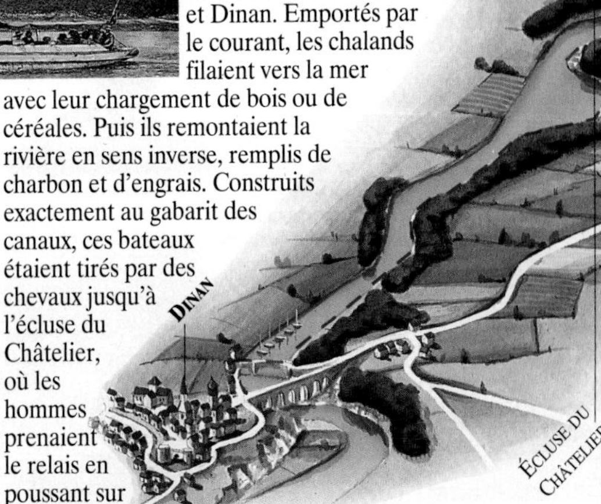

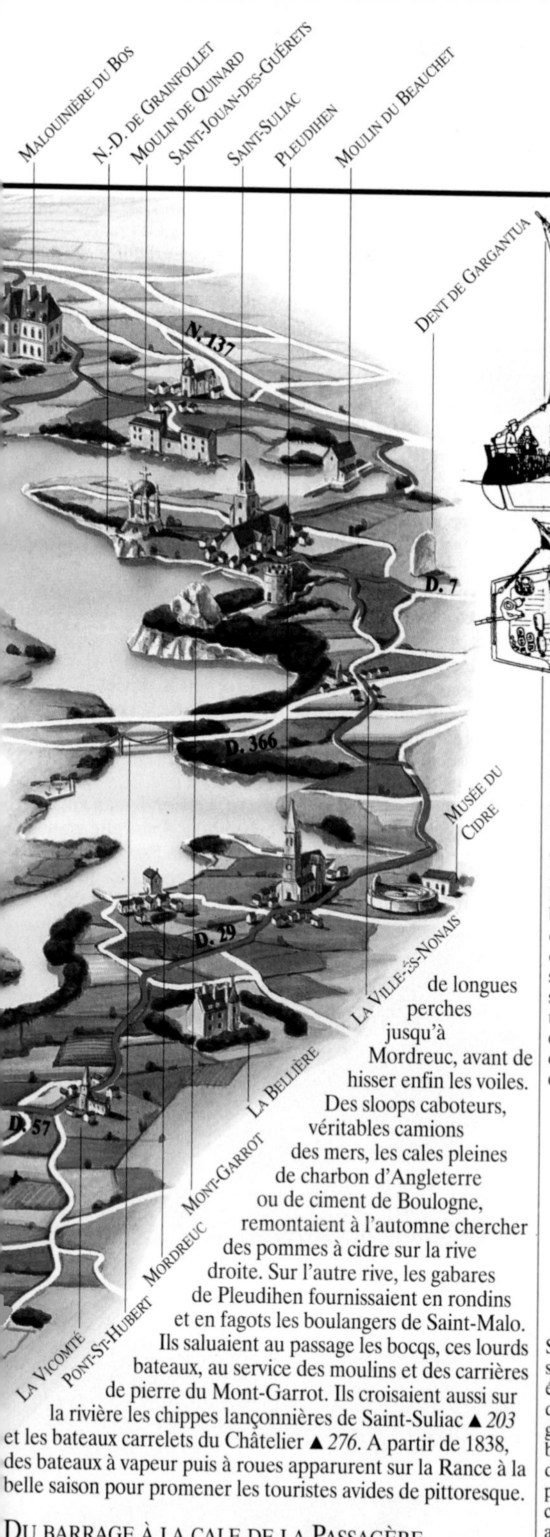

de longues perches jusqu'à Mordreuc, avant de hisser enfin les voiles. Des sloops caboteurs, véritables camions des mers, les cales pleines de charbon d'Angleterre ou de ciment de Boulogne, remontaient à l'automne chercher des pommes à cidre sur la rive droite. Sur l'autre rive, les gabares de Pleudihen fournissaient en rondins et en fagots les boulangers de Saint-Malo. Ils saluaient au passage les bocqs, ces lourds bateaux, au service des moulins et des carrières de pierre du Mont-Garrot. Ils croisaient aussi sur la rivière les chippes lançonnières de Saint-Suliac ▲ *203* et les bateaux carrelets du Châtelier ▲ *276*. A partir de 1838, des bateaux à vapeur puis à roues apparurent sur la Rance à la belle saison pour promener les touristes avides de pittoresque.

Du barrage à la cale de la Passagère

Le parc de la Briantais. Dominant le barrage de la Rance, ce grand domaine, dont le parc est ouvert au public en fin

Le temps des gabares
Jean Le Bot, spécialiste des bateaux traditionnels bretons, a reconstitué les plans de la gabare de Pleudihen. Le gréement et l'armement de cette barque ventrue qui transportait des fagots étaient très sommaires : un mât sans étai ni haubans, une voile au tiers en grosse toile de Landerneau et un petit foc.

Sans doute pour se protéger des égratignures du bois qu'il transportait, le gabarier enfilait une blouse en grosse toile de lin et un étrange pantalon ample et court qui faisait dire aux autres marins : «Les gars du Bas-Champ mettent leur caleçon par-dessus leur braie.»

de semaine, appartenait au maire de Saint-Malo, Guy La Chambre (1889-1975). Ce grand bourgeois libéral était l'héritier d'une vaste famille d'armateurs au long-cours qui avaient fait fortune dans le commerce du nitrate et du guano, cet engrais naturel ramassé sur les îles Chinchas, au large du Chili. Grâce à lui, la ville de Saint-Malo, entièrement détruite par les bombes incendiaires américaines en août 1944, fut reconstruite à l'identique ▲ *178*. Cet homme de tendance radicale légua sa propriété au diocèse, qui la convertit en centre d'activités culturelles.

L'ANSE DE TROCTIN. On y accède en quittant la D 168 pour emprunter l'impasse de Troctin. Cette anse était autrefois une grande réserve de bois pour la construction navale; des fûts de chênes, de frênes et d'ormes y étaient immergés durant deux ans afin de les durcir puis on les mettait à sécher sous des hangars durant deux autres années. A gauche, les terrasses de la malouinière de la Basse-Flourie (ou Floride), construite en 1670, descendent jusqu'à la Rance. Elle possédait autrefois une sainte-barbe (magasin à poudre) et une cale de construction au bord de la rive.

LA VILLA DU COMMANDANT CHARCOT. Le Gentleman Polaire aimait à se reposer entre deux expéditions dans cette grande bâtisse familiale qui surplombe la cale de la Passagère. Il pouvait surveiller la construction et la réparation de ses deux navires d'exploration, à Saint-Malo et sur la Rance ▲ *262*.

UN PASSAGER DE MARQUE : JEAN-BAPTISTE CHARCOT
Le célèbre explorateur de l'Antarctique se retrouvait en famille dans cette grande demeure dominant la cale de la Passagère (en bas de page). A droite, une vue aérienne de la Rance au niveau du Montmarin.

LE DRAME DE «L'ÉGORGERIE»
Eugène Herpin l'évoque en 1894 dans son livre *La Côte d'Emeraude* : «En ce temps-là, le passeur s'appelait Carré. [...] L'endroit était fort désert. C'était par la Passagère que filaient les contrebandiers, les émigrés, les déserteurs, et tous les gens de sac et corde. Le passeur n'avait pas à leur demander leurs papiers. C'était affaire à la maréchaussée. [...] Un soir d'hiver, il entendit aux abords de sa demeure des clapotis suspects.

La cale de la Passagère. Vue délicieuse sur les anses et les grèves de la Rance, avec l'île Chevret au premier plan.

La cale doit son nom au bac de Jouvente, l'un des six derniers de la Rance, en activité jusqu'en 1959. Pour traverser ce fleuve capricieux, les riverains ont emprunté longtemps les gués naturels de Saint-Suliac, de Mordreuc, de Taden et de Léhon. Au début du Moyen Age, les moines ont pris la relève. Ils acheminaient les passagers, moyennant une obole symbolique, dans leurs barques amarrées dans les premiers ports d'aumône à Port-Saint-Jean, dans la baie du Prieuré et à la Passagère. Peu à peu, ce service devint un droit féodal concédé par le roi ou le duc aux seigneurs ou à certains ordres religieux (Trinitaires, Hospitaliers, Templiers). Vers le Xe siècle, deux ponts furent construits, l'un à Léhon et l'autre à Dinan, mais il fallut attendre 1831 pour que d'autres apparaissent...

La maison de l'égorgerie. A gauche de la cale se cache la maison du Passeur, petit bâtiment à l'allure aussi tranquille que les autres maisons de la cale (ci-dessus l'une d'elles). Mais dans la nuit du 7 au 8 décembre 1790 se déroula un drame atroce qui fit frémir des générations (voir le récit en légende) et inspira à Paul Féval sa nouvelle *Jouvente de la tour*.

Carré ouvrit sa porte. [Deux hommes balançaient au-dessus de l'eau un long sac qui semblait receler une forme humaine.] «Malheureux! Que faites-vous? cria Carré. Vous noyez un chrétien!» La lune se cacha sous un nuage et Carré ne vit plus rien. A l'aube, la maison resta close. Le passeur, sa femme et six de ses filles gisaient égorgés. Seule la dernière avait réussi à se cacher. Elle crut, quelques années plus tard, reconnaître l'un des assassins en un batelier du Naye dont la vue la terrifiait inexplicablement. L'homme fut condamné à mort puis bénéficia d'un non-lieu. Et le meurtre resta à jamais non élucidé.

«LES QUATRE SAISONS»
Ces quatre statues sont des sculptures italiennes du XVIIIe siècle. A cette époque, les Malouins vendaient leurs morues à Gênes et, en fret de retour, apportaient des marbres et des statues pour l'ornementation des demeures et des parcs de Saint-Malo.

SAINT-JOUAN-DES-GUÉRETS : LE RENDEZ-VOUS DES MALOUINIÈRES

LA MALOUINIÈRE DU BOS ♥. La petite route de Saint-Jouan-des-Guérets mène à la seule malouinière ouverte au public. Il faut absolument la visiter. Elle a été construite de 1715 à 1717 sur l'emplacement d'un ancien manoir du XVIe siècle par les membres de deux grandes familles d'armateurs malouins, Pierre Le Fer de La Saudre et sa femme, apparentée par un premier mariage à un Magon de La Chipaudière. Plusieurs éléments de l'ancien manoir ont été réutilisés pour construire les communs, dont deux cheminées et un linteau sculpté en granit jaune de Languédias. Le plan de la malouinière et sa décoration sont particulièrement soignés : Eole et Mercure ornent la façade d'honneur donnant sur le jardin vert, décoré de quatre statues représentant les Saisons. Même raffinement à l'intérieur, où l'on peut encore admirer de très beaux dallages de marbre et des lambris. Les boiseries Louis XVI du grand salon sont sculptées de symboles guerriers, musicaux et champêtres.

De part et d'autre de la porte-fenêtre, un chapeau de paille et un biniou d'un côté, une marotte et une partition de musique de l'autre, symbolisent musique folklorique et musique de cour. La salle à manger Régence offre un bon exemple des panneaux de chêne sculptés dans la masse qui décoraient les hôtels malouins. Dans la bibliothèque, le mobilier du XIXe siècle provient d'un château du Maine-et-Loire et peut contenir plus de huit mille volumes. Malheureusement, ailleurs, les meubles d'origine ont été dispersés, et l'aménagement intérieur ne reflète plus le luxe d'antan. Il faut imaginer le faste supplémentaire de six tapisseries des Gobelins, le scintillement de fontaines en cuivre, le rouge

LE JARDIN À LA FRANÇAISE
Il descend doucement vers la Rance. Pratique courante au XVIIIe siècle, le dessin de la pelouse et celui du jardin rappellent le mouvement arrondi de la façade.

des cuirs de Russie pour avoir une idée de la richesse de l'ameublement de l'époque. Porcelaines chinoises et petits cabinets de laque, achetés par la Compagnie des Indes orientales, ajoutaient une note raffinée à ce décor quelque peu austère. A droite du grand portail d'entrée, le bâtiment arrondi est le seul exemple de glacière qui subsiste dans le Clos-Poulet; les Malouins y conservaient la glace qu'ils allaient chercher... en Norvège. Enfin, la petite chapelle Sainte-Anne, enclavée dans le mur d'enceinte, a conservé ses belles boiseries Louis XV. En sortant de la propriété, deux autres malouinières apparaissent de l'autre côté de la route : LA HOUBARDERIE à droite et LA POUPARDERIE à gauche.

LA VILLE-ES-ORISQ. Les nostalgiques de demeures endormies peuvent continuer jusqu'au prochain tournant. Ils apercevront à gauche, en grimpant sur un talus, l'une des malouinières les plus attachantes : ses lucarnes surmontées de pommes de pins, ses clochetons et ses tuiles de châtaignier la parent d'une fantaisie inhabituelle.

SENTIER PÉDESTRE DE SAINT-ELIER AU MOULIN DE QUINARD. Cette très belle promenade de deux heures (PR Sur la côte d'Emeraude) longe la côte à travers champs et landes. En chemin, on aperçoit l'Ile-au-Moine, sur laquelle vivaient des ermites. Par temps de brume, ils sonnaient une cloche et allumaient un feu pour guider les marins. Les gabariers leur lançaient des fagots au passage pour alimenter le brasier. Le sentier débouche sur l'anse de la Couaille, où passait l'ancien bras de la Rance avant de se jeter dans la mer près de Saint-Benoît-des-Ondes.

UNE HARMONIE TRÈS CLASSIQUE
Entre les hauts arbres du jardin bien ordonné, la façade sud-ouest de la malouinière du Bos apparaît, régulière et classique, ornée de dix-huit fenêtres.

SAINT-SULIAC ♥

LE MOULIN DU BEAUCHET. Cet ancien moulin à marée, ancré sur sa digue, est aujourd'hui entouré de bassins piscicoles. Le site est une réserve d'oiseaux migrateurs, où aigrettes, hérons, grèbes et tadornes viennent se reposer 24 ● 96. Avec ceux du Quinard, de Mordreuc et de Plouer, c'est l'un des rares moulins à «eau bleue» à avoir survécu et le dernier à avoir fonctionné. Le mécanisme était simple : à marée montante, deux portes pivotant sur la digue cédaient à la pression de l'eau pour remplir le réservoir et se refermaient d'elles-mêmes lorsqu'il était plein. Au reflux, il suffisait de lever une vanne à aubes pour que l'eau de l'étang artificiel s'écoule et entraîne la roue du moulin. Les meuniers possédaient souvent, à quelques centaines de mètres, un moulin à vent qui leur permettait d'éviter les heures creuses de la morte-eau.

LES SALINES DE LA GOUTTE. Derrière les fermes de Maléquerre et de Chablé en Saint-Suliac, on discerne encore la trace des dix-huit bassins, aujourd'hui transformés en pâturages. Le comte de La Garaye ▲ 277 les créa de toutes pièces en 1736 pour aider paysans et pêcheurs à traverser une dure crise économique; ces 35 ha alimentèrent en sel presque toute la Bretagne du Nord jusqu'en 1880. A leur création, on fit appel aux paludiers de Guérande et de Batz dont la venue

LE HÉRON CENDRÉ
Ce gros oiseau au plumage gris dessus et blanc dessous fréquente les mares et les étangs de l'arrière-pays. Il se tient immobile en eau peu profonde pour surprendre ses proies.

LES LANÇONS CHASSENT LA NUIT
Ces petits poissons longilignes s'enfouissent le jour dans le sable.

LA LÉGENDE DU SERPENT
Saint Suliac est le héros des légendes du bourg qui porte son nom. On raconte qu'un jour saint Jacut vint lui rendre visite, accompagné d'un moine délicat. Celui-ci rejeta la galette qui lui était offerte

en y découvrant un ver. Aussitôt l'animal s'enfla jusqu'à devenir un énorme serpent qui se mit à le dévorer. Trois signes de croix suffirent à saint Suliac pour faire fuir le monstre vers le mont Garrot. Mais le serpent dévora toutes les jeunes filles de la région. Le saint homme finit par lui intimer l'ordre de rentrer sous terre. Le serpent rampa jusqu'à la mare Saint-Coulban où il se terre toujours ▲ *230*.

LE PORT SUR LA RANCE
Des «ruettes» pentues mènent au vieux village.

renouvela d'un tiers le sang suliaçais. De 1755 à 1762, nombre d'Acadiens, chassés du Canada par les Anglais, vinrent aussi y travailler : ce type d'activité leur était familier car ils étaient habitués à gagner des terres sur la mer. Certains parents de ces Acadiens viennent encore aujourd'hui du Canada effectuer un pèlerinage sur les lieux où travaillèrent leurs ancêtres.

AU BOURG DES LANÇONNIERS. Saint-Suliac est sûrement le plus charmant village de la Rance, avec ses rues pentues au parfum ancien et son petit port coquet. Son saint patron y aurait fondé un premier prieuré au VIe siècle. La légende lui prête d'innombrables exploits. Aujourd'hui, le village est aussi très apprécié des Parisiens, qui sont nombreux à y posséder une résidence secondaire. Il faut flâner en descendant la Grande-Rue, avant de se perdre dans les «ruettes» des anciens quartiers comme le Carouge ou la Grand'Fontaine; on y découvre, derrière de hauts murs, les vieilles maisons en schiste, décorées de quelques pierres blanches, du quartz du Mont-Garrot. Au port, la terrasse ensoleillée du restaurant LA GRÈVE est particulièrement plaisante au crépuscule. Son propriétaire, Jean-Noël Louedec, en a fait l'une des meilleures adresses de la région après avoir dirigé l'un des bons restaurants de Rennes, Le Ty Koz. Jusque dans les années 1940, le bourg possédait un bateau de pêche traditionnel, la chippe (page de droite). Ses avirons en deux parties, les hamblons, n'ont d'équivalent que sur certaines embarcations irlandaises et portugaises. A bord, les hommes trop âgés ou trop jeunes pour aller à Terre-Neuve allaient pêcher le lançon, de mars à octobre, dans l'estuaire de la Rance ou dans la baie de Saint-Malo. A mer basse, ils entouraient d'un filet de coton les bancs de sable où se réfugient les petits poissons. Une fois leur capture halée au sec, les hommes étaient débarqués et vendaient leur pêche sur le chemin du retour. Aujourd'hui encore, les marins pêcheurs garnissent leurs hameçons avec les lançons frais qu'ils prennent au filet en début de marée. Ces petits poissons se dégustent en friture ou grillés s'ils ont été salés puis mis à sécher, enfilés par les yeux en longues ribambelles sur des fils tendus au soleil. En période de vives-eaux, des foules de pêcheurs à pied envahissent les plages à marée basse. Car, s'il se nourrit la nuit dans la mer, le lançon s'enfouit le jour dans le sable mouillé.
Les pêcheurs «du dimanche» vont généralement par deux, l'un tirant à reculons, en partant de la mer, un soc

emmanché sur un long bâton, l'autre saisissant les petits poissons vifs soudainement débusqués au creux du sillon. Autrefois, les marins suliacais étaient également de grands pêcheurs de margates (seiches) et sur les bancs de Terre-Neuve on les avait baptisés les margatiers.

L'ÉGLISE DES LIGUEURS. Sa silhouette intrigue, avec sa grosse tour carrée fortifiée du XIIIe siècle, surmontée d'un étage octogonal et d'une flèche de charpente. En 1597, elle servit de refuge à un ligueur de Dinan qui avait transformé l'église en forteresse et dévastait les bords de la Rance. Pour mettre un terme à ses brigandages, les Malouins envoyèrent deux navires prendre d'assaut le bourg et pendirent tous les insurgés. L'église est aujourd'hui l'une des rares d'Ille-et-Vilaine encore entourée d'un enclos, auquel on accède par deux très beaux portails du XIIIe siècle. Le porche principal, de la même époque, a conservé sa baie d'entrée en arc brisé; quatre des statues latérales (la Vierge, saint Pierre, saint Jean-Baptiste et saint Matthieu) sont d'origine. Elles ont malheureusement été mutilées pendant la Révolution. La statue de saint Suliac terrassant le serpent du mont Garrot est relativement récente. A l'intérieur, très restauré, outre les reliques et l'important sarcophage du saint, le mobilier comprend de curieuses pièces : un autel de la Vierge (1905) dont les panneaux sculptés représentent une scène de naufrage au cours duquel les marins invoquent Notre-Dame de Grainfollet, protectrice des pêcheurs suliaçais depuis la fin du siècle dernier; et un vitrail retraçant la procession de terre-neuvas épargnés par la mer qui parcoururent, en 1910, la grève à pied et en chemise jusqu'à Saint-Jouan-des-Guérets pour remercier la Vierge de son miséricordieux secours. Les visiteurs les plus curieux contourneront l'église en sortant et lèveront la tête pour apercevoir sur la façade sud une gargouille ornée de deux personnages aux gestes tendres, qu'un prieur bien intentionné a barricadés de fer. Car, à Saint-Suliac, le curé a droit au titre de prieur, en souvenir du prieuré du Mont-Garrot que les moines de l'abbaye angevine de Saint-Florent-le-Vieil fondèrent, lorsque l'église leur fut donnée en 1136.

LE BATEAU DE SAINT-SULIAC
La chippe, large barque aux bouts pointus, ne ressemble

à aucun autre bateau breton. Grâce aux relevés de Jean Le Bot, une chippe a pu être reconstruite.

LE PORCHE DE L'ÉGLISE DES LIGUEURS
Quatre des statues datent du XIIIe siècle.

LE VITRAIL DES TERRE-NEUVAS
Dans l'église des Ligueurs de Saint-Suliac, un vitrail rappelle la très émouvante procession, en 1910, des terre-neuvas épargnés par la mer.

NOTRE-DAME DE GRAINFOLLET. En 1894, des pêcheurs partant pour Terre-Neuve firent un vœu avant de s'embarquer : si aucun d'eux ne mourait pendant la campagne de pêche, ils construiraient un sanctuaire en l'honneur de la Vierge. Miracle, les terre-neuvas rentrèrent tous sains et saufs! Ils choisirent d'édifier l'oratoire sur cette petite pointe qui domine la Rance et le bourg à la fois. Depuis, chaque 15 août, jour de l'Assomption, les Suliaçais s'y rendent en pardon, la nuit, et déposent cierges et bougies sur chacune des pierres. Le socle de la Vierge lui-même est sculpté d'un motif qui représente un chemin de procession sinueux. Au pied de la falaise où fut dressé le petit oratoire, des recherches dans une grotte ont livré de nombreux vestiges paléolithiques (silex taillés, os de mammouths et de cerfs).

LE MONT GARROT. La route du Mont-Garrot était autrefois entièrement protégée de deux murs en quartz que l'on devine encore dans la première partie de la montée. Elle menait à l'ancien monastère, remplacé au XVe siècle par une chapelle. Aujourd'hui, seules une croix et les ruines d'un moulin à vent dominent le point le plus élevé de la région... 73 m! La vue sur la vallée de la Rance, le mont Dol et la baie du Mont-Saint-Michel est grandiose : par temps clair, on aperçoit jusqu'à trente-deux clochers. En contrebas, les fondations en pierre d'un camp viking émergent à marée basse. Les archéologues l'ont identifié comme le fameux retranchement de Gardaine, dont parle *La Chanson d'Aiquin* ● *122*. Les noms des lieux de la région apparaissent en effet dans cette chanson de geste du XIIe siècle, qui relate l'éviction de païens venus du Nord (mais assimilés dans l'épopée aux Sarrasins) par les seigneurs bretons, bientôt relayés par l'armée de Charlemagne. Occupé entre 900 et 950, le retranchement viking pouvait accueillir environ dix-huit drakkars. A droite du moulin, un petit chemin file à travers bruyères et chênes verts et fait le tour du mont. Il débouche sur d'anciennes carrières de quartz autrefois exploitées par des Italiens; les pierres servaient surtout à l'empierrement des routes. Le quartz micacé donna d'ailleurs de fausses espérances à certains carriers, qui s'improvisèrent chercheurs d'or au siècle dernier et creusèrent une galerie à l'extrémité du mont. Çà et là, un œil averti peut déceler sur le versant sud des plans de vigne sauvage, introduits par les Romains. Le vin de Saint-Suliac était fort renommé et apprécié des moines de l'abbaye du Mont-Saint-Michel! Sur le même versant se trouvait l'antre où devait se

Il ne reste aujourd'hui sur le mont Garrot que la base de ce beau moulin à vent.

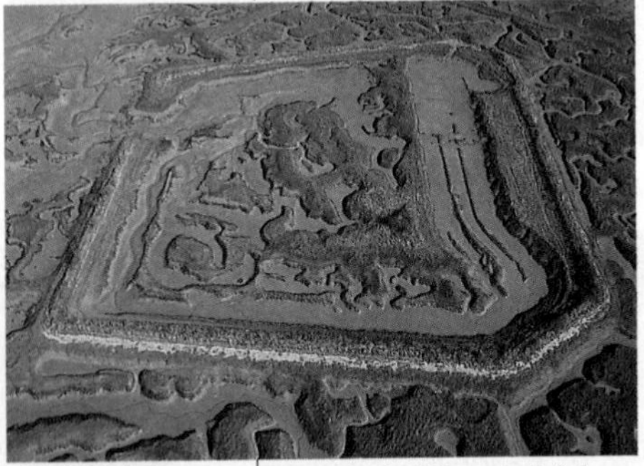

UN CAMP VIKING
Au pied du mont Garrot, on distingue, dans le lit de la rivière, les fondations en pierre du retranchement viking de Gardaine (Xe siècle).

terrer le serpent mis en déroute par saint Suliac. Le prieur venait chaque année l'exorciser pendant les rogations, et ce jusqu'à la Révolution, en y plongeant trois fois le pied de la croix.

La dent de Gargantua. Les roches du Mont-Garrot étant selon la tradition populaire le «dentier de Gargantua», la légende affirme que le menhir de 5 m, situé près de la ferme de Chablé, est la dent qu'il perdit en avalant une pierre... quand le bon géant avait encore ses dents. A proximité, au lieu-dit Bignon-Rangeard, une jolie bâtisse du XVIIIe siècle a été transformée en ferme.

Port-Saint-Jean

Les ponts. Le hameau est baptisé Port-Saint-Jean en souvenir des Hospitaliers de Saint-Jean-de-Jérusalem : en 1308, ils avaient hérité du port d'aumône et de l'hôpital, fondés dès la fin du XIe siècle par les Templiers. Au début du XVIe siècle, le droit de passage de la Rance échut aux seigneurs de Plouer; ils ne l'exerçaient pas directement mais l'affermaient à un marin en échange d'une redevance. Un bac exista jusqu'en 1929, date à laquelle on inaugura un pont suspendu dit pont Saint-Hubert, le deuxième ouvrage moderne construit sur la Rance après celui du Châtelier. Bombardé en juin 1944, il fut reconstruit en 1957. Le nouveau pont en arc, achevé en 1991, est techniquement remarquable par sa courbure très accentuée et la longueur de son tablier (425 m). Il est appelé pont Chateaubriand car il relie le pays de Dinan, berceau de la famille de l'écrivain, et le Clos-Poulet, région de son enfance. Depuis l'été 1991, le nouveau tracé de la N 176 permet d'éviter les agglomérations de Dinan, Dol et Pontorson.

Le pont Chateaubriand
Une prouesse technique et un hommage à l'écrivain.

Pleudihen

Le musée du Cidre. La vallée de la Rance, et plus particulièrement la commune de Pleudihen, est connue depuis toujours pour la variété de ses pommes et la qualité de son cidre. Jean-Yves Prié a eu l'excellente initiative d'installer un musée du Cidre, privé, dans une ferme, non loin du village, sur la route de Miniac-Morvan. Un film vidéo et la reconstitution des ateliers du cerclier et du tonnelier permettent de comprendre toutes les étapes de la fabrication

Femme de Saint-Suliac ● 72
La coiffe traditionnelle est appelée coq de Rance. Au siècle dernier, le noir prédominait dans la toilette des femmes de marins : les deuils étaient fréquents.

La fabrication du cidre à la ferme
Pour faire du cidre, il ne suffit pas d'extraire le jus de pomme appelé moût, de le laisser fermenter et de le mettre en bouteilles. Les fruits doivent être sains et parvenus à maturité parfaite. Ils sont «moulinés» avec un broyeur ou avec des râpes à couteaux de scie puis pressurés : la râpure est enfermée par lits successifs dans des toiles adaptées à la texture de la pomme et l'ensemble est pressé régulièrement jusqu'à la pression maximale. Le jus s'écoule dans une grande cuve et repose de trois à huit jours. Une croûte compacte de couleur pain d'épice, appelée chapeau brun, se forme en surface puis se craquelle et une mousse blanche apparaît dans les fissures : la fermentation alcoolique va commencer. Quand la densité – ou le taux de sucre – est stabilisée, le cidre est laissé au repos puis mis en bouteilles.

du cidre traditionnel. A la fin de cette visite didactique, dans une très belle salle de dégustation, on peut passer aux travaux pratiques en goûtant un bon cru fermier. La qualité d'un cidre dépend bien sûr du soin apporté à sa fabrication, mais surtout, au départ, du choix des fruits et de la variété des pommes utilisées; sur ces bords de Rance, les chaperonnais, les jeanne-renards, les marie-menards et les doux-évêques constituent les bases d'un bon cidre local. Une légende raconte que la variété des doux-évêques, d'un beau jaune d'or, aurait été découverte par un évêque aux premiers temps de l'évangélisation de la vallée de la Rance. Un soir, surpris par la marée, il dut se réfugier sur le rivage et passa la nuit sous un pommier. Au petit matin, la beauté des fruits l'éblouit. Il décida alors de multiplier l'espèce et fit construire à côté de l'arbre une chapelle, appelée Saint-Magloire, dont il ne reste que les ruines.

La cale de Mordreuc. (Ou mer des Druides.) «C'est aux marées de morte-eau que Mordreuc lave ses plus délicates couleurs, quand l'opale d'une eau sans profondeur se laisse diviser par les bancs de sable fauve, traverser par les moires outremer des courants liserés d'écume blonde.» L'ancien port de rivière de Pleudihen envoûta aussi bien Roger Vercel (1894-1957) que les poètes du siècle dernier Maurice de Guérin (1810-1839) et Hippolyte de La Morvonnais ▲ *290*, dont le beau-père, M. de La Villéon, cultivait des terres à Mordreuc. Plus récemment, l'historien d'art André Mussat, créateur de la chaire d'histoire de l'art à l'université de Rennes, vécut jusqu'à sa mort dans ce paysage romantique, face au pittoresque château du Chêne-Vert ▲ *274*. Sur le quai, le restaurant L'Abri des pêcheurs propose aux randonneurs et plaisanciers affamés des menus à petits prix, tandis qu'un peu plus loin, dans l'ancien moulin à marée, on fait sauter les crêpes!

Les gabariers de la Rance. Ces marins-négociants étaient les maîtres de la Rance. Dans leurs gabares, lourdes embarcations ventrues aux voiles en toile rousse de Landerneau, ils pouvaient amasser plus de mille fagots de bois provenant des forêts voisines de Coëtquen, de Tanouarn ou du Trochet. De là, ils remontaient la Rance jusqu'à Saint-Malo, où ils approvisionnaient les boulangers en bois de chauffage. En février, au moment du départ des terre-neuvas, ils chargeaient aussi de la paille qui servait aux paillasses des pêcheurs. De père en fils, ils se transmettaient leur savoir-faire, alliant l'art de la navigation au sens du commerce et

Cerclier ligaturant le cercle dans le tour, de Mathurin Méheut.

à la maîtrise des techniques forestières. Ces bateaux disparurent à la fin du XIXe siècle, lorsque le charbon d'Angleterre remplaça le bois de chauffage.

LE PORT DE LYVET. Ce charmant port de plaisance aux maisons fleuries est l'étape idéale pour les randonneurs venant de la rive gauche par le chemin de halage. Le hameau marque la limite entre les deux Rances; les marins avaient l'habitude d'y célébrer si joyeusement le «passage de la ligne» qu'un arrêté de 1787 interdit de faire subir le baptême aux nouveaux venus. L'écluse du Châtelier, sur laquelle passe la route, a été inaugurée en 1832. Avant sa construction, deux ponts du Moyen Age, à Léhon et au port de Dinan, assuraient seuls le passage de la Rance. Aux abords de l'écluse, on pratique toujours une pêche traditionnelle très spécifique, la pêche aux carrelets ▲ *276*.

RANDONNÉE. L'auberge de jeunesse de Dinan a mis sur pied un itinéraire sportif qui part de l'écluse du Châtelier et va jusqu'à Dinan. Les paysages sont splendides mais le terrain souvent accidenté (PR entre Rance et Trieux).

MANOIR DE LA BELLIÈRE. (Privé) Entre Pleudihen et La Vicomté, le manoir apparaît hérissé de nombreuses et curieuses cheminées polygonales. Les murs d'enceinte ont disparu; reste l'étang, qui donne un air nostalgique et mystérieux à cette demeure aristocratique des XIIIe et XVe siècles.

«LES GABARIERS DE LA RANCE» Couverture de la partition de la chanson de Théodore Botrel ● *140*.

SAINT-HÉLEN ♥

Traverser le bourg et se diriger vers Coëtquen, en bordure de la forêt. Dans le village, les ruines de la FORTERESSE du XVe siècle sont chargées de légende : la dernière marquise de Coëtquen y aurait été enfermée dans un caveau muré pour avoir aimé un roturier et refusé le mari qu'on lui imposait. Le château, en partie dynamité en 1953, avait été démantelé par les révolutionnaires en 1794, afin d'éviter qu'il ne devînt un foyer de la chouannerie. Les quelques pans de murailles et de tours encore visibles ont servi de décor à l'œuvre de Raoul de Navery, *Patira*, fiction du XIXe siècle.

LE MANOIR DE L'ASTROLOGUE
La première femme de Du Guesclin, Tiphaine Raguenel, vécut à la Bellière. Sa sagesse et ses talents d'astrologue la rendirent célèbre : elle avait prédit à son futur époux qu'il sortirait vainqueur de son combat avec Thomas de Cantorbéry, à Dinan.

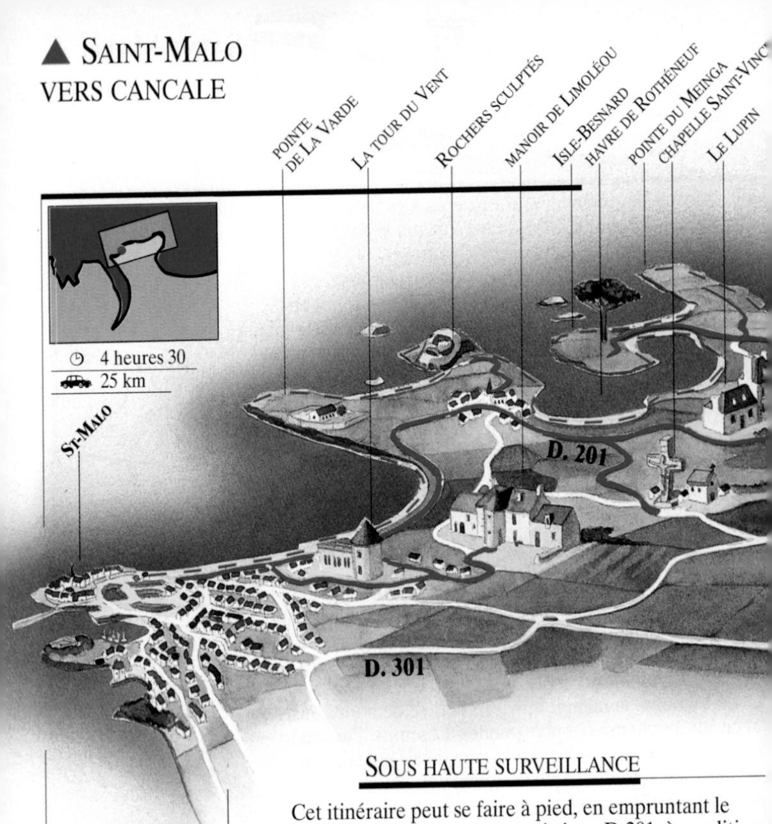

SOUS HAUTE SURVEILLANCE

Cet itinéraire peut se faire à pied, en empruntant le GR 34, ou bien par la route touristique D 201, à condition de savoir abandonner de temps à autre sa voiture pour s'aventurer dans les petits sentiers côtiers. De la pointe de La Varde à Saint-Benoît-des-Ondes, on emprunte souvent le chemin des gardes-côtes, le long duquel surgissent, çà et là, un ancien corps de garde ou un fort militaire du XVIIIe siècle. Pendant des siècles, la population dut se protéger des débarquements ennemis et des attaques corsaires. La surveillance était assurée par des milices formées de jeunes marins ou de paysans, choisis dans les paroisses situées à deux lieues de la mer ▲ *309*. Le roi les payait quelques sous par jour d'exercice, et, pour encourager leur ardeur, leur octroyait certains privilèges. Le plus apprécié — car le vainqueur était exonéré d'impôts — était le droit de tirer le «papegault», un perroquet de bois que l'on visait à l'arc ou à l'arbalète. Cette grâce fut accordée aux seules villes de Cancale et de Saint-Malo. Ainsi, les Cancalais, de 1559 à 1770, se rassemblèrent tous les 1er mai sur la place de l'église pour éprouver leur adresse.

THÉOPHILE BRIANT

Poète, il publia des textes inédits de Corbière, Milosz, Huysmans et écrivit l'histoire du Clos-Poulet (ici, à la gauche de son frère Georges, en 1950).

PARAMÉ

LES PLAGES DE ROCHEBONNE ET DU MINIHIC. Ces immenses étendues sableuses offrent aux promeneurs une belle balade du château de Saint-Malo au cap de La Varde; au loin se profilent l'île de Cézembre et le fort

de La Conchée. C'est aussi le lieu de rendez-vous des planchistes et des conducteurs de chars à voiles ou de *speed-sails* de toute la région.

Un musée au manoir
Jacques Cartier acheta ce manoir à la veille de sa dernière expédition, en 1541. Le bâtiment a été restauré par la fondation canadienne Macdonald Stewart.

La tour du Vent. (Privé.) Près de la plage du Minihic, au n° 45 de la rue du Père-Yvon et non loin du centre commercial, se dresse une étrange silhouette. C'est ici que Théophile Briant (1891-1956) accosta en 1934 pour le restant de sa vie et lança, le jour du solstice d'été 1939, sa revue littéraire *Le Goéland* (voir page de gauche) ▲ *309*.

Rothéneuf

Le manoir de Limoëlou ♥. Un petit détour vers l'intérieur des terres s'impose pour visiter la demeure de Jacques Cartier : l'itinéraire est fléché à partir de l'église de Saint-Ideuc. Ce ravissant manoir des XVe et XVIe siècles, dont l'aile droite fut rajoutée au siècle dernier, a été sauvé par la fondation canadienne Macdonald Stewart, du nom du magnat de l'industrie des tabacs qui, en 1973, vendit son empire pour financer des œuvres culturelles. Les bâtiments furent restaurés à grands frais avec un louable souci historique. Ils abritent aujourd'hui un musée original qui retrace tout à la fois la découverte du Canada et la vie quotidienne dans un manoir de cette époque.

Un canonnier sous Louis XIV
Pour surveiller le littoral en butte aux attaques corsaires, les miliciens étaient recrutés sur place.

Portrait de Jacques Cartier, musée de Saint-Malo.

LES VOYAGES DE JACQUES CARTIER. Au retour de sa dernière expédition, le navigateur se retira au manoir de Limoëlou avec son épouse, fille d'un connétable de Saint-Malo, dont les relations lui furent précieuses. En 1532, le roi François Ier, venu en pèlerinage au Mont-Saint-Michel, le chargea d'une expédition dont la mission était de «descouvrir certaines yles où l'on dit qu'il se doibt trouver grant quantité d'or et autres riches choses» (*Voyages au Canada*) et de trouver par le nord le passage vers l'Asie. Deux navires partirent le 20 avril 1534 et revinrent cinq mois et demi plus tard avec deux indigènes à leur bord; seules les îles et les rives du Saint-Laurent avaient été repérées. L'année suivante, une autre expédition confirma que Terre-Neuve était une île. Les récits des indigènes faisant miroiter l'existence d'un fabuleux royaume au Saguenay, le roi décida d'envoyer une mission de colonisation en 1541. Cartier partit en éclaireur avec cinq navires et installa son camp au cap Rouge. L'hostilité des Indiens et la dureté de l'hiver le firent quitter brusquement Charlesbourg Royal. Il ramenait avec lui de l'or et des diamants qui s'avérèrent être... de la pyrite de fer et du quartz. Le grand marin se consacra alors au récit de ses voyages et mena une vie de notable, conseillant ses contemporains et recevant le cosmographe André Thivet, l'explorateur Sébastien Cabot et peut-être Rabelais, dont le *Quart-Livre* comporte de nombreuses allusions aux récits du navigateur.

LES DÉMONS DE L'ABBÉ FOURÉ
Pendant un quart de siècle, l'abbé Fouré (à l'œuvre en haut à droite) sculpta les rochers venteux de Rothéneuf, faisant émerger une forêt de pirates et de monstres, inquiétante fresque de pierre. Non loin de là, le havre de Rothéneuf (ci-dessous, vu du ciel), en partie fermé au nord-ouest par l'Isle-Besnard, offre la splendeur de son paisible paysage. Une douceur qui surprend après le vent et les falaises de la Côte d'Emeraude.

LES ROCHERS SCULPTÉS ♥. Cette œuvre, digne du Facteur Cheval et du Douanier Rousseau, est celle de l'abbé Fouré (1839-1910), un curé de campagne atteint d'hémiplégie. Vingt-cinq ans durant, il cisela ces roches et leur donna la figure grimaçante de trois cents pirates et monstres marins. Deux escaliers permettent de suivre la tribu des Rothéneuf qui écuma les mers jusqu'à la Révolution et dont les surnoms sont évocateurs : Gargantua, l'Egyptien, Haut-Queue ou Lucifer. Un parcours étrange où il n'est pas toujours aisé de déceler qui, du burin ou des vents, sculpta la fresque de pierre.

La côte de Rothéneuf. C'est un lieu idéal pour se faire mouiller par le crachin, «cette pluie fine, vannée par la tempête, la douce pluie marine, un peu salée, qui voyage dans l'air comme une fumée» (Colette). L'un des plus beaux paysages de la Côte d'Emeraude s'offre au promeneur à partir des plages du Nicet et du Val, les plus propres de la côte. Derrière les falaises ventées, le havre de Rothéneuf, «ce paysage presque hollandais frotté de pastel», surprend par sa douceur. Deux points privilégiés pour l'admirer : l'oratoire de Notre-Dame-des-Flots et l'anse de La Guimorais, en Saint-Coulomb. L'Isle-Besnard appartient au conservatoire du littoral. Ses champs, ses landes, ses sentiers de pins et la belle vue sur l'île Chevret justifient un détour. L'ensemble est relié à la côte par «le tombolo dunaire de La Guimorais», une flèche sableuse façonnée par les courants et le vent. A quelques pas, la plage des Chevrets et son sable fin.

Le Lupin. Construite en 1692 par les Robiou, c'est l'une des trois malouinières ● *90*, avec Beauregard et Le Vaulerault, situées face à la mer. Ses jardins à la française sont du XIXe siècle.

Roz-Ven. Le chemin, depuis la route, invite les lecteurs de Colette à s'aventurer jusqu'à la plage de La Touesse et la villa que lui avait offerte la marquise de Belboeuf. La Bourguignonne y passa ses vacances de 1911 à 1926. Curieuse, émerveillée, elle explorait les secrets de chaque rocher en d'interminables parties de pêche avec Théophile Briant ▲ *210*. De ces promenades naquirent *Le Blé en herbe* ● *128* et un livre sur la flore et la faune marines, *Regarde*, illustré par Mathurin Méheut en 1929.

La côte de Saint-Coulomb

La pointe du Meinga. Elle inspira à Chateaubriand ses paysages de Bretagne, «région solitaire, triste, orageuse, enveloppée de brouillards, retentissante du bruit des vents, et dont les côtes hérissées de rochers sont battues d'un océan sauvage» (*Les Martyrs*). On repère à l'ouest, là où le cap se rétrécit, des remparts, vestiges d'un oppidum préromain. Les fauvettes babillardes apprécient beaucoup la pointe est.

Les dunes du port. Ces dunes ont été achetées par l'association Espaces pour demain. Soumises à l'effet conjugué du vent et de la mer, elles étaient en effet très menacées. Les dunes sont aujourd'hui, en outre, fragilisées par le piétinement des promeneurs et la circulation motorisée. Or, là où la dune recule, le sable de la plage en fait autant et les enrochements réalisés pour tenter d'enrayer le processus ne font que l'accélérer en modifiant le paysage et les courants. Des actions sont menées aujourd'hui pour préserver ce patrimoine ● *26*.

Colette au bord de la mer
Le chemin du *Blé en herbe* mène à la plage de La Touesse, où la «vagabonde» passa ses vacances. Une «plage lisse qui grésille comme sous une flamme invisible». Le *Blé en herbe* fut adapté au cinéma par Claude Autant-Lara.

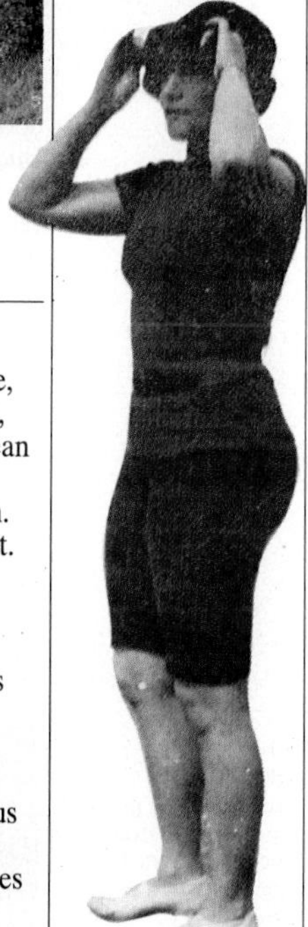

La côte cancalaise

L'anse Du Guesclin. Les âmes romantiques vanteront ses vasques rocheuses et ses ajoncs où Théophile Briant fit naître l'idylle du chevalier de Tinténiac et de Jacquemine dans *Les Amazones de la chouannerie* ● *124*. Les amateurs de soleil et de sable fin citeront sa plage ventée de plus de 1 km et sa vue imprenable sur le FORT DU GUESCLIN. L'îlot fortifié, isolé à marée haute, appartient aujourd'hui à la Société d'encouragement pour les arts. Dans les années 1960, le chanteur Léo Ferré et sa célèbre guenon Pépée vinrent y habiter avant de repartir pour la Toscane. Le duc d'Aiguillon les avait précédés deux siècles auparavant et y avait fait construire en 1757 un fort contre les Anglais.

Le fort Du Guesclin
A marée haute, la petite île fortifiée est coupée de la terre. La première mention d'un fort occupant l'endroit remonte au XIIe siècle. Un siècle plus tard, les ancêtres du chevalier Bertrand Du Guesclin y élevèrent une forteresse carrée.

Cette forteresse n'était pas la première à avoir défendu les lieux car un fort, dit Le Guarlpic, est mentionné dès 1160; une forteresse carrée le remplaça au XIIIe siècle, édifiée par les ancêtres du chevalier Du Guesclin.
Le département, propriétaire du rivage, a beaucoup investi pour la protection du cordon dunaire, mis à mal par l'extraction du sable qui servit à la construction de l'usine marémotrice. Des palissades et vingt mille pieds d'oyats et de chiendent le protègent désormais.

La chapelle du Verger. Tout y est beau et émouvant, le site et la chapelle reconstruite sur les mêmes lieux pour la quatrième fois en 1867. Une plage de sable fin — la plus grande de Cancale —, une dune récemment protégée et un ancien marais servent de décor à cette anse dite «du cul de chien». Depuis des siècles, l'anse abrite une chapelle, dernière vision des terres-neuvas lorsqu'ils passaient l'éperon du Grouin. De toute la région, à pied et à jeûn, leur mère, leur femme ou leur fiancée y venaient le matin du 15 août pour remettre leur destin entre les mains de Marie. Et eux, à mille lieues de là, interrompaient leur pénible labeur pour planter religieusement une bougie dans une manne de sel, en entonnant des cantiques à la Vierge. Les nombreux ex-voto sont les témoins d'une prière enfin exaucée. Détail amusant, la donatrice des vitraux avait pour mari un entomologiste, ce qui explique l'utilisation de papillons en ornement. A l'ouest, sur la POINTE DES DÔLES, les marcheurs croiseront un fort joli corps de garde du XVIIIe siècle.

La pointe du Grouin. Cet éperon rocheux offre l'un des plus beaux panoramas sur la baie du Mont-Saint-Michel, les îles Chausey et la côte normande. Il faut surtout aller à pied du sémaphore jusqu'au bout de la pointe. Les plus chanceux verront peut-être la colonie de dauphins qui chaque été

Le rocher de Cancale
Au large de la pointe de la Chaîne trône le rocher de Cancale, que l'on voit ici de la crique de Port-Briac.

Des vœux devenus flottille
Les hommes étaient loin, dans le froid et l'inconfort de Terre-Neuve. Tous les ans, le 15 août, jour de la fête de la Vierge, les femmes de marins, les mères ou les promises venaient se recueillir ici, dans la chapelle du Verger, et y formuler un vœu.
«Ce qu'il faut, lorsqu'on pénètre dans ce sanctuaire, pour nous autres, gens trop pressés d'un siècle trop touffu, c'est s'asseoir et regarder... [...] Combien de prières furent exaucées! Les ex-voto en témoignent. Pendus à des filins, on peut voir

tourner doucement sous la lumière colorée des vitraux, des bisquines, des sloops, des goélettes, des trois-mâts, barques ou carrés, des bateaux dans des bouteilles. Flottille émouvante...»
Gilberte Camerlinck-Corthis.

Le phare et l'île des Landes
De la grotte de la pointe du Grouin, dont on voit l'entrée ci-dessous, s'offre une vue magnifique sur

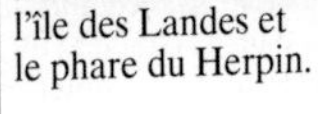

l'île des Landes et le phare du Herpin.

chasse le maquereau dans les parages. C'est aussi un haut lieu d'observation ornithologique : des longues-vues, installées dans un blockhaus par la S.E.P.N.B., permettent l'été de scruter la réserve de l'ILE DES LANDES. En descendant le raidillon tracé à l'extrémité de la pointe, un horaire des marées en poche, on accède à une belle GROTTE avec vue imprenable sur le rocher et le PHARE DU HERPIN. Enfin, ceux que le site enchante peuvent dormir à l'HÔTEL DE LA POINTE DU GROUIN et profiter du paysage jusqu'à la tombée de la nuit.

L'île des Landes. Mise en réserve en 1961 par la S.E.P.N.B., elle fut rapidement colonisée par les grands cormorans et on y dénombrait quelque deux cents couples en 1983. Une année plus tard, à la surprise des scientifiques, plus un seul nid n'y était recensé et le site était même abandonné par les goélands et les cormorans huppés... Intrigués, les ornithologues effectuèrent des recherches et découvrirent sur l'île... un renard! qui ne pouvait y avoir été introduit qu'intentionnellement... Ces 21 ha, situés à la frontière de deux milieux naturels très différents, ceux de la baie du Mont-Saint-Michel et de la Côte d'Emeraude, abritent également des couples nicheurs de tadornes, de goélands argentés, de goélands bruns, de goélands marins et d'huîtriers-pies ■ *32*.

Le cormoran, mal aimé du pêcheur
Les cormorans huppés et les grands cormorans ont la réputation d'être de redoutables prédateurs. Beaucoup de pêcheurs professionnels les rendent responsables de la raréfaction de certaines espèces de poissons. Des études ont pourtant démontré que les cormorans ne prélèvent pas plus de 2% de la production des jeunes soles de la baie. Pourchassés, ces oiseaux faillirent disparaître de notre littoral. Leur espèce est aujourd'hui protégée : un chasseur dut payer une amende de 11 000 F en 1985 pour l'avoir ignoré.

Le fort des Rimains et le rocher de Cancale. De la pointe du Grouin, à Cancale, un sentier permet de découvrir les petites CRIQUES DE PORT-MER, PORT-PICAN ET PORT-BRIAC, abritées des vents d'ouest et bien exposées le matin. Au large de la pointe de la Chaîne se dressent deux silhouettes célèbres : le FORT DES RIMAINS (ci-dessous) et le ROCHER DE CANCALE. Il fallut qu'une flotte anglaise vienne bombarder Cancale, en 1779, pour que l'administration royale se décide à en défendre l'entrée. On peut encore voir, fiché dans les murs du presbytère, rue de la Vallée-Porcon, un boulet anglais qui suscita l'ire de la population comme en témoigne l'inscription «Pourquoi insensé frappes-tu cette maison? La Paix sacrée y habite.» Le fort, achevé en 1788 sur les ruines d'un ancien ermitage, appartient aujourd'hui au roi du pain, Eugène Poilâne.

La chapelle Notre-Dame-du-Haut-Bout. Vierges saint-sulpiciennes repeintes de neuf, bouquets de fleurs et petits poèmes témoignent de la foi toujours fervente des anciens terre-neuvas. Le plus beau récit de la Grande-Pêche, *Galériens des brumes*, a été écrit par l'un de ses fidèles, René Convenant ● *135*. A visiter à Noël pour sa superbe crèche.

▲ Saint-Malo vers Cancale par l'intérieur

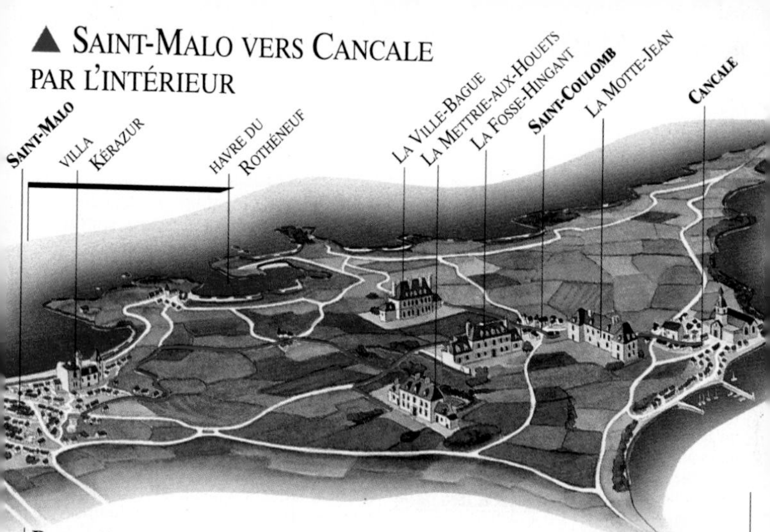

Paramé

La villa Kerazur en Paramé. Au début du siècle, le n° 7 de la rue Auguste-Flaubert était le centre du Renouveau breton : Théodore Botrel, Anatole Le Braz, François Jaffrenou, Guy Ropartz accouraient chaque été chez le prince des poètes, Louis Tiercelin (1846-1915) ● *129*. De 1889 à 1911, la revue qu'il anima, *L'Hermine*, d'inspiration parnassienne, domina la production littéraire régionale. Sa devise était «Bretagne est poésie» et son manifeste lui valut les gros titres du *Matin*; ses rédacteurs y proclamaient, non sans humour, la Bretagne indépendante, la divisaient en neuf comtés gouvernés par M. de Charette et revendiquaient le droit de bris, autrement dit le pillage des épaves. Bons vivants, ces messieurs tenaient de mémorables banquets au Grand-Hôtel, lequel abrite aujourd'hui les thermes marins. La vocation de Tiercelin était née à Saint-Ideuc même, lorsque, durant l'été 1870, le jeune poète y rencontra Leconte de Lisle et Heredia; depuis, il conjugua toute sa vie deux amours, le Parnasse et la Bretagne, et réunit les poètes de sa génération en un «Parnasse breton».

2 à 3 heures
20 km

Le «Parnasse breton»
Louis Tiercelin réunit autour de lui, au début du siècle, en un «Parnasse breton», les poètes de sa génération. Parmi les fidèles, François Jaffrenou, dit Taldir, (en médaillon), et Théodore Botrel, qui interprète ici, avec sa femme, la chanson *Par le petit doigt*.

Les malouinières

Après Paramé, on entre au cœur du Clos-Poulet, l'arrière-pays de Saint-Malo. Au milieu d'immenses champs maraîchers, une allée d'arbres, à chaque pas, annonce une belle demeure. Nous sommes au pays des malouinières, ces gentilhommières sévères que les armateurs construisirent en pleine campagne à la fin du XVIIe siècle. L'inventaire général en dénombra cent douze en 1975. Enrichis par la course, le trafic en mers du Sud et le contrôle de la Compagnie des Indes, «Ces Messieurs de Saint-Malo» eurent envie de jouir de leur fortune. Ils adoptèrent un nouvel art de vivre, influencé par la Cour, et firent bâtir ces grandes maisons de plaisance marquées par la sobriété militaire de Garangeau ▲ *162*. Un indéniable air de famille les rapproche, mais leurs dimensions inégales et leur charme particulier rendent unique chacune d'entre elles. Les plus petites, dites «vide-bouteilles», sont très souvent les plus chaleureuses et les plus humaines. ● 90.

LA METTRIE-AUX-LOUETS. (Privée.) Cette riante malouinière, perdue dans la verdure, a été construite en 1725. De l'étang artificiel de Sainte-Suzanne, juste avant le pont, à droite, un petit chemin mène à l'arrière de la gentilhommière. Un sentier, à droite de l'arrêt de bus «Mettrie-aux-Louets», débouche sur les douves et sur une belle grille en fer forgé derrière laquelle s'alignent au cordeau les attributs de la demeure noble : saut-de-loup, chapelle, colombier et communs.

LA FOSSE-HINGANT. Il faut reprendre le pont et traverser l'étang pour découvrir, dans la cour nord, la belle façade et la chapelle de cette malouinière qui fut le théâtre d'un drame de la chouannerie (voir ci-contre).

LA VILLE-BAGUE. (Privée.) A Saint-Coulomb, à gauche de l'église, une route longeant la mairie débouche sur un lotissement moderne. Là, 3 km de murs protègent un joyau. Construite entre 1690 et 1710 par les Magon, cette malouinière a conservé son décor d'origine : lambris, trumeaux, cheminées et un très beau papier peint de 1826 représentant l'arrivée du conquistador Francisco Pizarro au Pérou.

LA MOTTE-JEAN. (Privée.) Quitter la D 355 : dans le creux d'un vallon apparaît cette malouinière du XVIIIe siècle, cernée de douves et cachée au milieu des étangs ▲ 90.

AUX PORTES DE CANCALE

MAISON NATALE DE JEANNE JUGAN. (Av. du Général-de-Gaulle, à l'entrée de la ville.) La maison natale de la fondatrice des Petites Sœurs des pauvres (1792-1879) a été aménagée en musée. Née d'un père terre-neuvas et d'une mère ouvrière, la jeune fille servit quelque temps à La Mettrie-aux-Houets avant de commencer son apostolat. En 1839, elle créa une congrégation pour l'accueil et le soin des personnes âgées démunies. Cependant, la politique abusive d'une mère prieure lui en retira l'autorité. Ce n'est qu'en 1902 que fut reconnue l'importance de son rôle. Le pape la béatifia en 1982 : son ordre est présent aujourd'hui dans le monde entier. Un autel et un vitrail lui sont consacrés dans l'église paroissiale de Cancale.

LE DRAME DE LA FOSSE-HINGANT

Son propriétaire, Marc Desilles, était le trésorier de la conjuration contre-révolutionnaire animée par Armand-Charles de La Rouërie (en médaillon ci-dessous), un gentilhomme aux idées plutôt libérales mais que la constitution du clergé civil choqua profondément. Il désirait gagner à sa cause les garnisons des villes et les gardes nationales pour restaurer l'ordre social légitime et les libertés provinciales. Mais La Rouërie confia le secret des opérations à un ami médecin, Chevetel, qui, engagé à son insu aux côtés de Marat et de Danton, le trahit. Le marquis, traqué et malade, mourut de fièvre le 29 janvier 1793, à La Guyomarais ▲ 323.

Son domestique apporta aussitôt les listes des conjurés à La Fosse-Hingant, dans le parc de laquelle elles furent enterrées. Malgré toutes les recherches de Chevetel, une seule liste fut trouvée et l'anonymat de nombreuses personnes fut ainsi sauvegardé. Certains historiens considèrent que la conjuration manquée prépara l'ampleur de la révolte de mars 1793.

CANCALE ET SES ENVIRONS

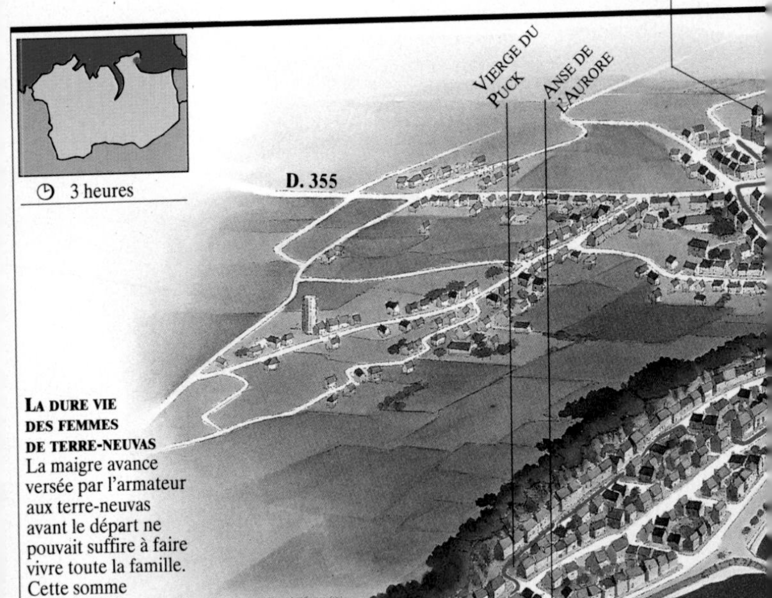

LA DURE VIE DES FEMMES DE TERRE-NEUVAS
La maigre avance versée par l'armateur aux terre-neuvas avant le départ ne pouvait suffire à faire vivre toute la famille. Cette somme permettait avant tout au marin de racheter le ciré et les bottes dont il avait besoin. Aussi la Cancalaise devait-elle trouver d'autres ressources pour vivre : celle de La Houle allait dans les parcs à huîtres, «bottée comme un loup de mer», ou bien vendait du poisson; elle pouvait aussi travailler à domicile pour des fabriques de cirés, de gants et de jouets en papier mâché, ou bien partir faire la saison touristique au Mont-Saint-Michel.

AU PAYS DES CANCALAISES

C'est au port de La Houle et dans ses pittoresques «rues de derrière» que l'on peut encore humer l'ancien Cancale. Mais pour comprendre l'architecture modeste et homogène de ces maisons de pêcheurs, il faut avoir en mémoire les coutumes disparues et les anciens métiers qui façonnaient la vie quotidienne. Car, il y a quelques années encore, rien à Cancale ne se faisait comme ailleurs : activités économiques, expressions linguistiques et croyances religieuses différaient du reste du pays. Deux emblèmes illustrent ce particularisme. Les Romains déjà raffolaient de la fameuse huître plate, qui permit au petit bourg — fondé, dit-on, par saint Méen vers 545 — d'obtenir le titre de ville en 1545, en qualité de fournisseur de la table royale. Mais la renommée de la ville repose tout autant sur le mythe féminin de la Cancalaise. Il inspira nombre de chansons et même un roman de Devillers, *Les Cancalaises*. Il faut dire que la grande pêche avait tout naturellement produit la domination des femmes : pendant six à huit mois de l'année, la vie du bourg reposait sur ces femmes autoritaires et rieuses, au

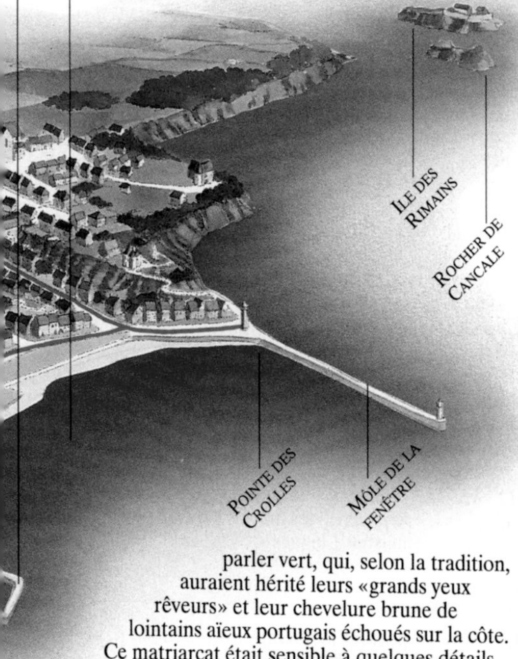

"Comme un oiseau géant se garant des tempêtes, au creux des rochers roux et des falaises hautes Cancale se blottit, frileuse, au pied des côtes." Thomas Maisonneuve

parler vert, qui, selon la tradition, auraient hérité leurs «grands yeux rêveurs» et leur chevelure brune de lointains aïeux portugais échoués sur la côte. Ce matriarcat était sensible à quelques détails. Par exemple, la Cancalaise choisissait son «galant» t, même mariée, continuait à être désignée sous son nom de eune fille. Seules pendant la plus grande partie de l'année, es femmes avaient à charge une famille nombreuse : le lépart du marin se soldait souvent par une grossesse, un coup de partance». Les maternités étaient aussi répétées ue redoutées, et les femmes, sitôt passée la Sainte-Ouine jour de départ des terre-neuvas), se demandaient nutuellement : «As-tu sauvé ton année ?» Mères ou veuves, es Cancalaises voyaient aussi leur indépendance assombrie ar le lourd tribut payé à la mer. Trop souvent, administrateur de la Marine «portait la mort», en nnonçant la disparition d'un homme; l'usage

LA CALE D'EMBARQUEMENT DE L'ÉPI
Construite par les habitants de

La Houle à partir de 1845, elle permit enfin aux marins d'abriter leurs bateaux du vent du large grâce à sa forme semi-circulaire.

VISITEZ CANCALE
PANORAMAS-PLAGES
PARCS A HUITRES

CANCALE 18 30 2-3 1962 ILLE ET VILAINE

«**Terre-Neuvas**» de Yvonne Jean-Haffen (en médaillon).

Bleu-Pâle, de son vrai nom Jules Leclerc, terre-neuvas de La Houle, composa de 1910 à 1935 un grand nombre de chansons sur la pêche.

Les régates de bisquines
La création de régates, en 1845, sous le patronage du capitaine au long cours Le Joliff, qui possédait une villa à Cancale, contribua à perfectionner la voilure des bisquines et à en faire les bateaux les plus toilés de France. Les plus belles courses eurent lieu dans les années 1900-1905, et attirèrent tous les touristes de la Côte d'Emeraude, transportés par le petit tramway de Cancale (1897-1947).

métamorphosait alors les parentes du défunt en véritables pleureuses de tragédie antique. Dans le courant de l'année, de nombreuses processions permettaient aux Cancalais de manifester la rude et simple foi, et, depuis 1540, chaque habitant devait faire au moins trois fois le tour de la paroisse (16 km) dans sa vie. Quoique affaibli, ce patrimoine culturel constitue une des richesses de Cancale. Certains de nos contemporains ont soin d'en restaurer la mémoire ▲ *224*.

Une ville plurielle. La ville est composée de trois ensembles distincts : en haut des falaises, les commerçants et les armateurs vécurent dans le bourg jusqu'à la grande grève des terre-neuvas de 1911, après quoi les derniers armateurs préférèrent se replier sur Saint-Malo; adossée en contrebas entre la falaise et la grève, La Houle resta longtemps un simple hameau de pêcheurs et d'écailleur d'huîtres; les «villages», enfin, tout alentour, rassemblaient autrefois les paysans ou les marins dans de petits groupes de «longères» (maisons longues sans étage).

La Houle

Le port. Le port fut longtemps isolé. Seul un petit sentier abrupt entre deux collines, appelé «Le Vau-Baudet» (car un seul âne à la fois pouvait s'y engager), le reliait au bourg avant 1831. Par ailleurs, la ville basse était menacée par la marée, qui détruisait périodiquement les maisons de pêcheurs. Il fallut attendre 1838 pour que ses habitants, las de la digue de fortune concédée par les Etats Généraux de Bretagne en 1773, construisent une belle digue et un épi insubmersible sur 50 m, la cale de l'Epi; la jetée de la Fenêtre fut ajoutée en

1869. Aujourd'hui, les quais sont surtout bordés de restaurants. Il faut entrer au Continental ou à l'Emeraude, même sans l'intention de s'y attabler, car leurs propriétaires y exposent les toiles du peintre local, Eugène Feyen, un Nancéien qui séjourna à Cancale de 1869 à 1907 ● *112.* Le port ne s'anime vraiment qu'au printemps, lorsque les chalutiers reviennent de la baie de Saint-Brieuc, après la saison de coquilles Saint-Jacques. Commence alors la pêche des seiches (margates), puis des araignées, des crevettes grises et des poissons plats (soles, plies, rougets, barbues et bars).

La bisquine. Depuis 1987, on peut, presque comme autrefois, embarquer pour une partie de pêche sur la *Cancalaise* : l'Association bisquine cancalaise a reconstruit à l'ancienne ce bateau originaire de Normandie, qui fut introduit à Cancale au début du XIXe siècle. Cette embarcation servait à la pêche au chalut, à la grande ligne et au dragage des huîtres, et, de plus, prenait part, chaque année, à des régates (voir page de gauche). Pour la première fois depuis la guerre, les associations de bisquines de Cancale et Granville ont renoué avec la tradition et organisé, durant l'été 1990, des courses entre les bisquines des deux villes.

Les «rues de derrière». C'est au XIXe siècle, la grande période de la pêche à la morue, que la physionomie de La Houle se fixa : les rues se hérissèrent de petites maisons plus profondes que larges, adossées à la falaise dont on tirait le schiste des façades. Six à huit personnes pouvaient y vivre. Dans le dédale de ces rues étroites se dressent, chaque année au 15 août, les reposoirs où l'on s'arrête après s'être rendu en procession à la chapelle du Verger : Vercel les a joliment décrits dans *La Caravane de Pâques* ● *134*. Aller jusqu'au bout de la rue de l'Amiral-Courbet et découvrir en passant l'autel de la Vierge-du-Puck, qui reste dressé tout au long de

Les maisons de La Houle
Les façades toutes simples sont égayées par les encadrements de fenêtre peints en blanc. Détail caractéristique, un oculus révèle çà et là une cage d'escalier.

Les quais de La Houle, bordés par les anciennes maisons de terre-neuvas, aujourd'hui transformées en restaurants.

Naissance d'une huitre
Les naissains d'huîtres creuses, en provenance du bassin d'Arcachon et des Charentes, sont protégés par des poches grillagées et placées sur des tables surélevées. Leur croissance dure de trois à quatre ans.

VIVIPARES OU OVIPARES, TRANSSEXUELLES TOUJOURS
L'huître plate (belon) change de sexe à chaque émission de produits génitaux, et les spermatozoïdes sont transportés vers la coquille de l'huître femelle par l'eau. Elle formait autrefois de vastes bancs, du Danemark au Portugal; il n'en subsiste que quelques-uns dans la baie de Cancale.

Chez l'huître creuse (gigas), la mutation ne s'opère qu'après chaque saison de fécondité, où mâles et femelles confient à l'eau leurs semences respectives. Les larves se fixent sur un support et doivent y rester neuf mois environ.

l'année, puis un portail ouvrant sur une belle maison du XVIIIe siècle et, tout au bout, l'ancien relais de poste, le manoir du Mont-de-l'Amitié.

LES PARCS À HUITRES. Tout le long de la côte, les grèves sont quadrillées par d'étranges lignes géométriques : ce sont les 366 ha de concessions en terrain découvrant louées pour trente-cinq ans où sont élevées les huîtres. Ces terrains sont divisés en neuf cent soixante-quinze parcelles, séparées les unes des autres par des ruisseaux. Du temps où les bancs d'huîtres plates et sauvages n'étaient pas menacés d'extinction, les Cancalais y plaçaient les mollusques de petite taille qu'ils étaient allés pêcher au large. Pendant des siècles, en effet, l'huître fut draguée et non élevée : Normands et Anglais venaient puiser dans les bancs de la baie tant ceux-là semblaient inépuisables. Ce ne fut qu'en 1787 qu'un édit royal réglementa l'activité : à partir de cette date, afin de protéger la reproduction des mollusques, la pêche, le colportage et la vente furent interdits entre le 1er avril et le 15 octobre; le principe des fameux mois sans R, pendant lesquels les huîtres ne seraient pas comestibles, naquit ainsi... L'épuisement des bancs, à partir de 1920, obligea les Cancalais à se tourner vers l'ostréiculture moderne. Cette technique d'élevage trouva son origine à Cancale, en 1858, lorsqu'un certain monsieur Bon, commissaire de la Marine, réussit pour la première fois à capter des larves à l'aide d'une sorte de plancher en bois. Mais, très vite, alors que le captage se vulgarisait partout en France, en raison des grandes marées et des variations trop grandes de température, la baie de Cancale dut délaisser cette technique et se consacrer exclusivement à l'élevage à partir du naissain (embryons de mollusques). De nos jours, les ostréiculteurs cancalais importent donc les petites huîtres du sud de la Loire et du golfe du Morbihan ■ *32*.

CHEZ UN OSTRÉICULTEUR ♥. Aux Parcs Kerber, plage de l'Aurore, un ostréiculteur a aménagé un véritable écomusée. On peut y voir un excellent diaporama sur les étapes de la croissance de l'huître, puis visiter l'atelier de triage et les dégorgeoirs de l'entreprise. Très vite, on apprend à distinguer l'huître plate, semée sur le sol dans des parcs d'élevage ou en eau profonde, de la creuse, le plus souvent mise en poches et installée sur des tables ostréicoles. Un virus, la bonamiose, s'est attaqué depuis 1982 à la première, c'est pourquoi la production des secondes l'emporte aujourd'hui.

LE BOURG D'EN HAUT

Il serait dommage de dédaigner le bourg et ses maisons d'armateurs du XVIIIe siècle. Se loger à l'HÔTEL DE L'ÉMERAUDE, en demandant une chambre dans l'annexe, charmant castel néo-gothique perché sur la falaise. Etape obligée au BRICOURT, une des meilleures tables de Bretagne! L'ancienne église romane de Saint-Méen, rebâtie en partie vers 1785 sur des plans de Garangeau, abrite aujourd'hui le MUSÉE D'ART ET TRADITIONS POPULAIRES : outils du calfat (il étanchait les coques des bateaux), coffre de terre-neuvas, costumes et meubles et vidéos retracent l'historique de la grande pêche, et du vieux Cancale. Il est possible de monter dans la tour de l'église paroissiale pour admirer la vue sur la baie du Mont-Saint-Michel, les îles Chausey et la côte normande.

Le manoir Hamon Vaujoyeux (XVIIIe siècle), dans le bourg d'en haut.

DIMANCHE 19 AOUT 1906

RÉGATES DE CANCALE

A 3 heures du soir

LA CARAVANE
Afin de ne pas épuiser les bancs naturels d'huîtres, la pêche était très réglementée à Cancale. Le dragage se faisait sous le contrôle de gardes-jurés, élus par les propriétaires de bisquines, qui fixaient marées et jours autorisés après avoir vérifié les gisements. L'ouverture de la pêche était une vraie fête, et les enfants couraient de porte en porte annoncer la nouvelle en chantant une complainte traditionnelle : «La caravane est affichée, les p'tits bounhoumes iront pêcher, les p'tites bounes femmes iront r'biner, alléluia!» Au jour dit, les bisquines partaient en ordre groupé sur les bancs, attendaient le signal pour lancer leur drague, puis rentraient en file indienne après le coup de canon final des gardes-jurés. C'est pourquoi le terme «caravane» s'imposa pour désigner la saison de dragage. Le précieux chargement déversé en tas sur la grève était trié par les femmes : les grosses huîtres étaient vendues, les petites mises en parcs pour l'élevage et les vides rejetées. Pauvres et enfants arrivaient par derrière «rebiner» (récupérer) «l'aumône», terme cancalais par lequel on désigne les huîtres jetées par mégarde.

ST-MÉLOIR-DES-ONDES
LA GOUESNIERE
ST-CHARLES-DU-BLESSIN
LA COUDRE
GROTTE DU BOIS-RENOU
LE VAULERAULT
LA DROUESNIERE
LE VAU-HARIOT
CANCALE

1h 30
15 km

RUINES DE CHÂTEAUNEUF
FORT DE SAINT-MARC-EN-POULET
D. 76
D. 155
D. 7
N. 137
SAINT-GUINOUX
CHÂTEAU DE BONABAN

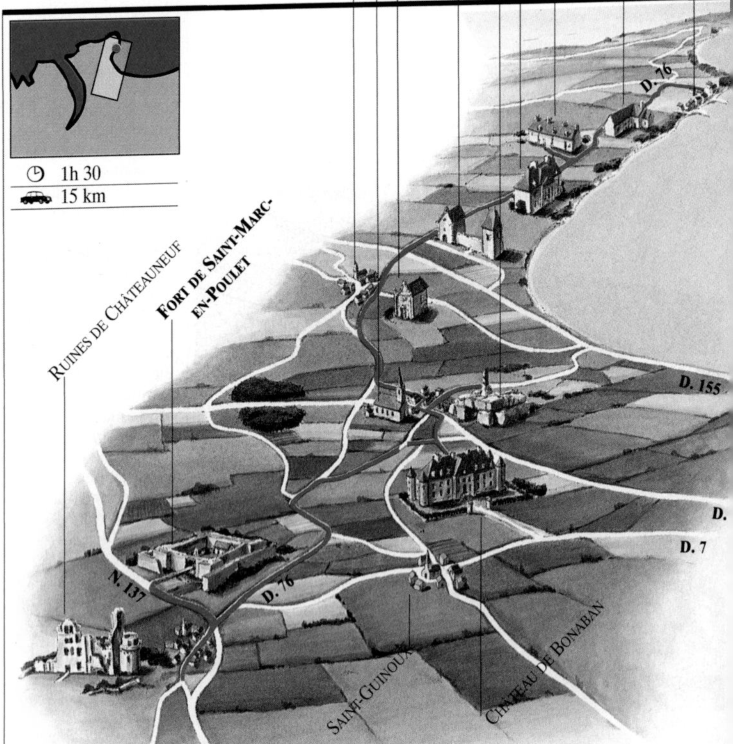

LE VILLAGE DE TERRELABOUET

Ce village cancalais mérite un coup d'œil : il abrite le manoir de La Drouennière, une maison du XVIIIe siècle d'aspect tout à fait modeste — avec toutefois de belles lucarnes et un cadran solaire — où Robert Surcouf, le célèbre corsaire malouin, fut mis en nourrice et passa sa jeunesse… Ses parents étaient originaires de Cancale.

LE VAULERAULT

On y trouve l'une des trois malouinières du Clos-Poulet dont les jardins donnent sur la pleine mer ● *90* ; son originalité est de comporter un pavillon central sur les deux façades. Garangeau, l'architecte de Vauban ▲ *162*, l'aurait dessinée. Toute proche, la ferme de la propriété est un ancien manoir du début du XVIe siècle.

LE VAU-HARIOT
Perché en haut de la montée de La Houle, ce village abrite un manoir doté d'une très belle porte Renaissance dont les chapiteaux laissent deviner des têtes effacées par le temps.

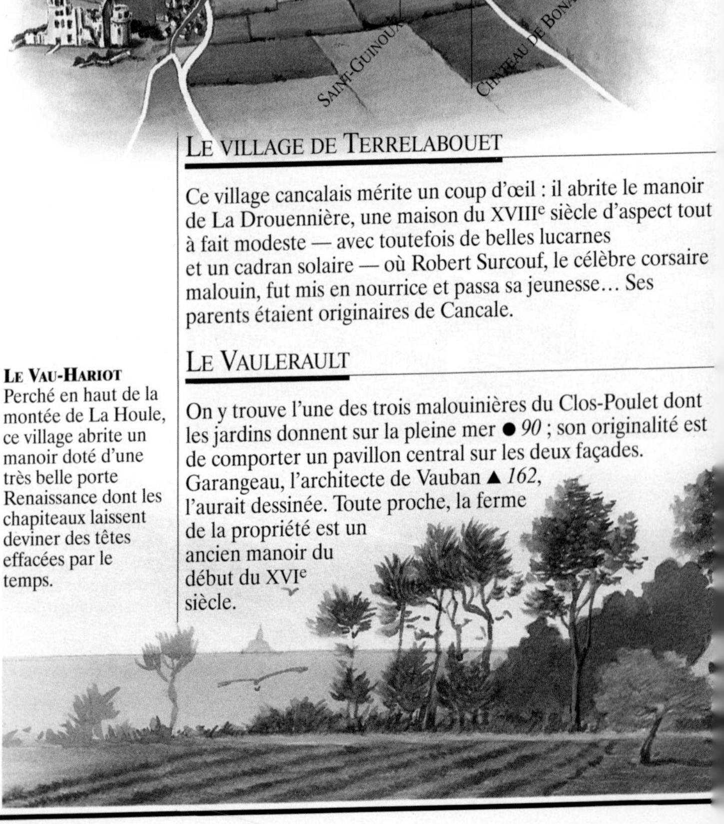

La chapelle Saint-Pierre de La Coudre

Sur la D 6, tourner à gauche au Vaupinel. Dans le village de La Coudre, dont le nom signifie «noisetier», une petite chapelle privée (1655) dépendant du manoir voisin forme avec le colombier et la ferme un très joli ensemble. La façade de la chapelle est exceptionnellement soignée : remarquer l'appareillage de l'oculus et de la porte en plein cintre surmontée d'une niche, les pierres d'ancrage au sol, la corniche décorée de modillons en pierre. Le chœur, restauré récemment, est orné de boiseries anciennes au charme rustique.

La chapelle et le colombier carré du petit village de La Coudre.

La chapelle Saint-Charles du Blessin

C'est l'une des plus belles du pays malouin, car elle a conservé la totalité de son décor de 1786. L'extérieur a un aspect sévère, tout en hauteur, avec fronton triangulaire, porte dorique, oculus et pots à feu; l'intérieur surprend par sa sobriété raffinée : le chœur est lambrissé de boiseries, avec une croix dessinée sur le sol, et l'autel repose sur une estrade fort délicate à croisillons bicolores. Charme et simplicité se dégagent de ce lieu de procession très important pour les Cancalaises, qui venaient y implorer saint Charles Borromée – lombard, archevêque de Milan, il vécut de 1538 à 1584 et fut un des acteurs principaux du concile de Trente – afin qu'il souffle un vent favorable dans la voilure des terre-neuvas retardataires. Après avoir fait trois fois le tour de la chapelle dans le bon sens du vent, elles y entraient faire leurs dévotions, puis ressortaient en indiquant au saint, avec leur tablier, la direction de la brise souhaitée. La chapelle ainsi que la malouinière dont elle dépend furent achetées en 1831 par Pierre-Louis Boursaint, alors directeur de la Caisse des invalides de la Marine. Ce personnage important procéda à la rénovation de la flotte française, qui, en 1820, ne comportait plus que quarante vaisseaux ; il mit également au point la notion de budget militaire. L'ensemble peut être visité avec l'Association de sauvegarde des chapelles du pays malouin.

Pierre-Louis Boursaint, propriétaire au siècle dernier du manoir et de la chapelle Saint-Charles du Blessin.

UN ILLUSTRE ÉVÊQUE
Sur le tableau qui domine le maître-autel de La Gouesnière, on peut reconnaître l'évêque de Villemontée, qui s'illustra pendant la Contre-Réforme dans la région malouine.

LA GOUESNIÈRE

L'ÉGLISE. Ne pas se laisser décourager par son extérieur, très XIXe siècle, car elle renferme l'un des plus riches mobiliers de la région. Thomas Porée du Parc, seigneur de La Gouesnière, chanoine de Saint-Malo et de Rennes dans la seconde moitié du XVIIe siècle, agrandit l'édifice et engloutit sa fortune à le décorer. Une fois à l'intérieur, on est surpris par le raffinement et la splendeur du maître-autel lavallois, en marbre noir et tuffeau d'Anjou, dont la récente restauration a fait apparaître la signature de Michel Biardeau (1666) : dans la tradition de la Contre-Réforme, niches, colonnes, pots à feu et angelots étincelant d'or encadrent un tableau, inspiré par l'œuvre de Philippe de Champaigne, où l'on voit l'évêque de Villemontée agenouillé devant la Vierge de l'Assomption. Cet homme, qui se fit ordonner très tard, après une longue vie matrimoniale, fut évêque de Saint-Malo de 1657 à 1670, et s'illustra pendant la Contre-Réforme en tant que commissaire dans les affaires du jansénisme. Deux belles statues en marbre blanc, de facture italienne, ornent les autels latéraux : à droite, saint François d'Assise; à gauche, la Vierge. Chaire et confessionnaux datent de 1785.

LE CHÂTEAU DE BONABAN. (Sur la D 4.) Ses dimensions imposantes le distinguent d'une malouinière; c'est aujourd'hui le siège d'une colonie de vacances. François-Guillaume Le Fer, héritier d'une des plus riches familles de Saint-Malo, le fit construire en 1776 sur l'ancienne seigneurie qui remontait au XIIe siècle. Ornée d'une tour à chacun de ses angles et entourée de fossés, cette immense construction fut décorée de marbre, à grands frais : chaque marche de l'escalier est formée d'un seul bloc de Carrare. Le comte de Kergariou, propriétaire du château au XIXe siècle, fit creuser dans les flancs de la colline du Bois-Renou une grotte artificielle imitée de celle de Lourdes et pavée d'ex-voto après la guérison de sa femme. Sans applaudir au goût saint-sulpicien, on ne peut néanmoins qu'admirer le choix de l'emplacement : la grotte domine toute la baie et bénéficie d'une vue imprenable.

La silhouette imposante du château de Bonaban, encadré de tours et de fossés.

SAINT-GUINOUX

L'église mérite qu'on s'y arrête pour son très bel ensemble de retables lavallois, charmants dans leur simplicité et leur tonalité gris et or. A gauche de l'autel-tombeau trône l'évêque saint Guinoux, crosse en main. Son orientation est très importante : tournée vers l'extérieur, elle signifie que l'évêque est dans son diocèse; qu'elle soit dirigée vers l'intérieur, il est simple coadjuteur; enfin quand il n'en porte pas, il est hors de son diocèse. Le retable de gauche est dédié

à saint Michel, et celui de droite à la Vierge du Rosaire. La chaire, de style Louis XIV, comporte de faux balustres qui rappellent les rambardes d'un navire.

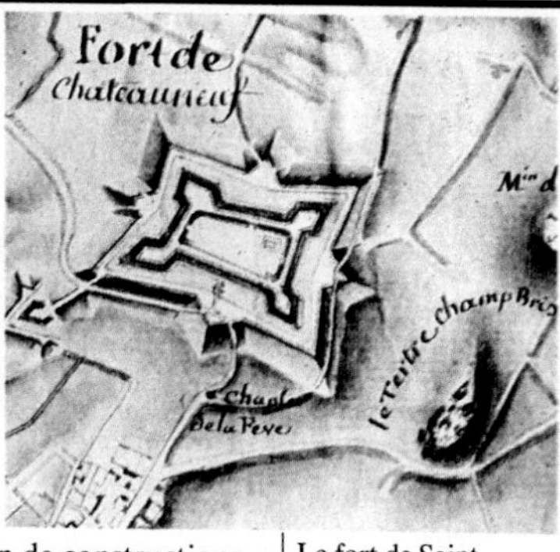

Le fort de Saint-Marc-en-Poulet, vaste quadrilatère entouré de fossés et de remparts, défendait l'entrée de la région malouine.

CHÂTEAUNEUF

LE FORT DE SAINT-MARC-EN-POULET. (Accès par la N 137.) Racheté par la mairie en 1985, il devrait bientôt être ouvert au public. Les progrès de l'artillerie joints au débarquement anglais de 1758, pendant la guerre de Sept Ans, rendirent au site son actualité : Choiseul, ministre de la Guerre, mit sur pied un plan de constructions militaires que ses successeurs adoptèrent. On décida de fermer le Clos-Poulet par un fort bastionné, immense quadrilatère de 36 ha entouré de fossés et de remparts, aujourd'hui propices à la promenade. Sa construction fut lente et dura de 1777 à 1785, car les garnisons chargées du travail de terrassement furent réquisitionnées pour la guerre d'Indépendance des Etats-Unis. Le comte d'Artois et le frère de Marie-Antoinette seraient venus, incognito, observer l'avancement du chantier. A l'intérieur de l'enceinte, treize casemates à demi enfouies et deux poudrières offrent un bon

exemple de l'art militaire du XVIIIe siècle. Si le fort ne remplit jamais sa fonction défensive, en revanche, des soldats allemands y furent emprisonnés pendant la Première Guerre mondiale et il servit de dépôt de munitions pour la Wehrmacht durant la Seconde. L'armée nazie fit d'ailleurs sauter toutes les casemates du côté droit peu de temps avant l'arrivée des Américains.

Pendant la Première Guerre mondiale, le fort fut transformé en camp de prisonniers allemands.

LES RUINES DE CHÂTEAUNEUF. Verrou du Clos-Poulet, ce bourg eut une grande importance stratégique, que son aspect actuel laisse mal présumer. Pour les curieux, grimper jusqu'aux ruines nostalgiques des châteaux qui assurèrent successivement la défense du site. Châteauneuf est en effet bâti sur une motte naturelle qui dominait autrefois des marais fréquemment submergés, car situés en dessous du niveau de la mer et protégés par la seule digue de la Duchesse-Anne ▲ *375*. Jusqu'au XIXe siècle, l'isthme de Châteauneuf (large de 300 m) était donc le passage obligé en période d'inondation.

Le duc de Choiseul par Van Loo en 1763.

Charles de France, comte d'Artois, par H. P. Damloux.

A la motte féodale située sur les carrières actuelles succéda, au XIVe siècle, un château fortifié, dont il ne subsiste plus maintenant qu'une seule tour. La fille aînée du seigneur, Renée de Rieux, resta longtemps dans les mémoires sous l'appellation «belle de Châteauneuf» pour avoir été la maîtresse, en 1569, du duc d'Anjou, le futurHenri III. Après la Ligue, Henri IV fit abattre le donjon et démanteler la forteresse. Un logis Renaissance fut accolé à la tour; bien qu'envahi par les ronces, l'élégant édifice de deux étages surmonté d'un fronton ne manque pas de charme. Au XVIIIe siècle, le nouveau propriétaire éleva en dehors de l'enceinte, près de l'église, le PETIT-CHATEAU, de type malouinière, aujourd'hui transformé en ferme,

Les ruines de l'ancien château Renaissance dominent encore aujourd' hui le bourg de Châteauneuf.

et draina les marais pour y dessiner de magnifiques jardins, dont les étangs et les bassins étaient alimentés par les eaux de la Rance.

LA MARE DE SAINT-COULBAN. Entourée autrefois par les marais, qui furent progressivement asséchés et mis en culture dès le XVIIIe siècle, elle n'est désormais inondée que quelques mois en hiver. Mais il n'y a pas si longtemps encore, la lueur trouble des tourbières les jours d'orage, les bois fossilisés que l'on y trouvait, les inondations répétées, le «beugle» rauque des butors, ces oiseaux de la brume, venaient confirmer des légendes terrifiantes auxquelles on feignait de ne pas croire. Ne disait-on pas que le monstrueux serpent du Mont-Garrot se terrait dans la mare de Saint-Coulban ▲ *204* depuis que saint Suliac l'y avait repoussé?
Ou bien qu'un malheureux prêtre y fut englouti après qu'il eut juré en plein office pour chasser un corbeau dont les croassements l'importunaient? Depuis quelques années, la Fondation nationale pour la protection des habitats français de la faune sauvage a entrepris de racheter plus d'une centaine d'hectares de terres, peu à peu délaissées par les agriculteurs qui les jugeaient trop pauvres. L'association projette de les rendre à leur état initial de marais. La future réserve, gérée par l'Association départementale des chasseurs, devrait à terme être ouverte au public pour l'observation du gibier d'eau (canards, bécassines, etc.).

L'OISEAU QUI MUGIT
Le butor est un grand héron brun clair, assez trapu, qui fréquente les marais envahis de roseaux. S'il est bien rare qu'on puisse l'observer, on le repère généralement à son chant évoquant une corne de brume. Tout comme le héron cendré, il chasse à l'affût batraciens, petits poissons et invertébrés.

DINAN
ET SES ENVIRONS

Blason mi-France, mi-Bretagne, taillé en 1858 à l'occasion de la visite de Napoléon III et placé aujourd'hui sur la façade de l'hôtel de ville.

A l'époque romaine, Dinan était au carrefour de deux voies importantes : l'une allait vers la Normandie, l'autre vers Rennes. Ville haute fortifiée et ville basse portuaire, Dinan a mille ans d'histoire.

UNE HISTOIRE DE FAMILLE. L'existence d'un seigneur de Dinan est attestée à partir du Xe siècle : un acte relate que Josselin, frère de l'évêque de Dol, fut témoin d'une donation faite à l'abbaye de Saint-Georges par la duchesse de Bretagne. Dinan devient alors une véritable ville; un couvent bénédictin s'y installe et, au début du XIIe siècle, une ébauche de système défensif existe, comme en témoigne Idrisi, historien-géographe arabe : «A Dinam, ville ceinte de murs en pierre.» A cette époque, l'espace clos comporte de nombreuses prairies pour nourrir le bétail et subvenir aux besoins de la population en cas de siège. La famille de Dinan dirige non sans mal la ville jusqu'en 1283, date à laquelle elle devient ville ducale.

UNE PLACE FORTE CONVOITÉE. Au début du XIVe siècle, Dinan est prospère : les échanges avec l'Angleterre et les Flandres engendrent l'abondance; les commerçants et les artisans affluent et installent leurs échoppes dans les ruelles et sous les porches. Mais la guerre de Succession de Bretagne va stopper net ce bel élan. Dinan a pris parti pour Charles de Blois, et, quand celui-ci est tué, près d'Auray, Jean IV, duc de Montfort, assiège la ville pendant un mois. Il célébrera sa victoire en y faisant construire un donjon (1380-1387). Pendant cette période troublée, les Anglais ne cessent de harceler la ville; Du Guesclin, qui commande la résistance de Dinan, combat Thomas de Cantorbéry à l'emplacement de l'actuelle place du Champ-Clos. Il sort victorieux, conformément aux prédictions de celle qui allait devenir sa femme, Tiphaine Raguenel. Au XVe siècle, la ville renforce ses remparts et leur ajoute quelques tours adaptées au progrès de l'artillerie. En 1598, durant la Ligue, Dinan renie le duc de Mercœur, ligueur rebelle à son roi, et se rallie à Henri IV.

FRAGMENT DE LA TAPISSERIE DE BAYEUX
Un détail de cette toile brodée, appelée aussi «Tapisserie de la reine Mathilde», représente le siège du château de Dinan

en 1065. Construit par Josselin de Dinan sur un éperon rocheux qui domine la vallée, le château devait se trouver à l'emplacement actuel de la sous-préfecture.

LA PAIX RETROUVÉE. Tout au long du XVIIe siècle, les ordres religieux installent de nombreux couvents. Les dominicaines, les ursulines, les bénédictines, les capucins occupent les espaces encore libres de la ville. Puis le XVIIIe siècle fait passer la religion au second plan : la ville retentit du bruit des huit cents métiers à tisser dont les toiles seront exportées vers les Antilles et l'Amérique du Sud; les foires attirent des foules immenses. L'urbanisation évolue : sous l'impulsion de Charles Duclos-Pinot ▲ *248*, les hôtels particuliers se multiplient.

«DINAN, ORNÉ DE VIEUX ARBRES, REMPARÉ
E VIEILLES TOURS, EST BÂTI DANS UN SITE PITTORESQUE, SUR UNE HAUTE COLLINE, AU PIED DE LAQUELLE COULE LA RANCE»

FRANÇOIS RENÉ DE CHATEAUBRIAND

PLACE DES CORDELIERS
«A Dynan, il y a des porches soulz lesquels on se peult aisément pourmener et asseoir à couvert!», affirmait un voyageur, en 1636.

NE HISTOIRE VIVANTE. Avec le XIXe siècle arrivent 'éclairage public et le chemin de fer. Dinan s'anime, change e visage, devient une ville de villégiature : de nouveaux aubourgs résidentiels apparaissent, dont le quartier des Buttes, où vivent officiers, négociants et la très importante colonie britannique. Enfermée dans sa ceinture médiévale, cette cité sera, jusqu'en 1914, la ville de garnison la plus aristocratique et la plus vivante de France. Le viaduc, inauguré en 1852, rapproche Brest de Paris, facilite l'accès à la ville et détourne le trafic du port.

AUJOURD'HUI. Dinan accueille chaque nnée des milliers de visiteurs. Les remparts sont le vecteur u développement économique de la ville, le point culminant e l'année étant la Fête des remparts. Pendant quarante-huit eures, hennins et pourpoints envahissent la ville, pendant ue des tournois se déroulent dans ce décor médiéval qu'est antique cité de Dinan.

BERTRAND DU GUESCLIN (1320-1380)
Né à La Motte-Broons, au sud de Dinan, batailleur et laid, celui qui devint connétable de France et de Castille en 1370 fut une des grandes figures du Moyen Age. Il participa activement à la guerre de Succession de Bretagne, prenant le parti de Charles de Blois, puis il se mit au service du roi de France et lutta contre les Grandes Compagnies (bandes de pilleurs) et l'envahisseur anglais. Il mourut pendant le siège de Châteauneuf-de-Randon. Il eut quatre sépultures : une à la basilique Saint-Denis, près du roi de France ; une au Puy ; une à Clermont-Ferrand ; et la dernière à Dinan, la seule demeurée inviolée. Le cénotaphe où repose son cœur était, à l'origine, dans la chapelle des Jacobins. Il fut transféré en 1810 dans l'église Saint-Sauveur.

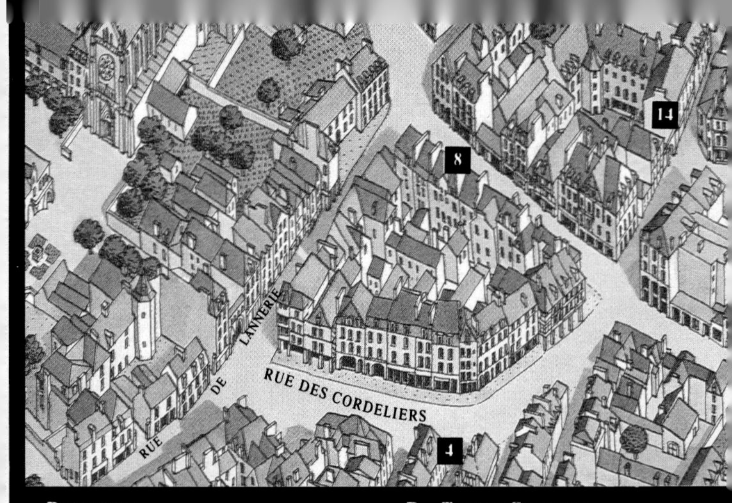

Remparts :

A. Porte du Guichet
B. Chateau
C. Promenade des Petits Fosses
D. Tour de Coetquen
E. Tour du Connetable
F. Tour de Beaufort
G. Tour Saint-Julien
H. Tour de Vaucouleurs

I. Tour Beaumanoir
J. Porte Saint-Malo
K. Tour du Gouverneur
L. Porte du Jerzual
M. Tour Sainte-Catherine
N. Tour du Sillon
O. Tour de Penthievre
P. Porte Saint-Louis

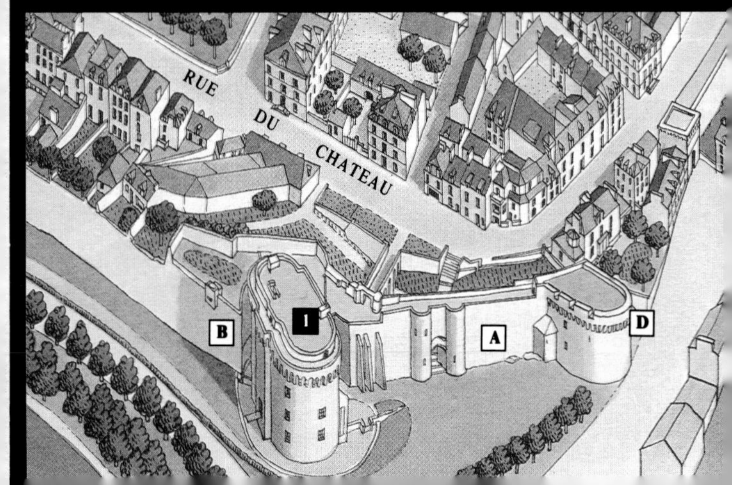

RUE DU NEEL-DE-LAVIGNE
11
10

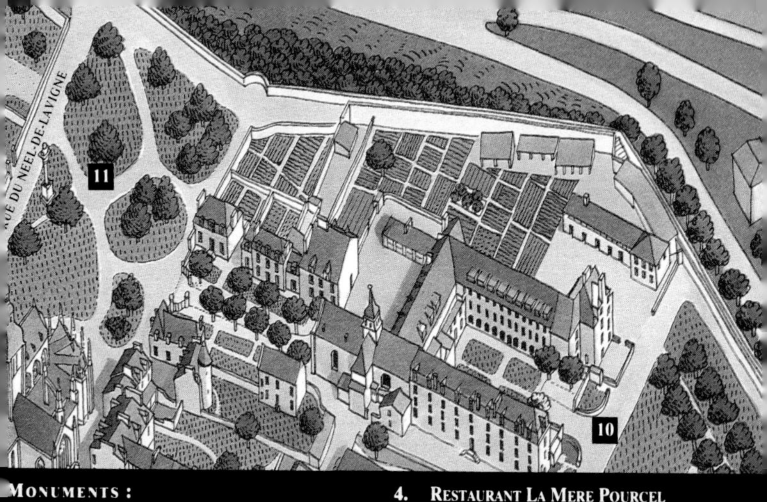

Monuments :

1. Musée
2. Statue de Duclos Pinot
3. Statue de Du Guesclin
4. Restaurant La Mere Pourcel
5. Tour de l'Horloge
6. Hotel Keratry, Office du Tourisme
7. Couvent des Benedictines

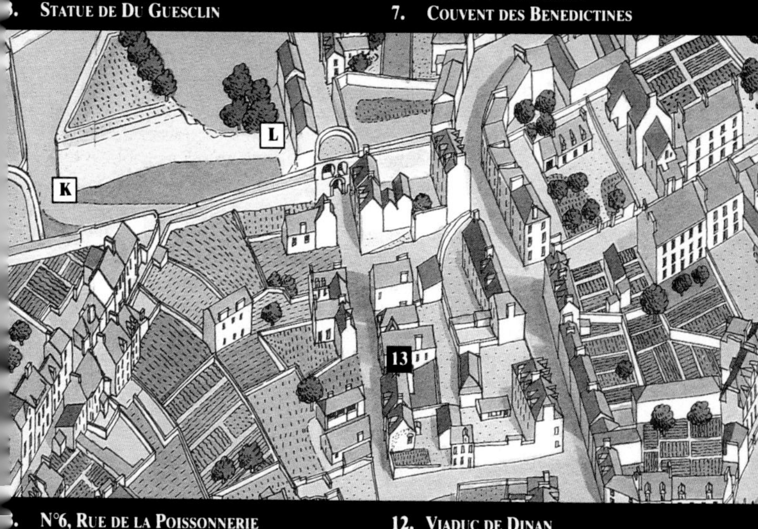

L
K
13

8. N°6, Rue de la Poissonnerie
9. Basilique Saint-Sauveur
10. Couvent des Catherinettes
11. Jardin Anglais : Statues d'Auguste Pavie et de Charles Neel d'Etienne
12. Viaduc de Dinan
13. Rue du Jerzual
14. Hotel Beaumanoir
15. Couvent des Cordeliers
16. Eglise Saint-Malo

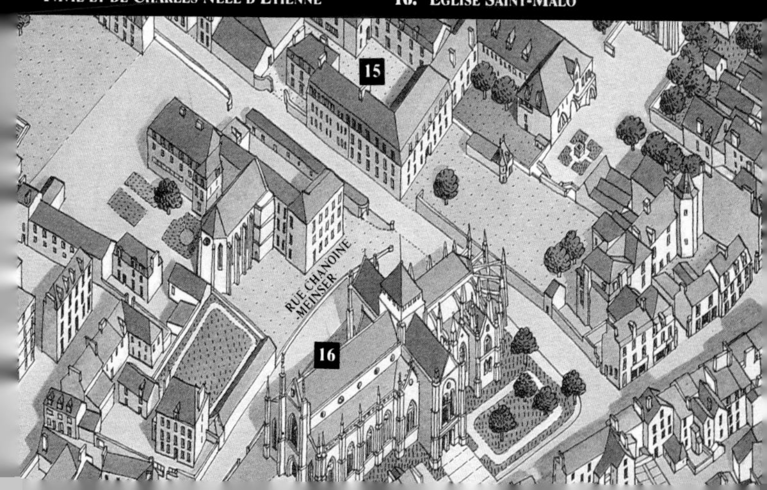

15
RUE CHANOINE MEINSER
16

Les armes de Dinan : «De gueules à trois tours d'or, au chef d'hermines.»

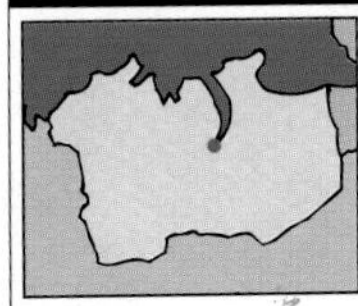

◷ de 4 à 5 heures

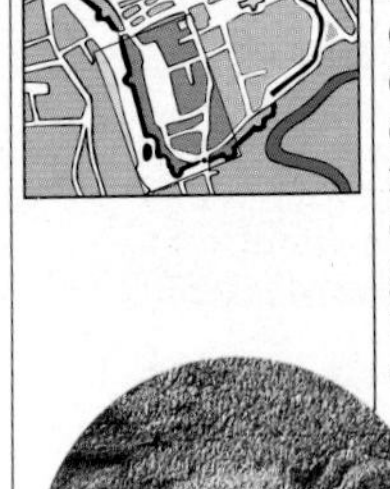

«Dinan, la clef de ma cassette», disait Anne de Bretagne. La ville aujourd'hui reste un joyau, avec ses admirables remparts, ses maisons à pans de bois, ses hôtels du XVIIIe siècle.

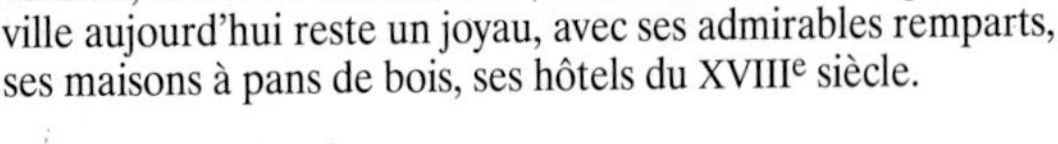

AUTOUR DU CHÂTEAU

On appelle château l'ensemble formé par le donjon, la tour de Coëtquen et la porte du Guichet.

LE DONJON. Rares sont en France les monuments du XIVe siècle aussi bien conservés et visitables. Estienne Le Tur, architecte de la tour Solidor, à Saint-Servan, en établit les plans dans les années 1380 sur l'ordre du duc Jean IV. Formé de deux tours accolées de 34 m de haut, il était autrefois coiffé d'un toit, qui fut remplacé, au XVIIIe siècle, par une plate-forme d'artillerie. La courtine, ou chemin des Ligueurs, qui va du donjon à la porte du Guichet, est composée de deux galeries superposées. Le donjon remplissait la double fonction de forteresse et de résidence : forteresse, avec des judas et une salle de guet à chaque étage; résidence à l'architecture soignée, avec des fenêtres à meneaux, de grandes cheminées et une chapelle finement décorée, qui possédait une loge chauffée. Les tapis et les tentures devaient donner un peu de chaleur à l'ensemble, tout de même austère. Le donjon abrite aujourd'hui le musée.

Ornement sculpté sur la façade du donjon.

LE MUSÉE ♥. Outre l'architecture intérieure du donjon, c'est toute l'histoire de la ville et de sa région qu'on y peut découvrir. Un atelier complet de tisserand, reconstitué avec des métiers du XVIIIe et du XIXe siècle, côtoie l'importante collection des coiffes de la région. Le XIXe siècle et le début du XXe siècle sont représentés par une galerie de peintures et de sculptures d'artistes tels que Dagnan ▲ *251* ou Sébillot ▲ *251*.

LA TOUR DE COËTQUEN. (XVe siècle.) Elle se divise en trois étages, occupés par trois grandes salles voûtées aux murs d'une épaisseur de plus de 5 m. Tour d'artillerie, elle servit au milieu du XVIIIe siècle non seulement de prison, mais aussi de lieu de réunion à la première loge maçonnique, la Tendre Fraternité. La salle du bas est une sorte de crypte humide, au sol inégal, qui enveloppe de mystère sept gisants rassemblés là, dont ceux de Roland de Dinan, de Geoffroi Le Voyer, chambellan du duc Jean IV, et de Guillaume de Lesquen, abbé de Beaulieu.

LE CHÂTEAU DE DINAN
Ci-dessus, la situation du quartier du château dans la ville. Ci-dessous, extraite de l'ouvrage *La France de nos jours*, une lithographie en couleurs des frères Béquet représentant, de gauche à droite, le donjon, la porte du Guichet et la tour de Coëtquen.

«DE LA RANCE, ELLE APPARAIT COMME UNE CASCADE DE JARDINS. LES HÊTRES ET LES ORMES, PUIS LES LILAS [...] COULENT SUR SES PENTES JUSQU'AU PIED DES REMPARTS D'OÙ JAILLISSENT [...] DES TOURS EXACTEMENT VÊTUES DE LIERRE» ROGER VERCEL

❝Qui parle de vieux
Dinan? Ici l'âge,
c'est la beauté,
un petit moment
d'éternité. Dans
une ville très jeune
et très ancienne,
où les siècles reposent
avec bonheur,
on ne s'aventurerait
pas à dater le jour
et l'heure, la saison
et l'année, de cette
lumière qui baigne
la rue, de cette
vapeur qui monte
vers la Tour, de cette
dame au cabas
qui se hâte
vers son logis [...]
de ce silence,
de cette solitude,
de cette paix,
de ce temps-là.❞

Louis Caro

Détail du porche de l'église Saint-Sauveur.

Marché aux bestiaux sur les places Du-Guesclin et du Champ, au siècle dernier.

Dans le passé affectée au guet, la plate-forme, au sommet de la tour, offre aujourd'hui un point de vue paisible et étendu sur la ville et ses alentours.

LA PORTE DU GUICHET. (XIIIe siècle.) Murée par le duc de Mercœur, chef de la Ligue en Bretagne, lorsqu'il fortifia Dinan, entre 1585 et 1598, la porte ne fut rouverte qu'en 1932. Au pied du château, la rue Tiphaine-Raguenel passe devant la BIBLIOTHÈQUE MUNICIPALE, installée dans le manoir de Ferron (XVIIIe siècle). Elle possède un fonds très important et précieux et abrite aussi le siège d'une publication littéraire et historique, *Le Pays de Dinan*. Elle est entourée d'un joli parc qui jouxte celui du Val-Cocherel (roseraie, minigolf, jeux, etc.).

LA PROMENADE DES PETITS-FOSSÉS ♥. (XVIIIe siècle.) Bordée d'arbres, elle a été aménagée par Charles Duclos-Pinot ▲ *248* sur l'ancienne contrescarpe, énorme rempart de terre qui protégeait la base des murailles contre les assauts de l'artillerie. On passe devant la TOUR DE BEAUFORT (XIIIe siècle), qui faisait partie de l'enceinte primitive de la ville, puis devant la TOUR DU CONNÉTABLE (XVe siècle), qui «ressemble un peu à un énorme chaland, avec son front aiguisé, donnant vaguement l'idée d'une proue» (M.-E. Monier). Entre les deux se dresse le buste de Duclos-Pinot ● *125* sculpté par Jehan Duseigneur en 1842. Tout près se trouvent, deux tourelles : l'une servait à évacuer le fumier des écuries de l'ancien hôtel de la Poste; l'autre a été construite pour loger un escalier accédant jadis à un jardin privé.

ROGER VERCEL (1894-1957)
Cet écrivain ● *134*, originaire du Mans, est nommé professeur de lettres à Dinan en 1920. Il s'intéresse très vite au monde de la mer, interroge et écoute inlassablement les marins de la région. Ces enquêtes lui fournissent la matière de ses romans, qui ont presque tous pour cadre la Rance et la mer. Il obtient le prix Goncourt en 1934 pour son livre *Capitaine Conan*.

LES PLACES DU-GUESCLIN ET DU CHAMP. A l'époque où Du Guesclin ▲ *233* affronta Thomas de Cantorbéry, ce vaste espace, à la fois place d'armes et champ de foire, était entouré de maisons à pans de bois. Le quartier fut reconstruit au XVIIIe siècle, enrichi en 1902 par la statue de Du Guesclin, dont on peut voir une maquette au musée. C'est la seule statue équestre des Côtes-d'Armor. Elle est due au sculpteur Emmanuel Frémiet (1824-1910), également auteur de l'archange

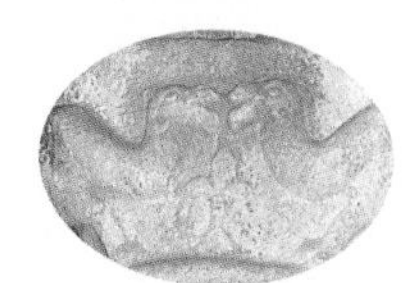

du Mont-Saint-Michel. Une plaque commémorative permet d'identifier, sur la place, la maison de l'écrivain Jean Cordelier (1912-1980). Ici se tient le marché hebdomadaire, le jeudi; on y déguste une spécialité locale : les excellentes galettes-saucisses.

La rue de Léhon. Les hôtels du XVIIIe siècle qui la bordent témoignent d'une époque où se multipliaient les maisons nobles et bourgeoises, reflétant l'aisance des propriétaires et l'activité intense qui régnait à Dinan. On longe le COUVENT DES BÉNÉDICTINES (1662), aujourd'hui CES Roger-Vercel (12, rue de Léhon). On peut en visiter – l'été seulement – le cloître et le chœur, dont la voûte est décorée de fresques. C'est dans cet établissement qu'ont étudié Chateaubriand, le médecin Broussais et tant d'autres.

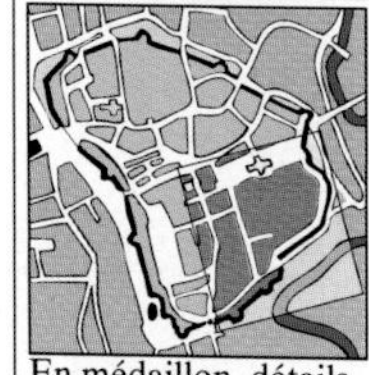

En médaillon, détails de la façade de l'église Saint-Sauveur. Baptistère du XIIe siècle (à gauche) se trouvant dans la chapelle des fonts.

Autour de Saint-Sauveur

L'église Saint-Sauveur ♥. Au XIIe siècle, Rivallon le Roux, seigneur de la famille de Dinan, partit pour les Croisades. Il combattit en Palestine, fut prisonnier des Sarrasins et fit le vœu de construire une église s'il revoyait Dinan. Il revint... la construction du sanctuaire commença, profondément influencée, tant pour l'architecture que pour la décoration, par l'art byzantin. Certains détails ornementaux (dromadaires, lions ailés, sirènes) n'ont pas d'équivalents en Bretagne. Au XVe siècle, l'expansion de la ville nécessita l'agrandissement de Saint-Sauveur. Les travaux durèrent cent cinquante ans et aboutirent au plan actuel de l'église, avec ses quatorze chapelles latérales. Néanmoins le porche, surmonté d'un lion et d'un taureau (attributs de saint Marc et de saint Luc), et le collatéral sud du premier édifice furent tous deux conservés. Pendant la Révolution, l'église, d'abord temple de la Raison, finit par servir, après diverses mésaventures, de grange à foin. Grâce à la prudence des Dinannais, une partie du mobilier échappa à la Terreur. Les œuvres d'art

Les différentes périodes de construction de l'église sont indiquées sur le plan ci-dessus, en gris pour le XIIe siècle, en violet pour le XVe siècle, et en rose pour le XVIe siècle.

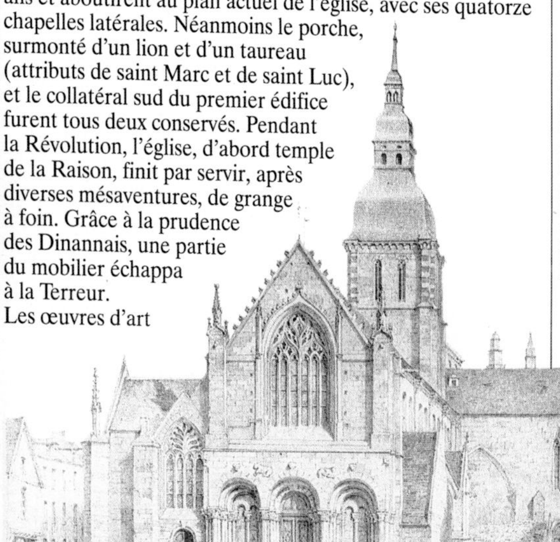

AUGUSTE PAVIE
La renommée de cet explorateur dinannais amène chaque année les touristes vers sa maison (place Saint-Sauveur, ci-dessus), son buste (jardin anglais) ou sa tombe (cimetière municipal). Parti simple soldat, il revint d'Asie du Sud-Est ministre plénipotentiaire. Il consacra à l'Indochine une importante somme intitulée *La Mission Pavie*.

resurgirent et reprirent leur place dans l'église, rendue au culte en 1800. Elle fut classée basilique le 23 mai 1954. Aujourd'hui encore, un nombre important de retables des XVIIe et XVIIIe siècles ornent les différentes chapelles. A gauche, dans la chapelle des fonts baptismaux, une cuve du XIIe siècle est entourée par quatre personnages en tunique dont les têtes manquent : deux retiennent la vasque avec leurs mains, les deux autres la soutiennent avec leur dos. A l'intérieur de la vasque, deux poissons en haut relief symbolisent la nouvelle vie donnée par l'eau du baptême. Les chapiteaux des colonnes du mur intérieur du portail font alterner exotisme et légende : chameaux d'un côté et dragons de l'autre. Dans le bras nord du transept, un grand tableau d'Antoine Rivoulon (beau-frère de Sisley), offert en 1838 par Louis-Philippe, figure la mort de Du Guesclin. On y trouve également le cénotaphe qui contient le cœur de Du Guesclin. Cette pierre tombale du XIVe siècle a été transférée en 1810 du couvent des Jacobins pour être enchâssée dans une maçonnerie de tuffeau. En s'engageant dans le déambulatoire, chapelle après chapelle, on découvre un étonnant mobilier. On peut voir ainsi, dans la chapelle Sainte-Thérèse, une belle Vierge au lys en albâtre, du XVe siècle, provenant des ateliers de Nottingham. Dans la chapelle Saint-François, un bas-relief, en bois stuqué polychrome, représente l'assomption de la Vierge (photo ci-contre); cette pièce se trouvait autrefois au couvent des Cordeliers : «Notre-Dame-des-Vertus appelée, une image ici fut envoyée, par le docteur dit Saint-Bonaventure, où des malades il est fait grande cure», commente une romance du XVe siècle; on pense qu'il s'agit d'une œuvre flamande du XVe siècle. Dans la chapelle Saint-Mathurin, patron des pauvres et des voyageurs, goûter en passant le message de la lumière au travers du vitrail dit

Façade occidentale et chevet de l'église Saint-Sauveur, dessinés par Charles Chaussepied en 1898.

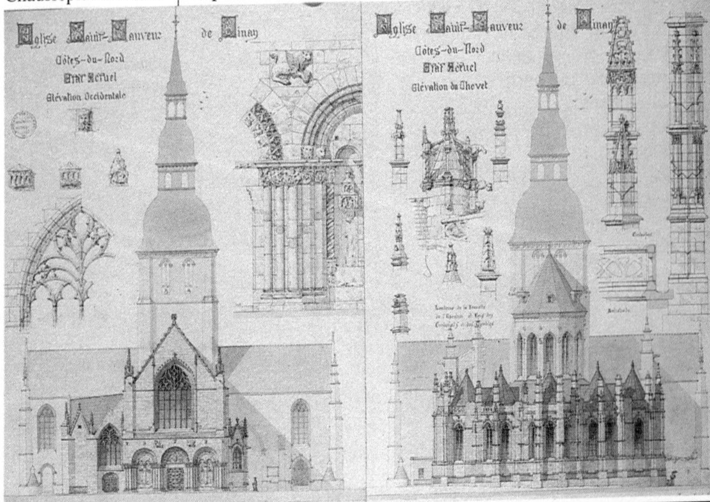

des Evangélistes (XVe siècle). Le maître-autel du chœur (XVIIe et XVIIIe siècles) retient l'attention par son baldaquin monumental et le réalisme du Christ qui le surmonte.

Le jardin anglais. C'est un ancien cimetière paroissial transformé en jardin à l'anglaise au XIXe siècle. De cette

esplanade paisible, de la tour Cardinal (XIVe siècle) ou, mieux encore, de la tour Sainte-Catherine (XIIIe siècle), véritable poste de guet, on a une vue splendide sur le port, le viaduc et la vallée de la Rance. On peut prendre le chemin en lacet qui descend vers le port, puis, en revenant vers le jardin, croiser le sympathique ginkgo aux feuilles en forme d'éventail. Cet arbre, originaire de Chine et datant de l'ère secondaire, est le seul qui ait repoussé au Japon quelques mois après l'explosion de la bombe atomique sur Hiroshima. Tout près, veillent la statue d'Auguste Pavie de Anna Quinquaud (1947) et le buste sur colonne de Charles Néel d'Etienne Maindron (1863). Charles Néel (1762-1851) fut maire de Dinan et joua un rôle important pendant la Révolution. A la chapelle du couvent des Catherinettes ♥ (ancien hospice), on découvrira un retable en trompe l'œil et l'un des joyaux de la ville : le chœur des Religieuses, dont le plafond voûté est recouvert de fresques.

La promenade de la Duchesse-Anne. Cet ancien chemin de ronde domine la profonde vallée de la Rance et mène du jardin anglais au château.

La rue Haute-Voie. Au n° 1, on découvre, après avoir franchi le très beau porche Renaissance dit «du Pélican», l'un des rares *ostels* bourgeois à tourelle de la ville, l'hôtel Beaumanoir (XVIe siècle). Il abrita jusqu'en 1664 le couvent des Catherinettes. Incendié en 1943, il fut restauré et converti en logements sociaux.

Le quartier de l'Apport

La tour de l'Horloge ♥. On ne peut quitter la ville sans monter au beffroi, haut de 60 m. Cent soixante marches d'un escalier de pierre, prolongé par un autre escalier de bois puis par une échelle de meunier, mènent à la plate-forme, d'où un veilleur, autrefois, signalait les incendies. Le regard passe

Vues de Dinan
Dinan incite à la contemplation et à la rêverie. Roger Vercel, amoureux de sa ville d'adoption, s'en fait le guide émerveillé : «Toute visite agréable doit se faire assis. Dinan l'a compris, qui offre des sièges partout où il vaut d'être longtemps admiré [...] Après avoir traversé le jardin [anglais] enrichi d'arbres d'Orient, accoudez-vous longuement au parapet de la tour Sainte-Catherine. Vos yeux flotteront sur un paysage de Nativité flamande, un fleuve sinueux, un pont gothique, une bousculade de toits bleus, des lucarnes à chaperons de crépi blanc, des collines lointaines et douces. En bas, devant vous, la perspective s'enfuit minutieuse, sans rien omettre des cassures rocheuses de la falaise, des arêtes vives, des pignons, des promeneurs menus sur le quai.»

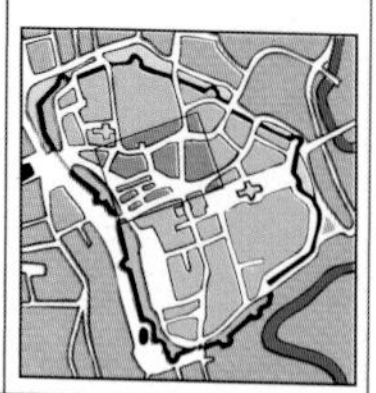

La rue de l'Horloge, «dominée par le heaume aigu de la tour de l'Horloge, dressé au centre des toits abrupts» (Roger Vercel), est l'une des plus pittoresques de la ville. Comme le montre cette aquarelle anonyme du XIXe siècle, nombre de maisons à pans de bois ont conservé leur structure à portiques sous lesquels les marchands pouvaient installer leurs étalages et où l'on s'abritait les jours de pluie.

LA MAISON DU GISANT
Située dans la rue de l'Horloge. Sur une pancarte on peut lire : «Un sculpteur de gisants habitait jadis cette maison.

Le gisant (XIVe siècle) fut découvert lors de la restauration de cette maison. Ces statues mortuaires étaient fabriquées à l'avance; la tête personnalisée ainsi que le blason du mort étaient ajoutés après.»

au-dessus des toits, des rues et des jardins, des remparts, de la Rance, de la campagne... et Dinan apparaît dans toute sa splendeur. La tour de l'Horloge témoigne du développement de la ville au XVe siècle et du rôle prédominant de ses bourgeois. Réunis en conseil au deuxième étage de la tour, ils administraient les affaires de la cité. Le mécanisme de l'horloge fut forgé en 1498 par maître Hamzer, de Nantes. En 1507, cette tour communale avait été dotée d'une cloche, dédiée à la duchesse Anne; refondue en 1906, elle sonne toujours les heures.

LA RUE DE L'HORLOGE ♥. C'est un véritable musée des maisons à pans de bois (n°s 13, 27, 31, 33); celle qui est à l'angle de la rue de l'Apport offre un bon exemple des très anciennes structures à portiques. L'HÔTEL KERATRY (1559), au n° 9, s'élevait autrefois dans le village de Lanvollon (près de Saint-Brieuc). La ville de Dinan le racheta en 1930, alors qu'il tombait en ruine, et le fit transférer en 1938.

LA PLACE DES MERCIERS ♥. C'est là que se trouve le fameux restaurant CHEZ LA MÈRE POURCEL, installé dans une remarquable maison à encorbellements du XVe siècle. On la nomme aussi maison de Saint-Dinan, à cause du personnage sculpté à l'un de ses angles. Entre les rues étroites du PETIT-PAIN et DE LA CORDONNERIE se trouvent

Le peintre P. Raig Hasse a décoré en 1935 la poste d'une fresque murale représentant la porte du Guichet un jour de foire.

les halles, installées dans une sorte de passage bordé d'échoppes depuis des temps immémoriaux.

La rue de la Poissonnerie. Il faut aller voir, au n° 6, l'une des plus anciennes maisons de la ville, avec ses épais murs de granit et ses encorbellements. Une inscription indique sa date de construction : 1494.

Autour de l'église de Saint-Malo

L'église Saint-Malo. La première église, édifiée à l'extérieur des murs, à l'emplacement de l'actuelle chapelle Saint-Joachim, fut détruite au XVe siècle, de peur qu'elle pût servir de bastion à un éventuel assaillant. La première pierre de la nouvelle église fut posée en 1489, la dernière ne l'est pas encore ! A la fin du XVIe siècle, la nef n'avait toujours pas de voûte : avec un toit de chaume, des fissures dues à l'explosion d'une poudrière voisine, l'église faisait pauvre figure. Pendant la Révolution, elle se vit pillée, démantelée, transformée en théâtre puis en forge. Il fallut attendre 1865 pour que la nef soit définitivement couverte et les bas-côtés construits. On attend toujours le clocher. L'intérieur de l'église reste assez dépouillé, les lignes sont pures. On peut y voir des vitraux historiés du début du siècle, un bénitier porté par un diable ployant sous le fardeau (œuvre du sculpteur contemporain dinannais Louis Boucher) et un orgue très original du facteur anglais Oldknow (1889), dont les tuyaux peints en or et en azur sont extrêmement rares. Le maître-autel du chœur, en granit, sculpté en 1955 par Gallée, est situé sur le point le plus haut de la ville.

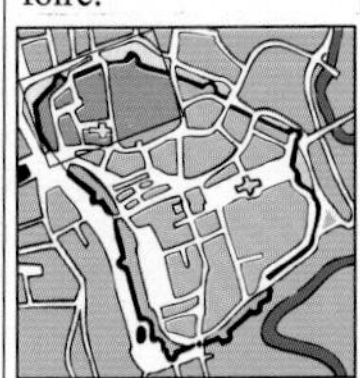

L'église Saint-Malo (ci-dessus sa situation dans la ville) : son architecture extérieure offre un foisonnement d'arcs-boutants et de gargouilles.

Le couvent des Cordeliers. Passer sous le superbe porche d'entrée pour découvrir le cloître, les tourelles de la cour d'honneur et le réfectoire, ancienne salle capitulaire où se sont réunis à plusieurs reprises les Etats de Bretagne. Henri d'Avaugour, seigneur de Dinan, fonda ce monastère franciscain en 1241, au retour d'une croisade pendant laquelle il avait fait le vœu de devenir moine. C'est aujourd'hui un collège privé.

La place Duclos-Pinot. Du nom de ce familier de la cour, académicien, homme de lettres libertin et historiographe de Louis XV.

L'histoire de Dinan racontée en vitraux Nombreuses sont les scènes historiques présentées par les vitraux de l'église Saint-Malo. Celui-ci narre l'entrée à Dinan en 1505, par la porte de Brest, d'Anne de Bretagne, reine de France.

LES ANCIENNES PORTES DE DINAN
Ci-dessous, la porte de Brest, aujourd'hui disparue, peinte en 1881 par Walsh Jackson.

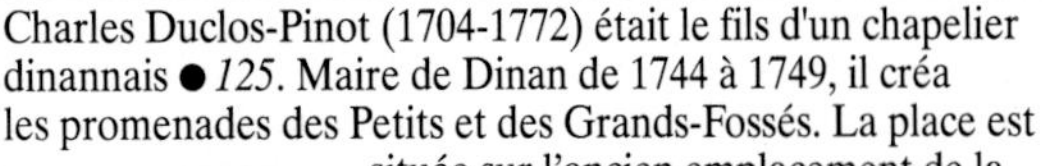

Charles Duclos-Pinot (1704-1772) était le fils d'un chapelier dinannais ● *125*. Maire de Dinan de 1744 à 1749, il créa les promenades des Petits et des Grands-Fossés. La place est située sur l'ancien emplacement de la PORTE DE BREST, détruite en 1880. Cette démolition malencontreuse conduira les pouvoirs publics à classer les remparts, six ans plus tard, à l'inventaire des Monuments historiques. La ville peut, de ce fait, s'enorgueillir de posséder, aujourd'hui, des remparts qui figurent parmi les plus beaux de France, par leur état de conservation et par leur longueur (2 648 m). Le tracé qu'ils occupent actuellement fut fixé au XIIIe siècle; grâce aux plans de l'ingénieur de Vauban, Garangeau, chargé de moderniser les fortifications, on connaît parfaitement leur état au XVIIe siècle. En 1983, une vaste étude fut lancée par les Monuments historiques : la totalité des remparts fut relevée et dessinée à l'échelle. Cette recherche a débouché sur un projet de restauration ambitieux qui propose la reconstruction de certains éléments manquants.

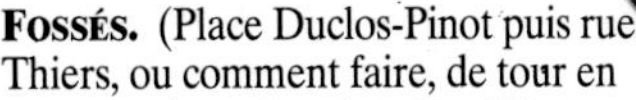

LA PROMENADE DES GRANDS-FOSSÉS. (Place Duclos-Pinot puis rue Thiers, ou comment faire, de tour en tour, une incursion dans l'architecture militaire du XVe siècle.) La TOUR SAINT-JULIEN était à l'origine plus haute et possédait une galerie à mâchicoulis surmontée d'un toit d'ardoises. Mais, transformée en poudrière pendant la Ligue, elle explosa. La suivante, la TOUR DE LESQUEN, ne fut jamais terminée. A proximité, la TOUR BEAUMANOIR est l'une des plus impressionnantes de l'enceinte, avec ses murs de près de 8 m d'épaisseur. C'est par la PORTE SAINT-MALO (XIIIe et XVe siècles) que les armées du roi entrèrent dans la ville en 1598 pour obtenir la reddition du duc de Mercœur. Prendre la rue du Roquet, d'où l'on voit la TOUR DU GOUVERNEUR, qui contrôlait deux entrées de la ville : la PORTE SAINT-MALO et la PORTE DU JERZUAL. Cette tour est aujourd'hui en réfection ainsi que le chemin de ronde, qui permettra bientôt d'aller de la rue de l'Ecole à la rue Michel, offrant une belle vue sur la ville, le Jerzual et la Rance.

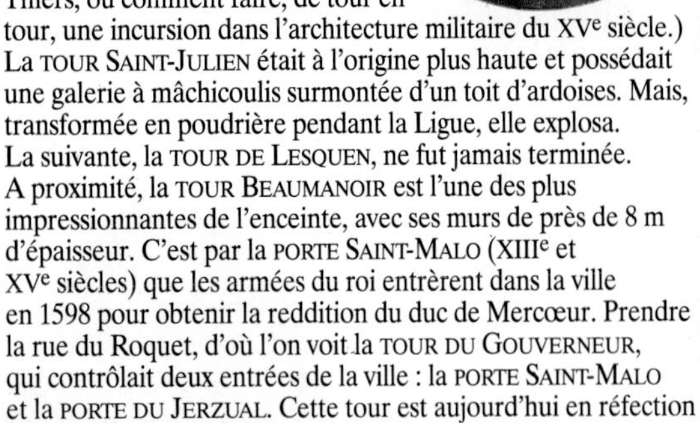

Rue du Petit-Fort, la maison du Gouverneur (n° 24) et le logis d'un tanneur (n°s 49-51).

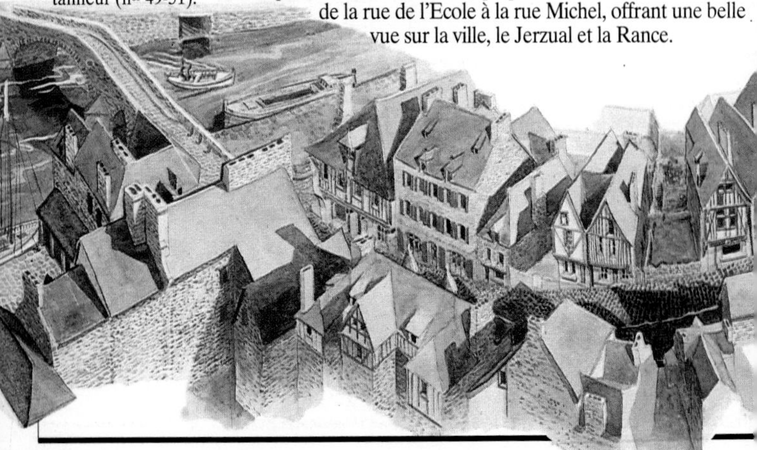

L'ÉTYMOLOGIE DU NOM JERZUAL EST DIFFICILE À DÉTERMINER. IL SERAIT D'ORIGINE CELTIQUE – JARUHEL –, ET SIGNIFIERAIT «RUE HAUTE»

LA RUE DU JERZUAL ET LE PORT

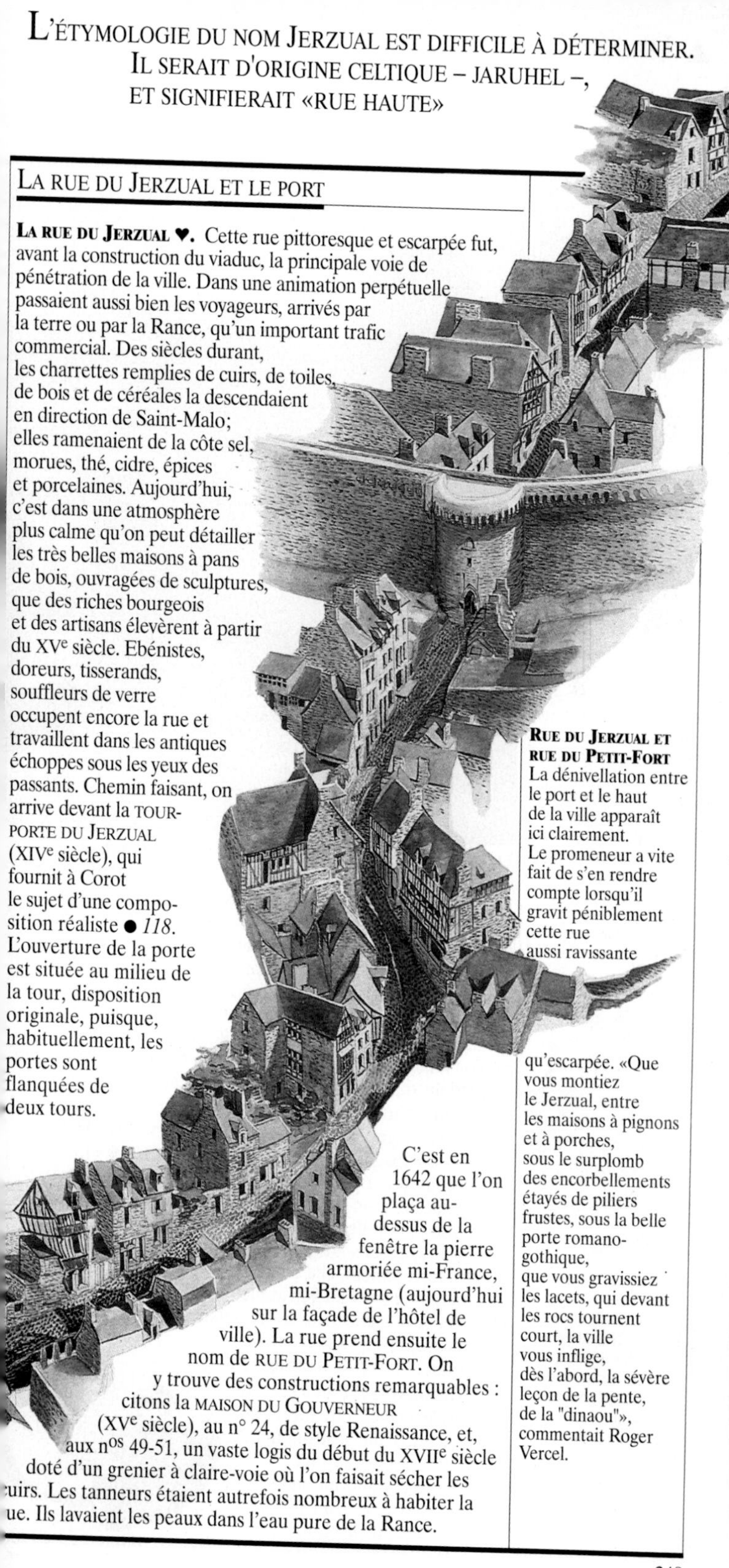

LA RUE DU JERZUAL ♥. Cette rue pittoresque et escarpée fut, avant la construction du viaduc, la principale voie de pénétration de la ville. Dans une animation perpétuelle passaient aussi bien les voyageurs, arrivés par la terre ou par la Rance, qu'un important trafic commercial. Des siècles durant, les charrettes remplies de cuirs, de toiles, de bois et de céréales la descendaient en direction de Saint-Malo; elles ramenaient de la côte sel, morues, thé, cidre, épices et porcelaines. Aujourd'hui, c'est dans une atmosphère plus calme qu'on peut détailler les très belles maisons à pans de bois, ouvragées de sculptures, que des riches bourgeois et des artisans élevèrent à partir du XVe siècle. Ebénistes, doreurs, tisserands, souffleurs de verre occupent encore la rue et travaillent dans les antiques échoppes sous les yeux des passants. Chemin faisant, on arrive devant la TOUR-PORTE DU JERZUAL (XIVe siècle), qui fournit à Corot le sujet d'une composition réaliste ● *118*. L'ouverture de la porte est située au milieu de la tour, disposition originale, puisque, habituellement, les portes sont flanquées de deux tours. C'est en 1642 que l'on plaça au-dessus de la fenêtre la pierre armoriée mi-France, mi-Bretagne (aujourd'hui sur la façade de l'hôtel de ville). La rue prend ensuite le nom de RUE DU PETIT-FORT. On y trouve des constructions remarquables : citons la MAISON DU GOUVERNEUR (XVe siècle), au n° 24, de style Renaissance, et, aux nos 49-51, un vaste logis du début du XVIIe siècle doté d'un grenier à claire-voie où l'on faisait sécher les cuirs. Les tanneurs étaient autrefois nombreux à habiter la rue. Ils lavaient les peaux dans l'eau pure de la Rance.

RUE DU JERZUAL ET RUE DU PETIT-FORT
La dénivellation entre le port et le haut de la ville apparaît ici clairement. Le promeneur a vite fait de s'en rendre compte lorsqu'il gravit péniblement cette rue aussi ravissante qu'escarpée. «Que vous montiez le Jerzual, entre les maisons à pignons et à porches, sous le surplomb des encorbellements étayés de piliers frustes, sous la belle porte romano-gothique, que vous gravissiez les lacets, qui devant les rocs tournent court, la ville vous inflige, dès l'abord, la sévère leçon de la pente, de la "dinaou"», commentait Roger Vercel.

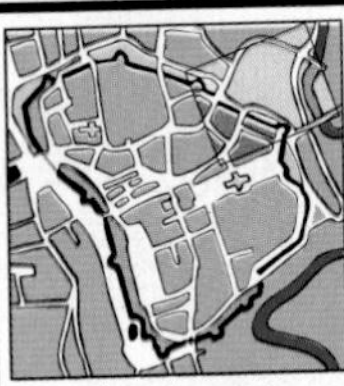

Situation du port
et de la rue du Jerzual
dans la ville
de Dinan.

YVONNE JEAN-HAFFEN rencontra Mathurin Méheut à Paris, en 1925, et devint son élève. A son contact, elle apprit à observer les paysages et les gens de Bretagne; elle se livra même à un inventaire des fontaines bretonnes qui donna lieu à deux publications, en 1964

et en 1979, commentées par Florian Le Roy. Elle sut travailler toutes les techniques : gravure sur linoléum, céramique, gouache, et fresques pour paquebots ● *118*.

LE PORT ♥. «Le petit port avec ses maisons inondées de soleil [...] révélait son véritable caractère [...] Il affirmait l'enchantement authentique qu'invoquent les êtres et la nature. Des rires et des voix venant des terrasses de café [...] étaient les premiers signes de vie. Je m'éloignais pour regarder les voiliers possédés par le soleil et frôlés par le vent, ancrés et confondus dans le paysage magique» (Raquel Watbot). Autrefois au cœur de l'activité de la ville, il a aujourd'hui le charme d'un petit port de plaisance où l'on aime flâner ou rêver assis à une terrasse de restaurant, au pied du viaduc construit en 1852 face au vieux pont.

LA GRANDE VIGNE. Au bout du port, à mi-pente, se trouve La Grande Vigne, maison du peintre Yvonne Jean-Haffen. Elève et compagne de Mathurin Méheut ▲ *317* ● *118*, elle découvrit la Bretagne sur ses conseils dès 1926. En 1937, elle fit l'acquisition de cette maison, qui bénéficie d'une des plus belles vues sur le port. Elle y reçut, entre autres, Roger Vercel, dont elle illustra le roman *En dérive* (1946). Récemment, elle en fit don avec ses œuvres à la ville de Dinan, se reservant son atelier à l'étage. Le rez-de chaussée sera bientôt ouvert au public et une dépendance à l'entrée de la propriété réservée aux peintres français et étrangers.

LES ROSSIGNOLS. Tout à côté de la Grande Vigne, cette ferme-hôtel propose une halte gastronomique. On peut y admirer la vallée de la Rance, depuis un salon de thé où sont exposées les œuvres de jeunes artistes de la région.

«Vue de loin, Dinan apparait au voyageur [...] comme une imposante et fantastique cité placée au milieu des nuages et tenue là par la main de quelque fée»

Benjamin Jollivet

A cinq lieues de la mer
Voici comment un texte de 1635 dépeint le port de Dinan : «la ville de Dinan est située en un terroir fort fertile, d'un côté en pleine campagne et de l'autre sur un précipice au pied duquel flue la rivière de Rance qui, à cinq lieues de là, se décharge en la mer à Saint-Malo. La dicte rivière porte bateaux de quinze et vingt tonneaux deux fois le jour aux flux et reflux de la mer, qui vient presque toutes les marées jusques au port de Dinan, et quelquefois plus d'une lieue au-delà.»

Vue du port en 1830
Ce tableau d'Isidore Dagnan se trouve au musée du Donjon.

Promenades

La fontaine des Eaux. Ravissant berceau de verdure situé dans le vallon d'un affluent de la Rance, l'Argentel. La petite route qui part du port de Dinan est bordée de nombreux moulins ayant appartenu aux nobles et aux chanoines de Saint-Malo. Il fut un temps où l'on y voyait beaucoup de monde. Elle conduit en effet à la fontaine des Eaux, où se trouvait autrefois la source d'eau minérale de Dinan, renommée depuis le XVIIe siècle. Elle fut exploitée tout d'abord à ciel ouvert sous une hotte en maçonnerie. A la fin du XVIIIe siècle, on y construisit un casino de verdure. Un terrible ouragan, en 1929, détruisit l'édifice et, depuis lors, la fontaine des Eaux n'est plus guère fréquentée. Son cadre champêtre est pourtant toujours aussi enchanteur.

«Les Prairies de Léhon» ♥. Il est aussi possible de longer la Rance en partant de l'autre côté du pont, en direction de Léhon : c'est la promenade dominicale des Dinannais. Roger Vercel invite à la savourer comme une méditation sur la nature : «La promenade des prairies, quelque trois kilomètres, unit Léhon à Dinan. Le paysage de la Rance y perd tout caractère à force de perfection. Ce n'est plus une rivière, c'est la Rivière, celle qui s'incorpore toujours au souvenir et au rêve, parce que le long de son cours se réalise par la magie d'une terre heureuse l'harmonie parfaite de l'eau, de la colline, de l'arbre.»

La fontaine des Eaux au siècle dernier.

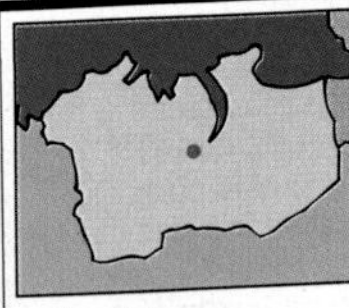

1 heure
1 km

PERSPECTIVE DE LÉHON AU SIÈCLE DERNIER
On peut distinguer, au centre du médaillon, les ruines du prieuré Saint-Magloire, à droite, les tours du château et, à l'arrière-plan, la ville de Dinan.

LÉHON

C'est entre les IXe et Xe siècles que naquit Léhon, petite bourgade nichée dans un méandre de la Rance. Le rétrécissement du fleuve à cet endroit et l'existence d'une butte naturelle très escarpée incitèrent les moines à fonder un monastère près du nouveau pont et les seigneurs de Dinan à construire sur les hauteurs une forteresse de bois. Au XIIe siècle, un château de pierre lui succéda, qui, pendant trois cents ans, dut résister à de nombreux sièges. Aujourd'hui, ses ruines demeurent imposantes et dominent de leur silhouette efflanquée le site de l'abbaye.

LE PRIEURÉ SAINT-MAGLOIRE ♥. Au IXe siècle, Nominoé, roi de Bretagne, donna les terres de Léhon à six moines pour qu'ils y élèvent leur abbaye. Afin de s'attirer la protection du souverain, les religieux allèrent voler les reliques de saint Magloire dans l'île de Sercq (à l'est de Guernesey), pratique courante à l'époque! Sitôt l'église construite pour abriter le saint, les pèlerins accoururent. Le défrichage permit de nombreuses cultures, un village apparut autour de l'abbaye, une ère de prospérité s'ouvrit... qui dura jusqu'à l'invasion des Normands, un siècle plus tard. Alors ce fut l'exode vers Paris. Au début du XIe siècle, quelques moines revinrent et rebâtirent le couvent. Le premier abbé commenditaire arriva à Léhon en 1440. Des bénédictins de la congrégation de Saint-Maur s'installèrent au XVIIe siècle : ils agrandirent l'abbaye, modifièrent le CLOITRE (recouvert côté est de greniers et de mansardes) ainsi que le RÉFECTOIRE (XIIIe siècle), qu'ils percèrent de larges verrières à meneaux. (Tout récemment, le réfectoire a été orné de vitraux de Gérard Lardeur; des concerts de musique classique s'y tiennent parfois.) Mais, en 1766, Louis XV ordonna à la congrégation de fermer ses couvents habités par moins de dix moines. A la Révolution, l'abbaye servit successivement de magasin

Détail de la façade de l'église de Léhon.

Dans l'église se trouve le gisant de Jean III de Beaumanoir, sculpté au XIVe siècle sur ordre de son frère, Robert, injustement accusé de fratricide.

Jean V de BEAUMANOIR assassiné par Rolland Moysan et Geoffroi Robin, à l'insligation de Pierre de Tournemine le 14 Février 1385.

«(... Moult effroi fû a Dinan, quant avint que le mardrisseur Rolland tolli a Beaumanoir la vie en le ferant de deux cops de hache sur son chef.... Or donc sachiez quant tel recil arriva a Robert frère du deffunt, grant deuil porta a son manoir et cil jura que vengeroit telle félonie. Portant ordonna grant et bel accoutrement de deuil a honour de son frère deffunt, et son corps porté fû en la chapelle des Beaumanoir, en l'abbaye de Lehon proche la cité de Dinan; et illec fit venir habile statuaire pour illec ouvrer la statue du mort....» *(Chronique de 1410.)*

Le vrai coupable était Rollant Moissan, un métayer de la victime. Une plaque scellée au-dessus du gisant évoque la cruelle méprise et rétablit la vérité.

Dinan
vu de Léhon

militaire et de tannerie. En 1897, après des années de restauration, l'ÉGLISE ABBATIALE fut rendue au culte. On y pénètre par un beau portail roman pour découvrir à l'intérieur huit gisants de la famille des Beaumanoir, placés de part et d'autre de la nef, et une cuve baptismale du XIIIe siècle, où l'on aiguisait et bénissait autrefois les faux avant les moissons. Une porte, au nord de l'église, ouvre sur le cloître. L'ancien pressoir de l'abbaye abrite aujourd'hui la mairie.

Les ruines du château de Léhon confèrent au paysage un charme romantique. Elles inspirèrent plus d'un artiste au XIXe siècle.

LE CHÂTEAU. «A une portée de fusil de l'église s'élève le château de Léhon, au sommet d'une éminence dont l'escarpement naturel paraît avoir été rendu à dessein plus difficile» (Prosper Mérimée). Construit sur une motte féodale, en l'an mille, il a subi plusieurs transformations jusqu'au XVe siècle. Point stratégique, il fut le théâtre de nombreux combats, dont celui des frères ennemis Eudon et Alain, fils du duc Geoffroy Ier de Bretagne. Au XVIIe siècle, comme il ne présentait plus d'intérêt stratégique, Richelieu ordonna son démantèlement. Une partie des pierres servit aux moines pour réparer leur prieuré, une autre à paver la rive gauche de la Rance. Il ne subsiste plus que les ruines de sept tours.

LE PONT. Dans le village, le pont aux Anes permettait aux moines de contrôler la Rance, mais surtout de percevoir un péage, qui fut maintenu jusqu'en 1767.

LES PROMENADES ♥. L'auberge de jeunesse de Dinan a mis sur pied un itinéraire qui suit la rive gauche de la Rance : une boucle de 12 km au total qui permet de longer la rivière de Dinan jusqu'au bois de Tressaint.

LAVANDIÈRES À L'ŒUVRE DEVANT LE VIEUX PONT AUX ANES
La tradition raconte que les moines avaient trois tourments : le roquet (pente abrupte qui mène à Dinan), le traquet (bruit du moulin voisin) et le caquet (bavardage des lavandières).

Façade du réfectoire de l'abbaye dessinée en 1903 par E. Brunet. (lavis et plume).

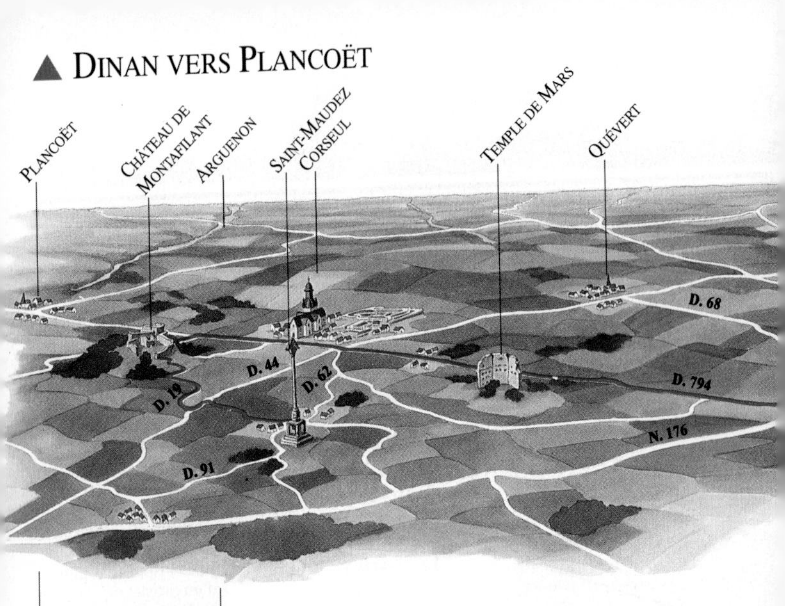

⏱ 2 heures
🚗 15 km

De très nombreux tessons de poteries ont été retrouvés. Certains portent des signatures qui permettent de les dater exactement.

APPLIQUE EN BRONZE GALLO-ROMAINE
(A droite.) Elle ornait un vase métallique du Ier-IIe siècle ap. J.-C. Dans les murs des maisons de Corseul, le réemploi de «petit appareil» est fréquent. Témoin de cette vieille pratique : une colonne romaine placée à l'horizontale au milieu de petits moellons.

CORSEUL ♥

Ce petit bourg et ses alentours recouvrent les ruines de la capitale des Coriosolites, l'un des peuples celtes de l'Armorique, qui occupaient cette partie de la côte Nord ● 56. Photos aériennes et fouilles ont révélé une agglomération gallo-romaine qui s'étendait sur 110 ha environ et comptait de 8 000 à 10 000 habitants. Cette cité, érigée *ex nihilo* au début du Ier siècle ap. J.-C. par l'administration romaine, devait supplanter l'ancienne capitale administrative indigène Alet ▲ *180*. Le choix du site fut déterminé par sa position centrale au sein du nouveau territoire économique de la *civitas,* près de l'ancienne voie gauloise. Un réseau routier en étoile relia très vite Corseul aux autres chefs-lieux. Ville ouverte, dépourvue de murailles ou d'avant-postes fortifiés, Corseul fut peu à peu délaissée à la fin du IIIe siècle, lorsqu'une période de troubles agita la Gaule, notamment lors des grandes invasions venues de la mer.

L'ÉGLISE. Elevée au centre de la ville antique et du bourg actuel, elle possède un porche du XVe siècle. A l'intérieur, une stèle funéraire porte l'inscription suivante : «Monuments consacrés aux dieux manes; à Silicia Namgidde, de maison africaine, [qui] a suivi son fils avec une rare affection, repose ici, [et] a vécu soixante-cinq ans, Caïus Flavius Ianvarius, son fils, a dressé [ce monument].» Près de l'entrée, des cariatides soutiennent une cuve baptismale du XIIe siècle.

MUSÉE. Fondée en 1957 par le docteur Guidon, la Société archéologique de Corseul a créé un musée en 1977, installé dans l'actuelle mairie, l'ancien presbytère. Il regroupe tous les objets découverts sur le site de la ville ou dans les environs. La présentation, toute pédagogique, organise la visite en quatre salles : l'une est consacrée aux époques préceltique et celtique; dans la suivante, on peut voir des photos aériennes et la reconstitution d'un habitat; la troisième retrace la vie quotidienne à l'époque gallo-romaine et la dernière abrite la collection personnelle d'un frère de la congrégation de Ploërmel, Paul Ricordel, qui enseigna à Corseul de 1942 à 1954. Passionné d'archéologie, il rassembla une belle collection de monnaies, outils, statuettes, etc.

JARDIN DES ANTIQUES. Jardin de la mairie, dans lequel la société archéologique a regroupé des fûts de colonnes romaines retrouvés dans les environs. A proximité, des fouilles ont mis au jour un quartier commerçant de l'ancienne cité.

TEMPLE DE MARS. «Je suis allé visiter une ruine voisine qu'on appelle dans le pays le temple du dieu Mars. Elle est située sur une colline à une demi-lieue de Corseul. C'est une muraille élevée d'une trentaine de pieds, à petit appareil très régulier» (Prosper Mérimée). Il ne reste aujourd'hui que la *cella* octogonale de ce grand temple, sans doute dédié à Mars, qui était organisé autour d'une grande cour d'accueil pour les pèlerins.

CHÂTEAU DE MONTAFILANT ♥. Construit au XIIe siècle par les vicomtes de Dinan, il devait ensuite appartenir à la gouvernante d'Anne de Bretagne, Françoise de Dinan. On voit encore les vestiges de deux tours : un escalier qui y conduit et un pan de muraille. Si ces ruines sont peu spectaculaires, la petite vallée en contrebas enchantera le visiteur.

SAINT-MAUDEZ

Maudez, fils d'un roi d'Irlande, arriva en Bretagne au VIe siècle. Dans le cimetière du village, sa statue figure encore à côté d'un CALVAIRE du XIIIe siècle, attribué aux templiers, dont les personnages agenouillés représenteraient la hiérarchie de l'ordre (chevaliers, frères, dignitaires).

LE TEMPLE DE MARS
Situé à 1 km au sud-est de Corseul, l'édifice serait peut-être à l'origine de l'appellation du Haut-Empire *Fanum Martis* pour désigner la ville gallo-romaine. Ce nom apparaît sur la table de Peutinger, une carte routière rudimentaire, copiée d'un original du IIIe siècle, sur laquelle figurent les principales villes de l'Empire romain. L'humaniste allemand Conrad Peutinger la posséda au XVIIe siècle, d'où son nom.

PAUL RICORDEL (1898-1967)
Ce frère de Ploërmel découvrit les joies de l'archéologie en Egypte, où il enseigna au début de sa carrière. A Corseul, il consacra tous ses loisirs aux fouilles. Intrigué par un arbre de la cour de l'école, dont une partie des branches se développait moins que l'autre, il creusa et découvrit un puits rempli d'objets gallo-romains.

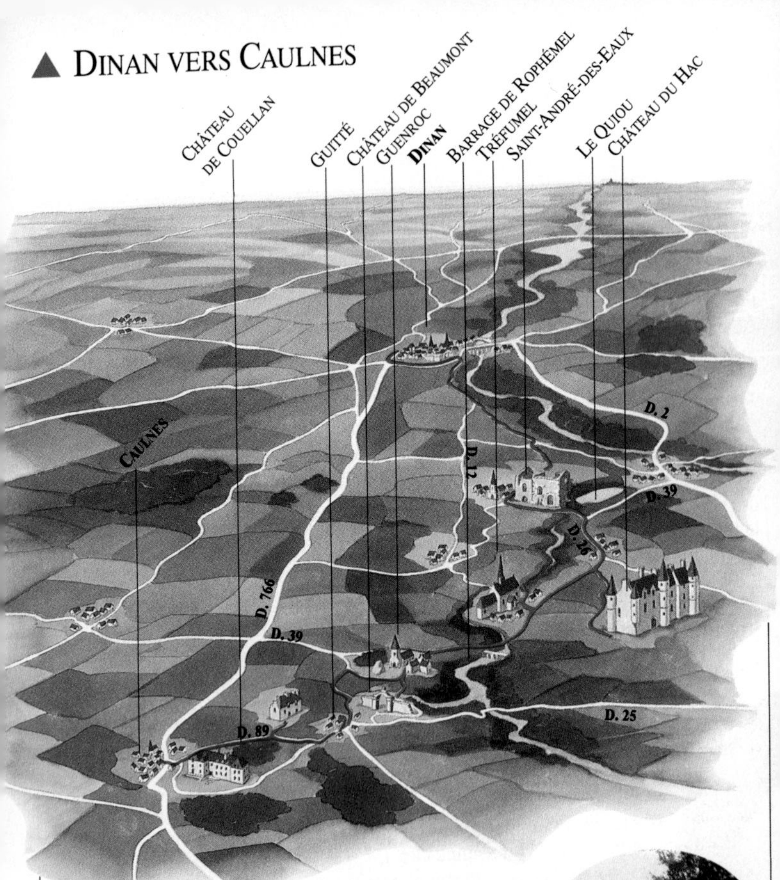

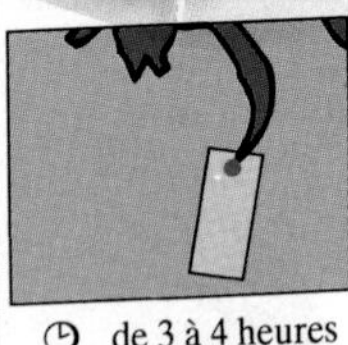

de 3 à 4 heures
35 km

LES SECRETS DE LA TOUR DU HAC
Dans la tour nord, une petite chapelle, avec son autel et sa voûte d'origine, a la particularité de posséder un guichet... pour suivre la messe discrètement depuis la chambre seigneuriale!

SAINT-ANDRÉ-DES-EAUX

L'ÉGLISE ROMANE ♥. «Abandonnée sur une presqu'île, parmi des tombes verdies, une église du XIIe s'est débarrassée de son toit et de quelques pans de murs, afin de laisser entrer le ciel et les branches. Les morts y venaient en barque. Dans le grand bénitier on trouvait souvent des anguilles et des brochets, et le recteur, après les pluies, demeurait comme dans une tour d'ivoire, cinq à six jours à l'abri du monde» (Roger Vercel). Autrefois décorée de fresques, l'église achève de tomber en ruine, sous son if séculaire, au milieu du marais. On peut y aller à pied par un chemin charmant, qui longe un étang.

LE QUIOU

Cette commune ainsi que Tréfumel et Saint-Juvat sont situées sur ce qu'on appelle LA MER DES FALUNS (en page de droite).
CHÂTEAU DU HAC ♥. Une silhouette hautaine, un corps de logis élancé, cinq fines tourelles, ce manoir médiéval du milieu du XVe siècle, demeure d'un certain Jean Hingant, conseiller du duc de Bretagne François Ier, est un témoin intact des grandes heures du Moyen Age gothique. Jean Hingant arrêta Gilles de Bretagne dans son château du Guildo en 1446 ▲ *288*, ce qui lui valut la disgrâce quatre ans plus tard. On lui doit le manoir actuel, élevé entre 1440 et 1448 et dépourvu de tout système défensif : il s'agissait d'une retraite campagnarde, située au centre d'un riche domaine agricole. Le logis comprend trois unités, dont une tour-

maison, de construction antérieure. La tour centrale dessert les étages. Chaque niveau comprend une grande salle et deux chambres, avec commodités, logées dans les tours. Au rez-de-chaussée, la salle basse était le théâtre de la vie quotidienne du domaine, avec une immense cheminée et, non loin, les cuisines. Le premier étage était réservé aux hôtes de marque.

Au dernier étage vivaient la famille et les proches. La légende veut qu'un trésor (un jeu de quilles en or massif, qui aurait donné son nom au village) soit caché dans les souterrains.

TRÉFUMEL

Ce petit village possède l'une des plus attachantes églises (an mille) de la région, flanquée de son vieil if. Les ducs de Bretagne prenaient soin de ces arbres qui fournissaient un bois idéal pour les arcs et les flèches. A noter la porte ouest, du XVIe siècle, et le porche sud, à banquettes. Dans le bourg, quelques maisons cossues, des XVIIe et XVIIIe siècles, sont le reflet d'une économie qui tirait sa prospérité de la culture du lin.

GUENROC ♥

Guenroc (prononcer «Guinrô») signifierait «roche blanche» : un massif de quartz blanc domine le village. Au milieu de ce bourg paisible, l'église, du XVe siècle, est entourée de maisons anciennes. Dans l'ÉGLISE, outre un bénitier du XVe siècle à double bassin, on remarquera une statue du XVIIIe siècle appelée *Le Diable de Guenroc* : saint Michel est figuré terrassant un Satan rouge et noir, dont les mères menaçaient autrefois leurs enfants désobéissants... Non loin de là, le BARRAGE DE ROPHÉMEL, mis en eau en 1937, forme un lac artificiel de 6 km qui approvisionne la ville de Rennes.

GUITTÉ ♥

Avant d'arriver à Guitté, surplombant la Rance, se détache le CHÂTEAU DE BEAUMONT (voir ci-contre). Plus loin, sur la route de Caulnes, on aperçoit le CHÂTEAU DE COUELLAN (privé) ♥, robuste construction du XVIIe siècle, entourée d'un parc, d'une chapelle et d'une orangerie.

LA MER DES FALUNS
Il y a quinze millions d'années, elle séparait la Bretagne du continent. Puis, en se retirant, elle laissa un gisement appelé «sablon» s'étendant sur plus de 600 ha. Il s'agit de calcaires chargés de coquillages, de coraux et d'animaux marins fossilisés. Les calcaires les plus friables servaient autrefois à amender les terres. Les calcaires compacts, très riches en carbonate de chaux, étaient soit traités dans des fours à chaux, soit utilisés comme matériau de construction. Cette pierre, très facile à travailler, permit aux artisans de la région de sculpter corbelets et souches de cheminées.

LES RICHESSES D'UNE ÉGLISE RURALE
A l'intérieur de l'église de Tréfumel, les statues des saints protecteurs de la vie rurale, les bannières et les retables contribuent à créer une atmosphère de recueillement. Au-dessus de la sacristie (ajoutée au XVIIe siècle), une tribune domine le chœur.

LE CHÂTEAU DE BEAUMONT
Cet édifice (privé), du XVe siècle, était la résidence d'été des évêques de Saint-Malo. On peut voir ici sa porte d'entrée, encadrée de deux tours gothiques.

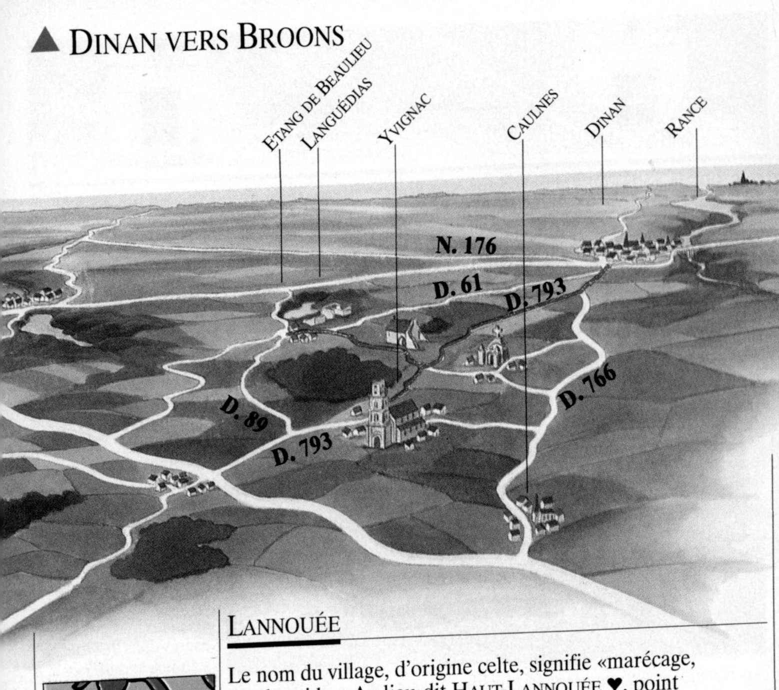

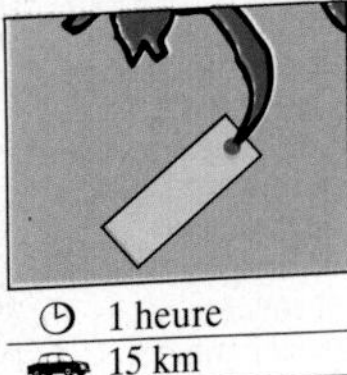

1 heure
15 km

LES ORDRES MILITAIRES
L'ordre des Templiers a été fondé par des croisés français, à Jérusalem, en 1118. Condamné par le pape Clément V, l'ordre disparut en 1312. Ses possessions passèrent aux chevaliers de Saint-Jean de Jérusalem, (des hospitaliers), puis à l'ordre de Malte.

LANNOUÉE

Le nom du village, d'origine celte, signifie «marécage, lieu humide». Au lieu-dit HAUT-LANNOUÉE ♥, point le plus élevé de la commune, la petite chapelle qui s'élève au milieu de la lande est chargée d'histoire. Elle dépendait au XIIe siècle d'un temple annexe de la grande commanderie templière de La Guerche, puis passa aux mains d'hospitaliers au XIVe siècle. Au cours des XVIIe et XVIIIe siècles, elle fut abandonnée aux soins des fermiers généraux jusqu'à sa vente comme bien national, en 1799. La nef a disparu. Dans le chœur, on remarque des vestiges de peintures murales.

YVIGNAC

L'ÉGLISE ROMANE ♥, particulièrement imposante pour un simple village, constitue une énigme : est-elle l'œuvre des templiers, d'un seigneur généreux, ou bien simplement la trace d'un ordre religieux disparu ? La tour du clocher, peu banale, fut édifiée entre 1868 et 1874. Les lourds piliers carrés de la nef (XIe siècle) sont surmontés de chapiteaux aux motifs mêlant des visages, des monstres, des animaux et des fougères. Du mobilier d'origine, il reste quelques statues, dont une belle Vierge à l'Enfant du XVe siècle, une cuve baptismale et un bénitier.

LANGUÉDIAS

L'ABBAYE ET L'ÉTANG DE BEAULIEU. Seuls quelques bâtiments (maison conventuelle, ferme, abbatiale), tous propriétés privées, subsistent de cette abbaye fondée par Rolland de Dinan, au XIIe siècle, à l'endroit où une image de la Vierge avait déjà accompli nombre de miracles. En 1791, excédés par les charges que faisaient peser sur eux les moines, les paysans attaquèrent l'abbaye. L'ÉTANG ♥, creusé au XVIIe siècle, est aujourd'hui le plus beau vestige de ce passé. Il attire pêcheurs et amateurs de planche à voile. Près d'une digue se dresse un moulin portant les armoiries des abbés de Beaulieu.

Dinard et ses environs

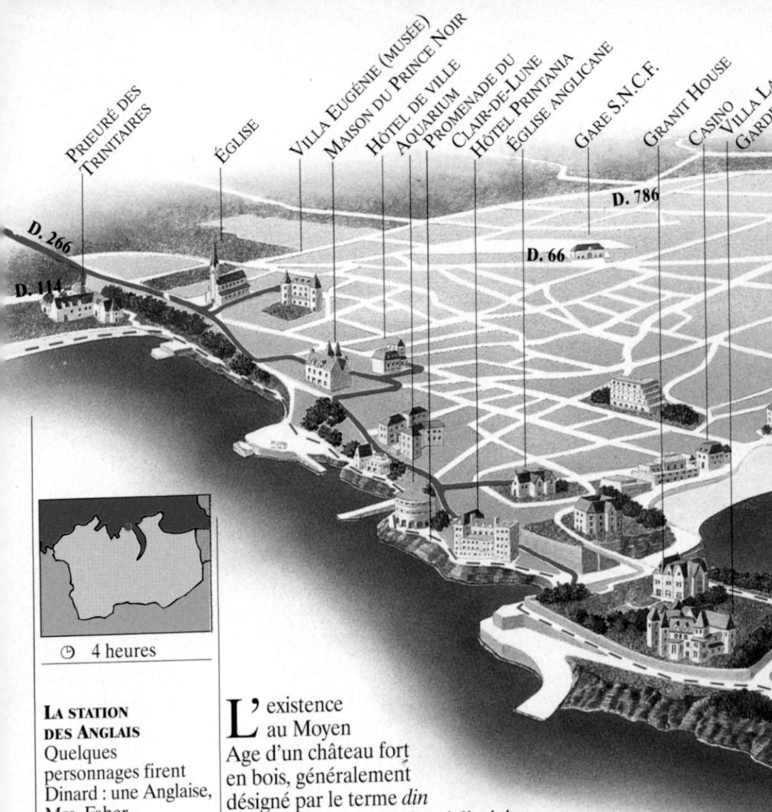

4 heures

La station des Anglais
Quelques personnages firent Dinard : une Anglaise, Mrs. Faber, découvrit le site dès 1852; le préfet Paul Féart (en bas) en assura la promotion quelques années plus tard. Le succès et la renommée de Dinard reposèrent ainsi sur la communauté anglaise, qui marqua le développement de la station, en inaugurant, en 1879, le premier tennis-club de France, puis un golf, des clubs privés ainsi que l'unique église anglicane de la région.

L'existence au Moyen Age d'un château fort en bois, généralement désigné par le terme *din* (forteresse), pourrait être à l'origine du nom de Dinard. Avant de devenir une célèbre station balnéaire, ce petit village de quatre cent cinquante pêcheurs, terre-neuvas pour la plupart, dépendait de la commune de Saint-Enogat et se limitait à quelques maisons passées à la chaux, un moulin et une redoute. C'était le point de passage obligé vers Saint-Malo, et toutes les toiles de Quintin utilisées par les terre-neuvas y étaient embarquées sur des gabares à voiles. Dinard dut son premier essor à la femme d'un gentleman anglais, Mrs. Faber (à droite), qui, séduite par le climat et l'emplacement du village, y loua la villa Beauregard à partir de 1852, puis fit construire en 1857-1858 la villa Sainte-Catherine. A son tour, un riche Américain, M. Coppinger, s'établit à Dinard. Et le mouvement ainsi lancé suffit à attirer un grand nombre de touristes anglais qui jusque-là séjournaient

à Dinan, à Avranches ou même à Pau, ainsi que la haute bourgeoisie parisienne. En 1860, le préfet Paul Féart, enchanté par l'été qu'il venait de passer à Dinard, décida de promouvoir le développement de la station. Les constructions se multiplièrent alors au fil des saisons estivales. L'arrivée, en août 1873, du comte libanais Joseph Rochaïd Dadhah donna un nouveau souffle à la station. Il acheta une centaine de terrains constructibles et fit élever sa villa des Deux-Rives sur la pointe du Moulinet.

Une architecture cosmopolite. L'insouciance et le cosmopolitisme d'alors influencèrent l'architecture même de la ville, caractérisée par un mélange peu conventionnel et fantaisiste de tous les styles et matériaux possibles : colombages, tourelles, vitraux, vérandas, bois, granit et stuc peuvent se côtoyer sur une même façade. A partir de 1892 se développe un style «maritime» dont le but ultime est de voir et d'être vu. La première réalisation de ce genre fut la villa Crystal, sur la plage de l'Ecluse (voir ci-contre). Les années de l'entre-deux-guerres furent marquées par la construction du quartier de La Vicomté, surnommé à l'époque le «Longchamp de Dinard», et l'apparition d'un nouveau style architectural. Parmi les réalisations marquantes de cette période, citons l'hôtel Granville, avec sa coupole, le Gallic, premier building de la région, d'inspiration coloniale. La crise de 1929 allait sonner cependant le glas de la belle époque : les Américains, ruinés, restèrent sur leur continent, tandis que les Anglais, victimes d'une nouvelle loi qui leur interdisait de dépenser leurs devises à l'étranger, regagnèrent leur île; la vague des congés payés, en 1936, finit de chasser définitivement les familles fortunées, qui dès lors s'installèrent sur la Côte d'Azur. L'architecture est aujourd'hui le meilleur témoin de cet âge d'or dinardais.

La villa Crystal
Ce bâtiment de verre surmonté d'une haute tour, inspirée par le *Crystal Palace* de Londres et par la tour Eiffel, fut construit en 1892. Transformé en 1894 en casino puis en hôtel, il abrita, outre des spectacles et des jeux, un cercle littéraire et artistique. L'hôtel servit d'hôpital durant la Seconde Guerre mondiale, avant de devenir un centre hydrothérapique. Privé de sa tour, que les marins prenaient souvent pour un phare, il finit par être détruit et remplacé par un hôtel, qui, de l'ancien édifice, ne conserva que le nom.

La coiffe des Dinardaises
Les femmes de Dinard portaient une curieuse coiffe ornée d'une crête plissée qui la fit surnommer «coq» ● 72.

LE COMTE LIBANAIS JOSEPH ROCHAID DADHAH
Descendant d'une famille française installée au Levant depuis les croisades, il fut pour Dinard un véritable promoteur immobilier à la fin du siècle dernier. On le voit ici chevaucher aux côtés du comte d'Albert Lake.

Le château du Prince-Noir (ci-dessus) fait face à la villa Sunnyside (à droite), dont la façade en bois était ornée, au début du siècle, de statues de saints.

LES CURIOSITÉS DINARDAISES

LE PRIEURÉ DES TRINITAIRES. En bordure de la plage du Prieuré (accessible à partir du rond-point des Buttes) se trouve l'ancien couvent créé en 1324 par Olivier et Geoffroy de Montfort. Capturés par les Turcs alors qu'ils étaient en croisade, ils furent libérés grâce à l'intervention des religieux de l'ordre des Trinitaires, qui acquittèrent leur rançon. En signe de reconnaissance, les deux frères firent bâtir ce prieuré qui, cinq siècles durant, accueillit malades et voyageurs. Sa chapelle, restaurée, abrite les cendres de ses fondateurs.

LA VILLA EUGÉNIE, SIÈGE DU MUSÉE CANTONAL DU PAYS DE DINARD. Cette villa à quatre tourelles fut bâtie en 1867 par M. Pichot pour recevoir l'impératrice Eugénie. Mais, suite à une dispute futile avec Napoléon III, celle-ci n'y vint jamais. La villa prit néanmoins son nom et abrite un musée qui organise des expositions sur l'histoire balnéaire de Dinard.

LA MAISON DU PRINCE-NOIR. C'est un manoir à double tourelle du XVe ou XVIe siècle. L'origine de son appellation demeure mystérieuse. La légende voudrait qu'il ait appartenu au prince de Galles Edouard (1330-1376), surnommé le Prince Noir, à cause de la couleur de la cuirasse qu'il portait pendant la guerre de Cent Ans; mais la construction, postérieure de deux siècles, rend cette hypothèse caduque. Il s'agit plus probablement d'une déformation

AU MUSÉE DE LA MER ET A L'AQUARIUM, OUTRE LA FAUNE ET LA FLORE MARINES DE LA RÉGION, ON PEUT DÉCOUVRIR LES SOUVENIRS DU COMMANDANT CHARCOT.

du nom de château Noir que la maison porta jusqu'en 1882.

LE GRAND HÔTEL (46, avenue George-V). M. Duvignaud, limonadier à Rennes, entreprit la construction du premier hôtel de Dinard en 1859. Il abrita, en 1863, entre autres personnalités, J.-J. de Cambacérès, duc de Parme, et Ernest Renan. L'immense terrasse de l'établissement (réservée aux clients) domine la promenade du Clair-de-Lune, avec vue sur l'estuaire de la Rance et la tour Solidor. Seuls le restaurant et le bar sont ouverts aux visiteurs de passage.

L'ÉGLISE ANGLICANE DE SAINT-BARTHÉLÉMY (rue Faber). Elevée en 1869 sur un terrain donné à cet effet par W. S. Faber, elle fut financée par la colonie anglaise de Dinard. C'est la seule église anglicane de la région. Elle abrite un orgue aux étonnants tuyaux peints, réalisé en 1894 par le facteur londonien Alfred Oldknow.

LE MUSÉE DE LA MER ET L'AQUARIUM (17, avenue George-V). L'architecte malouin Yves Hemar ▲ *187*, l'un des inventeurs du style néo-breton, innova en construisant cet édifice en rotonde qui abrite aujourd'hui un agréable petit musée, un aquarium et le Laboratoire maritime de Dinard. Outre la faune et la flore marines de la région, pêchées chaque année par le bateau du laboratoire maritime et remises à la mer en fin de saison, le musée expose les souvenirs du commandant Charcot.

LE GENTLEMAN POLAIRE

Dès son plus jeune âge, Jean-Baptiste Charcot, fils du célèbre neurologue de la Salpêtrière, s'intéresse à la navigation. Cependant, respectueux de la volonté paternelle, il se lance dans une carrière de médecin puis de biologiste. Après la mort du professeur, il devient médecin auxiliaire de la flotte et part, pour sa première mission officielle, en 1902, étudier les pêcheries de l'île Jan Mayen dans l'Arctique (terre norvégienne alors fréquentée par les baleiniers). La même année, il fait construire, à ses frais, dans les chantiers Gauthier, à Saint-Malo, un bateau d'exploration polaire, le *Français*, et finance péniblement, grâce à une souscription, une expédition dans l'Antarctique. Le départ a lieu le 31 août 1903, à Brest. Jusqu'au 15 février 1905, l'équipage explore les îles et les côtes situées au sud de l'archipel des Shetland jusqu'à la terre de Graham.

Marin-Marie fut soutier puis gabier sur le *Pourquoi-pas ?* Il rapporta de ses voyages nombre de croquis et d'aquarelles.

LE QUARTIER BRIC-À-BRAC

Le colonel Hamilton, visitant pour la première fois une villa qu'il devait acheter à Mrs. Faber, s'était écrié : «Quel bric-à-brac!» Non seulement l'expression est restée, mais elle est même devenue l'appellation cocasse de tout le quartier situé entre le bec de la Vallée et l'anse du Prieuré.

Les deux bateaux du commandant Charcot furent construits dans les chantiers Gauthier, à Saint-Malo.

Fort de sa première expédition dans l'Antarctique, Charcot bénéficie, à son retour, de nombreuses aides officielles pour la construction du célèbre *Pourquoi-pas?*, un trois-mâts, barque à coque renforcée, abritant dans ses flancs trois laboratoires et deux bibliothèques. Appareillée du Havre le 15 août 1908, l'équipe scientifique poursuit l'exploration de la terre de Graham et de l'île Adélaïde. A son retour, le bateau est transformé en laboratoire flottant pour l'Ecole pratique des hautes études, puis en navire-école pour les futurs capitaines au long cours. Après guerre, Charcot récupère son *Pourquoi-pas?* et se consacre à des campagnes en mer du Groenland. Il quitte Saint-Servan pour la dernière fois le 14 juillet 1936 et disparaît le 16 septembre au large d'Aftanes, en Islande, pris par une tempête. Un seul homme survécut; l'épave ne fut retrouvée qu'en 1986.

Les grandes baies vitrées de l'hôtel-restaurant Printania ouvrent sur le port de pêche du bec de la Vallée.

Intérieur de la villa Monplaisir, du temps où Mrs. Hugues Hallet était la «Reine de Dinard».

L'HÔTEL PRINTANIA (5, avenue George -V)**.** Cet hôtel, construit en 1920, présente un décor kitsch extraordinaire : meubles rustiques de la Bretagne tout entière, portes de lits-clos transformées en bas-reliefs vont à l'unisson avec le costume fouesnantais des serveuses. La salle à manger et ses grandes baies vitrées offrent une vue plongeante sur le port de pêche du bec de la Vallée et sur Saint-Malo. Une étape gastronomique qui ne manque pas de charme insolite.

LA VILLA MONPLAISIR (47, boulevard Féart)**.** L'hôtel de ville de Dinard n'est autre que la demeure de Mrs. Hugues Hallett, qu'on appelait la «Reine de Dinard». «Pendant la saison touristique, elle donnait un dîner de trente personnes tous les soirs dans sa villa et aussi un bal de trois cents invités toutes les semaines», commente G.-L. Pringué ● *134* dans *Trente ans de dîners en ville*.

LA REINE-HORTENSE (19, rue de la Malouine)**.** Ainsi fut baptisée cette villa que son propriétaire, le prince Vlassov, avait achetée pour y installer trumeaux et mobilier ayant appartenu à Hortense de Beauharnais, mère de Napoléon III. C'est aujourd'hui un hôtel de luxe. Les plus fortunés demanderont à occuper la chambre Reine-Hortense (n° 4) pour jouir de la fameuse baignoire en argent massif.

SAINT-ENOGAT

Cette bourgade tient son nom du cinquième évêque d'Alet, qui mourut en 650, probablement après avoir bâti une église à l'endroit où se trouve aujourd'hui le bourg. Albert Lacroix,

éditeur de Victor Hugo, fut le premier à succomber au charme du village quand il s'y embarqua en 1866 pour se rendre à Guernesey afin de rencontrer l'écrivain. Il acheta par la suite tout le site qui se trouva entre le Port-Riou et le vieux bourg de Saint-Enogat et entreprit d'en faire une station à la mode; il commença par entourer l'hôtel de la Mer de plusieurs chalets. C'est grâce à lui que Judith Gautier, fille de Théophile Gautier et première femme admise à l'académie Goncourt, découvrit la côte. Pour s'excuser d'avoir égaré un de ses manuscrits, Albert Lacroix mit à sa disposition un chalet. Il réussit même à la persuader d'acheter un terrain, sur lequel elle fit bâtir sa villa LE PRÉ-AUX-OISEAUX et un pavillon, dit «boîte à cigares», réservé à ses amis écrivains, dont l'intérieur avait été décoré par un peintre japonais.

L'ÉGLISE DU BOURG. Le bâtiment, du XIXe siècle, conserve le clocher XVIIIe de l'ancienne église, que les Anglais incendièrent en 1761.

LE QUARTIER DES MIELLES. Ainsi que la plage de Saint-Enogat, il abrite de nombreuses villas de la fin du siècle dernier. A l'une des extrémités de la plage, un escalier mène au sentier des Douaniers, qui longe le parc du château de la Goule aux Fées, baptisé du même nom que la grotte voisine, LA GOULE AUX FÉES, qui serait un des domaines de Morgane... Les frères Lumière prirent la grotte en photographie vers 1885, à l'époque où ils inventaient les premières plaques couleurs. Un peu plus loin se dresse le tout nouveau CENTRE DE THALASSOTHÉRAPIE, construit par le groupe *Accor*.

LES PROMENADES CÔTIÈRES ♥

L'un des grands plaisirs à Dinard consiste à découvrir à pied toute la côte et ses immenses villas, en surplomb des falaises. Il est possible de marcher d'une traite de la pointe Vicomté jusqu'à Saint-Lunaire (3 h environ) en empruntant les trois promenades qui se succèdent le long de la côte.

LA PROMENADE DU CLAIR-DE-LUNE. A faire de préférence le matin ou vers midi (et non de nuit!) pour profiter

La baie de Saint-Enogat, ci-dessus, détail d'une aquarelle sur papier jaune d'Eugène Isabey.

JUDITH GAUTIER À SAINT-ENOGAT
Dans sa villa Le Pré-aux-Oiseaux, elle accueillit, entre autres, Robert de Montesquiou (le modèle de Charlus dans *A la recherche du temps perdu*), l'écrivain Pierre Louÿs et Claude Debussy, qui, à défaut de piano, esquissa sur l'orgue de l'église les premières notes de son poème symphonique *La Mer*. L'inspiration lui vint après une traversée en bisquine, au retour d'un déjeuner à Cancale.

Paysage entre Dinard et Saint-Enogat, d'Eugène Isabey (1803-1886).

LA PROMENADE DU CLAIR-DE-LUNE
Dans l'anse du bec de la Vallée, un médaillon est apposé sur un mur, à la mémoire du banquier Jules Boutin (1872-1929), propriétaire des «petites vedettes» qui effectuaient la traversée Dinard-Saint-Malo.

AU SIÈCLE DERNIER
Les élégantes qui se promenaient sur la plage de l'Ecluse et sur les sentiers nouvellement aménagés se protégeaient du soleil avec des «robinsons», parapluies ou ombrelles de l'époque.

du meilleur ensoleillement. Les rochers abrupts qui la surplombent ont servi de fondations aux nombreuses villas pittoresques du quartier du Bric-à-Brac (voir page précédente). La promenade donne accès au Yacht-Club, bâti en 1879, détruit, puis reconstruit en 1932.

LA POINTE DU MOULINET. On empruntera la promenade Robert-Surcouf puis le chemin de ronde du Moulinet. Cet itinéraire permet de découvrir la VILLA DE LA GARDE, construite au siècle dernier par les membres de la famille Hennessy, producteurs de cognac. Ils commencèrent par démolir la splendide villa qui occupait le terrain, construite vers 1860 par le riche Américain John Camac. Le «palace» qu'ils édifièrent a de quoi surprendre, avec ses grands murs à créneaux construits à même le rocher, ses bow-windows et ses tourelles d'angles coiffées de toits pointus. Après avoir fait le tour de la villa Hennessy, on redescend vers le palais des Congrès par la rue Coppinger; on passe devant la VILLA SAINT-GERMAIN (à droite), reconnaissable à son portail récupéré d'une construction médiévale de la région, et devant la VILLA LA ROCHE PENDANTE (à gauche), qui se distingue par ses fenêtres néo-gothiques. Un peu plus loin, à droite, on découvre la somptueuse VILLA DES DEUX-RIVES, du comte Rochaïd Dadhah, transformée en ensemble

Vestiaires mobiles
Autrefois, les cabines de la grande plage de l'Ecluse étaient tirées par des chevaux, et mises à la disposition des baigneurs pour qu'ils pussent se changer et revêtir leur maillot de bain, mode lancée à Biarritz par l'impératrice Eugénie.

résidentiel. L'extrémité de la pointe du Moulinet offre une vue générale sur la baie de Saint-Malo; c'était l'un des quartiers les plus recherchés au siècle dernier.

La promenade de La Malouine ♥. Elle commence plage de l'Ecluse avant d'aborder la pointe de La Malouine. La plage est bordée d'une digue, où se trouve le CASINO-PALAIS D'EMERAUDE. Un premier casino en bois avait été construit sur pilotis face à la plage, en 1866, mais ses fondations étaient ébranlées à chaque marée. La construction d'un deuxième édifice fut envisagée et confiée à l'architecte Leroyer. Son inauguration eut lieu en 1877; bals, concerts et spectacles y étaient organisés tous les soirs, tandis que café, salles de jeu et de billard ne désemplissaient pas. Il fut remplacé en 1901 par le High Life Casino, rebaptisé par la suite palais d'Emeraude.

La POINTE DE LA MALOUINE doit son nom à la villa La Malouine qu'y fit construire le duc d'Audiffret-Pasquier, en 1866. Celui-ci se serait épris du site lors d'une partie de chasse. Engouement passager, puisqu'il revendit en 1880 sa propriété au capitaine Poussineau, qui s'empressa de la morceler et de la lotir. La pointe, qui n'abritait alors que six villas, se transforma rapidement en un quartier résidentiel très animé, terrain d'élection des demeures les plus extravagantes de la station.

La pointe des Étêtés et le jardin du Port-Riou. Une vue étendue sur toute la côte, de Saint-Malo, d'un côté, jusqu'au cap Fréhel, de l'autre. L'ensemble des «villas de la mer», fondé par Albert Lacroix, domine la plage de Saint-Enogat.

La villa de la Garde, pointe du Moulinet, construite au siècle dernier par les Hennessy, producteurs de cognac.

La pointe du Moulinet (à gauche) et le sentier côtier (ci-dessus) qu'on peut suivre à partir de la pointe de La Malouine.

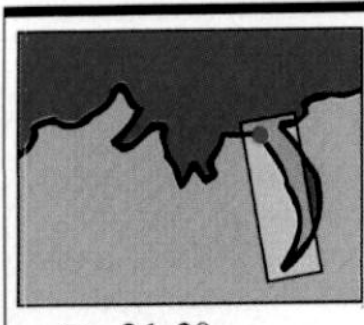

◷ 2 h 30
🚗 35 km
▲ *198-209*

UN ESTUAIRE BIEN PROTÉGÉ
L'usine marémotrice ferme l'estuaire de la Rance (ci-dessus, vue aérienne). En aval, le rocher de Bizeux marque la séparation du fleuve en deux bras. Sur lui se dresse la statue de Notre-Dame-Dominatrice, œuvre de Caravanier, dont l'inauguration, le 24 octobre 1897, fut marquée par un drame : le curé venait bénir la statue à bord d'un bateau à vapeur, quand tout à coup l'une des nombreuses barques qui l'entouraient sombra, faisant plusieurs victimes. La fête se termina dans les larmes.

A L'EMBOUCHURE DE LA RANCE

LA PROMENADE DE LA VICOMTÉ. Un chemin de ronde aménagé sur les falaises boisées permet de découvrir de superbes villas entre la baie du Prieuré et le barrage (PR Sur la Côte d'Emeraude); à faire de préférence le matin ou à midi pour bénéficier du meilleur ensoleillement. La Vicomté fut l'un des derniers quartiers de Dinard à être loti, entre 1927 et 1930; c'était jadis le siège du manoir de Poudouvre, la résidence d'été des évêques de Saint-Malo.

L'USINE MARÉMOTRICE. La Richardais s'enorgueillit d'une centrale électrique, n'ayant guère son équivalent qu'en C.E.I., qui tire son énergie du flux et du reflux de la marée. Le choix de l'estuaire de la Rance se justifie par l'amplitude de ses marées, qui est l'une des plus fortes au monde (13, 50 m). Après vingt-cinq années d'études et six ans de construction, l'usine fut inaugurée en grande pompe par le général de Gaulle le 26 novembre 1966. Son fonctionnement imite celui des moulins à marée ▲ *203* ● *97*, mais un groupe bulbe permet de turbiner également à marée descendante et produit ainsi de l'énergie aussi bien au remplissage qu'au vidage du bassin. L'installation générale comprend une écluse, une impressionnante salle des machines, une digue (163 m) et un barrage mobile, équipé de six vannes.

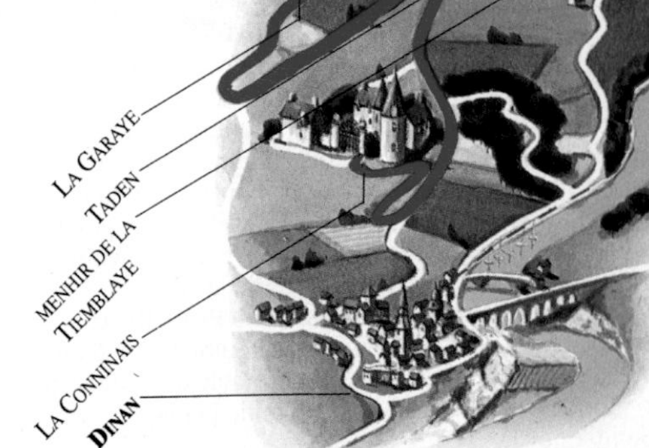

Timbre représentant l'usine marémotrice de la Rance (musée de la Poste).

Une visite guidée et un diaporama exposent aux visiteurs leur fonctionnement. La production de l'usine, le quart de celle d'une centrale nucléaire, est envoyée à Nantes et redistribuée à l'échelle nationale. Si le barrage a créé un plan d'eau idéal pour les sports nautiques et permis de relier enfin Saint-Malo à Dinard par la route, il a aussi entraîné des contrecoups écologiques. La période des travaux (1963-1966), durant laquelle l'estuaire fut isolé de la mer, fut la plus dommageable. Puis flore et faune se sont adaptées aux nouvelles conditions.

Le Laboratoire maritime de Dinard a observé cependant une baisse de la salinité des eaux selon les secteurs et un envasement plus rapide des rives. Cependant, la richesse naturelle du bassin reste considérable : plus de soixante-dix espèces de poissons dont le passage au travers des turbines s'effectue sans trop de problèmes, compte tenu de la faible vitesse de rotation.

LA RICHARDAIS

LA PROMENADE DE LA RICHARDAIS ♥. De l'autre côté de la route, derrière le parking du barrage, se trouve l'embarcadère

LE BASSIN DE LA RANCE MARITIME
Il constitue l'unique site où a été évalué, après vingt ans de fonctionnement, l'impact écologique d'une usine marémotrice. Deux espèces, résistantes, ont été peu affectées par les changements de salinité : la seiche et l'araignée de mer. La seiche est un mollusque de l'ordre des céphalopodes pourvu d'une coquille interne : l'os de seiche. Ces animaux se tiennent enfouis dans les sols sableux durant toute la journée et ne sortent que le soir pour chasser. Les œufs de seiche se fixent à des plantes marines dans des capsules noires qui ont la forme d'un citron. L'araignée, quant à elle, est une espèce méridionale qui remonte jusqu'à la Manche. Elle se dissimule parmi les algues et en consomme certaines : les hydrozoaires et les bryozoaires.

CÔTÉ RANCE ET CÔTÉ JARDIN
Au Montmarin (médaillon du XVIIIe siècle, à droite), les jardins à la française descendent en terrasses vers la Rance.

Un des magnifiques trumeaux, au-dessus d'une cheminée du Montmarin.

Façade du Montmarin, côté jardin, devant le parterre à la française.

du bateau-restaurant *Le Chateaubriand*. C'est là que commence le sentier de randonnée qui longe l'anse des Rivières et la pointe du Grognet à marée basse; au sud de la pointe, un escalier mène à la grève et permet d'accéder à la cale de La Richardais.

LA POINTE DE CANCAVAL ♥. La plus agréable promenade au bord de la Rance (1 h 30), avec de mémorables points de vue. Sortir de La Richardais, direction Le Minihic; dans le bas de la descente, passer un petit pont et prendre sur la gauche un escalier qui rejoint le chemin piétonnier. On longe le moulin à marée dit «Moulin Neuf», aujourd'hui aménagé en résidence, puis l'on gagne la pointe de Cancaval, un ancien retranchement coriosolite (levée de terre et empierrement de 1,50 m), sans doute réaménagé ultérieurement en un oppidum romain. Possibilité de continuer jusqu'à l'anse du Montmarin.

LE MONTMARIN ♥

UNE MALOUINIÈRE DE STYLE LOUIS XV. Rares sont les propriétés construites sur la rive gauche. Celle-ci, de plus, s'écarte du style des autres malouinières. En raison de l'accès difficile, on y débarquait en bateau; la belle allée d'arbres qui s'étend vers Créhen est ainsi purement décorative. Avec ses trois pavillons reliés, entre eux,

à l'origine, par des terrasses, son toit en carène, bordé sur les côtés de balustrades en bois surmontées de bustes en marbre de Carrare, elle ressemble plus aux folies parisiennes qu'à ses austères compatriotes. Les communs à arcades comportent même une orangerie. Aaron Magon, petit-fils de la propriétaire du Bos ▲ *202*, fit édifier Le Montmarin à partir de 1758 : il venait d'épouser sa cousine germaine et désirait avoir une demeure plus attrayante que celle du Bos. Le somptueux décor intérieur du château, réalisé en 1762, unique en son genre, ruina le propriétaire : parquet en bois des îles, cheminées de marbre, trumeaux et lambris décorés de fleurs et de lauriers style rocaille marquent la première manifestation du rococo en Bretagne. En 1782, sa veuve, criblée de dettes, fut obligée de le vendre à un armateur de Port-Saint-Père, près de Solidor, Benjamin Dubois.

Un porche à arcades et une vasque néo-classique accueillent le visiteur à l'entrée de la propriété.

Les aventures de Benjamin Dubois. Cet homme entreprenant avait des idées bien à lui et décida de faire du Montmarin une propriété de rapport. Il créa donc au fond de l'anse un port de construction navale, comportant une cale sèche de plus de 1 ha, bordée de quais, fermée par une porte d'écluse qui permettait de mettre simultanément en chantier sept navires. Il l'équipa de tous les ateliers nécessaires : mâture, forge, charpenterie, corderie, grille de carénage, etc. En la seule année de 1787, cinq paquebots, six corvettes et plusieurs frégates et gabares sortirent des cales. Non content de ce succès, notre homme lançait alors la première ligne transatlantique entre la France et New York. Mais la Révolution immobilisa les chantiers, et l'armateur vendit le Montmarin à l'Etat pour que ses ouvriers ne restassent pas au chômage. L'inorganisation et le manque de moyens révolutionnaires annulèrent la transaction et, en 1798, son fils se retrouva à nouveau à la tête du chantier. Le blocus continental signa définitivement sa faillite et, en 1811, on construisit un moulin à marée sur le bassin, transformé en étang. Aujourd'hui, seules les alvéoles creusées dans la roche, les fondations du moulin et la petite maison du meunier témoignent de ces activités révolues.

De l'ancien moulin du Montmarin, il ne reste plus aujourd'hui que les fondations.

Les jardins. Les Bazin de Jessey, propriétaires depuis 1885, ont entretenu et embelli le parc, ouvert au public certains week-ends. Un grand parterre à la française descend vers la Rance, dessiné par un élève de Le Nôtre, tandis que parc à l'anglaise et allées, tracés au siècle dernier, abritent plus de cinq cents espèces rares, importées en grande partie d'outre-Manche.

Cale de La Jouvente

Le Jersey-Lillie ♥. Si les horaires fantaisistes du barman, Léon Bouchet, sont favorables, un arrêt, cale de La Jouvente,

Le Jersey-Lillie
Cale de La Jouvente, ce pub aux cuivres flamboyants offre une ambiance feutrée très «british».

LA CALE LEMARCHAND Côté Rance, elle était fermée par deux vantaux comme ceux d'une porte-écluse. Le bateau avarié était amené un peu avant la marée haute par un remorqueur qui le lâchait devant les portes; à marée basse, un cheval était attelé aux portes pour les fermer.

au Jersey-Lillie, permettra de découvrir l'ancienne maison des gardes-côtes, qu'un Jersiais nostalgique a transformé en pub anglo-normand. Bières à la pinte, fléchettes et billard garantis, l'ambiance y est chaude, et il n'est pas rare d'entendre certains soirs les clients entonner en chœur quelques chansons britanniques, accompagnés à la guitare par le patron.

RANDONNÉE PÉDESTRE. A La Jouvente, partir de la cale de Poriou et continuer jusqu'à la grève de Gauthier. On arrive alors à la promenade des Hures, un sentier piétonnier qui conduit jusqu'à la cale de La Landriais. Il est possible de rejoindre le chantier naval par la grève, à marée basse.

LA CALE DE LA LANDRIAIS

LE CHANTIER LEMARCHAND ♥. Il y fleure bon encore le goudron et l'étoupe. L'œil s'arrête sur une construction étrange en forme de navire : il s'agit de l'ancienne cale du chantier Lemarchand, institution fondée en 1850. Au début du siècle, il n'existait à Saint-Malo aucune cale sèche capable de recevoir un navire de la taille d'un terre-neuva, aussi François Lemarchand eut-il l'idée d'en construire une tout en bois, de 45 m de long sur 10 m de large, à 5 m au-dessus du sol. Elle fut mise en service en 1910. En 1930, le commandant Charcot y fit effectuer de grandes réparations sur le *Pourquoi-Pas?*, mais il fallut échouer le navire à l'extérieur, car il était trop grand pour la cale. Le chantier construisait aussi en neuf, principalement de petites embarcations, canots, doris et chaloupes.

PROMENADE ♥. A droite du chantier, départ d'une très belle randonnée jusqu'à La Herviais (PR Sur la Côte d'Emeraude).

Au premier plan de cette vue de Plouer, le moulin de Rochefort et le Châtelier.

DU MINIHIC À LANGROLAY

LE MINIHIC. Construite par les paroissiens eux-mêmes à partir de 1826, l'église fut restaurée après les bombardements de 1944. A l'intérieur, un petit musée rassemble des livres et des chasubles du siècle dernier, ainsi que les bannières et la Vierge polychrome que l'on porte en procession lors du pardon de Notre-Dame des Miettes. On peut également admirer un curieux calvaire en bois peint du XVIe siècle où la croix est remplacée par une ancre de marine.

LA CHAPELLE SAINTE-ANNE À SAINT-BUC ♥. Petite chapelle, récemment restaurée, qui dépendait de la propriété voisine, à laquelle elle était réliée par un pont. Boiseries, stalles et banc seigneurial sont bien conservés.

LA CHAPELLE DE LA SOUHAITIER ♥. Au fond d'une petite anse, après La Rigourdaine, se dresse cette gracieuse chapelle, reconstruite en 1868 sur un emplacement millénaire. Les terre-neuvas venaient y prier la Vierge pour garantir leur pêche et les femmes y imploraient le retour des *houmes.* Chaque 15 août un pardon y est célébré, à l'extérieur. De la chapelle, on peut ensuite rejoindre le port Saint-Hubert, en longeant la Rance.

PLOUËR

L'occupation du site de Plouër remonte à des temps immémoriaux : les travaux de terrassement occasionnés par la déviation nord de Dinan ont mis au jour une ferme gauloise du deuxième âge du fer (civilisation de La Tène). La paroisse est ancienne, une charte la mentionne déjà en 1218. De nombreuses seigneuries se partageaient le territoire durant le haut Moyen Age et disparurent au XVIe siècle, dès la constitution du très puissant comté de Plouër. Lors de la Réforme, il devint, sous le patronage de ses seigneurs, un foyer protestant si actif que l'évêque de Saint-Malo François de Villemontée ▲ *228* intervint en 1664 auprès de Louis XIV pour que le temple de Plouër fût détruit.

«Au port de Dinan, où des vedettes à coque peinte invitent au voyage, commence l'estuaire qui, jusqu'à Dinard et Saint-Malo, développe pendant plusieurs lieues ses sinuosités, riantes ou sauvages, tantôt resserré entre les côteaux, tantôt épanoui en des bassins intérieurs, où monte deux fois par jour la palpitation de la marée. Moins sauvage que celui du Trieux, moins agreste, et moins riant, peut-être, de couleur moins strictement bretonne, que ceux de l'Odet ou des rivières de Morlaix et d'Aulne, il se distingue par la variété de ses aspects, son ampleur majestueuse.»

François Menez

La petite chapelle Sainte-Anne, au siècle dernier.

Le moulin de Rochefort (Privé.) Depuis le XVIe siècle, un moulin a toujours occupé les lieux. Les bâtiments, que l'on peut voir aujourd'hui de la rive opposée ou de bateau, datent du siècle dernier : il s'agit d'un véritable ensemble minotier qui regroupait un moulin, une boulangerie et la maison du boulanger. «C'est au moulin de Rochefort qu'il convient de descendre pour admirer un paysage de vases. Vase n'est point, sur la Rance, synonyme de boue [...] La vase de la Rance est gris-Corot, et c'est le moulage de l'eau vive. Dans cette glaise plastique, le flot a inscrit ses balancements, ses remous, ses hésitations, a été patiemment ondulé à petits plis, comme un péplos d'orante athénienne. Et quand le soleil frappe le sévère moulin qui garde au flanc une haute roue ruinée, la vase éblouit!»
Roger Vercel

L'église. Elle fut reconstruite au XVIIIe siècle par un comte de Plouër, Pierre de la Haye. Son mobilier, fort beau, date de cette époque : à noter un ensemble de trois retables (1779) et un lutrin. Les trois gisants à l'effigie des seigneurs de Plouër et le tombeau du XVe siècle proviennent de l'ancien édifice.

Le manoir de La Villeaubault. En plein bourg (près du collège privé) s'élève ce petit manoir du XVIe siècle qui possède une belle façade aux ouvertures moulurées, une cour fermée, avec son puits, et, à l'arrière, une tour-escalier-pigeonnier, typique de l'époque.

Le château. (Privé. Photo ci-dessus.) Niché dans un vallon à l'écart du bourg, il fut édifié à la fin du XVIIe siècle ou au début du XVIIIe, à la place de l'ancien château féodal, qui ne correspondait plus au goût du jour. Le style du corps de logis, flanqué de deux pavillons plus élevés, et la disposition des nombreuses dépendances, dont certaines ont un toit en carène renversée, sont typiques de l'architecture du XVIIe siècle. Une très belle grille en fer forgé, du XVIIIe siècle, encadrée de deux piliers en pierre, ferme la propriété.

La cale ♥. Cet endroit plein de charme donne sur un superbe plan d'eau et offre une halte idéale, avec son petit café-restaurant. Un ancien moulin à marée, dit de la Minoterie, y a été conservé ainsi que la digue et le système hydraulique, restés intacts. Tirant profit de la beauté et des particularités du lieu, les autorités locales ont décidé l'aménagement d'un port de plaisance de deux cent quarante places, en état de fonctionnement depuis juin 1991.

Le moulin Rouault. Ce petit moulin à eau, niché dans un vallon pittoresque, est situé sur la Coutance, qui sépare Saint-Samson de Plouër. Bien que privé et en mauvais état, il peut être visité avec l'accord des propriétaires; il a conservé tous ses mécanismes et même les outils du meunier.

Le château du Chêne-Vert. (Privé.) Les tours du Chêne-Vert dominent la Rance, sur le promontoire de Péhou, au sud de la «plaine marine» de Mordreuc. Le prince russe Basilewsky acheta au milieu du siècle dernier le château du Vau-Carheil, invisible de la rive, et les deux tours néo-gothiques dénommées le Chêne-Vert, élevées sur les ruines de l'ancienne forteresse de Plumoyson; ces folies

LE CHÊNE-VERT
La silhouette romantique de cette tour néo-gothique inspire peintres et photographes depuis le siècle dernier.

abritaient les rêveries du maître et de sa femme, dite la Ferrari, célèbre cantatrice parisienne. Le prince lui en fit généreusement cadeau lorsqu'elle demanda le divorce pour épouser en 1869 le pianiste et compositeur Kowalski (1841-1916). Ce dernier, élève de Chopin, fut l'un des interprètes les plus célèbres de son temps, notamment en Amérique du Nord, où il fit une grande tournée en 1870. Il commença à composer à son retour et publia en 1874 la célèbre *Marche hongroise*, œuvre pour deux pianos jouée à huit mains. Gabriel-Louis Pringué ● *134* disait de lui : «Jamais je n'ai entendu interpréter Chopin avec plus de nuances, de mélodie, de tendre abandon, de souplesse, de sensible caresse, d'extase, de vibrante poésie que par Kowalski» (*Portraits et Fantômes*).

Jean Urvoy utilisa à merveille la technique de la gouache pour rendre les teintes mordorées du paysage. Ses œuvres illustrèrent l'ouvrage de Roger Vercel sur la Rance, publié en 1945.

SAINT-SAMSON

LE MENHIR DE LA TIEMBLAYE ♥. Il est situé à l'orée d'un petit bois, en face de la route de La Quinardais, à l'est de la commune. On a découvert en 1972 que ce menhir de granit, haut de 8,50 m et incliné à 25°, possédait trois faces ornées de gravures en creux et en bosses, représentant des figures géométriques, un poignard, une hache, un animal et des symboles appelés crosses. Elles ne sont malheureusement visibles que par lumière rasante,

Au début du siècle, on pêchait beaucoup au havenet en contrebas du Chêne-Vert.

MENHIR DE LA TIEMBLAYE

le soir ou par les nuits de pleine lune. Un filon de quartzite blanc coupe le monument en biais au tiers de sa hauteur; on disait autrefois que c'était là le fouet du diable.

LE PONT DE LESSART. En s'aventurant le long de la voie ferrée, on découvre l'une des plus belles vues sur la Rance et sur le château du Châtelier, de style Renaissance.

LE CHEMIN DE HALAGE. A partir de l'écluse du Châtelier, l'ancien chemin de halage, aménagé en sentier de randonnée, conduit au vieux pont de Dinan. Cette promenade de 7 km, assez fréquentée, longe le cours sinueux et encaissé de la Rance, encore très large par endroits.

«**L'ÉCLUSE DU CHÂTELIER**, [...] équilibre la mer et le fleuve. A partir d'ici, tout change dans le lit de la Rance et sur les rives, la couleur, le relief, le mouvement. Peu de lieux entendent aussi bien les contrastes. D'un côté, une vaste et immobile nappe appliquée sans défaut contre les battants et les digues, de l'autre, le jaillissement de puissants jets frisants à travers le montant noir des portes, le ruissellement écumant du déversoir, l'eau battue qui tourne les piles et s'enfuit sur les rochers dans un grand bruit d'orage.»
Roger Vercel

LA PÊCHE AU CARRELET. Aux abords du Châtelier, on pratique toujours cette pêche originale, baptisée du nom de l'immense filet carré utilisé. Le carrelet, suspendu à quatre perches pliantes, est actionné à l'aide d'un bras de levier, qui permet de le plonger dans une fosse poissonneuse et de le relever de temps à autre pour recueillir les prises. Cette technique de pêche est particulièrement adaptée aux fonds vaseux et aux eaux troubles. Autrefois, le filet était monté sur une barque de manière à changer fréquemment de zone poissonneuse.

Le grand filet carré, dit carrelet, est toujours utilisé pour pêcher sur les bords de la Rance.

«ÉTROITE ENCORE AU SORTIR DE DINAN [...], LA RANCE, ENTRE TADEN ET LANVALLAY, REFLÈTE DANS SES EAUX PAISIBLES DES LISIÈRES DE PARCS SOMBRES ET DES BORDURES DE ROSEAUX»

FRANÇOIS MÉNEZ

TADEN

UN BOURG GALLO-ROMAIN. Taden est, du pays de Dinan, l'une des communes les plus étendues et où l'on trouve le plus de vieilles demeures et de vestiges archéologiques. Elle fut probablement, à l'époque gallo-romaine, un carrefour routier et portuaire important : photographies aériennes et fouilles au sol ont révélé onze sites, dont deux temples, groupés essentiellement entre le bourg et la rive gauche de la Rance.

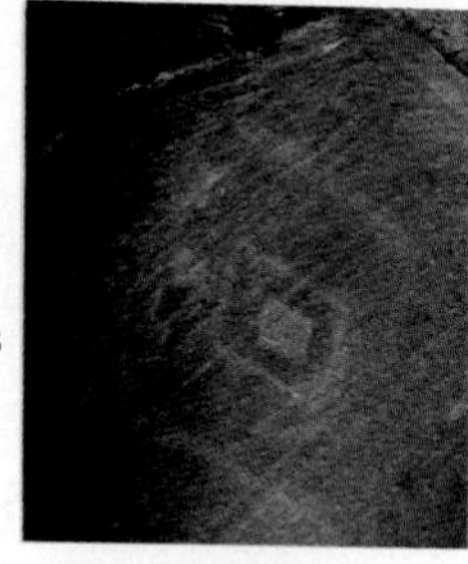

LE MANOIR DE LA GRANDCOUR (XIVe SIÈCLE) ♥. On découvre l'ancien château de Taden à l'entrée du bourg. Aisément reconnaissable à sa tourelle de guet, c'est l'un des rares manoirs-porches de la région.

LE BOURG. Charmant, il retient l'attention par ses nombreuses fermes, son vieux couvent, et par son église du XIVe siècle. Un porche à banquettes couvre la porte ouest, près de laquelle se trouvent les tombes du comte et de la comtesse de La Garaye. Le mobilier date du XVIIIe siècle, époque à laquelle l'église fut restaurée; à remarquer deux statues de la Vierge et de saint Pierre, ainsi que le retable.

LA CALE ♥. Panorama sur l'un des plus beaux paysages de la rive gauche, la «plaine marine» de Taden, une vaste étendue d'eau entourée de collines et de bosquets.

UN PORT GALLO-ROMAIN
Jusqu'au XIe siècle, Taden était le port le plus en amont de la Rance où les effets de la marée se faisaient encore sentir. Cette position permettait à la station fluviale d'approvisionner Corseul et d'exporter les productions agricoles de la région.

Fenêtre Renaissance du château de La Garaye.

DEUX CHÂTEAUX RENAISSANCE

LE CHÂTEAU DE LA GARAYE ♥. Ses ruines romantiques (sur la Quatre voies n° 1 176, prendre la direction Ploubalay et tourner immédiatement à droite) retiennent le regard. Leur histoire étonne. Le seigneur du lieu, Claude Toussaint-Marot (1675-1755), ému par la misère du peuple, transforma sa demeure Renaissance en asile pour pauvres à partir de 1710 (voir légende ci-contre). Dès la fin du XVIIIe siècle, les propriétaires désertèrent le château et l'édifice tomba en ruine. On peut encore admirer la tourelle de l'escalier du logis et ses fenêtres à bords fleuronnés.

LA CONNINAIS ♥. (Privé.) Cette superbe demeure se détache à l'entrée de Dinan, en haut d'un ravin, le long de la D 766. L'austère manoir, du XVe siècle, fut réaménagé au siècle suivant : la porte d'honneur et ses deux cariatides, les motifs des fenêtres, l'élégante «tour d'amour» et son tourillon figurent parmi les plus belles réalisations de style Renaissance de la région. Le domaine ne se visite pas; il fut acheté en 1938 par la BNP, qui y transféra toutes ses valeurs mobilières.

CLAUDE TOUSSAINT-MAROT
Ce philanthrope créa avec sa femme un hôpital dans les écuries du château, y recevant jusqu'à soixante malades, et fonda une annexe à l'hospice de Dinan pour y accueillir les incurables. On lui doit aussi des salines, à Saint-Suliac ▲ *203*. Pour son œuvre de bienfaisance, il fut reçu à la Cour. Le roi lui remit 50 000 livres ainsi que son portrait et celui de la reine.

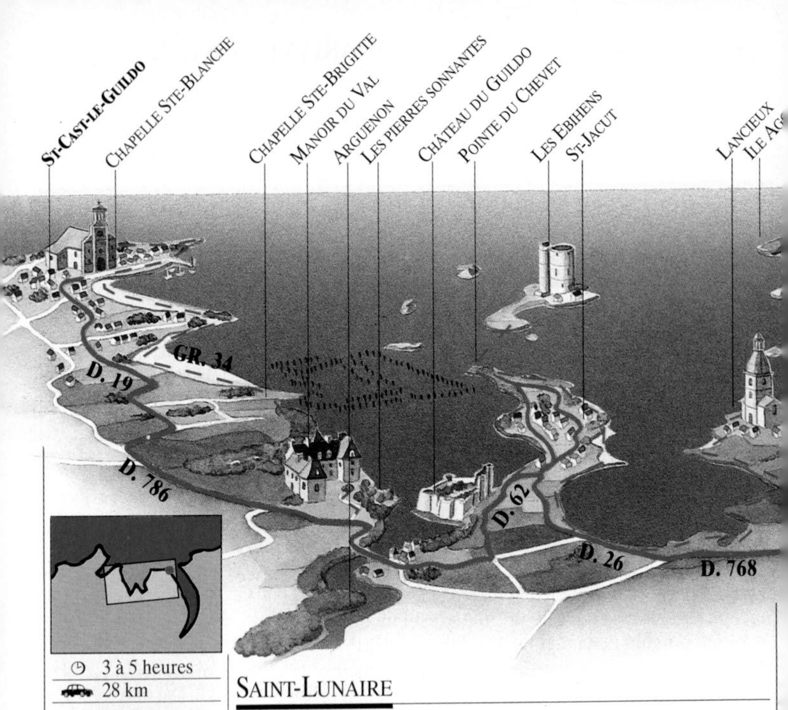

3 à 5 heures
28 km

Saint-Lunaire

Début de la station. Fondé au VIe siècle par saint Lunaire, ce bourg agricole et marin, célèbre pour la beauté de ses femmes, se transforma en station balnéaire à la fin du siècle dernier grâce à l'initiative du riche banquier haïtien Scylla Laraque, qui possédait alors, selon le Crédit lyonnais, la troisième fortune de France. Dans le but de lancer Saint-Lunaire, Laraque fit d'abord élever, face à la grand-plage, une digue en granit, qui servit de base au Grand-Hôtel (photo ci-dessous) et à son casino (aujourd'hui divisé et transformé en appartements).

La vie mondaine s'organisait alors autour de la pointe du Décollé, où il avait fait construire une vingtaine de villas. Plusieurs personnalités et hommes de lettres séjournèrent à Saint-Lunaire, parmi lesquels le peintre Henri Rivière (1864-1951) ▲ *280* – qui consacra, en 1891, dix gravures sur bois d'inspiration japonaise à la pointe du Décollé –, le gendre de Théophile Gautier, Emile Bergerat (1845-1923) – prix Goncourt – et l'actrice Eve Lavallière, du Théâtre des Variétés (voir ci-contre).

La vieille église de Saint-Lunaire. Restaurée en 1954, c'est l'un des rares édifices romans de Bretagne. On y célèbre la messe chaque été et l'on y organise aussi des concerts et des expositions. La nef, romane, orientée vers Jérusalem, est reliée au chœur, gothique, par un arc triomphal en plein cintre et encadrée de deux collatéraux plus récents, le long desquels court une

Eve Lavallière
Célébrité du Théâtre des Variétés à Paris, (1866-1929), elle interrompit sa carrière en 1917 pour devenir infirmière en Tunisie puis franciscaine dans les Vosges.

Gisant de l'église de Saint-Lunaire
Le corps de saint Lunaire fut emporté dans la région parisienne lors des invasions normandes et les reliques restantes ont disparu pendant la Révolution; les fidèles n'en continuent pas moins de passer sous le sarcophage comme le veut la tradition.

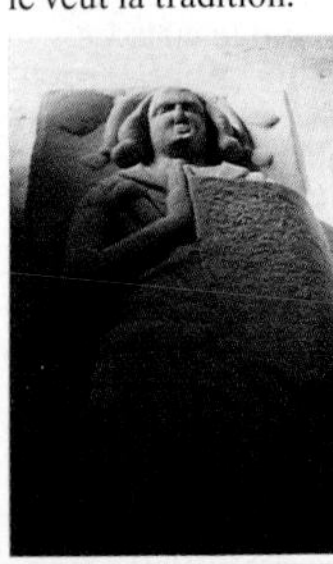

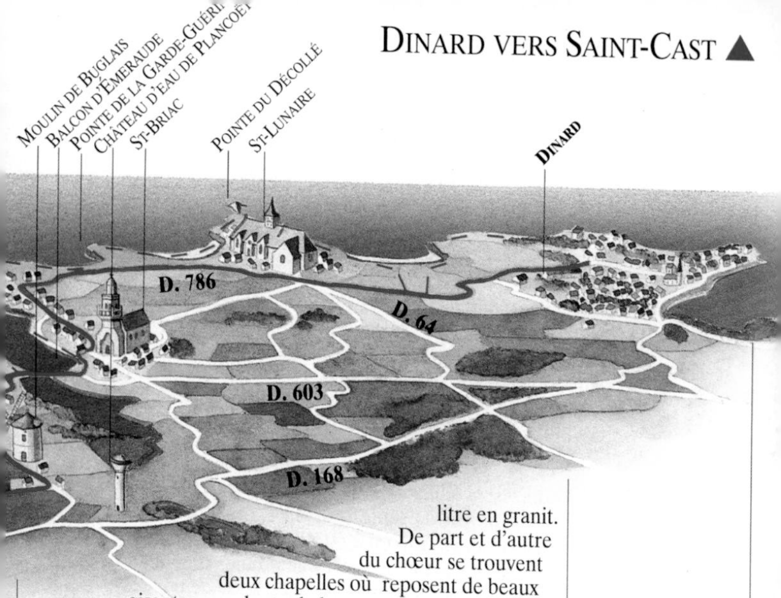

litre en granit. De part et d'autre du chœur se trouvent deux chapelles où reposent de beaux gisants, sans doute de la seconde moitié du XIVe siècle. Si l'on peut voir quelques statues polychromes au-dessus du tabernacle, la pièce maîtresse du mobilier est sans conteste le tombeau de saint Lunaire, placé sous l'arc triomphal. C'était à l'origine un sarcophage gallo-romain; les initiales du personnage pour lequel il avait été taillé sont encore visibles. Il fut recouvert au XIVe siècle d'une dalle, sur laquelle on sculpta un gisant du saint revêtu de ses attributs pontificaux. A remarquer, dans l'enclos de l'église, la croix du Pilori, un calvaire du XVIe siècle, supportant d'un côté le Christ et de l'autre une Vierge à l'Enfant assise, ainsi que deux bénitiers circulaires qui pourraient remonter au XVe siècle. Jadis un souterrain reliait la vieille église à la pointe du Décollé, mais son entrée fut détruite en août 1944.

La pointe du Décollé ♥. C'est le quartier résidentiel et boisé de la Belle Epoque. Pour découvrir les jolies villas du siècle dernier, il faut se promener le long des BOULEVARDS DES ROCHES et DU DÉCOLLÉ; on remarquera en particulier l'architecture néo-gothique des villas Sainte-Anne et Le Revenant (550 et 65, bd Du Décollé), le style colonial de Sainte-Hélène (32, bd des Rochers) et l'étonnant manoir écossais Kilmalieu (152, bd des Rochers). Du haut de la pointe, on découvre le plus beau panorama de la station. En 1880, une CROIX DE GRANIT y fut érigée pour protéger les marins en mer. Il fallut soixante hommes et un attelage de quarante chevaux pour la hisser jusqu'au sommet. En contrebas, la roche forme une excavation appelée poétiquement la «grotte des sirènes», car les vagues en s'y engouffrant à marée haute font un bruit sourd et inquiétant. Pour profiter plus

La pointe du Décollé
Elle doit son nom à une profonde crevasse, appelée «Trou-du-chat», qui la sépare du reste de la falaise. Une légende voudrait que, lors de son arrivée par bateau, saint Lunaire, saisissant son épée pour couper un épais brouillard qui lui masquait la vue, fendit la pointe de la falaise. Le paysage qui se découvrit à lui l'incita à débarquer. Les plus observateurs pourront d'ailleurs repérer l'empreinte de ses sandales...

HENRI RIVIÈRE (1864-1951)
A neuf ans, il rencontre le peintre Signac dans une école de quartier à Paris. A dix-huit ans, il fait la connaissance du propriétaire du cabaret Le Chat noir, qui lui confie la direction d'un hebdomadaire. Rivière devient alors une personnalité de Montmartre, Signac lui fait découvrir Saint-Briac. Rivière, qui s'intéresse à cette époque à la gravure sur bois à la manière japonaise, va réaliser une série de quarante planches, *Paysages bretons*, inspirées par ses séjours. Ci-dessus, deux scènes peintes à Saint-Briac, intitulées *Femmes séchant le linge* et *Le Perron*.

longtemps de la vue, s'arrêter au restaurant La Pointe du Décollé ou à la crêperie La Chaumière.

LE VIEUX BOURG. L'ancien village, situé au lieu-dit Dogier, conserve encore des maisons du XVIIIe siècle bien restaurées. Plus au sud de la station, la ferme du Moulinet (milieu du XVIIIe siècle) est la plus ancienne de Saint-Lunaire.

LES PLAGES. La station s'enorgueillit de quatre plages de sable blanc, longues de 2 km. La plus grande, la PLAGE DE LONGCHAMP, bordée par la digue, est la plus venteuse et donc propice toute l'année à la planche à voile. La GRAND-PLAGE est la mieux protégée et la plus familiale; LA FOSSE AUX VAULTS (ou Fourberie), accessible par le sentier du même nom, est la moins fréquentée. Enfin, la petite plage de Port-Blanc, proche de Saint-Enogat, est également abritée.

PROMENADES. L'ANCIEN CHEMIN DES DOUANIERS (GR 34) constitue une agréable promenade tout au long de la côte, à travers une succession de pointes rocheuses entrecoupées de baies sableuses. Deux autres petites randonnées de moins d'une heure (PR Sentier littoral d'Ille-et-Vilaine) permettent aussi de gagner par la grève, à marée basse, la pointe du Décollé et la pointe du Nick.

SAINT-BRIAC-SUR-MER

LA STATION DES PEINTRES. Ancien port de pêche et de cabotage situé dans l'estuaire du Frémur (les bateaux chargés de sel du Croisic s'y arrêtaient souvent), Saint-Briac est formé d'une série de hameaux, dont le principal s'appelle Le Bourg. Cette station familiale charme surtout par la douceur et la beauté de ses paysages. Le village doit son nom au moine irlandais Briac, dont la vie est retracée sur les vitraux contemporains de l'ÉGLISE paroissiale, du XIXe siècle. L'édifice conserve le clocher en granit de l'ancienne église (1671), richement décoré de balustres et de moulures et sculpté aux armes de la famille de Pontbriand. Les marins du village contribuèrent à son financement en reversant une partie des bénéfices de leur pêche; des maquereaux sculptés sur le pignon nord de l'ancien édifice commémorent leur générosité. A la fin du XIXe siècle, Saint-Briac, bénéficiant des retombées du succès de Dinard et de Saint-Malo, développa à son tour ses attraits touristiques. La beauté insolite du site en fit, à l'instar de Pont-Aven en Finistère Sud, un lieu de rencontre privilégié des peintres. Auguste Renoir, Henri Rivière, Emile Bernard et Paul Signac y séjournèrent de 1884 à 1891. Cette période, pour chacun d'eux, fut propice aux recherches : Emile Bernard aborda la technique du synthétisme; Paul Signac s'essaya au pointillisme; Henri Rivière s'initia à la gravure sur bois, tandis que Renoir, l'aîné, en pleine crise créatrice, vint chercher là l'inspiration. Dans une lettre écrite en 1886, il confia ses impressions sur Saint-Briac : «Me voilà dans un coin gentil.

Tout y est petit, petites baies en masse avec jolies plages de sable, petits rochers insignifiants, mais la mer est superbe. Il me semble que je regarde un plan en relief au musée de la Marine.» Le sculpteur Armel Beaufils séjourna également boulevard de la Mer; on lui doit le MONUMENT AUX MORTS (1922). Il appartenait à une famille rennaise talentueuse qui comprenait un poète, Edouard, et un écrivain, Paul, dont les romans ont pour cadre la région (*A Bréhat*, *L'Ile rose*, *Le Douanier de Toul an Diaoul* et *La Morte parfumée*).

ENTRE LANCIEUX ET SAINT-BRIAC
La traversée du Frémur fut longtemps périlleuse. En 1884, le conservateur de la bibliothèque de Saint-Malo écrivait : «On passe, [....] à mer basse, par un barrage que les Ponts et Chaussées semblent avoir installé en pleurant.»

LA POINTE DE LA GARDE-GUÉRIN ♥. Cette pointe, recouverte d'une lande rase qui descend à pic dans la mer (48 m), offre sans doute la plus belle promenade des environs; Henri Rivière sut à merveille représenter ses couleurs : vert émeraude de la mer, ocre du sable, blancheur de l'écume et rose des écueils. C'est aussi un endroit historique : le 4 septembre 1758, la milice paroissiale, postée au corps de garde (aujourd'hui détruit), assista au débarquement de dix mille Anglais dans l'anse de La Fosse; leur objectif était Saint-Malo. Sous la conduite du duc d'Aiguillon, commandant en chef de la Bretagne, l'ennemi fut repoussé le 11 septembre à Saint-Cast, lors d'une bataille célèbre dans l'histoire bretonne ▲ *290*.

LE GOLF DE DINARD (18 trous). Peu de golfs peuvent se targuer d'un cadre aussi enchanteur, avec vue sur la mer. Il fut aménagé sur les dunes de la plage de Longchamp en 1887 par les Anglais et le banquier dinardais Jules Boutin ▲ *266*, puis agrandi en 1892 entre La Garde-Guérin et la pointe du Perron. C'est le troisième construit en France après ceux de Pau (1851) et de Biarritz (1888). Le golf connut son apogée avant 1940; il fut miné, puis réouvert en 1955.

LA PLAGE DU PORT-HUE. Cette plage, acquise par le Département dans le cadre de son programme de protection des espaces naturels, a retrouvé son cordon dunaire. Très belle vue sur l'île

LE GOLF DE DINARD
Le club house fut construit en 1886. Les compétitions de Saint-Briac étaient à l'époque si célèbres que les riches estivants américains et anglais restaient de Pâques à octobre pour y participer.

LE TERTRE GIRAULT, À SAINT-BRIAC
Ce monticule situé un peu avant le hameau du Chemin possède à son sommet un dolmen dit «pierre du Diable». La tradition voulait que les jeunes viennent danser autour du mégalithe. Un jour, paraît-il, le diable se mêla à la ronde et voulut entraîner une jeune fille. L'eau bénite lui fit lâcher prise, non sans mal. Les curieuses petites cavités que l'on peut voir dans le granit passent pour être la trace de ses griffes...

LE MOULIN DE BUGLAIS
Construit au XVIe siècle par les moines bénédictins de l'abbaye de Saint-Jacut, le moulin a conservé toutes ses pièces. Les habitants de la région s'en servirent pendant la Seconde Guerre mondiale et s'emploient, depuis, à le maintenir en parfait état de marche.

Agot (à l'ouest) et l'île Dame-Jouanne (à l'est).

PROMENADES LE LONG DE L'ESTUAIRE DU FRÉMUR. Deux courtes randonnées d'une heure (PR Sentier littoral d'Ille-et-Vilaine) permettent d'explorer une côte enchanteresse et protégée, de l'embouchure de la rivière à la pointe de La Garde-Guérin. Il faut partir du pont et longer, dans un premier temps, la digue baptisée balcon d'Emeraude; on y découvre le petit port de La Houle, la plage du Béchet et la presqu'île boisée du Nessay, où pointe la silhouette rose d'une villa-château.

LANCIEUX

LÉGENDES. Le bourg aurait été fondé par saint Cieux, qui édifia un monastère (*lann*), entre l'estuaire du Frémur et la baie de La Beaussais, et défricha les terres avec ses disciples. Un récit fantaisiste raconte que le saint homme serait revenu mourir, après avoir été battu jusqu'au sang par des païens (comme en témoigneraient les traînées rouges sur certains rochers), près de la pointe Saint-Martin, à l'endroit même où il avait été recueilli encore nouveau-né dans ses langes. Mais, selon la légende populaire, saint Cieux serait venu de Cornouailles. Les vitraux de l'église moderne illustrent cette dernière version et représentent deux épisodes de la vie du saint patron : son débarquement sur les côtes et un rêve qu'il fit jeune, dans lequel il se vit monter au ciel. L'autre curiosité de l'église est un bénitier, creusé dans une pierre milliaire du IVe siècle. A en juger par ses nombreuses entailles, il aurait servi de pierre à aiguiser.

LE CLOCHER DE L'ANCIENNE ÉGLISE (1740). Unique vestige de l'édifice qui servit longtemps d'ossuaire, il se dresse, isolé, au milieu du cimetière (photo de gauche). A sa base, on distingue une ancienne et curieuse pierre tombale; une sirène sculptée y présente l'écu des Glé, seigneurs de Lancieux. C'est à 400 m de là que repose le poète d'expression anglaise, ROBERT SERVICE (1874-1958), qui acheta une maison en 1913 à l'Islet, le plus joli site du bourg. Il la rebaptisa Dream Heaven

Sirène sculptée sur une vieille pierre tombale du cimetière de Lancieux.

et y vécut une quarantaine d'années. Ce poète, grand voyageur, avait quitté son Ecosse natale en 1896 pour le Canada. Arrivé au Yukon à la fin de la ruée vers l'or, il y écrivit ses œuvres les plus célèbres : le poème *The Shooting of Dan Mac Grew* et un roman, *The Trail of Ninety Eight*.

Le moulin à vent de Buglais. Il se trouve sur la route de Ploubalay (voir légende).

Les plages. Des quatre plages accessibles à partir du bourg, celle des rochers, la Margattière, est la plus sauvage, tandis que la plage familiale de Saint-Cieux – 1 km de sable fin – est recherchée par les amateurs de planche à voile et abrite toutes les infrastructures balnéaires souhaitées.

Saint-Jacut

Un fondateur renommé. Le village tient son nom d'un moine irlandais du Ve siècle, canonisé par la ferveur populaire, qui fonda une abbaye sur cette longue presqu'île située entre les baies de l'Arguenon et de Lancieux, laquelle pouvait, par fortes marées, être coupée du continent. Selon la légende, Jacut était le fils d'un cousin du roi de Cornouailles, puissant chef de clan, Fracan, et de sa femme, Gwen. Le couple, fuyant l'envahisseur saxon, émigra dans la baie de Saint-Brieuc, près de Plouha, emmenant Jacut et son frère Gwetenoc. Gwen donna naissance, sur le territoire breton, à un troisième enfant, Gwénolé. L'éducation des trois frères fut confiée à saint Budoc en sa célèbre école de l'île Lavret, à l'embouchure du Trieux.
Le benjamin partit ensuite de son côté pour fonder l'abbaye de Landévennec, tandis que ses deux aînés s'établirent sur la presqu'île de Saint-Jacut, où ils fondèrent un monastère. Seul Jacut resta et, très vite, il trouva de puissants protecteurs pour la communauté de moines, qui ne cessait de grandir. Il mourut au début du VIe siècle et, jusqu'au XVIIe siècle, fut invoqué pour obtenir la guérison des fous.

Le monde jaguin. Du fait de leur situation semi-insulaire, les habitants de Saint-Jacut n'eurent longtemps que peu de contacts avec leurs voisins : ils parlaient une variante du gallo, le jéguin, truffée d'expressions propres et reconnaissables à son accent chantant haut de ton. Jusque dans les années 1950, ce gallo fut parlé et compris par la majorité des habitants. Fiers, têtus et querelleurs, les Jaguins ne se mariaient qu'entre eux et, de ce fait, portaient souvent les mêmes noms. Aussi l'usage des sobriquets devint-il général, à tel point que les percepteurs de Ploubalay étaient obligés de les mentionner sur leurs listes officielles. Une rivalité ancestrale

Les femmes de Saint-Jacut
Si elles ne sillonnaient pas le pays pour vendre le poisson, les Jaguines pratiquaient différents métiers sur la grève. De mai à septembre, deux par deux, équipées d'un large filet, l'applet, elles récoltaient le frai de crevettes, qui constituait l'appât principal de la pêche au maquereau.
La saison maquereautière terminée, elles devenaient «marchandes» de coques et travaillaient alors à trois.
L'une piétinait la grève afin de faire sortir les coques de leur tangue, une autre ramassait les coquillages tandis qu'une troisième emplissait son panier et le vidait ensuite dans un sac.
D'autres femmes, peu nombreuses, pêchaient le bouquet. On les appelait les seneuses, du nom de leur filet particulier.

Gravure sur bois d'Henri Rivière (en milieu de page, à gauche), représentant une vue de Lancieux.

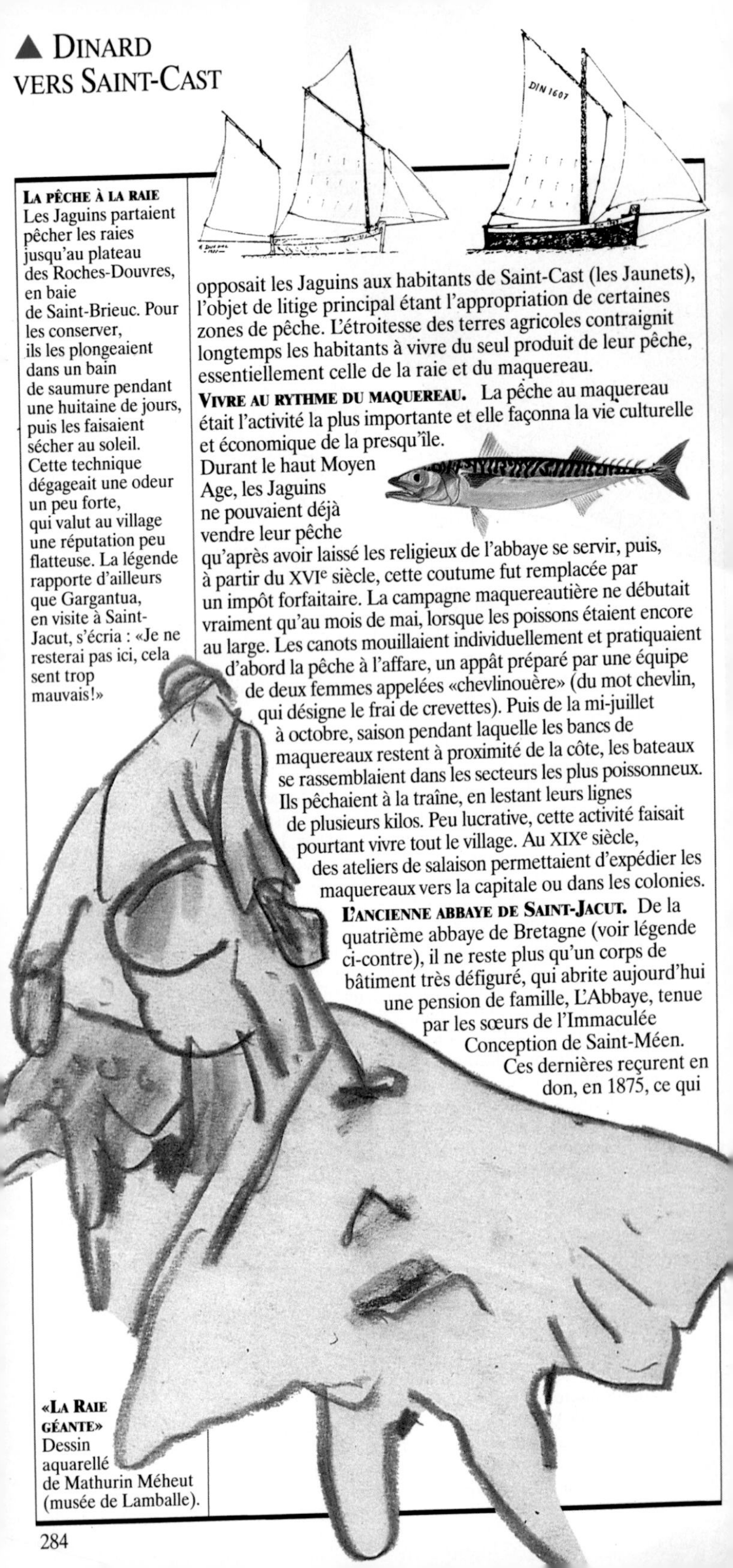

LA PÊCHE À LA RAIE
Les Jaguins partaient pêcher les raies jusqu'au plateau des Roches-Douvres, en baie de Saint-Brieuc. Pour les conserver, ils les plongeaient dans un bain de saumure pendant une huitaine de jours, puis les faisaient sécher au soleil. Cette technique dégageait une odeur un peu forte, qui valut au village une réputation peu flatteuse. La légende rapporte d'ailleurs que Gargantua, en visite à Saint-Jacut, s'écria : «Je ne resterai pas ici, cela sent trop mauvais!»

opposait les Jaguins aux habitants de Saint-Cast (les Jaunets), l'objet de litige principal étant l'appropriation de certaines zones de pêche. L'étroitesse des terres agricoles contraignit longtemps les habitants à vivre du seul produit de leur pêche, essentiellement celle de la raie et du maquereau.

VIVRE AU RYTHME DU MAQUEREAU. La pêche au maquereau était l'activité la plus importante et elle façonna la vie culturelle et économique de la presqu'île. Durant le haut Moyen Age, les Jaguins ne pouvaient déjà vendre leur pêche qu'après avoir laissé les religieux de l'abbaye se servir, puis, à partir du XVIe siècle, cette coutume fut remplacée par un impôt forfaitaire. La campagne maquereautière ne débutait vraiment qu'au mois de mai, lorsque les poissons étaient encore au large. Les canots mouillaient individuellement et pratiquaient d'abord la pêche à l'affare, un appât préparé par une équipe de deux femmes appelées «chevlinouère» (du mot chevlin, qui désigne le frai de crevettes). Puis de la mi-juillet à octobre, saison pendant laquelle les bancs de maquereaux restent à proximité de la côte, les bateaux se rassemblaient dans les secteurs les plus poissonneux. Ils pêchaient à la traîne, en lestant leurs lignes de plusieurs kilos. Peu lucrative, cette activité faisait pourtant vivre tout le village. Au XIXe siècle, des ateliers de salaison permettaient d'expédier les maquereaux vers la capitale ou dans les colonies.

L'ANCIENNE ABBAYE DE SAINT-JACUT. De la quatrième abbaye de Bretagne (voir légende ci-contre), il ne reste plus qu'un corps de bâtiment très défiguré, qui abrite aujourd'hui une pension de famille, L'Abbaye, tenue par les sœurs de l'Immaculée Conception de Saint-Méen. Ces dernières reçurent en don, en 1875, ce qui

«LA RAIE GÉANTE» Dessin aquarellé de Mathurin Méheut (musée de Lamballe).

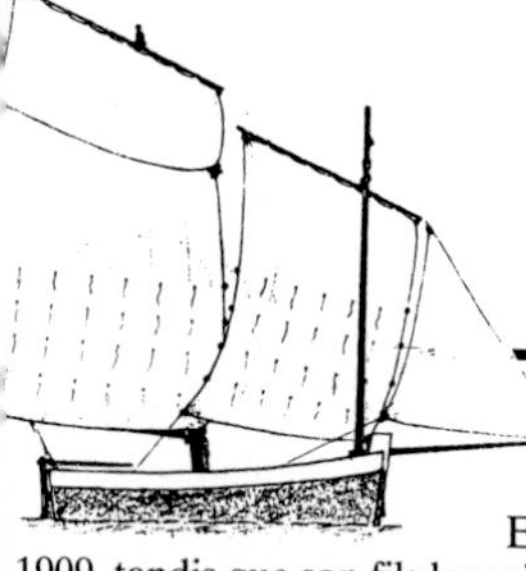

restait de l'édifice, détruit lors de la Révolution. La mère du peintre nabi Edouard Vuillard y passa l'été 1909, tandis que son fils logeait dans la maison du Plessis, à l'écart du bourg, où il accueillit Tristan Bernard et ses amis de *La Revue blanche*. L'abbaye accueillit également un autre personnage célèbre à la fin du XVIIIe siècle : dom Lobineau (1667-1727). Cet historien, auteur d'une *Histoire de Bretagne* et d'une *Vie des saints*, venait d'être réduit au silence par les Rohan, dont il dénonçait la généalogie fantaisiste; cette puissante famille prétendait descendre du roi mythique de Bretagne, Conan Mériadec. Dom Lobineau mourut à Saint-Jacut et les vestiges de son tombeau furent découverts vers 1873, dans le jardin de l'abbaye. Aujourd'hui, on ne voit plus qu'un monument commémoratif (1886), dans le cimetière.

La grande rue ♥. L'architecture du bourg est unique et toute en longueur : les maisons sont accolées en rangées de cinq ou six, leur façade tournée vers le sud, de sorte que la grande rue présente surtout des pignons et des murs aveugles. Cette disposition permettait de se protéger des vents froids du nord et de faire sécher les raies et quelques autres poissons. Sur les façades non restaurées, on pouvait voir, il y a peu de temps encore, des tibias de porc et de mouton, fichés entre les pierres, sur lesquels on suspendait les prises en chapelets. On y accrochait aussi les filets pour les faire sécher, car l'os, còntrairement au bois ou au fer, ne pourrit ni ne rouille, et n'attaque pas les fibres végétales.

Les petits ports. Le port d'échouage de La Houle Causseule ♥ accueille l'été de nombreux bateaux de pêche et de plaisance qui, l'hiver, se réfugient dans le port du Châtelet, plus abrité des vents d'amont. Il tient son nom d'une grotte en partie effondrée (*casseule*) bien cachée dans la falaise, près du rocher de Saint-Ahouahoua, que les pêcheurs saluaient avant de partir en mer d'un sonore «Saint Ahouahoua, donnez-nous du maqueriau!» En face, le rocher de La Charbotière provoqua le naufrage du *Clarisse,* un bateau-corsaire de l'armement Surcouf qui vint mouiller au

Canots jaguins des années 1900-1930 (maquereautier, boucada et dragous). A la fin du siècle dernier, les Jaguins naviguaient sur les glaos, des barques traditionnelles à cul carré, d'environ 40 pieds, lestées de galets plats et dotées d'un faible tirant d'eau.

Une abbaye indépendante
La première mention de l'abbaye de Saint-Jacut remonte à l'an 848, date à laquelle les moines adoptèrent la règle de saint Benoît. Très vite, l'abbaye disposa d'un domaine très vaste et éclaté, qui s'étendait sur les diocèses de Saint-Malo, Saint-Brieuc et Tréguier. La création d'un chapitre général réunissant chaque année tous les supérieurs des prieurés devint vite nécessaire. Malgré les tentatives des comtes de Penthièvre pour obtenir sa garde, l'abbaye resta toujours indépendante. Au XVe siècle, elle ne souffrit pas des ravages de la commende, ses moines ayant refusé l'abbé qui leur était imposé.

Les pêcheurs de Saint-Jacut posent en groupe sur cette carte postale du début du siècle.

LES STERNES PIERREGARIN ET LES STERNES CAUGEK
Un moment menacées par les goélands argentés, les sternes nichent sur l'îlot de la Colombière, où l'on dénombrait environ quatre cents couples en 1988. Appelées «hirondelles de mer» en raison de la finesse de leur ligne, elles sont plus gracieuses que les mouettes. On les reconnaît à leur calotte noire, leur bec très effilé, leurs ailes fines et leur queue fourchue. Pour saisir leurs proies, elles plongent à la verticale, bec en avant.

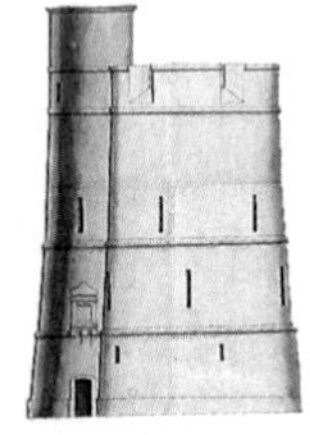

LA TOUR VAUBAN DES EBIHENS
(Elévation de Garangeau, 1697.) Une légende locale raconte que, les nuits de pleine lune, une dame blanche du château du Guildo vient y pleurer. Ses larmes s'écoulent par les gargouilles de la tour. A droite, canots jaguins vus par le peintre Henri Rivière (1888).

port de la Chapelle, en l'île des Ebihens, le 2 mars 1807. De l'autre côté de la presqu'île, face au bourg, le PORT DU BÉCHET était, à la fin du siècle dernier, le seul endroit animé du village, où pêche et ravitaillement étaient prétextes aux rencontres et au colportage des nouvelles.

PLAGES. Saint-Jacut peut se vanter d'être la presqu'île aux onze plages. On ne peut les citer toutes, mais il faut savoir que les plages familiales sont celles du ROUGERET, du HAAS et de LA PISSOTE (clubs pour enfants); celles qui donnent sur la baie de la Beaussais sont les meilleures pour la planche à voile; enfin la petite plage du Vauvert séduira les âmes solitaires.

PROMENADES ♥. Ici, nul sentier de grande randonnée, mais l'immensité de la grève, qu'on ne se lasse pas de parcourir, avec ou sans le matériel du parfait pêcheur à pied. Le but favori de promenade est l'île des Ebihens. Pour cela, on peut partir de la plage du Rougeret ou de la POINTE DU CHEF DE L'ISLE (ou POINTE DU CHEVET), site classé qui offre une très belle vue sur la côte de Saint-Cast.

L'ILE DES EBIHENS ♥. Accessible à marée basse, l'île (privée) est dominée par une tour édifiée de 1694 à 1696 sur les ordres de Vauban par le comte Louis de Pontbriand, capitaine garde-côte du littoral de Saint-Malo et propriétaire de l'île. Elle devait défendre toute la zone de Saint-Jacut, particulièrement propice aux débarquements. L'édifice fut en partie financé par un impôt prélevé sur les prises de maquereaux à l'occasion de cinq fêtes normalement chômées. De 1984 à 1986, des fouilles ont permis de découvrir, sur la partie méridionale de l'île, les vestiges d'un village maritime coriosolite comprenant plusieurs habitats et un atelier de fabrication de pains de sel en parfait état. Ceux-ci étaient obtenus par évaporation forcée d'une saumure. Un four à pain du XIIIe siècle subsiste également sur l'île.

L'ILOT DE LA COLOMBIÈRE. Située à moins de 2 km de la pointe du Chevet, cette petite île fait partie de l'archipel des Ebihens et fut longtemps exploitée comme carrière de granit pour toutes les constructions de la baie de Saint-Malo. Depuis 1984, elle appartient au département des Côtes-d'Armor, qui, avec la S.E.P.N.B. (Société pour l'étude et la protection de la nature en

Bretagne), en a fait une réserve ornithologique. Il est formellement interdit de s'en approcher à moins de 100 m, du 15 avril au 31 août, période de reproduction des sternes.

L'ILE DES EBIHENS, peinte par Henri Rivière.

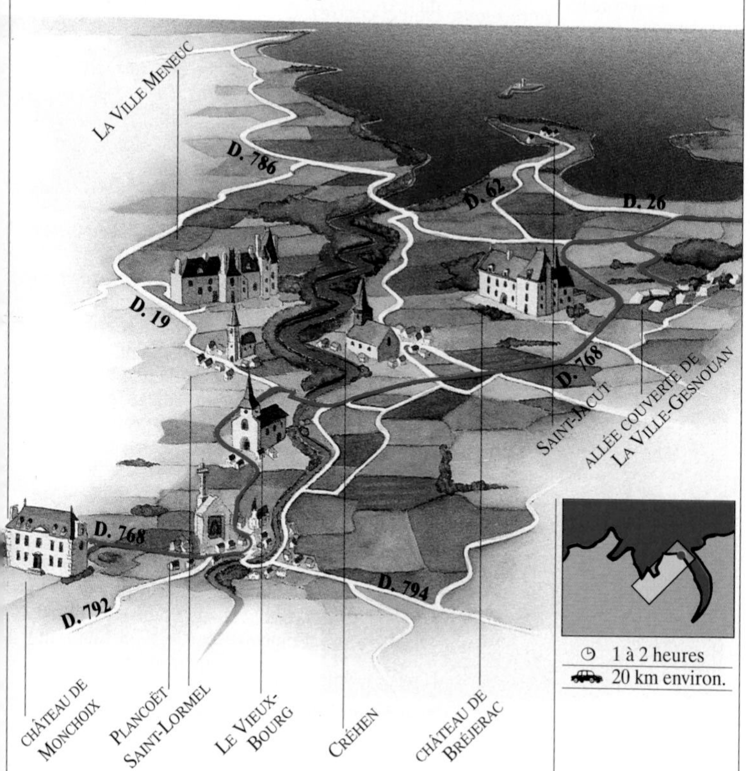

1 à 2 heures
20 km environ.

DÉTOUR VERS L'INTÉRIEUR DES TERRES

CRÉHEN. L'ALLÉE COUVERTE DE LA VILLE-GESNOUAN (sur la D 786, 1 km avant le croisement avec la D 768), longue de 9 m, déçoit quelque peu car les dalles de couverture se sont écroulées.

SAINT-LORMEL. Entre le village et le hameau du Vieux-Bourg, le CHÂTEAU DE L'ARGENTAYE, construit vers 1840, domine la route et l'Arguenon. Au Vieux-Bourg, l'ANCIENNE ÉGLISE, dédiée à saint Lunaire — réputé pour guérir les maux d'yeux — a conservé son portail roman du XIIe siècle. Une fois franchie la porte latérale (XVe siècle), on découvre à l'intérieur une très belle cuve baptismale ornée de quatre cariatides.

PLANCOËT. Cette ville reste marquée par le souvenir de Chateaubriand : il y fut mis en nourrice, car toute la famille de sa mère était originaire du pays. On peut encore voir dans le haut Plancoët la maison de sa grand-mère (maison Notre-Dame), non loin de la chapelle NOTRE-DAME-DE-NAZARETH. Ce sanctuaire, remanié au XIXe siècle,

SAINT-LORMEL L'église du bourg conserve un très beau portail roman du XIIe siècle.

LA FONTAINE RUELLAN
En 1621, deux maçons découvrirent une croix du XIIe siècle en nettoyant la fontaine Ruellan : l'une des faces était sculptée d'une Vierge à l'Enfant couronnée, l'autre représentait le Christ crucifié. Très vite, cette découverte fut suivie de faits miraculeux et la statue devint l'objet d'un culte fervent (pardons les 15 août et 8 septembre).

dont le portail provient de l'ancienne église de Saint-Jacut, fut construit en 1650 par les Dominicains pour abriter une fontaine miraculeuse (voir ci-contre).

PROMENADE DE L'ARGUENON. On peut flâner sur la rive gauche du fleuve jusqu'à l'ancienne chapelle du Vieux-Bourg de Saint-Lormel (environ 4 km). Cette promenade court sur la crête de la digue qui contient l'Arguenon. Partir de la passerelle des Quais et revenir par la D 19.

LA SOURCE DE SASSAY. Sur le territoire de Plancoët se trouve une source d'eau minérale, située au flanc du «Tertre de Brandefer» à 1 km de l'agglomération. Un sous-sol granitique, riche en sable fin et en argile fine, assure à cette eau une filtration naturelle. Pure, légère et équilibrée en sels minéraux, elle facilite la digestion. Le groupe Perrier l'exploite depuis 1961 et y a installé une importante usine d'embouteillage.

LE CHÂTEAU DE MONCHOIX (à 3 km à l'est de Plancoët, sur la D 768). Construit dans la stricte lignée des malouinières, ce château appartenait à l'un des oncles maternels de Chateaubriand, Antoine Bédée de Monchoix, dit Bédée l'Artichaud, qui avait acquis la baronnie de Plancoët en 1780. François René de Chateaubriand en parle chaleureusement dans les *Mémoires d'outre-tombe* : «Monchoix était remplie des cousins du voisinage, on faisait de la musique, on dansait, on chassait, on était en liesse du matin au soir [...]. Quand j'arrivais de la maison paternelle, si sombre, à cette maison de fêtes et de bruit, je me trouvais dans une sorte de paradis.»

LE CHÂTEAU DU GUILDO
Le site naturel du Guildo rendait le château imprenable : perché sur un éperon rocheux, il était entouré à l'ouest par l'Arguenon, au nord par une anse et à l'est par un marais; une douve sèche de 93 m complétait ce dispositif au sud.

LE GUILDO

LE CHÂTEAU DU GUILDO ♥. Sur la rive droite de l'Arguenon, les ruines grandioses d'un château féodal dominent l'estuaire. Cette forteresse, construite par la maison de Dinan à la fin du XIVe siècle ou au début du XVe siècle, comprenait à l'origine quatre tours d'angle rondes, reliées entre elles par de puissantes courtines encastrées dans le roc. Son démantèlement, en 1598, sur ordre d'Henri IV entama son déclin et, à la fin du XVIIIe siècle, elle n'était déjà plus habitable. Peu à

peu, ses ruines disparurent sous la végétation jusqu'à ce que le Conseil général des Côtes-d'Armor acquière le site en 1981 et le dégage avec l'aide d'une association. Aujourd'hui, on peut enfin faire le tour des ruines et admirer la perfection de l'ouvrage. L'histoire de ce château est marquée à jamais par le souvenir d'un personnage tragique, Gilles de Bretagne (1424-1450). Ce troisième fils du duc Jean V fut élevé à la cour d'Angleterre car son père, soucieux de maintenir la Bretagne en dehors de la guerre de Cent Ans, souhaitait entretenir de bonnes relations tant avec la France qu'avec ses ennemis. De retour en Bretagne, le jeune homme se heurta à

la politique de son frère, le Duc François Ier de Bretagne qui opta à la fin de la guerre de Cent Ans pour le camp du roi de France, Charles VII. Gilles qui s'était fiancé à la riche héritière Françoise de Dinan, s'installa au Guildo de 1444 à 1446. Son inconscience — il continua à écrire au roi d'Angleterre Henry VI — le conduisit en prison en 1446. Ses conditions de détention devinrent très dures à partir de 1449 par la faute des Anglais qui ayant pris Fougères, en pleine trêve, offrirent d'échanger la ville contre le frère du Duc. Paul Féval raconte fort bien dans son roman *La Fée des Grèves* le long calvaire que dut subir Gilles de Bretagne, traîné de château en château ● *124*. Il finit par être étouffé en 1450, au château de la Hardouynaie, par les hommes de main d'Arthur de Montauban, son rival qui convoitait la riche héritière Françoise de Dinan.

Le port du Guildo. Autrefois, nombre de gabares y transitaient, chargées de céréales, de pommes de terre, de toiles et de tangue. Aujourd'hui, quelques caboteurs amènent encore du bois du Nord et des matériaux de construction à la société Prémabois, située sur la rive droite de l'Arguenon. Ce fleuve côtier, qui descend des monts du Méné et se jette dans la Manche par l'estuaire du Guildo, joua par ailleurs un rôle politique du XIe siècle jusqu'à la Révolution : il servit de frontière naturelle entre le puissant comté de Penthièvre et la vicomté de Dinan.

Les pierres sonnantes. Partir du charmant petit port de commerce et suivre le sentier indiqué. On baptise ainsi cet amoncellement de roches d'amphibole, au grain extrêmement dense, parce qu'elles rendent un son métallique et argentin lorsqu'on les

L'embouchure de l'Arguenon
(En bandeau ci-dessus, peint par Léon Joubert.) Jusqu'en 1864, pour passer d'une rive à l'autre, il fallait emprunter un gué fort dangereux que les chapelains puis les moines du couvent des Carmes, situé sur la rive droite (aujourd'hui manoir du Guildo, XVIIe siècle), se chargeaient de faire traverser.
Ce gué joua un rôle décisif lors de la bataille de Saint-Cast en 1758 : un bourgeois de Matignon, aidé d'une centaine d'hommes, empêcha les troupes anglaises de le franchir un jour durant, afin de donner le temps aux troupes du duc d'Aiguillon, basées à Brest, d'arriver.

Le port du Guildo
Bien que son activité ait beaucoup diminué, des caboteurs viennent encore y débarquer des chargements de bois du Nord et des engrais de Hollande. Un nouveau quai a même été construit en 1973 pour les accueillir.

Hippolyte de La Morvonnais (1802-1853)
Il s'établit avec sa femme au château du Val, où il se consacra entièrement à sa vocation poétique, puisant son inspiration dans la contemplation de ce lieu qu'il se plaisait à appeler sa «Thébaïde des Grèves». C'est aussi le nom qu'il donna en 1838 à son premier recueil de poèmes, d'inspiration religieuse. Ce chantre de la solitude et de la vie rustique ne connut pas, de son vivant, la renommée.

Le combat de Saint-Cast (Peinture, à droite, d'Artus Despagne). Il fit entrer Saint-Cast dans l'histoire. Deux vitraux de l'église moderne ainsi qu'une colonne, érigée en 1858 à l'occasion du centenaire de la bataille, commémorent l'événement.

Les armoiries de Saint-Cast
Les hermines et les lys rappellent le mariage d'Anne de Bretagne et de Charles VIII.

frappe avec un galet de même nature. La légende dit, quant à elle, que ce sont les pierres de lest d'une barque chargée de poissons que Gargantua, affamé, aurait avalées et rejetées à cet endroit.

La chapelle Sainte-Brigitte. Datant du XIIIe siècle, située sur la route de Saint-Cast, elle est dédiée à sainte Brigitte (ou Brigide) d'Irlande. Cette ancienne esclave, qui fonda au VIe siècle le premier monastère de femmes en Irlande, Kildare, protégeait les femmes de Saint-Cast lors de leurs couches. Apposée sur le mur intérieur de la chapelle, une plaque commémore par ailleurs le souvenir du chouan Armand de Chateaubriand, cousin de l'écrivain, qui passa son enfance au manoir voisin du Val. Courrier des princes pendant la Révolution, il fut fusillé à Enghien en 1809. Tout près, l'étang de Beaulieu offre un agréable but de promenade.

Le manoir du Val (chambres d'hôtes). Construit au XVIe siècle par les seigneurs de Goyon de La Moussaye, le manoir fut incendié par les Anglais lors de la fameuse bataille de Saint-Cast. Pierre-Anne-Marie, l'un des oncles de Chateaubriand, en devint le propriétaire en 1777 et le fit reconstruire. Ses filles le vendirent en 1794 au père d'Hippolyte de La Morvonnais, lequel s'y installa à son tour, après avoir renoncé à sa carrière d'avocat pour se consacrer entièrement à la poésie et à la méditation. Il y reçut Félicité de Lamennais et Maurice de Guérin, avec lesquels il partageait la même conception du christianisme.

Saint-Cast

Une bataille historique. La presqu'île de Saint-Cast fut très tôt aménagée par l'homme : on a retrouvé, entre autres, les traces d'un camp retranché coriosolite, sur la pointe de la Garde, et les vestiges d'une villa gallo-romaine, près de la plage des Quatre-Vaux. Au VIe siècle, un moine gallois du nom de Cado (ou Cast) y fonda un monastère avant de repartir vers la rivière d'Etel. Le bourg se développa et devint célèbre en 1758, à l'occasion d'un épisode breton de la guerre de Sept Ans. 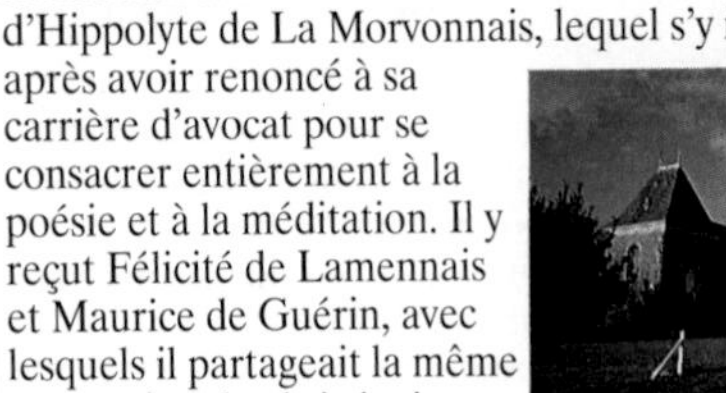
Le 4 septembre, une troupe anglaise formée de dix mille hommes débarqua à Saint-Lunaire près de La Garde-Guérin, en vue d'attaquer Saint-Malo ▲ *281*. Confronté à de nombreuses difficultés, le général Bligh dut renoncer à son objectif initial et décida de rejoindre sa flotte, qui s'était réfugiée dans la baie de Saint-Cast. Le duc d'Aiguillon, commandant en chef de la Bretagne, l'y attendait avec son armée. Français et Anglais s'affrontèrent le 11 septembre, au cours d'une bataille qui entraîna de lourdes pertes dans les deux camps. La victoire française fut cependant très vite contestée, La Chalotais ▲ *336* et un pamphlétaire

anonyme affirmant à l'époque que l'art militaire du duc d'Aiguillon n'y était pour rien : celui-ci, mort de peur, se serait réfugié dans le moulin d'Anne de la Vieuxville (au sud du bourg), où il aurait fait la conquête plus modeste de la meunière. Cette polémique n'empêcha pas la tradition populaire de célébrer la bataille et d'embellir les faits comme en témoigne le chant publié par La Villemarqué dans le *Barzaz Breiz* sous le titre d'*Emgann Kast* (le combat de Saint-Cast) : on y voit un régiment gallois fraterniser avec ses frères bretons contre l'ennemi saxon

héréditaire; Gallois et Bretons se reconnaissent rapidement grâce à un antique chant de guerre celtique qu'ils entonnent chacun de leur côté...

LA POINTE DE LA GARDE ♥. La fièvre du tourisme balnéaire gagna Saint-Cast dans la seconde moitié du XIXe siècle, facilité par la construction du chemin de fer Paris-Brest qui mit, en 1858, Lamballe à 10 h de Paris. Les belles villas du QUARTIER DES MIELLES (près de la grande plage) et de la POINTE DE LA GARDE datent de cette époque. Ce quartier, boisé et résidentiel, fut découvert à la fin du siècle dernier par un précurseur, le peintre Marinier. Charmé par la beauté du lieu, il acheta toute la pointe et quelques terrains au bord de la plage qu'il planta de pins, de chênes et d'acacias. Avec l'aide de son gendre, M. Alix, il lotit la station. On peut faire le tour de la pointe en suivant le SENTIER TOURISTIQUE qui commence près de l'HÔTEL AR VRO. Ce bâtiment construit par Marinier accueillit, de 1919 à 1942, une école hôtelière très renommée dirigée par une institutrice morlaisienne, Marie Trellu. Cette dernière fit décorer l'hôtel par son amie peintre Marie Pyriou, surnommée «Le Gaillard Breton» par Saint-Pol Roux. Au cours de la promenade, on découvre l'une des plus belles vues qui soient sur l'archipel des Ebihens et la presqu'île de Saint-Jacut.

LA POINTE DE SAINT-CAST. La digue-promenade (1929) permet de longer la grande-plage de Saint-Cast à marée haute. Continuer jusqu'au PORT JACQUET (ci-dessus), puis se diriger vers le sémaphore où se trouve une table d'orientation. Plus loin commence le GR 34 qui longe la pointe et la baie de La Fresnaye jusqu'à Port-Saint-Jean.

LA BAIE DE LA FRESNAYE
Ci-dessus, détail d'une gravure sur bois par Henri Rivière.

Après avoir découvert Saint-Cast, Marinier (à gauche, autoportrait dans sa villa sur la pointe de la Garde, vers 1888) promut la station auprès de ses amis et fit construire la villa Marinier et la villa Alix, avant de réaliser l'hôtel de la Plage puis l'hôtel de la Garde Saint-Cast.

LA VILLA BRISE-LAME
Elle fut construite en 1900-1901 par l'architecte T. Adam, rue de la Corniche en l'Isle. Sa terrasse repose sur un mur qui sert également de protection contre la marée.

PRESQU'ILE AUX SEPT PLAGES
Saint-Cast offre deux immenses étendues de sable fin, la grande-plage et Pen-Guen, très familiales, ainsi que deux criques plus sauvages et intimes, La Pissotte et La Fresnaye.

Ci-dessous,une affiche publicitaire des années 1930, de Pierre Commarmond.

A proximité de la plage de La Mare, un monument célèbre la mémoire des victimes de la frégate *Laplace*, qui sauta en 1950 sur une mine de fond de la Seconde Guerre mondiale ▲ *298*.

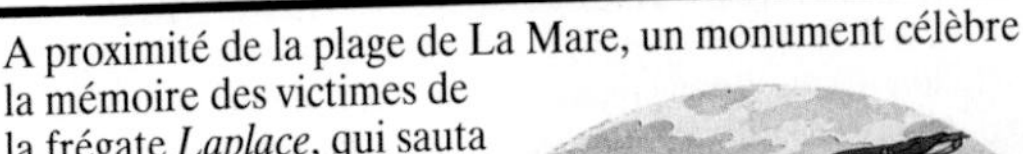

LES VIEUX QUARTIERS. Le Bourg est, avec le quartier de l'Isle, la partie la plus ancienne de la station. Son ÉGLISE, récente, abrite néanmoins un bénitier du XIIe siècle orné de diables grimaçants, ainsi que deux statues du XVIIe siècle, l'une représentant saint Cast, l'autre saint Clément, patron des marins. L'ISLE est l'ancien village des pêcheurs, typique, avec ses maisons basses et ses ruelles tortueuses; c'est aujourd'hui le quartier commerçant de Saint-Cast. LE PRESBYTÈRE néo-médiéval fut restauré en 1923 par le chanoine Ribault (1868-1944), un personnage haut en couleur qui fit beaucoup pour la paroisse, de 1915 à sa mort : il récupéra le porche de l'ancienne église d'Hénanbihen et rassembla plusieurs souvenirs des familles nobles de la région dans la salle des Chevaliers (cheminées armoriées, écussons, etc.). LA CHAPELLE SAINTE-GWENN ou Sainte-Blanche, mère de Saint-Jacut ▲ *283*, fut reconstruite en 1920 et décorée avec la même fantaisie par le chanoine Ribault : on peut y voir des confessionnaux aménagés dans des panneaux de lits-clos... Le maître-autel et le retable central proviennent de l'ancienne chapelle. Autrefois, les femmes venaient implorer sainte Blanche de guérir l'eczéma de leurs enfants et lui offraient fichus et bonnets en signe de reconnaissance.

LE PORT. Sur les quais, l'association Le Dragous organise des excursions à bord de bateaux de pêche traditionnels reconstruits par ses soins : un canot jaguin, un cotre de Carantec, un canot maquereautier et un dragous (bateau de pêche qui draguait au chalut à barre).

LE PORT JACQUET
C'est aujourd'hui surtout un port de plaisance. Mais une vingtaine de bateaux continuent à pêcher la coquille Saint-Jacques en hiver et l'araignée en été.

Le cap Fréhel et ses environs

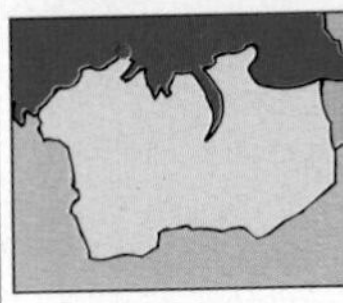

2 à 3 heures

«La Pointe du Jas au cap Fréhel» peinte par Gustave Loiseau (1865-1935) en 1904. Ce paysagiste post-impressionniste fixa dans ses toiles les bords de la Seine et de la vallée de la Dordogne ainsi que les côtes bretonne et normande.

Le cap Fréhel ♥

Un cap légendaire. Les hautes falaises de schiste et de grès rose, surplombant souvent une mer d'émeraude, offrent un spectacle dont on ne se lasse jamais. Ces couleurs ont frappé l'imaginaire populaire. Si l'on en croit une légende rapportée par l'historien local Pierre Amiot, cette teinte serait le fruit d'un miracle. Un saint irlandais, venu évangéliser la région, rassembla un jour la population en face de l'îlot Saint-Michel et l'entretint longuement de l'Archange. Quant il eut finit son prêche, un seigneur du pays lui lança ce propos plein d'ironie : «Saint Michel était un envoyé de Dieu. On m'a raconté que, lorsqu'il mit le pied sur le rocher, celui-là devint rouge. Ne pourrais-tu, comme lui, puisque tu te dis envoyé de Dieu, faire rougir la falaise?» Après s'être recueilli, le saint se dirigea vers le bord de la falaise, s'entailla le doigt et laissa tomber une goutte de sang. Aussitôt, toute la falaise du cap se teinta de rouge. On dit que tous les habitants se convertirent, frappés à la vue de ce miracle.
Les falaises sont également hantées par la figure du bon géant Gargantua. Ce personnage mythologique laissa de nombreuses empreintes dans la région, telle la dent dite de Gargantua, à Saint-Suliac. Au cap Fréhel, c'est en prenant son élan pour aller à Jersey qu'il marqua le paysage : «Au moment où il allait partir pour Saint-Malo, il sentit quelque chose qui lui faisait mal au pied; il ôta son soulier et y trouva un rocher. “Tiens, dit-il, c'est cette petite gravelle qui me gêne tant.” Il la jeta par-dessus son dos, et elle alla tomber auprès du cap; c'est l'Amas du cap. En se penchant pour se désaltérer, il piqua sa canne près du fort La Latte et dit : “Tant que le monde sera monde, elle y restera”; c'est le Doigt ou l'Aiguille de Gargantua.» (Paul Sébillot, *Gargantua dans les traditions populaires*) ● *138.*

Gargantua
D'après Paul Sébillot ▲ *301,* qui étudia ce personnage, le bon géant immortalisé par Rabelais serait issu de la mythologie celte et aurait été assimilé par les Romains à Hercule. Il laisse derrière lui des empreintes monumentales : mégalithes, chaos rocheux, etc.

«ICI LES PLANTES PARAÎSSENT PLUS GRANDES,
RÉGISSENT L'ESPACE AUTANT QUE LES MAISONS.
LA LANDE TOUCHE LE CIEL»

GUILLEVIC

LE PHARE DE FRÉHEL. Le phare actuel, dont le feu porte à 110 km, domine la mer de 103 m. Il a été construit en 1950 pour remplacer un phare à éclipses de 1847, détruit par les Allemands lors de la dernière guerre. D'en haut, la vue est superbe, de la pointe de Paimpol (à l'ouest) à celle du Groin (à l'est). La nuit, il est même possible d'apercevoir l'éclat du phare de la Corbière, à la pointe sud-ouest de Jersey, à 50 km au large.

L'ancien phare, détruit par les Allemands, se trouvait à 30 m de la tour Vauban. Il fut électrifié en 1886.

LE VIEUX PHARE (OU TOUR VAUBAN). Édifié en granit de Chausey sous Louis XIV, sur les plans de Simon Garangeau ▲ *162*, il fonctionna d'abord au charbon, puis avec des becs à réverbères qui brûlaient à l'huile de poisson, remplacée plus tard par l'huile de colza.

LA RÉSERVE ORNITHOLOGIQUE ♥ ■ *22*. Cap et îlots forment environ 6 km de côtes escarpées occupées par sept cents à huit cents couples d'oiseaux nicheurs. Un sentier en corniche, à emprunter avec précaution, permet d'admirer l'étonnant ballet des oiseaux. Les deux îlots de la PETITE et de la GRANDE FAUCONNIÈRE (anciens sites de reproduction de faucons pèlerins), à l'est du cap, abritent une colonie d'alcidés (guillemots et pingouins), des huîtriers pies, des cormorans huppés, des mouettes tridactyles, des goélands marins et des goélands bruns et même, au printemps et en été, quelques couples de fous de Bassan, venus des Sept-Iles. LA POINTE DU JAS, à l'ouest du cap, est habitée par une colonie de pétrels fulmars. Du sentier qui y mène, il est possible de découvrir, à la longue-vue, les oiseaux qui peuplent en face l'AMAS DU CAP, également classé réserve ornithologique. La Société d'étude pour la protection de la nature en Bretagne assure des visites guidées selon les années.

LE GRAND CORBEAU
Sur les îlots de la Petite et de la Grande Fauconnière, un observateur attentif pourra découvrir le grand corbeau, une espèce protégée devenue extrêmement rare : sa population, pour l'ensemble de la Bretagne, est estimée à quatre-vingt-dix couples. Son plumage est noir, son bec massif, ses ailes longues et pointues. C'est essentiellement un charognard qui consomme des aliments d'origine animale ou végétale. Lors de la parade nuptiale, ses acrobaties aériennes sont spectaculaires et son croassement est caractéristique. Il niche dans les falaises du littoral ou dans des carrières à l'intérieur des terres.

LA LANDE. Vers le sud et le sud-est du cap s'étendent plus de 400 ha de landes (l'une des plus grandes d'Europe de l'Ouest), où, suivant l'exposition, croissent les bruyères, le serpolet, l'œillet marin, la jacinthe, toutes sortes de mousses et de lichens et même l'osmonde royale, un fossile vivant. L'aspect âpre et désolé du site en hiver laisse place, du printemps à l'automne, à une admirable symphonie de couleurs : le pourpre des bruyères et des callunes s'allie à l'or des ajoncs en fleur. Autrefois, la lande était exploitée rationnellement par les riverains. Tous les dix à quinze ans, la végétation était coupée à ras et on semait les minuscules graines d'ajonc récoltées au début de l'été. La lande représente encore en Bretagne quelque 250 000 ha et offre aux lapins, aux renards et à de nombreux petits mammifères, ainsi qu'à toute une population d'oiseaux, un merveilleux biotope ■ *40*.

L'ANSE DES SÉVIGNÉ. Pour gagner le fort La Latte à pied, il faut suivre le GR 34, qui longe les falaises de l'anse des Sévigné, célèbre dans l'imaginaire populaire pour sa *houle* (grotte) de la Teignouse, habitée par une fée. Nombre de légendes du pays de Fréhel, recueillies par Paul Sébillot ▲ *301*, racontent l'histoire de ces personnages fantastiques ● *136*.

«BATEAUX SECOUÉS PAR LA TEMPÊTE AU PIED D'UN CHÂTEAU FÉODAL»
Peint par Eugène Isabey en 1854 (huile sur toile).

Bien que propriété privée, le fort se visite. Un circuit commenté permet d'accéder au donjon, à la chapelle et au corps de garde.

LE FORT LA LATTE ♥

Protégé par deux ravins qu'on ne franchit que par pont-levis et ceint de murailles en grès rose du cap, le fort La Latte domine la mer de 60 m. Un premier château fort aurait été édifié en 937 par un seigneur breton, dit de Goyon, afin de protéger la côte des pirates normands, mais la forme actuelle du fort date du XIVe siècle.
Baptisé La Roche-Goyon, le château fut assiégé en vain, par les Anglais en 1490, puis par les ligueurs en 1597. En mai 1694, Vauban témoigne du relatif abandon de la place avant son réaménagement : «Le commandant de ce château, capitaine du régiment d'Hoquincourt, qui a servi en Irlande, est là depuis trois ans sans avoir touché un sol de ses appointements. Il a même une jambe cassée depuis dix-huit mois et il n'y a pas d'apparence qu'il guérisse...

Sous les feux de la rampe
Le fort a servi de décor à de nombreux longs métrages. Le plus célèbre, *Les Vikings,* fut réalisé en 1957 par Richard Fleischer. Les cinéphiles ont tous en mémoire le fameux duel de Tony Curtis et Kirk Douglas en haut du donjon. Plus récemment, Lambert Wilson et Sophie Marceau y tournèrent *Chouans,* de Philippe de Broca.

Son maître canonnier est un manchot, de sorte que les deux seuls officiers de ce fort n'ont que la moitié des bras et des jambes qu'il leur faut!» En 1815, les royalistes s'emparèrent du fort mais furent rapidement délogés. Le fort La Latte fut vendu à des particuliers en 1890 et classé monument historique en 1925.

La visite du fort. La porte, la plate-forme défendant l'entrée et les courtines ont été transformées aux XVIIe et XVIIIe siècles. Une fois le pont-levis franchi, on pénètre dans la cour, entourée par le corps de garde, le logis du gouverneur, la citerne et la chapelle. En passant le mur «pare-boulets», on accède à la tour de l'échauguette du XVe siècle et au donjon bâti en 1341. Du chemin de ronde et de la tour de guet, on découvre une vue étonnante sur toute la Côte d'Emeraude.

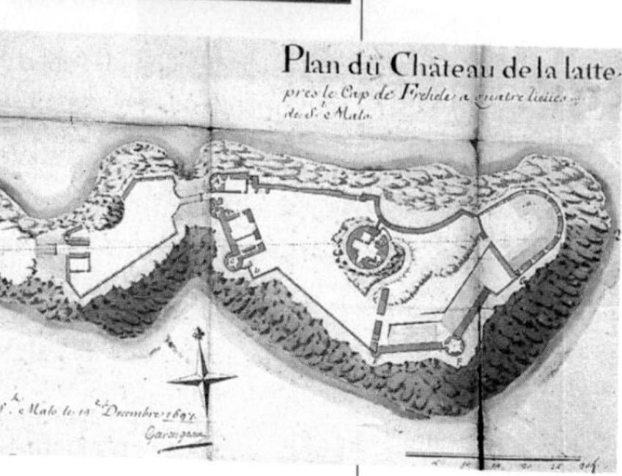

Plan du fort La Latte par Garangeau (1697).

2 heures
15 km

LA BAIE DE LA FRESNAYE

Cette vasière de 6 km de long sur 1,5 km de large s'ouvre entre le fort La Latte (à l'ouest) et la pointe de Saint-Cast (à l'est). A marée basse, les deux tiers des fonds sont découverts, permettant la pêche à pied et de nombreuses promenades, de Saint-Cast aux plages voisines ou autour de la baie (GR 34). Les quatre ports, qui assèchent à marée basse, auraient jadis servi au transport du cidre et du charbon.

CHÂTEAU DU VAUROUAULT
TOUR DE MONTBRAN
CHAPELLE ST-SÉBASTIEN

Parc à bouchots dans la baie de La Fresnaye. Les mytiliculteurs viennent en «plates» surveiller la croissance des moules et l'état des pieux de chêne.

La richesse de la faune et de la flore maritimes de la baie de La Fresnaye a permis le développement de la mytiliculture et de l'ostréiculture. Les côtes rocheuses abritent huit cents espèces d'algues brunes, rouges ou bleues, quatre-vingt-dix types de mollusques et de nombreuses espèces d'oiseaux ■ *36*. A l'entrée de la baie, une BALISE rappelle le drame de la frégate *Laplace* : venue mouiller sous Fréhel en septembre 1950 pour participer à l'inauguration des deux portes-écluses de Saint-Malo, elle sauta sur une mine de fond de la Seconde Guerre mondiale.

LA VALLÉE DU FRÉMUR ♥

La route qui longe le Frémur offre une merveilleuse promenade dans un paysage verdoyant épargné par les siècles, jalonné de petits hameaux et de fermes anciennes.

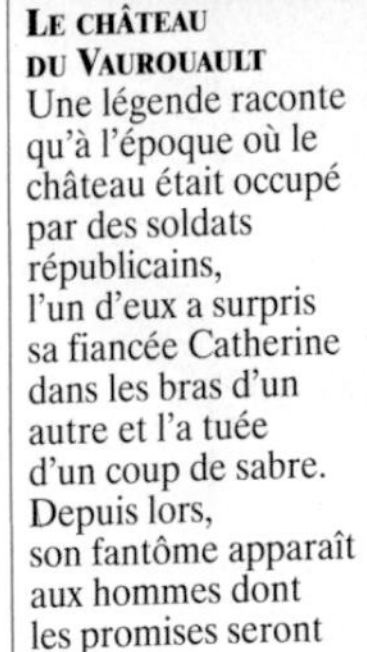

LE CHÂTEAU DU VAUROUAULT
Une légende raconte qu'à l'époque où le château était occupé par des soldats républicains, l'un d'eux a surpris sa fiancée Catherine dans les bras d'un autre et l'a tuée d'un coup de sabre. Depuis lors, son fantôme apparaît aux hommes dont les promises seront infidèles.

LE CHÂTEAU DU VAUROUAULT. Ce cousin des malouinières se trouve au fond de la baie, en bordure de la rivière du Frémur. Il fut édifié sur l'emplacement d'un château plus ancien à la fin du XVIIe siècle par la famille Goyon, expulsée du fort La Latte par Louis XIV, qui voulait le fortifier. L'acheteur du château, vendu comme bien national à la Révolution, fut capturé et mis à mort par les chouans.

LA CHAPELLE SAINT-SÉBASTIEN ♥. Nichée au fond d'un vallon, la petite chapelle a été construite en 1536, probablement à l'emplacement d'une chapelle templière. De style gothique, dédiée à saint Sébastien, grand protecteur contre la peste, elle était le but de pèlerinages annuels jusqu'à la Révolution. Depuis 1970, des opérations de restauration l'ont sauvée de la ruine. A l'extérieur, les beaux chapiteaux à colonnettes du porche sud de la nef sont sculptés d'hermines et de fleurs de lys, allusion à l'union du duché de Bretagne et du royaume de France. A l'intérieur,

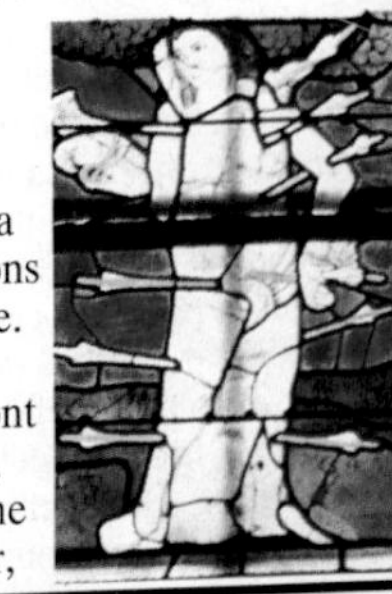

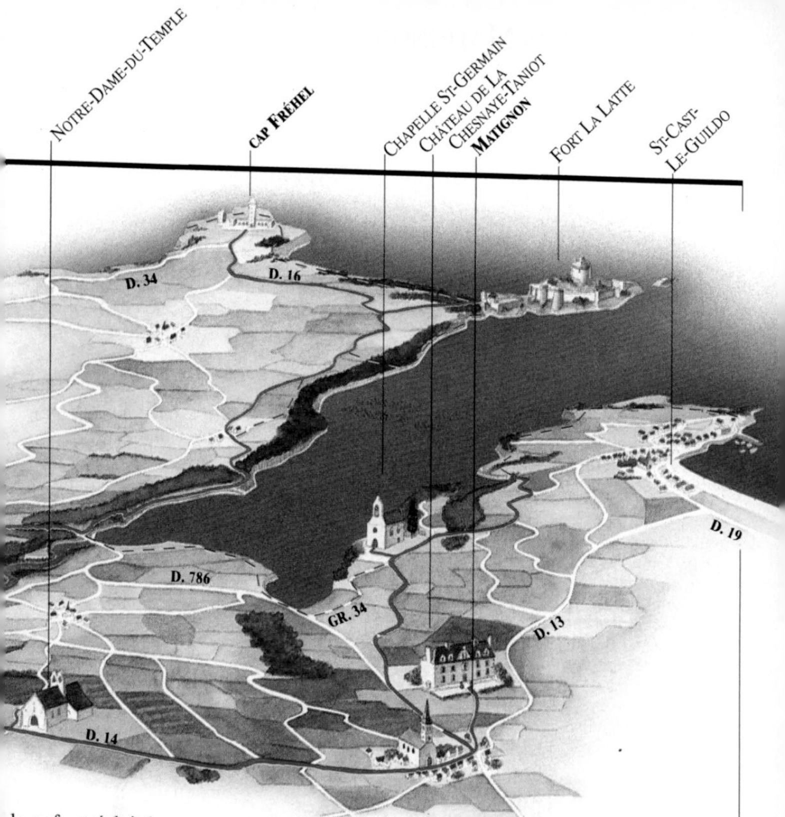

la nef est éclairée par une splendide verrière, datant en partie du XVIe siècle, qui représente le martyre de saint Sébastien (tranpercé par des flèches puis flagellé) et sa mise au tombeau.

La baie de La Fresnaye à marée basse.

MONTBRAN

LA CHAPELLE NOTRE-DAME-DU-TEMPLE (XIIe) ♥. Très rustique avec ses arcades espacées, elle a appartenu, après la disparition de l'ordre des Templiers, à la famille des Du Guesclin, dont les armes sont gravées au-dessus de la porte principale. A l'extérieur se dresse une croix à bubons; ce motif décoratif servait probablement à conjurer les risques de peste. Non loin de là se trouvent les ruines d'une TOUR OCTOGONALE, aujourd'hui envahies par la végétation. Elle fut érigée au XIIe ou XIIIe siècle par les Templiers pour surveiller le passage du Frémur, de part et d'autre de l'ancienne voie romaine, et assurer la sécurité de la Foire de Montbran. La tradition veut qu'au pied de cette tour se trouve une salle où est enseveli le trésor des Templiers ▲ *300*.

LA FOIRE DE MONTBRAN. Depuis des temps immémoriaux, la foire, dite de la Sainte-Croix, a lieu chaque année au mois de septembre. Florian Le Roy (1901-1959), dans son livre *Les Vieux Métiers bretons*, illustré par Mathurin Méheut, la décrit ainsi : «Une vraie ville foraine avec ses tentes alignées s'installe pour huit jours sur le tertre du Montbran, à partir du 14 septembre, fête de la Sainte-Croix, souvenir des

LA CHAPELLE NOTRE-DAME-DU-TEMPLE
Ce petit sanctuaire situé à Montbran, fondé à l'origine par les Templiers, fut rebâti au XIVe siècle par la famille des Du Guesclin. Il abrite une Vierge à l'Enfant autrefois très vénérée. On lui attribuait le pouvoir d'avoir protégé le village lors de l'invasion anglaise en 1758 ▲ *281*.

Templiers. Parmi les étals de charcuterie, les harassées d'échaudés, les gaulées de sabots et les mannerées de poires, de rousettes, les potiers arrivaient à vingt-cinq ou trente familles, amenant chacune trois ou quatre charretées de pots matelassés de paille...» Il s'agissait là des fameuses poteries en terre de Lamballe, fabriquées dans la commune de La Poterie ▲ *320*.

MATIGNON

«PETIT PAYS, GRAND RENOM.» Les seigneurs du fort La Latte s'allièrent en 1209 avec Lucie de Matignon et devinrent ainsi les Goyon-Matignon. Grâce au dernier seigneur de cette lignée, Jacques de Goyon, le patronyme des Matignon fut à jamais sauvé de l'oubli : il donna, en effet, son nom à l'hôtel du Premier ministre. Quelques années plus tard, en 1715, un autre membre de la famille, François, comte de Thorigny, épousa l'héritière des Grimaldi. Il devint ainsi prince de Monaco en 1731. Depuis, les cloches de Matignon marquent, à l'unisson avec celles de la principauté, tous les événements relatifs à la famille princière et les Matignonais sont plaisamment qualifiés de «Monégasques» par leurs voisins. Protégée par sa longue allée de châtaigniers et de hêtres, la malouinière des Tréméreuc, CHESNAYE-TANIO, se trouve aux abords du bourg. Edifié

LA TOUR DE MONTBRAN
Elle est aujourd'hui beaucoup moins spectaculaire que ne le montre cette ancienne carte postale. Ses ruines surplombent la vallée du Frémur.

La Foire de Montbran, renommée pour les poteries que l'on pouvait y trouver.

à la fin du XVIIe siècle et succédant à un manoir plus ancien, le château fut vendu dès le siècle suivant à François de La Moussaye. Ses descendants y demeurèrent jusque ces dernières années. C'est en construisant des cabanes près de la malouinière que l'ethnologue PAUL SÉBILLOT (1843-1918) ● *136* crut voir des arbres venir à lui au crépuscule. Pour se venger, il poursuivit revenants et jeteurs de sorts pendant tout le reste de son existence et laissa un extraordinaire *Folklore de France.* Grâce à lui, les contes en langue gallo sont au nombre des littératures régionales les mieux connues en France. Né à Matignon, Paul Sébillot était parti à Paris en 1863 pour parfaire ses études de droit ou de notariat. Il y découvrit... les joies de la peinture et retourna s'installer à Saint-Briac pour se consacrer à sa passion naissante. Tout en parcourant les côtes à la recherche de paysages nouveaux, il interrogeait les vieilles gens et leur faisait raconter les légendes locales. Passionné par cette tradition orale de haute Bretagne jusque-là délaissée, il y consacra très vite la majeure partie de son temps. Son influence fut décisive pour l'étude du folklore en France : il créa la Société des traditions populaires, en 1885, et la revue du même nom, qu'il dirigea de 1886 à sa mort. Outre son œuvre maîtresse, *Le Folklore de France*, citons *Les Joyeuses Histoires de Bretagne*, sous-titrées «joyeuses histoires de Jaguens, contes et aventures comiques, contes d'animaux, sermons naïfs ou facétieux», recueillies auprès des habitants de Saint-Cast, voisins et rivaux des Jaguens.

LE VILLAGE DE SAINT-GERMAIN. La chapelle du village a conservé un portail du XIIe siècle, un bénitier du XIIIe et un retable du XVIIIe. Elle doit son nom à saint Germain d'Auxerre, qui débuta ici son œuvre de christianisation. A la sortie du village, vers Port-Saint-Jean, on peut accéder à un beau moulin à marée sur la baie de La Fresnaye ● *96*.

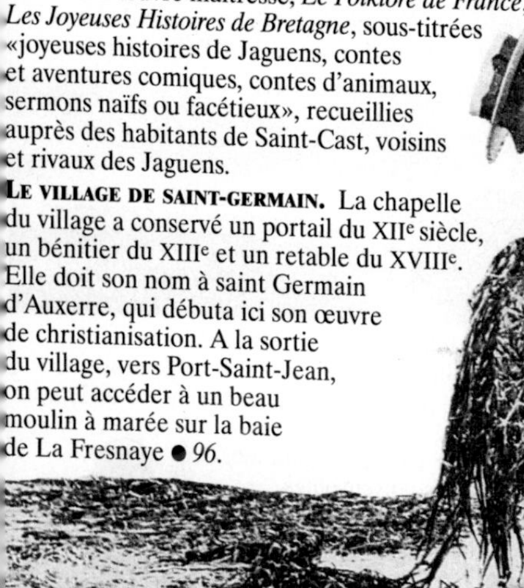

Pêcheuses et pêcheurs de Saint-Jacut (ci-dessus et en bas).

C'est en jouant, enfant, près de la malouinière Chesnaye-Tanio que l'ethnologue Paul Sébillot (ci-contre) rencontra ses premiers revenants...

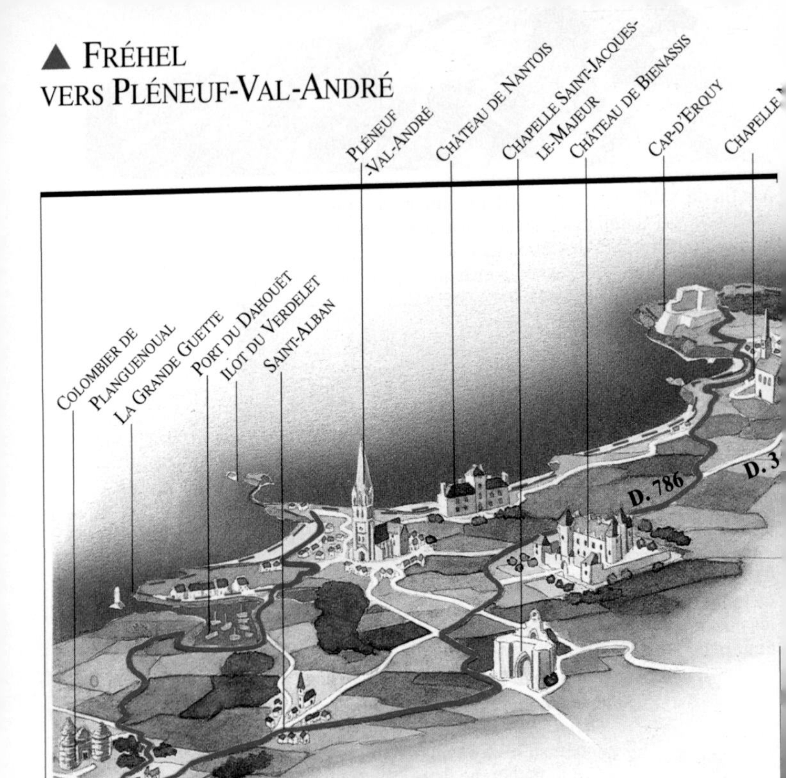

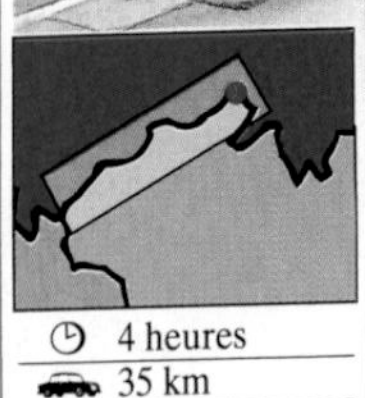

4 heures
35 km

Le clocher de la chapelle du Vieux-Bourg, où un pardon était autrefois célébré chaque dimanche précédant le 8 septembre. On y chantait le même cantique, dont le refrain est le suivant :
«Astre béni du marin
Conduis ma barque au rivage
Garde-la de tout naufrage
Blanche étoile du matin...»

Pléhérel-Plage-le-Vieux-Bourg

Pléhérel-Plage s'appela le Bourg de Pléhérel jusqu'en 1870 : le centre du village a alors été transféré à l'intérieur des terres et une nouvelle église a été construite. Aujourd'hui, la très jolie plage du Croc et ses dunes du bord de mer donnent à cette petite agglomération des allures de station balnéaire.

L'église du Vieux-Bourg ♥. De l'ancien édifice détruit au XIXe siècle pour cause de vétusté, il ne reste plus que le chœur. Situé sur une dune, il domine la plage du Croc et la vue s'étend sur toute la côte jusqu'à Fréhel. Accolées

à la façade, deux stèles funéraires, probablement mérovingiennes, sont sculptées, sur l'envers, de croix de Malte; elles ont été trouvées parmi des squelettes de lépreux enterrés à proximité de l'enclos paroissial, comme le voulait la coutume. De très belles statues polychromes provenant de la chapelle Saint-Sébastien sont entreposées dans l'église.

Les carrières du Routin. Autrefois, les hommes de Pléhérel, s'ils n'étaient pas marins,

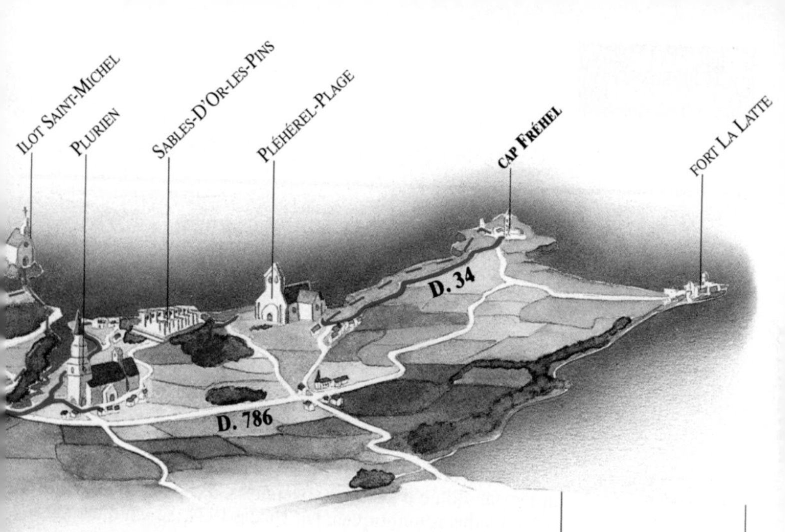

travaillaient aux carrières de pierre. Les caps d'Erquy et de Fréhel ont toujours été des lieux d'exploitation de grès rose; d'autres roches, comme le poudingue, ou roche à renard, étaient également ramassées à même le sol pour servir aux encoignures des portes. Au XVIIe siècle, plusieurs carrières familiales existaient déjà dans la région, notamment à Plévenon et Pléhérel; mais l'ère industrielle des carrières de Pléhérel et d'Erquy ne commença qu'en 1886 lorsque M. Barrier, entrepreneur des travaux publics au Mans, obtint la fourniture des pavés de Paris et des grandes villes du Nord. Il loua alors 2 ha de landes sur la falaise de Pléhérel et 1 ha au cap d'Erquy et y fit construire un système d'embarquement, le port Barrier, par lequel les pavés taillés dans les falaises de grès étaient expédiés. En 1892, la société fut absorbée par celle des carrières de l'Ouest. Barrier, en tant que directeur régional, acheta toute la côte, de Pléhérel à Erquy. Les carrières connurent alors une grande période de prospérité. La Seconde Guerre mondiale et l'emploi du goudron contribuèrent à y mettre fin. De nos jours, seule la carrière du Routin, près du Vieux Bourg, est encore active (accès interdit).

Carriers d'Erquy taillant des pavés (ci-dessus et page précédente en bas). Le dessin à l'aquarelle est de Mathurin Méheut.

SABLES D'OR-LES-PINS ♥

NAISSANCE D'UNE STATION. Immense plage de sable fin, sans doute la plus belle de Bretagne, Sables d'Or-les-Pins n'est pas une plage comme les autres. Elle fut créée de toutes pièces de 1922 à 1924 par deux promoteurs, Roland Brouard et Bernard Launay, en bordure de la grève de Minieu, là où les dunes, la mer et les bois formaient un ensemble grandiose : «C'était comme une muraille de Chine que formait la ligne des dunes, entre la pointe d'Erquy, la pointe Saint-Michel et la pointe dite de Port-Barrier [...] Je voulais harmoniser la vie et l'architecture en en faisant, par un aplanissement savant, le socle accueillant et définitif d'une ville dont seraient à jamais bannis les taudis [...]» (R. Brouard, 1934). En un peu moins de dix ans, ce génial

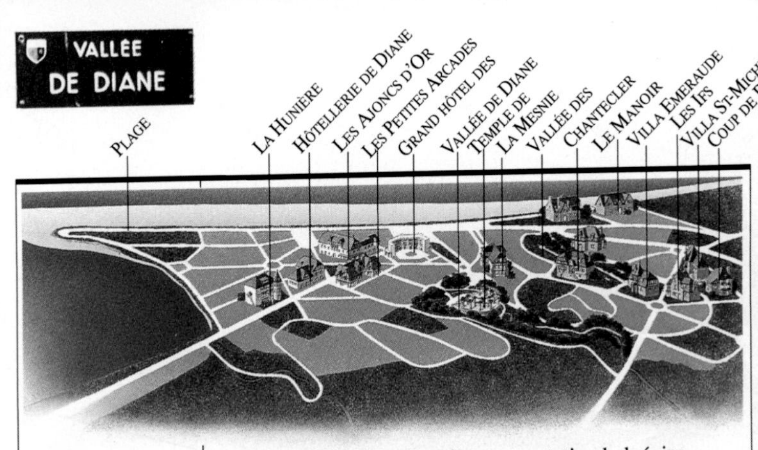

réalisateur créa de toutes pièces une station balnéaire moderne, dotée d'avenues spacieuses, d'espaces fleuris et de promenades romantiques. De 1922 à 1924, 12 km d'avenues furent ouvertes, les terrains nivelés, prêts à être vendus, l'eau de source distribuée partout. Affiches publicitaires et événements spectaculaires vantaient les mérites de la nouvelle «Corne d'or» d'Occident : en 1923, mettant à profit le succès remporté par la première traversée du Sahara en autochenilles Citroën, Brouard fit parcourir dunes et vallons à deux de ces véhicules en présence d'une foule considérable.

Une architecture 1924-1930. A partir de 1924, de grandes fêtes – rallyes hippiques et automobiles, courses de chevaux sur la plage, représentations théâtrales – marquèrent, chaque saison, l'inauguration de nouveaux bâtiments. Deux architectes furent les maîtres d'œuvre de la station : Yves Hémar ▲ *187* pour le style anglo-normand et Pol Abraham (1891-1966), qui tenta d'introduire une architecture Art déco, peu appréciée de la clientèle. (Cet architecte talentueux est surtout connu pour ses réalisations parisiennes, comme le sanatorium de Passy.) De 1924 à 1928, la vie culturelle et sportive fut à son apogée (voir page ci-contre), mais la crise économique de 1929 et une gestion désastreuse ruinèrent l'entreprise de Brouard. Le projet fut stoppé et, en 1932, l'hôtel des Arcades, à jamais inachevé, dut être vendu sous saisie. Seul et malade, Brouard vit la fin de son rêve et mourut ruiné et abandonné de tous en janvier 1934. Quelques opérations immobilières furent encore réalisées avant 1940, puis la station

L'architecture de Sables-d'Or
Les bâtiments présentent deux styles très différents; des villas et hôtels de style anglo-normand : hôtel des Dunes d'Armor, hôtel des Ajoncs d'Or, hôtel du Bon Accueil, hôtellerie de Diane, villas Castell Breiz, Le Manoir, Le Minieu, Saint-Michel, Emeraude, Les Ifs, Coup de roulis, La Mesnie et des villas et hôtels Art déco : grand hôtel des Arcades, Chantecler, La Hunière, Roc fleuri.

Un discours publicitaire
«Pour passer d'agréables vacances, allez à Sables d'Or-les-Pins. La nature et l'œuvre des hommes ont fait de cette plage de la Bretagne un endroit unique au monde pour les joyeux et bienfaisants séjours de ses hôtes. Quels que soient vos goûts et vos désirs, ils seront comblés [...] Sables d'Or-les-Pins, grâce à la proximité du Gulf Stream possède un climat tempéré : rhododendrons, camélias, eucalyptus, mimosas, etc. y poussent en pleine terre.»

Cette affiche publicitaire fut dessinée par S. Hulot en 1935.

LA BELLE ÉPOQUE 1924-1930 furent les années fastes de Sables d'Or-les-Pins. A partir de 1927, le nouveau directeur du casino, R. Boulay, et son épouse, l'actrice Suzanne Rissler, firent venir des personnalités du monde des lettres et du théâtre : Mme Edmond Rostand, Rosemonde Gérard, Jean Richepin ▲ *312*, Jules Berry et Suzy Prim. Ces artistes interprétèrent sur la scène du nouveau théâtre de verdure (1926) les succès de l'époque. Ci-contre, de haut en bas : l'inauguration du palais des Arcades (1925); la Potinière de l'hôtel Camping House; l'heure du thé autour du théâtre de verdure; l'inauguration

du Grand Hôtel des Arcades, dont la construction fut terminée hâtivement à la lueur des phares d'automobiles (juillet 1925); l'inauguration du pavillon du Golf (1925); celui-ci offrait à l'origine un parcours de neuf trous qui passa à dix-huit trous en 1927.

fut occupée par les Allemands, qui y construisirent des défenses intégrées au mur de l'Atlantique.

AUJOURD'HUI. La beauté du site, le dessin étonnamment spacieux des avenues, l'homogénéité de l'architecture

La plage de Sables d'Or-les-Pins et la chapelle de l'îlot Saint-Michel (ci-dessus).
Le site des Sables d'Or-les-Pins est la dernière zone naturelle d'un ensemble dunaire important qui, jusqu'à la fondation de la station touristique dans les années 1925, culminait à 40 m d'altitude. Le dernier vestige naturel de cet ensemble est une flèche dunaire : le sable transporté par les courants et la houle s'est accumulé à la sortie de l'estuaire de l'Islet, en formant une dune qui s'est avancée en mer. Il s'est formé alors une flèche dunaire à laquelle s'associe une végétation caractéristique et adaptée.

intriguent le passant. D'emblée, on devine que le destin de la station fut brutalement interrompu. On peut flâner à loisir et suivre les quelques courtes promenades aménagées à la naissance de la villégiature : la VALLÉE DE DIANE et son théâtre de verdure, aujourd'hui désert, la VALLÉE DES NYMPHES et le tour de la plage sud, à l'entrée sud-ouest de la station.

VESTIGES GALLO-ROMAINS. L'érosion marine de la falaise des Sables d'Or a permis la découverte, en 1977, des thermes domestiques d'une villa gallo-romaine datant du IIe siècle ap. J.-C. Les objets trouvés et les plaques de schiste, sculptées de boucliers, qui tapissaient les murs de la piscine, sont exposés au musée gallo-romain de Corseul : «Ces plaques avaient un double rôle, décoratif en vue de rompre la monotonie picturale des murs enduits, et prophylactique en vue de placer un bâtiment à l'abri du mauvais sort.» (Loic Langouët) ▲ *255*.

L'ÎLOT SAINT-MICHEL ♥. Depuis le Moyen Age, l'îlot ou rocher Saint-Michel appartenait aux moines de l'abbaye cistercienne de Saint-Aubin-des-Bois (près de Lamballe). Ils y avaient construit une chapelle où ils venaient célébrer une messe suivie d'une quête chaque 27 septembre. Ils possédaient également deux pêcheries qu'ils louaient aux habitants en échange de quelques poissons. Au XVIIIe siècle, l'édifice tombait en ruine et les moines se virent contraints de célébrer la messe entre deux rochers, sous une voile de bateau. L'actuelle chapelle (1881), sérieusement endommagée, est fermée au public. L'îlot est accessible à marée basse mais il faut bien sûr tenir compte de l'horaire des marées avant de s'y aventurer...

PLURIEN

L'ÉGLISE. Dédiée à saint Pierre, elle est constituée de deux sanctuaires. La partie basse pourrait dater de l'an mille; les pèlerins de Saint-Jacques-de-Compostelle y faisaient halte. Les poutres, gravées du signe de saint Jacques, et les deux bénitiers en forme de coquille datent de cette époque.

«La plage d'Erquy» Peinte par Francis Auburtin en 1897 (aquarelle et encre noire sur papier).

Erquy

L'étymologie du nom Erquy est incertaine : il pourrait provenir des mots bretons *er* et *gwick* (aigle et bourg), *c'herregi* (les rochers) ou plus vraisemblablement *ar cae* (près des retranchements), en référence aux fossés de Catuelan et de Pleine Garenne, situés sur le cap d'Erquy.

Le drame d'Erquy. Cet événement a marqué l'histoire de la station : le 16 février 1795, des courriers émigrés transportant des documents royalistes quittèrent Jersey à destination de Planguenoual ▲ *311*, dans la baie de Saint-Brieuc. Ils devaient transmettre à tous les chefs de la chouannerie des consignes en vue d'une vaste opération prévue pour le printemps suivant : le débarquement de Quiberon. Le but de cette expédition était d'amener, grâce à l'aide d'une escadre anglaise, une armée d'émigrés pour renforcer les troupes de chouans. Le mauvais temps jouant, ils débarquèrent par erreur à Erquy, où les canonniers républicains étaient à leur poste. Ils furent capturés et les détails du débarquement à Quiberon dévoilés.

Flottille de pêche d'Erquy.

La coquille Saint-Jacques ■ *38***.** Erquy a conservé sa vocation de premier port de pêche à la praire et à la coquille Saint-Jacques. Parmi ses trois mille habitants, trois cents au moins, sont marins-pêcheurs. Ce type de pêche est depuis quelques années une activité importante en Bretagne Nord. Entre 1965 et 1975, elle connut un âge d'or avec le développement du gisement de Saint-Brieuc, qui constitua à la fin de cette période la moitié de la production française et 95 % de celle de la Bretagne. La pêche se déroule en hiver, car les coquilles supportent mal la chaleur, et se fait au moyen d'une drague, lourd râteau de 2 m de large sur lequel est fixé un sac formé d'anneaux métalliques. Deux dragues sont autorisées par bateau. Strictement réglementée, afin de préserver les gisements, la saison ne dure que de novembre à mars. Même le temps de pêche est limité : les bateaux ne peuvent partir en mer que deux heures, quatre jours par semaine. Pourtant, malgré ces précautions, l'équilibre atteint depuis les années 1980 se dégrade peu à peu. La recherche se tourne donc de plus en plus vers l'aquaculture de la coquille Saint-Jacques.

La célèbre coquille La coquille Saint-Jacques est un mollusque bivalve dont la valve inférieure est plate, et la supérieure bombée. Ce gros coquillage se déplace en ouvrant puis en rabattant son couvercle (par propulsion à réaction). Il se tient sur les fonds sableux du littoral à 20 m de profondeur.

La chapelle N.-D.-des-Croix-Sept-Saints. Cette petite chapelle, reconstruite en 1863, domine le bourg. Elle est plus souvent désignée sous le nom de Notre-Dame-des-Marins, car

Pêcheurs de coquilles Saint-Jacques remontant leur drague.

La haute silhouette de la chapelle N.-D.-des-Croix-Sept-Saints domine le bourg d'Erquy.

les équipages de terre-neuvas y venaient en pèlerinage avant leur départ, comme en témoignent le mur des péris en mer et les nombreux ex-voto conservés à l'intérieur de la chapelle.

L'ÉGLISE SAINT-PIERRE-ET-PAUL. De la première église romane subsistent les architraves nord et sud en grès gris clair récemment mis au jour et, près de l'entrée, un bénitier à cariatide du XIIe siècle, usé par les faucilles qu'on venait y aiguiser. Le pignon du chœur a été reconstruit en 1412 et la façade nord au XVIIIe siècle.

Coiffe de travail traditionnelle de la région d'Erquy ● *72*. Elle se portait encore au début du siècle.

LE CAP D'ERQUY ♥. Sa pierre, sa couleur et ses bruyères rappellent le cap Fréhel, même s'il est moins grandiose (60 m). La falaise du côté de la Fosse-Eyrand est très entamée, ayant longtemps servie de carrière de grès. Le site, classé en 1978, a été acheté par la commune en 1982. Un circuit historique permet de découvrir les monuments du cap (voir panneau sur place). Plusieurs excursions pédestres mènent de Tu-es-Roc vers les plages de Lourtoué, de Portuais, du Guen et la pointe du cap.

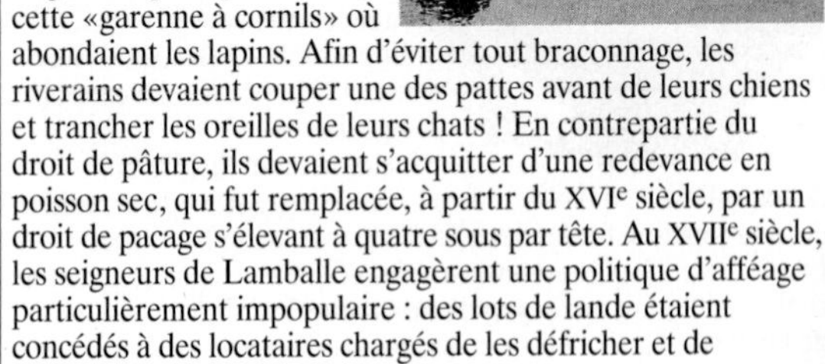

Le phare du môle du port d'Erquy (à droite).

PETITE HISTOIRE DE PROPRIÉTAIRES. Le cap d'Erquy, tel qu'il apparaît aujourd'hui, correspond aux restes d'une immense étendue de landes appelée encore garenne d'Erquy. Au Moyen Age, elle appartenait au comte de Penthièvre, qui en exploitait directement une partie et concédait le reste à ses vassaux. La chasse était largement pratiquée dans cette «garenne à cornils» où abondaient les lapins. Afin d'éviter tout braconnage, les riverains devaient couper une des pattes avant de leurs chiens et trancher les oreilles de leurs chats ! En contrepartie du droit de pâture, ils devaient s'acquitter d'une redevance en poisson sec, qui fut remplacée, à partir du XVIe siècle, par un droit de pacage s'élevant à quatre sous par tête. Au XVIIe siècle, les seigneurs de Lamballe engagèrent une politique d'afféage particulièrement impopulaire : des lots de lande étaient concédés à des locataires chargés de les défricher et de

«L'ANSE D'ERQUY», par Henri Saintin, 1876. Cet artiste parisien (1846-1899), découvre la Bretagne par ses maîtres, Francis Blin et Alexandre Segé en 1875 ● *120*. Fixé un temps à Plurien dans les Côtes-d'Armor, il s'attache surtout à saisir les lumières changeantes de la baie de Saint-Brieuc et des landes de Fréhel.

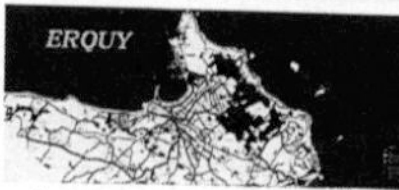

Erquy au siècle dernier.

les mettre en culture moyennant une rente féodale. Cette politique, allant à l'encontre des vieilles coutumes d'usage de la lande et des «vaines pâtures», suscita la colère des riverains qui s'opposèrent, souvent violemment, aux nouveaux propriétaires, dont ils saccageaient, pour commencer, les clôtures.
A la Révolution, ce qui restait des vaines pâtures devint propriété municipale. Confisquée par l'Etat en 1852, elle revint ensuite à la commune d'Erquy. En 1857, suite à une action intentée par les héritiers des anciens locataires, la plus grande partie de la garenne fut adjugée en de nombreux lots et boisée de résineux.
LES FOSSÉS CATUELAN ET DE PLEINE GARENNE. Difficiles à apercevoir, ils barrent la pointe du cap. Le plus proche date du premier âge du fer; peu profond, il est constitué d'un seul talus tandis que le second, plus tardif et probablement inachevé, en comprend deux, séparés de 15 m environ. Des poutres en bois de 25 cm de diamètre, retrouvées dans le talus, confirment qu'il s'agissait d'un oppidum; ce système de défense coriosolite ● 56 comprenait des éperons barrés avec des poutres en bois disposées longitudinalement et transversalement dans une levée de terre, recouverte de pierres. Une palissade en bois surmontait l'ensemble. La construction aurait été interrompue par la défaite des Coriosolites en l'an 56 av. J.-C.

LES OPPIDUMS DES CORIOSOLITES
Dès l'âge du fer une population celte avait installé des ouvrages défensifs sur le cap. Archéologues et dessinateurs se sont employés à reconstituer ces éperons, barrés avec des poutres en bois qui étaient enterrées dans une levée de terre et recouvertes de pierres. On pense que ces fortifications n'étaient occupées qu'en cas d'attaque.

LES MONUMENTS. Sur le cap, les ruines d'un corps de garde du XVIIIe siècle et un four à boulets témoignent du plan de défense des côtes de la Bretagne mis en place dès la fin du XVIIe siècle. Les fours à boulets servaient à chauffer les projectiles à très haute température afin d'incendier les navires. Cependant, le temps de préparation extrêmement long du foyer et une maîtrise insuffisante de la technique de la brique réfractaire rendirent ces ouvrages peu utilisables. Les incursions britanniques étant fréquentes et les sites fortifiés par Vauban (la baie de Saint-Malo et le fort La Latte) insuffisants pour protéger toute la côte, des éléments défensifs semblables furent installés tout le long des rives bretonnes. Dans les communes du littoral, une milice appelée garde-côte était chargée en temps de guerre d'annoncer

LE FOUR À BOULETS
Sur le cap d'Erquy, on peut voir les ruines d'un corps de garde du XVIIIe siècle et un ancien four à boulets. Ce système, inventé en 1794 sous la République, est à l'origine de l'expression «tirer à boulets rouges» : il permettait de chauffer les boulets pour incendier les vaisseaux.

Le château de Bienassis et les douves côté jardin.

par des signaux de fumée l'arrivée de vaisseaux ennemis et de repousser les attaques éventuelles. Plusieurs fois réorganisées, ces milices furent définitivement abandonnées sous la Restauration.

AUX ENVIRONS DE PLÉNEUF-VAL-ANDRÉ

LE CHÂTEAU DE BIENASSIS ♥. Imposant au premier abord avec ses murailles en granit rose d'Erquy, entouré de douves qu'on ne franchissait jadis que par pont-levis, le château actuel (XVIIe-XIXe siècle) a perdu sa fonction défensive au profit d'un style plus raffiné. Le premier édifice, construit peu après 1410 par Geoffroy du Quelenec, était un château fermé de type médiéval dont il ne subsiste aujourd'hui qu'une tour, à l'arrière du logis, enfermant un vaste escalier à vis. Pendant la Ligue, le château servit de garnison aux troupes du chef ligueur Mercœur ● *59*. Ses propriétaires le retrouvèrent à demi détruit et le reconstruisirent entre 1600 et 1620; de cette époque datent le plan d'ensemble du domaine ainsi que la muraille d'entrée et ses deux pavillons. Plus tard, l'édifice fut entièrement modifié et prit sa forme actuelle : un vaste corps de logis rectangulaire, encadré de deux tours côté cour. Sur la façade, entre les deux portes, les étapes de construction sont bien visibles : 1650-1660 pour la partie sud, 1690-1700 pour la partie nord. Confisqué à la Révolution et transformé en prison, le château fut vendu comme bien national au général Valleteaux, commandant de l'armée de l'Océan : il réduisit le corps de logis, dont les extrémités allaient jusqu'aux douves, et reconstruisit les tourelles d'angle, le portail d'entrée et ses deux poivrières. Un autre grand navigateur, l'amiral de Kerjegu, en fit l'acquisition en 1876. Cet homme aventureux, originaire de Moncontour, s'y installa après avoir participé à toutes les grandes campagnes de son siècle : expéditions du Mexique, de Crimée, de Chine et de Cochinchine. Bienassis appartient aujourd'hui à ses descendants.

VISITE. Bien qu'habité, le château est accessible au public. La visite guidée permet d'entrer dans la cour et de voir le rez-de-chaussée du logis;

LE CHÂTEAU DES NAVIGATEURS
Après la Révolution, Bienassis appartint à un commandant de l'armée de l'Océan, puis à l'amiral de Kerjegu.

l'intérieur, restauré au XIXe siècle, est un peu décevant mis à part un escalier monumental en grès rose d'Erquy, dont le plan marque une transition entre l'escalier Renaissance et le style à la française.

LE CHÂTEAU DE NANTOIS ♥. Pour l'apercevoir, il faut suivre la D 786 ou, mieux encore, la petite route bordée de hêtres qui mène au très beau site de la plage des Vallées. Vers 1688, un riche fermier général du Vauclerc, Charles de La Goublaye, fit édifier le château sur un terrain dépendant du manoir voisin de La Vigne, acquis par son épouse.

SAINT-ALBAN. Un charmant village aux maisons typiques. Son église renferme plusieurs statues anciennes, un maître-autel du XVIIe siècle et un vitrail du XIVe, complété en 1541, représentant la Passion et la Résurrection du Christ.

LA CHAPELLE SAINT-JACQUES-LE-MAJEUR ♥. Au XIVe siècle, cette chapelle avait été construite par les moines hospitaliers pour accueillir les pèlerins en route pour Compostelle. Ils auraient abandonné leur travail lors de la dissolution de l'ordre et la chapelle n'a jamais été achevée. Une légende raconte aussi que les fées qui transportaient des pierres pour l'édification de la chapelle rencontrèrent une pie; ce mauvais présage les fit renoncer à achever leur tâche.

Le travail de la pierre à l'extérieur est exceptionnellement soigné : la façade nord comporte une galerie inachevée, des gargouilles très travaillées et un portail remarquable par son double porche, orné de faisceaux de colonnettes avec chapiteaux à fleurs. A l'intérieur, une statue en pierre du XIVe siècle représente une Vierge à l'Enfant tenant un oiseau à la main; elle est appelée Notre-Dame-du-Bon-Voyage car un pèlerin est agenouillé à ses pieds.

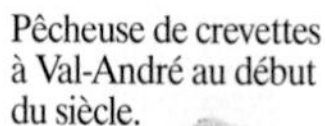

Pêcheuse de crevettes à Val-André au début du siècle.

PLANGUENOUAL ♥. Un très beau colombier à quatre tourelles, unique en Europe, a été sauvé de la ruine et restauré entre 1980 et 1984 par une association de bénévoles. Mentionné dès le XVIe siècle, il dépendait autrefois du manoir du Vaujoyeux, aujourd'hui disparu. Une randonnée pédestre de 4 h passe devant le colombier et permet de découvrir quelques châteaux des environs, dont le joli manoir de la Petite-Hervé (PR entre Manche et Guerledan).

Vue lointaine du village de Pléneuf-Val-André.

Jean Richepin (1849-1926). Le poète est enterré dans le cimetière de Pléneuf, aux côtés de son confrère Raoul Ponchon.
Né en Algérie, Jean Richepin obtint en 1870, après un passage à l'Ecole normale, une licence ès-lettres. Il s'engagea alors dans un corps de francs-tireurs et passa les années 1871-1875 à bourlinguer.
Il fit ensuite une réapparition au quartier Latin où il acquit une réputation sulfureuse. Son recueil, *La Chanson des gueux,* publié en 1876, lui valut une condamnation pour atteinte aux bonnes mœurs et un mois de prison.
Il fut néanmoins reçu à l'Académie française en 1909. Après avoir séjourné à Saint-Jacut-de-la-Mer, à Dinard, à Saint-Enogat et à Saint-Lunaire, il s'installa au Val-André. La Côte d'Emeraude lui inspira son recueil de poèmes *La Mer* (1886) ● *130*.

Pléneuf-Val-André

Occupé dès le paléolithique, le site a été christianisé au Ve siècle par saint Symphorien, qui donna son nom à la petite CHAPELLE où les habitants de Pléneuf venaient l'invoquer en période de sécheresse : «Saint Symphorien de Pléneuf, donnez-nous de la playe (pluie) par-dessus la Dahouée.» La destinée de ce petit village de pêcheurs fut bouleversée lorsqu'en 1882 la société Cotard acheta à la commune du Val-André des terrains aux abords de la pointe de Pléneuf pour y construire des lotissements. Pléneuf entrait dans l'ère du tourisme balnéaire. La station, fréquentée à ses débuts par une clientèle bourgeoise et aisée, fut élue par le poète Jean Richepin, qui y vécut jusqu'à sa mort.
Elle connut son apogée après 1936 lorsque le gouvernement institua les congés payés.

La plage du Val-André compte parmi les plus belles plages de sable de la côte nord. Une promenade mène à la POINTE DE PLÉNEUF ♥, d'où la vue sur la baie de Saint-Brieuc et sur Erquy est exceptionnelle.

L'îlot du Verdelet. Face à la plage, l'île est accessible à marée basse. Classée réserve ornithologique, elle est le refuge des mouettes, des goélands, des sternes et des cormorans. Aux XIIIe et XIVe siècles, elle dépendait du prieuré Saint-Martin de Lamballe, qui y avait établi un lieu de culte dédié à saint Michel. A marée basse, les vestiges des pêcheries, installées au Moyen Age par les moines, sont encore visibles aux abords des rochers, qui regorgent de crevettes, d'oursins et de berniques.

La promenade de la Guette longe l'anse du Pissot jusqu'à la pointe de la Grande Guette et mène au port du Dahouët.

Le port du Dahouët ♥. Situé sur l'estuaire de la Flora, ce petit port dont le site est bien préservé arma des bateaux pour la pêche à la morue en Islande jusqu'au début du siècle. En 1509, ses marins furent les premiers à traverser l'Atlantique pour pêcher à Terre-Neuve. Pour le rendre praticable, il fallut édifier des quais et isoler le port de l'étang et du marais de Bignon. Le port s'est recyclé, non sans mal, grâce au renouveau de la pêche à la coquille Saint-Jacques et à quelques activités touristiques.

Le port du Dahouët par Robida.

LAMBALLE ET SES ENVIRONS

▲ Lamballe

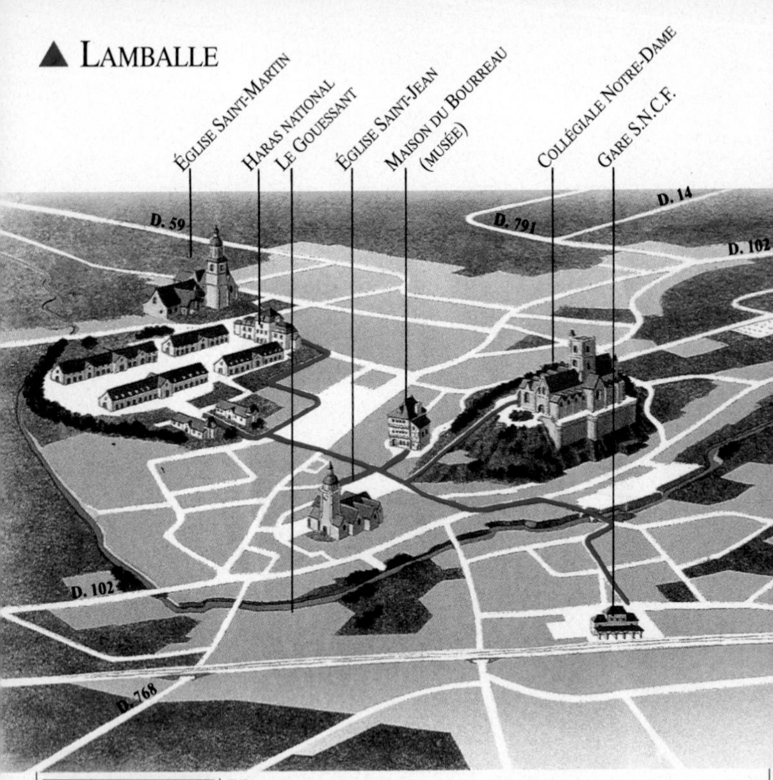

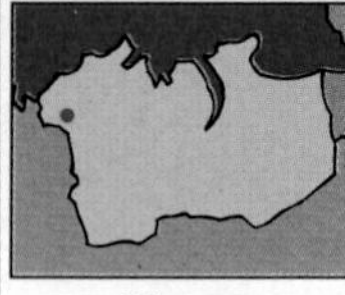

◷ 3 heures

Historique

Peu avant notre ère, un village gallo-romain se fixait à flanc de coteau, à l'ouest de la ville actuelle, au carrefour de voies venant de Corseul et de Condate (Rennes). Au VIe siècle, un religieux du nom de Pal, ou Pol, évangélisa tout le pays et édifia un ermitage (*lan*) proche d'une hauteur fortifiée (Le Plessis). Ce premier ensemble ayant été dévasté en 936 par les Normands, une cinquantaine d'années plus tard un château fut réédifié sur le promontoire voisin de Saint-Sauveur, et un nouveau *burgum* se développa à sa base.

Comté de Penthièvre
Côte d'Emeraude

A partir de 1034, l'histoire de cette ville se confond avec celle de la seigneurie de Penthièvre, donnée en apanage par le jeune duc de Bretagne, Alain III, à son frère cadet, Eudes. En 1083, les moines de Marmoutier reçurent un terrain pour y fonder un prieuré, dédié à saint Martin. Lamballe se développa alors à l'intérieur de murs clos, tout d'abord autour du château et de sa chapelle (Notre-Dame), puis entre le prieuré et le champ de foire. Ce n'est qu'au XIVe siècle que l'agglomération s'étendit hors des murs, des artisans du cuir de grande réputation, tanneurs et mégissiers, peuplant les nouveaux faubourgs. La capitale du Penthièvre était également renommée pour l'habileté de ses «gastadours», ouvriers spécialisés dans la construction des fortifications, que l'on sollicitait même hors de Bretagne.

Tanneurs de Lamballe, par Mathurin Méheut (dessin rehaussé d'aquarelle).

Pendant la Ligue, la ville forte fut attaquée à quatre reprises par les partisans de Henri IV,

«JE ME SUIS ARRÊTÉ UN JOUR À LAMBALLE. L'ÉGLISE DE NOTRE-DAME, SITUÉE SUR UNE ÉMINENCE QUI DOMINE LA VILLE, PARAÎT AVOIR ÉTÉ COMMENÇÉE À L'ÉPOQUE DE TRANSITION» GUSTAVE FLAUBERT

entre 1589 et 1591. Mais château et murs d'enceinte ne furent rasés qu'en 1626, sur ordre de Richelieu, à la suite d'une conspiration fomentée contre lui par le fils de Gabrielle d'Estrées et de Henri IV, César de Vendôme. L'extinction de la maison de Penthièvre, en 1712, puis la Révolution amoindrirent l'importance politique de la ville. L'ancienne cité ducale dominait la vie locale au XIXe siècle par ses foires et son haras. C'est aujourd'hui une petite capitale de l'agro-alimentaire : deux puissantes coopératives, la Cooperl (premier abattoir européen de porcs) et le Gouessan (aliments pour bétail, conditionnement d'œufs et de légumes), s'y sont installées et rayonnent sur toute la Bretagne nord. La ville est également le siège d'une industrie originale, l'entreprise Labbé, qui fabrique des carrosseries de voiture et de fourgon blindé.

LA PLACE DU MARCHÉ AU SIÈCLE DERNIER
Le centre de la place était alors occupé par une grande halle. Les jours de foire, les artisans originaires du village de La Poterie y vendaient leurs marchandises ▲ *320*.

LA COLLÉGIALE NOTRE-DAME ♥

LA RUE NOTRE-DAME. Dans cette ancienne voie d'accès au château se trouve la maison du sénéchal qui conserva jadis les archives du Penthièvre, sauvées de justesse à la Révolution. Un peu plus bas, au n° 14, l'hôtel particulier des Sevoy est la maison natale de Mathurin Méheut ▲ *317*.

LE TOUR DE L'ÉDIFICE. Du parvis de la collégiale, la vue sur Lamballe et ses environs est saisissante : on distingue au loin, de gauche à droite, les bourgs de La Poterie, de Noyal, de Maroué et le moulin Saint-Lazare. Sanctuaire de style normand, la collégiale est une superposition de trois constructions d'époques différentes. Un rempart de granit de construction récente (1874-1882) permet aujourd'hui encore de faire le tour de l'édifice. Une première chapelle romane, construite avec le château, fut transformée en église aux environs de 1200. En restent, sur la façade nord, deux fenêtres et un portail, qui communiquait directement avec le donjon du château. La nef fut ajoutée en 1206. Mais, la fortune des Penthièvre ayant subi quelques revers, les travaux durent être interrompus pendant plus d'un siècle. Ils reprirent en 1317. Le style gothique se substitua au style roman. L'église prolongée conserva le même clocher, simplement rehaussé,

LA COLLÉGIALE NOTRE-DAME
Coupe transversale du chœur (XIVe) et élévation de la façade sud fortifiée, dessinées en 1883 par l'architecte Ballu.

Les maisons à colombages de Lamballe sont caractéristiques du Penthièvre. Cette mode locale apparut à la fin du XVIe siècle.

LE JUBÉ DE LA COLLÉGIALE (à droite) Réalisée entre la fin du XVe et le début du XVIe siècle, cette clôture monumentale, autrefois placée devant le chœur, fut partiellement démontée en 1723, avec l'accord du duc de Penthièvre, car elle menaçait

de s'écrouler. Le jubé est aujourd'hui surmonté d'un buffet d'orgues du XVIIe siècle. Ci-contre, détail d'un des médaillons qui ornent sa balustrade.

c'est pourquoi il se trouve au milieu du toit et non à son extrémité. En raison de sa position stratégique, la façade sud fut dotée d'un pignon fortifié, qui permettait un passage extérieur au niveau des vitraux. Côté ouest, deux murs du XVe et du XVIe siècle enserrent la façade de la nef, restaurée au siècle dernier. Son portail a conservé quelques éléments du XIIIe siècle. Lorsque le duc Jean V s'empara par félonie des biens des Penthièvre, en 1435, il transforma Notre-Dame en collégiale, y créant un collège de chanoines. A la Révolution, l'église, momentanément transformée en prison, abrita le culte de la déesse Raison. Son état déplorable obligea très tôt le transfert des offices à l'église Saint-Jean.

VISITE DE LA COLLÉGIALE. A l'intérieur de l'édifice, différents styles cohabitent. Ainsi, dans la nef, des colonnes romanes jouxtent des amorces de colonnes et d'arcades gothiques inachevées. Le collatéral sud, fermé par un beau jubé en bois (voir légende), abrite plusieurs petites chapelles séparées entre elles par des réseaux ajourés à la manière anglaise. Dans le chœur, on peut voir une des cinq statues de la Foi répertoriées en France. C'était à l'origine une réserve eucharistique, placée près de l'autel principal ; les révolutionnaires en firent la déesse Raison. Depuis le XIIe siècle, chaque 8 septembre, le culte de la Vierge est commémoré lors du pardon de Notre-Dame-de-Grande-Puissance.

On peut encore voir à Lamballe quelques vieilles maisons à pans de bois du XVIIe siècle dans les rues du Docteur-Calmette, du Four et Saint-Jean. La plus belle et la plus heureusement restaurée est la maison du Bourreau (en bas ci-contre et page de droite).

LA PLACE DU MARCHÉ

LA MAISON DU BOURREAU ♥. A la fin du XIXe siècle, un photographe de la région édita des cartes postales de cet édifice du début du XVe siècle avec la mention «vieille maison à Lamballe». Les cartes se vendant mal, il remplaça cette légende par «Maison du Bourreau», faisant allusion soit à l'un de ses anciens propriétaires nommé Boursault, soit à la proximité de l'ancienne place du Pilori.

LE MUSÉE MATHURIN-MÉHEUT ♥. Il fut créé en 1972 par l'Association des amis de Mathurin Méheut et

renferme une importante collection d'études, de dessins, de céramiques, de gouaches, de gravures et d'aquarelles léguée par la fille du peintre. Fils de menuisier, Mathurin Méheut (1882-1959) vit le jour à Lamballe. Il travailla d'abord chez un peintre en bâtiments et conçut des enseignes commerciales, avant de se lancer dans une étude sur la flore et la faune de Roscoff pour la *Revue d'art et de décoration*. Cette recherche, qui se matérialisa deux ans plus tard par un livre et une exposition au Louvre, lui permit d'obtenir la bourse du Tour du monde de la Fondation Albert-Kahn. Le temps de visiter le Japon et les îles Hawaï, la guerre éclatait. Mobilisé, il fut pendant quatre ans peintre-combattant. Après 1918, il se consacra à l'enseignement et à la réalisation de commandes : pour les faïenceries Henriot, de Quimper, où il joua un grand rôle dans le renouvellement des modèles, ou pour de grandes compagnies maritimes qui lui confiaient la décoration de paquebots. En observateur de la réalité quotidienne bretonne, Mathurin Méheut a consacré un grand nombre de ses œuvres à la représentation de la vie paysanne, ouvrière, marine et religieuse de sa région, utilisant des techniques dites rapides : gouaches, crayons gras noirs et de couleurs... «Je fais du document», avait-il coutume de dire. L'absence d'hésitation dans son tracé révèle une acuité visuelle et une rapidité d'action hors du commun. En coloriste averti, il sait suggérer avec le même bonheur la rugosité d'une toile, le jeu de la lumière bretonne sur les flots ou la féerie des costumes bretons lors d'un pardon. Le musée met en valeur ses collections en choisissant chaque année un thème d'exposition temporaire : pardons, marais salants, etc.

LE MUSÉE DU VIEUX LAMBALLE ET DU PENTHIÈVRE. Fondé par l'Association des amis du Vieux Lamballe en 1972, ce petit musée retrace l'histoire de Lamballe et de son duché à travers une multitude d'objets d'usage quotidien : ustensiles en terre cuite, autrefois fabriqués dans la commune voisine de La Poterie, tous instruments ayant trait à la fabrication du cidre. On y trouve aussi quelques coiffes bretonnes et des habits traditionnels, des céramiques de Quimper, de vieilles cartes postales, des gravures représentant la ville avant les multiples démolitions et, surtout, la monumentale clé de l'ancienne porte Saint-Martin, ainsi que le bénitier de l'église Saint-Jean.

Porte et fenêtres de la maison du Bourreau.

Portrait de Mathurin Méheut (à gauche), par Yvonne Jean-Haffen, son élève favorite, qui s'installa à Dinan dans les années 1960, après la mort du maître ▲ *250*.

Deux brodeurs de Pont-l'Abbé croqués sur le vif par Mathurin Méheut.

LE CLOCHER DE L'ÉGLISE SAINT-JEAN
Cette tour massive était coiffée au XVIe siècle d'une pyramide de pierre, démolie en 1638.

L'ÉGLISE SAINT-JEAN. Située dans la rue Saint-Jean, autrefois fermée par une porte fortifiée avec herse et pont-levis, c'est la plus récente des églises de Lamballe. La date, controversée, de sa construction, se situerait entre 1415 et 1425. D'un style gothique tardif, remaniée à plusieurs reprises au XIXe siècle par l'abbé Rouillé, elle se distingue par sa tour octogonale (1420). L'église abrite plusieurs retables lavallois. L'autel le plus intéressant est celui du Saint-Esprit et des Trépassés, qui reçut en 1762, en provenance de Rome, le reliquaire de saint Amateur. Sous les orgues de 1777, classées et restaurées en 1989, se trouve un bénitier en pierre du XVe siècle.

LE HARAS ♥

SON RÔLE. Jusqu'en 1665, l'élevage était l'affaire exclusive des abbés et de la noblesse. Puis le surintendant Colbert, soucieux de limiter les importations et de fournir à l'armée un nombre suffisant de montures, instaura les haras, qui devinrent théoriquement les seuls centres de saillie. La Révolution supprima ces établissements, la Convention les rétablit, mais ce n'est qu'en 1806 que fut créé le dépôt de Langonnet, duquel fut détaché le haras de Lamballe. En 1825, celui-là fut promu au rôle de dépôt d'étalons pour le nord de la Bretagne. Il continue, de nos jours, à remplir sa mission et comprend, en outre, un centre de remonte de chevaux de selle et un club hippique. L'ensemble des bâtiments (ouverts au public) illustre le souci d'hygiène et de fonctionnalisme typique de l'architecture militaire du XIXe siècle; ses murs extérieurs, passés à la chaux selon la tradition bretonne, contrastent avec le raffinement intérieur. A son heure de gloire, en 1918, le haras hébergeait trois cent quatre-vingt-onze étalons; il n'en compte aujourd'hui qu'une petite centaine.

Étalon breton du haras de Lamballe et son palefrenier, dessin aquarellé de Mathurin Méheut.

LES CHEVAUX BRETONS. Au Moyen Age, il existait en Bretagne deux races chevalines autochtones descendant des montures celtes : les roussins, porteurs aux allures rapides qui donnèrent les bidets bretons, et les sommiers, chevaux de bât à l'origine des deux variétés qui font aujourd'hui la renommée de la région. Au XIXe siècle, les grands éleveurs de Normandie venaient les acheter en bas âge pour les revendre trois ans plus tard à la Poste ou à la Compagnie des omnibus de Paris, non sans les

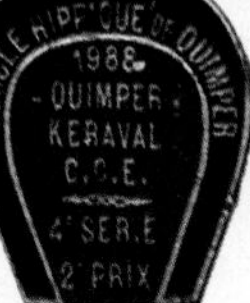

Au paradis des maquignons
Autrefois, de grandes foires aux chevaux permettaient aux étalonniers et aux acheteurs de faire affaire.

avoir rebaptisés «postiers». Le croisement avec des étalons Norfolk anglais, dans la seconde moitié du XIXe et au début du XXe siècle, leur conféra une identité propre et engendra la fameuse race des postiers bretons, chevaux de voiture et de traction légère. Une partie d'entre eux, croisés à la même époque avec des percherons et des ardennais, donna les traits bretons, plus adaptés à l'agriculture. Aujourd'hui, les étalonniers sont concentrés dans la région de Vitré, dans l'est des Côtes-d'Armor et le nord du Finistère. Et, si les foires ont presque toutes disparu, des concours d'attelage de plus en plus nombreux (Lamballe, Vitré, Rennes, Landivisiau, Guingamp, etc.) permettent toujours au public d'admirer, périodiquement, ces forces de la nature.

Clocher et porche de l'église Saint-Martin, dessinés en 1880 par Robida. Sur cette porte d'entrée aux formes et materiaux surprenants, decorée de poutres engoulées, l'inscription suivante reste lisible : «L'an 1519 Jean Lesné me fit tout neuf.»

L'église Saint-Martin ♥. Construite en 1083 dans le tout nouveau style roman, l'église était reliée à un prieuré-cure, lui-même annexe de l'abbaye de Marmoutier. La tour Renaissance fut rajoutée en 1555 sur la base d'un ancien clocher carré. Considéré au moment de la Révolution comme bien national, le prieuré fut vendu; l'église, quant à elle, ne retrouva sa fonction cultuelle qu'après la signature du Concordat. Elle subit plusieurs restaurations dans le courant du XIXe siècle. On entre par un superbe porche en bois du XVIe siècle, vestige extrêmement rare, orné de poutres engoulées. Deux têtes de dragons polychromes accueillent ainsi le visiteur. A l'intérieur, la nef garde les caractéristiques du style gothique; le chœur (XIVe siècle) est flanqué de deux chapelles. Des peintures murales sont visibles du côté sud. On remarque plusieurs statues, notamment celles de saint Martin et de saint Généfort, près du chœur, ainsi qu'un bas-relief en marbre, acheté à Marseille en 1752, figurant saint Martin donnant son manteau au pauvre. Plusieurs tableaux témoignent aussi de la richesse de la «fabrique» (conseil paroissial) au XVIIIe siècle : de Lhermitais, *L'Adoration des Mages* (1757), et une *Adoration du Sacré-Cœur*, peinte à Rome en 1766 par Dominique Lefevre.

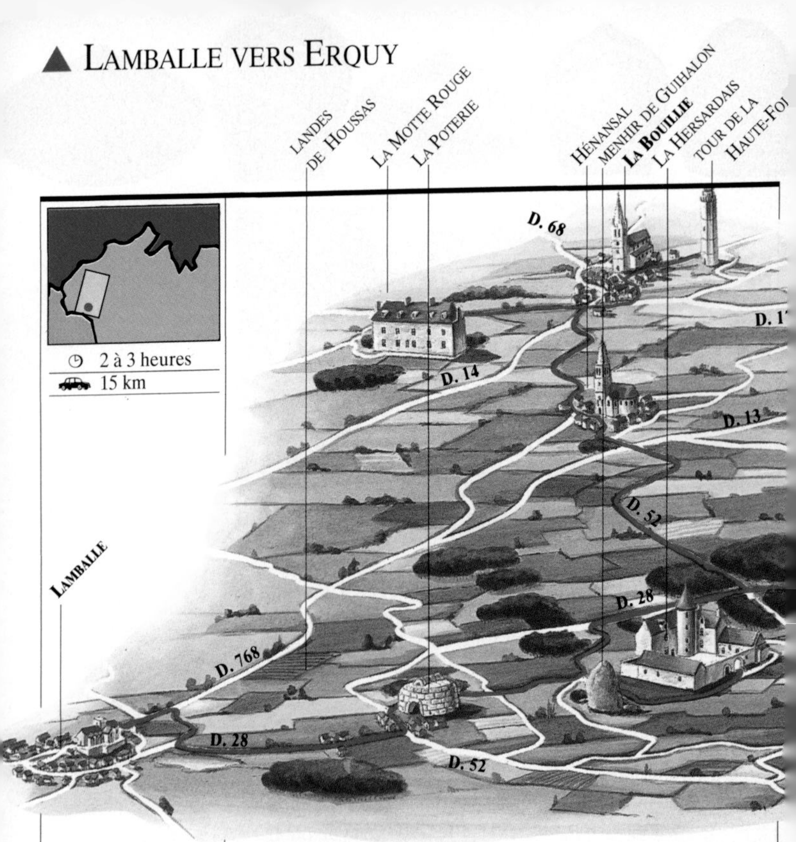

LA POTERIE

UN VILLAGE DE POTIERS. On prendra la direction de Plancoët pour tourner à droite à la sortie de la ville. Situé à 3,5 km de Lamballe, le village de La Poterie dépendait autrefois de la commune de Maroué et ne devint paroisse qu'en 1721. Les potiers y fabriquaient tous les objets en terre cuite : ustensiles d'usage quotidien, girouettes à sifflets et épis de faîtage en forme de «frédéric» (page de droite), pour lesquels une petite statue de Frédéric de Prusse aurait servi de modèle.
La production des potiers s'écoulait dans toute la Bretagne et s'exportait en Espagne par les ports de Saint-Malo et de Lorient. Un four reconstitué, près de la mairie, reste le seul témoin de ce passé artisanal, ainsi qu'une maquette miniature exposée au musée de Saint-Brieuc.
Entre le bourg et Lamballe, le joli CHÂTEAU DE LA MOGLAIS (XVIIIe siècle) mérite un coup d'œil.

Sur le véritable document ethnologique que constitue cette carte postale du siècle dernier, les potiers transportent des objets en terre cuite, modelés puis cuits dans un des fameux fours à poteries, aujourd'hui disparus, de la région de Lamballe.

LES LANDES DES HOUSSAS ♥. Les landes de La Poterie s'étendent sur environ 40 ha. On y a retrouvé des vestiges archéologiques, plus particulièrement des traces d'exploitation du minerai de fer et des poteries datant de l'époque gallo-romaine. Le site présente une particularité géologique unique en Bretagne : une

Un four à Saint-Jean de La Poterie, de Mathurin Méheut.

roche cristalline affleurante, le «gabro de Trégomar», riche en magnésium et en calcium, donne des sols neutres, très rares dans cette région dominée par les granits et silices des terres acides. Ici, rochers, pelouses, tourbières, landes boisées, landes à ajoncs et landes humides se côtoient ■ *40*. Plusieurs centaines d'espèces végétales sont ainsi présentes : carex, myriophyles, sphaignes, renoncules, centaurées, gentianes, mourons d'eau, sans oublier l'utriculaire, une bien curieuse plante carnivore, dépourvue de racines, qui flotte grâce à de petites outres, appelées utricules, portées par ses feuilles. La faune est riche et variée : les ornithologues amateurs peuvent y observer quarante espèces d'oiseaux parmi lesquelles la fauvette pitchou, le hibou moyen-duc, le busard saint-martin et le grèbe castagneux. De nombreux batraciens vivent également à cet endroit, dont une curiosité, le triton de Blasius, hybride naturel entre le triton marbré et le triton crêté. Ces landes, peu rentables en termes économiques, sont aujourd'hui l'objet de constantes agressions : décharges sauvages et moto-cross perturbent gravement les équilibres naturels. Heureusement, un arrêté prefectoral a permis de créer en 1989 un biotope sur près de 55 ha.

Le menhir du Guihalon. En prenant la direction de Saint-Aubin, à 5,5 km environ de La Poterie, tourner à droite et suivre la pancarte. Un charmant sentier bordé d'arbres mène à la fameuse pierre, haute de 5,20 m. La légende raconte que la fée Margot se promenait un jour dans la lande de Plédéliac avec ce menhir sur la tête et des pierres dans son tablier. Epuisée, elle voulut alléger son fardeau et posa là son mégalithe. A proximité, le très beau MANOIR DE LA HERSARDAIS (début XVIIe) apparaît, doté de deux tourelles, d'un portail à double entrée (piétonne et cavalière) et d'une cour close.

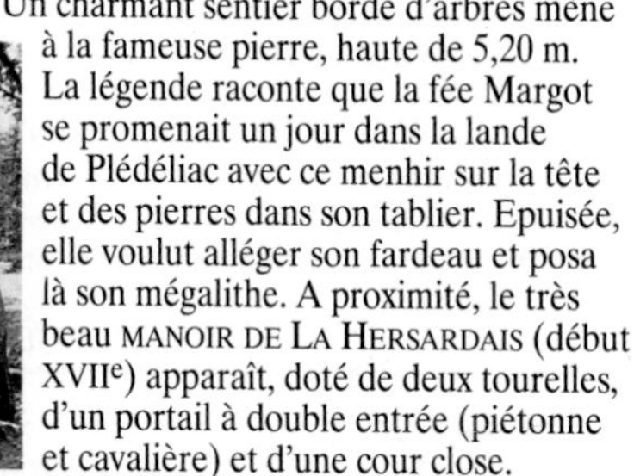

La fontaine Saint-Antoine. En continuant, on aperçoit l'imposante fontaine dédiée à saint Antoine, dont l'eau passait pour guérir les maladies des porcins; les paysans y déposaient en offrande des pieds et des oreilles de cochon.

Le château de La Guyomarais ♥

Plus réputé pour son histoire que pour son architecture (XVIIe-XVIIIe siècles), le château servit de refuge au marquis de La Rouërie, chef de la conjuration bretonne ▲ *218*. Hébergé par Joseph de La Motte, comte de La Guyomarais, La Rouërie fut pris de fièvre et décéda le 30 janvier 1793 après avoir appris la mort de Louis XVI. Ses hôtes le firent enterrer en cachette dans leur jardin, mais ses adversaires n'eurent de cesse de retrouver son corps; ils firent boire le jardinier, qui finit par tout avouer, exhumèrent le corps et lui tranchèrent

L'utriculaire
Son feuillage, toujours immergé comporte de petites outres . Celles-ci capturent du plancton et se remplissent d'eau à l'automne : la plante, entraînée vers le fond, échappe ainsi aux glaces hivernales.

Épi de faîtage cuit à La Poterie.

Trop de porcs
En vingt ans, l'élevage porcin a modifié le paysage, imposant des porcheries et l'odeur de lisier. Ce dernier, répandu à trop forte dose sur les champs, libère des nitrates qui polluent rus et ruisseaux, jusqu'à la baie, où ils empoisonnent les coquilles Saint-Jacques ■ *50*.

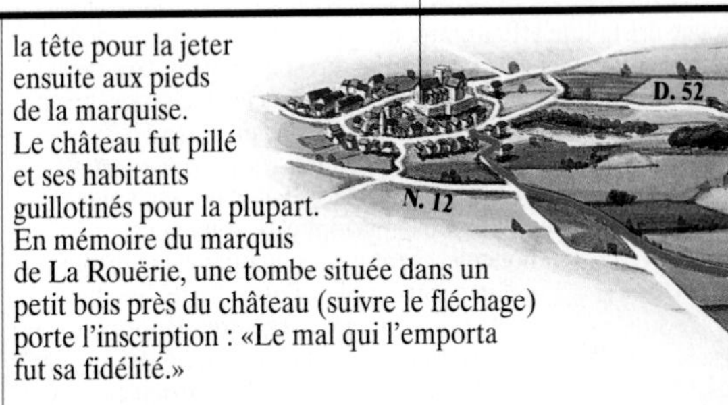

LA FOLIE DES ÉTOILES
La tour de la Haute-Folie a été bâtie par les Visdelou de la Ville-Téhart, deux frères célibataires, passionnés d'astronomie. Du haut de la tour, ils pouvaient tout aussi bien surveiller leurs bateaux en mer. Comme ils souhaitaient installer une lampe de phare au sommet de l'édifice, les mauvaises langues les soupçonnèrent de vouloir faire échouer les vaisseaux pour les piller.

la tête pour la jeter ensuite aux pieds de la marquise. Le château fut pillé et ses habitants guillotinés pour la plupart. En mémoire du marquis de La Rouërie, une tombe située dans un petit bois près du château (suivre le fléchage) porte l'inscription : «Le mal qui l'emporta fut sa fidélité.»

HENANSAL

Dans ce petit bourg fleuri et soigné, l'église (XVIe siècle), rebâtie au siècle dernier, est entourée par un enclos traditionnel; le porche sud, en anse de panier surmontée d'une accolade gothique, est décoré d'une petite sirène qui hante nombre de légendes de la baie de La Fresnaye. Mais le joyau de l'église se trouve à l'intérieur : un beau Christ supplicié en bois polychrome. La partie centrale du maître-autel, à deux étages et deux tabernacles, date de 1648.

LE VILLAGE DE LA BOUILLIE

LA CROIX DE PILODIE, érigée prés de l'église, commémore l'épidémie de peste de 1632-1640. L'ÉGLISE, remaniée au XVe siècle, abrite une Vierge à l'Enfant en bois et stuc polychromes. A environ 1 km de l'église s'élève la TOUR OBSERVATOIRE DE HAUTE-FOLIE, construite en 1864 par le comte Visdelou de la Ville-Téhart et son frère, tous deux passionnés d'astronomie.

LE CHÂTEAU DE LA MOTTE ROUGE ♥

De La Bouillie, prendre la direction du Val-André. Sur cette ancienne motte féodale, des tuiles rouges ont été découvertes, attestant une probable occupation romaine. Du château du Haut Moyen Age, cerné par les eaux jusqu'en 1805, il reste les douves, visibles en prenant la direction de Saint-Aaron au village de La Bouillie. Une chapelle du XVe siècle appartenant au château fut détruite en 1840 par la municipalité simplement parce qu'elle gênait la circulation! Elle constituait jusqu'alors une étape importante du pèlerinage du Tro Breiz. Le château actuel, construit au XVIe siècle, a gardé ses murs Renaissance. Il abrite toujours le trésor de la famille de La Motte Rouge, de précieuses archives, dont certains documents remontent au XIIIe siècle...

Château de La Motte Rouge.

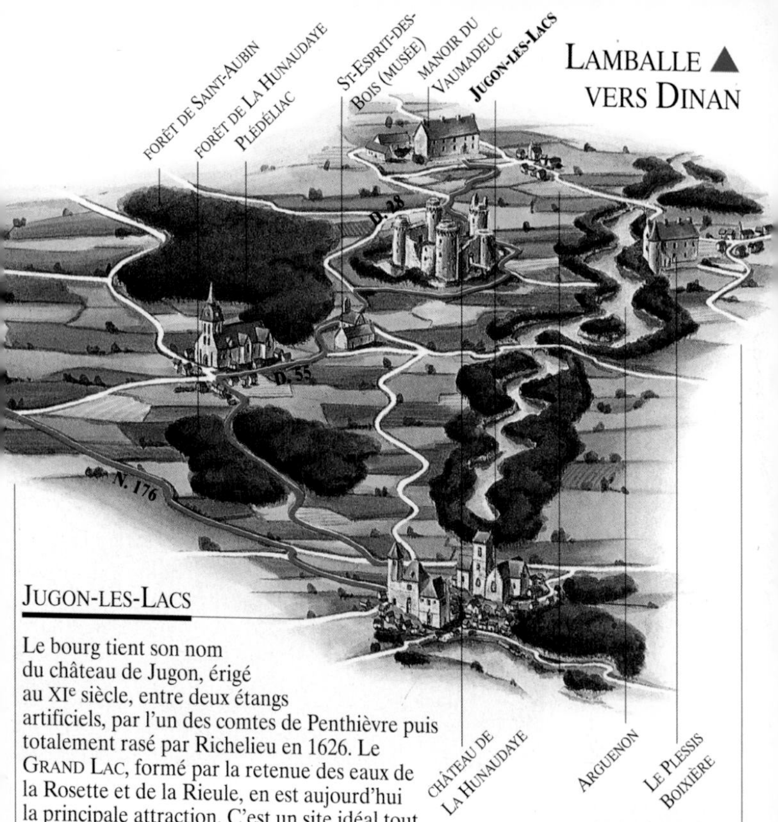

JUGON-LES-LACS

Le bourg tient son nom du château de Jugon, érigé au XIe siècle, entre deux étangs artificiels, par l'un des comtes de Penthièvre puis totalement rasé par Richelieu en 1626. Le GRAND LAC, formé par la retenue des eaux de la Rosette et de la Rieule, en est aujourd'hui la principale attraction. C'est un site idéal tout à la fois pour la pêche, la navigation et les promenades.

LE BOURG. L'ancien HÔTEL SEVOY ♥ (rue du Château), construit en 1634, reste l'une des rares constructions anciennes de la ville, pour la plupart rénovées au siècle dernier. Son architecture d'inspiration médiévale s'agrémente néanmoins d'oculi et de frontons. L'édifice est malheureusement à l'état d'abandon. L'ÉGLISE mérite également un détour pour sa tour du XVIe siècle et son transept du XVIIe siècle.

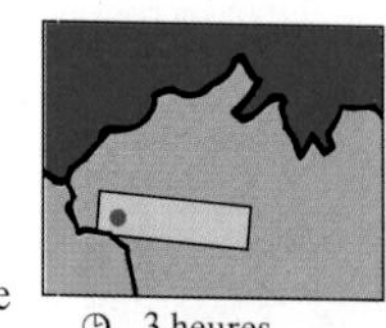

◷ 3 heures
🚗 30 km

SAINT-ESPRIT-DES-BOIS

LA FERME D'ANTAN mérite un arrêt. Construite au début du siècle, elle s'est vue, à l'initiative des habitants de la région, restaurée et transformée en musée. Un intérieur rural y a été reconstitué et quelques outils (baratte, pressoir à cidre, etc.) sont exposés dans les communs.

LE PORCHE DE L'ÉGLISE NOTRE-DAME (Ci-dessus et détail à gauche.) Cet édifice a été construit à l'emplacement de l'ancien prieuré de Jugon, dont il a conservé la tour et le transept.

Les pins de Plédéliac peints par Alexandre Ségé (huile sur toile).

DES RUINES ROMANTIQUES
La forteresse ne résista pas aux ravages de la Ligue et de la Révolution. Au XIXe siècle, ses ruines imposantes inspirèrent nombre de dessinateurs et de peintres locaux, attirés par le site et la silhouette tragique. Les douves du château étaient alimentées par des sources et un étang voisins. Des marécages au nord et à l'est complétaient le système défensif.

« L'impressionnante tour sud, flanquant le portail, où pouvait loger la plus grande partie de la garnison, en période troublée,

n'est plus qu'une carcasse béant sur le ciel, offrant ses trous aux corneilles et aux oiseaux de nuit. Là-haut, les corbelets des parapets tendus sur le vide ressemblent à des couronnes radiées. Des souches de cheminées, hautes et droites encore, font penser aux feux de bûches, aux longues veillées, aux récits de guerre et de voyages, tandis qu'au dehors souffle le vent sur la vaste forêt où hurlent des loups. »

Mathurin-Eugène Monier.

LE CHÂTEAU DE LA HUNAUDAYE ♥

HISTORIQUE. A l'orée des forêts de La Hunaudaye et de Saint-Aubin se dressent les ruines de l'ancienne forteresse des seigneurs de Tournemine. Construite en l'an 1202, gravement endommagée lors de la guerre de Succession de Bretagne, et reconstruite au XIVe siècle, les événements de la Ligue, puis la Révolution, causèrent sa destruction. En 1793, les administrateurs du district de Lamballe firent miner les courtines, les plus formidables du duché de Penthièvre, afin

que les chouans, retranchés dans la forêt de La Hunaudaye, ne pussent s'y réfugier. Les vestiges du château servirent de carrières de pierre jusqu'à ce qu'il fut classé monument historique en 1922 et racheté par l'Etat en 1930.

VISITE. Des jeunes gens, habillés en costume d'époque, proposent une visite guidée. Les ruines du château sont toujours entourées d'eau. Une fois passé le pont-levis, on accède à ce que furent les logis dominés par cinq tours (XIIIe siècle). Au XVe siècle, le donjon militaire a été reconstruit et des travaux ont permis de terminer le haut des tours et des courtines, et d'élever le logis seigneurial, modernisé à la Renaissance comme en témoigne un escalier d'influence italienne.

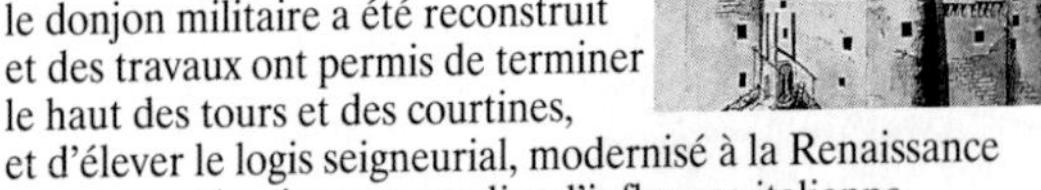

LES FORÊTS DE SAINT-AUBIN ET DE LA HUNAUDAYE ♥. Avant de quitter l'endroit, il serait dommage de ne pas s'égarer volontairement dans les sentiers de ces forêts si touffues qu'elles servirent longtemps de cachette aux fugitifs : Georges et Jehan de Tournemine y auraient trouver refuge, après avoir froidement assassiné le prétendant de leur mère, en attendant que leur crime soit oublié. Ils devaient devenir l'un et l'autre par la suite, seigneurs de La Hunaudaye.

LE MANOIR DU VAUMADEUC ♥

Construit au XVe siècle, il aurait dû comprendre deux autres ailes jamais réalisées. Des plafonds en argile soutenus par d'énormes poutres, des boiseries d'époque et de grandes cheminées en pierre donnent à ce manoir transformé en hôtel un charme d'antan, naguère fort apprécié par Georges Pompidou. Le colombier du XVIe siècle sert de bar.

COMBOURG ET SES ENVIRONS

C'est pour défendre son fief que l'archevêque de Dol Guinguené (dont le nom signifie en breton «vin blanc») avait fait construire, en 1016, une première forteresse sur un petit éperon rocheux dominant le LAC TRANQUILLE. Le lieu s'appelait alors Comburnium. Guinguené avait pour frère bâtard un certain Riwallon, surnommé «Vieille Chèvre», qui lui succéda. Puis ce fut au tour des lignées des Dol-Combour, des Combour-Soligné, des Châteaugiron, des Acigné, des Coëtquen et du maréchal de Duras de s'installer en ces murs.

Le coin des secrets
Au pied de cette petite croix, Chateaubriand et sa sœur, Lucile, avaient coutume de se confier leurs secrets.

Aline de Rosambo
(1771-1794) Elle suivit son mari, Jean-Baptiste de Chateaubriand, sur l'échafaud.

Le château ♥

D'illustres propriétaires. En 1761, René-Auguste, comte de Chateaubriand, riche armateur de Saint-Malo et père du futur écrivain, acheta le château de Combourg à son oncle, le duc de Duras. Il y installa les siens en 1777; le jeune François René n'avait alors que huit ans. A la mort du père, c'est le frère aîné de l'auteur, Jean-Baptiste, qui hérita du domaine. Pillé puis confisqué sous la Révolution, Combourg fut rendu en 1796 à la famille. En 1875, sa restauration fut entreprise par le petit-fils de Jean-Baptiste Geoffroy de Chateaubriand.

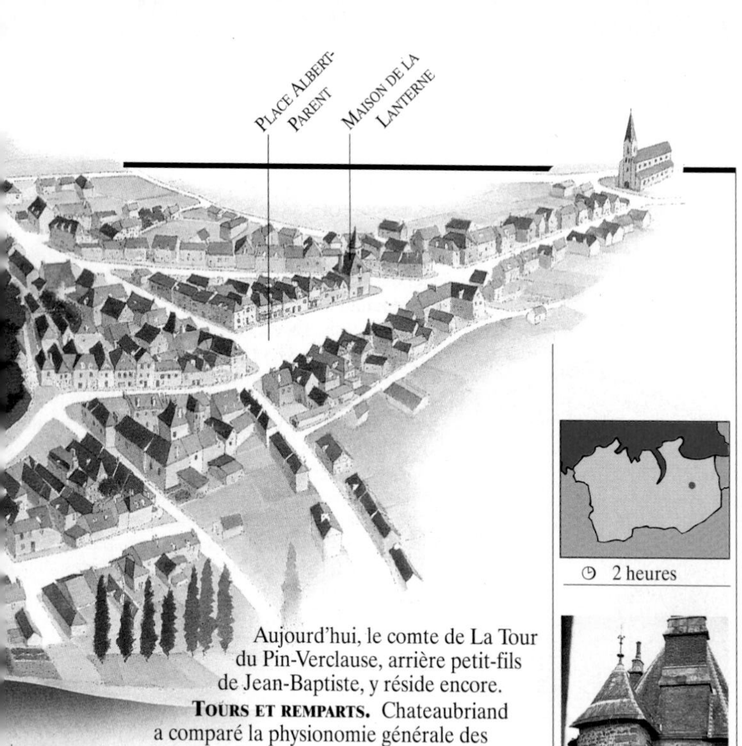

Aujourd'hui, le comte de La Tour du Pin-Verclause, arrière petit-fils de Jean-Baptiste, y réside encore.

Tours et remparts. Chateaubriand a comparé la physionomie générale des remparts à un char à quatre roues, deux grosses à l'avant, deux petites à l'arrière. Trois époques ont marqué leur construction. La tour du More, édifiée au nord-est au XIIIe siècle, est la plus ancienne et servait de donjon. Sur la façade nord, l'emplacement du pont-levis est encore visible il a été supprimé au XVIIe siècle, sur ordre de Richelieu, qui, pour affaiblir le pouvoir militaire des féodaux, fit détruire les ponts-levis et couvrir de toits les fortifications de tous les châteaux de France. La tour Sybil, du XIVe siècle, porte le nom de la femme de Geoffroy IV, baron de Chateaubriand : en voyant revenir des Croisades son époux sain et sauf, elle mourut de joie. La tour du Chat, également du XIVe siècle, doit son nom au chat noir qui accompagne le fantôme d'un comte de Chateaubriand, lequel, à certaines époques, erre dans le château en traînant sa jambe de bois... Lors des travaux de 1875, la momie d'un chat emmuré a été mise au jour. Ce rite, courant au Moyen Age, devait conjurer le mauvais sort. Un enfant mort-né pouvait remplacer l'animal. La façade, du XVe siècle, «triste et sévère» nous dit Chateaubriand, présente «une courtine portant une galerie à mâchicoulis, denticulée et couverte».

2 heures

❝Des cachots et des donjons, un labyrinthe de galeries couvertes et découvertes, des souterrains murés dont les ramifications étaient inconnues; partout, silence, obscurité et visage de pierre : voilà le château de Combourg.❞
Chateaubriand

Combourg vu par Albert Robida. La silhouette du château domine le village et le lac, qui autrefois baignait le pied de la forteresse.

Manuscrit des *Mémoires d'outre-tombe.*

Cette dernière relie la TOUR DU CROISÉ, du XVe siècle, à la vieille et puissante TOUR DU MORE.

LA RESTAURATION. L'aspect extérieur et l'architecture intérieure du château ont été remodelés au XIXe siècle, s'inspirant du style néo-gothique si répandu à cette époque et trop souvent décrié depuis. Face à ce château laissé longtemps à l'abandon, Geoffroy de Chateaubriand (en médaillon, à droite) suivit les conseils et préceptes de son ami Viollet-le-Duc : «Restaurer un édifice, ce n'est pas l'entretenir, le réparer ou le refaire. C'est le rétablir dans un état complet qui peut n'avoir jamais existé à un moment donné.» Il remplaça la cour verte, avec son potager et ses écuries, par un parc à l'anglaise dessiné par les frères Bühler, les créateurs du jardin du Mont-Thabor, à Rennes. Si la façade évoque encore, avec majesté, le fracas guerrier du Moyen Age, l'aménagement des salles a été très bouleversé. A l'origine, pour aller d'une pièce à l'autre, on devait passer par une cour intérieure. Elle fut recouverte, transformée en vestibule et ornée d'un GRAND ESCALIER en chêne de Hongrie (ci-dessus). L'ancienne et immense SALLE DES GARDES, située dans le bâtiment du midi (XIVe siècle), fut divisée en salon et salle à manger et flanquée de deux cheminées de style Renaissance, qui remplacèrent la cheminée unique décrite par Chateaubriand. L'épaisseur des murs (de 3 à 5 m) témoigne encore du rôle défensif primitif.

CHATEAUBRIAND RESSUSCITÉ?
La visite guidée dure environ 45 mn.

VIOLLET-LE-DUC
Il influença la rénovation du château et, entre autres, la construction de l'escalier monumental (ci-dessous).

❝Des oiseaux volaient; chaleur qui rendait tout cela plus triste : le soleil sur des ruines, c'est du vin qu'on met sur les lèvres d'un cadavre; ils ont volé dans le grand salon au plafond peint et dont la peinture tombe en écailles; cheminée grande à écusson brisé. – Sur les tours, trous des mâchicoulis. – On s'en va triste. – La route de Rennes a coupé le lac qui baignait jadis les pieds du château; le lac se rétrécit, s'atterrit; nénuphars, grenouilles. – Nous lisons *René* en face, le soir dans une vieille édition de 1808 à gravures stupides.❞
Gustave Flaubert, *Voyage en Bretagne, par les champs et par les grèves*

L'ENNUI DE FRANÇOIS RENÉ
Anonyme, ce portrait très expressif de Chateaubriand est conservé au musée des Jacobins de Morlaix.

Intimement liée à la présence de l'écrivain en ces lieux, elle suit pièce par pièce ses pas, ses souvenirs. L'émotion est réelle dans l'ancienne salle des Gardes, où Chateaubriand enfant attendait, près de l'âtre, le signal paternel pour aller se coucher. Se dirigeant alors vers l'endroit le plus reculé du château, il regagnait sa petite chambre : «J'étais niché dans une espèce de cellule isolée en haut de la tourelle de l'escalier qui communiquait de la tour intérieure aux diverses parties du château. La fenêtre de mon donjon s'ouvrait sur la cour intérieure; le jour, j'avais en perspective les créneaux de la courtine opposée où végétaient des scolopendres et croissait un prunier sauvage. Quelques martinets qui, durant l'été, s'enfonçaient en criant dans les trous des murs étaient mes seuls compagnons. La nuit, je n'apercevais qu'un petit morceau du ciel et quelques étoiles [...]. Relégué dans l'endroit le plus désert, à l'ouverture des galeries, je ne perdais pas un murmure des ténèbres. Quelquefois, le vent semblait courir à pas légers; quelquefois, il laissait échapper des plaintes; tout à coup, la porte était ébranlée avec violence, les souterrains poussaient des mugissements, puis ces bruits expiraient pour recommencer encore» (*Mémoires d'outre-tombe*). En proie à mille terreurs enfantines, François René ne pouvait qu'«éteindre» au petit matin ses rêves peuplés de fantômes... Mais les restaurations ont modifié quelque peu l'aspect initial de cette petite pièce que l'auteur a décrite scrupuleusement. Chateaubriand n'a passé à Combourg que des périodes de vacances et deux années de son adolescence. Pourtant, le château et ses environs marquèrent profondément sa sensibilité. En 1811, au sommet de sa gloire et en pleine maturité, il écrivit : «C'est dans les bois de Combourg que je suis devenu ce que je suis, que j'ai commencé à sentir la première atteinte de cet ennui que j'ai traîné toute ma vie, de cette tristesse qui a fait mon tourment et ma félicité. Là, j'ai cherché un cœur qui pût entendre le mien; là, j'ai vu se réunir, puis se disperser ma famille» (*Mémoires d'outre-tombe*). Ce parcours thématique est jalonné d'objets lui ayant appartenu : sa chambre à coucher parisienne, le coffre de mariage de sa femme Céleste Buisson de La Vigne (union arrangée par sa sœur, Lucile, pour améliorer les finances familiales!), son service à thé d'ambassadeur à Londres (1822), son portefeuille de ministre des Affaires Etrangères, ses manuscrits et ses décorations.

MORT À PARIS
Le mobilier de la chambre mortuaire a rejoint les lieux de l'enfance. C'est sur ce lit que l'écrivain s'est éteint à Paris, au 120 de la rue du Bac.

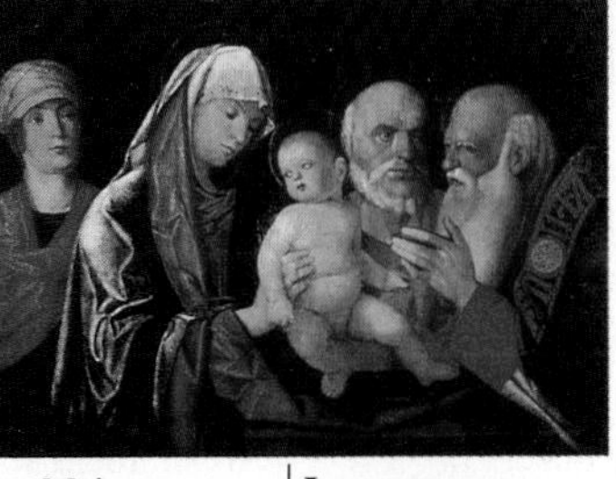

LA COLLECTION DU CHÂTEAU
Une très belle collection privée réunit divers meubles, objets et œuvres d'art, comme deux cabinets italiens de style Renaissance, une armoire Boulle en ébène et en bronze, des tableaux des écoles de Franck et de Raphaël, de Bellini et de Van Orley.

LE BOURG

Partant de l'église primitive, revue et corrigée au siècle dernier par l'architecte Regnault ▲ *332*, une artère principale (l'actuelle RUE DE LA BARRIÈRE), bordée de maisons des XVe et XVIe siècles, conduisait

LA MAISON DU PREMIER PLAN
Sans s'attarder sur le château, le dessinateur et graveur Albert Robida notait dans *La Vieille France* : «Ceci n'est qu'un fond; ce qui fait le tableau, c'est le premier plan, une haute et robuste maison de granit gris, maison solide, percée de quelques meurtrières et de fenêtres Renaissance, avec une échauguette en encorbellement par-derrière et une grosse tour sur le côté; presque sans autres ouvertures que les meurtrières.»

au château. Chateaubriand et sa mère évitaient l'«abominable» rue insalubre de Combourg pour se rendre à la messe dominicale et lui préféraient un sentier plus champêtre. A son arrivée dans le bourg, l'agronome anglais Arthur Young se montra très sceptique sur les qualités du lieu : «Combourg est une des villes les plus ignoblement sales que l'on puisse voir. Des murs de boue, pas de carreaux et un si mauvais pavé que c'est plutôt un obstacle aux passants qu'un secours. Il y a cependant un château, et qui est habité. Quel est donc ce monsieur de Chateaubriand, le propriétaire dont les nerfs s'arrangent d'un séjour au milieu de tant de misère et de tant saleté?» (*Voyage en France*, 1791).

La grand-rue et le château au début du siècle.

LA MAISON DE LA LANTERNE ET LA FOIRE DE L'ANGEVINE. Située place Albert-Parent, la MAISON DE LA LANTERNE est sans doute avec Le Relais des Princes (au 11, rue des Princes, près de l'entrée du château) l'une des plus anciennes maisons de la ville. C'était une maison forte, qu'une certaine Périne Jonchée, fille de riches armateurs malouins, prétendue «dame de la chasse», fit bâtir en 1597. Un membre de sa famille, Jean Jonchée, est connu pour avoir repris l'île de Bréhat aux Anglais en 1591. Plus tard, la maison de la Lanterne devint la résidence urbaine des Trémaudan; un manoir situé à environ 2 km de Combourg, sur la route de La Chapelle-aux-Filtzméens, était leur habitation principale. Aujourd'hui, elle abrite le siège de l'office du tourisme, mais elle appartient à M. Job Le Borgne de La Tour, qui a fignolé sa restauration en 1968, avec l'aide de l'architecte des Monuments historiques M. Raymond Cornon, allant jusqu'à lui restituer les armoiries martelées sous la Révolution.

M. R. Cornon fut l'artisan de la construction de Saint-Malo avec Louis Arretche. Pendant la Révolution, les propriétaires devaient la veille, le jour même et le lendemain de la FOIRE DE L'ANGEVINE «allumer des flambeaux dans la lanterne attachée au-devant de ladite maison pour servir et éclairer le guet et l'assise du corps de garde d'iceluy». Cette foire a toujours lieu le premier lundi de septembre, depuis le Moyen Age. Par un heureux hasard, l'anniversaire de Chateaubriand tombait le 4 de ce même mois. L'écrivain notait que les bruits de cette fête «se mêlaient aux mugissements des troupeaux de la foire; la foule vaguait dans les jardins et dans les bois, et du moins une fois l'an, on voyait à Combourg quelque chose qui ressemblait à de la joie» (*Mémoires d'outre-tombe*).

LE LAC. Il reste l'un des attraits de Combourg et Chateaubriand lui-même le dépeint avec davantage d'indulgence que le château et le village : «Le soir, je m'embarquais sur l'étang, conduisant seul mon bateau au milieu des joncs et des larges feuilles flottantes du nénuphar [...] La nuit descendait; les roseaux agitaient leurs champs de quenouilles et de glaives, parmi lesquels la caravane emplumée, poules d'eau, sarcelles, martins-pêcheurs, bécassines, se taisait; le lac battait ses bords; les grandes voix de l'automne sortaient des marais et des bois.»

LA FONTAINE MARGATTE. Cette source, dite intarissable, est l'objet d'une très jolie légende qui se passe au temps du premier seigneur de Combourg, Riwallon. Aucun Combourgeois ne se risquerait, dit-on, à détruire la petite fontaine, en réalité une simple dalle posée au-dessus de la source. En effet, si elle venait à disparaître, Combourg serait engloutie... Les curieux la trouveront sur la droite, à la sortie de la ville, en direction de Saint-Léger-des-Prés, non loin de la gendarmerie. Son aspect fort modeste risque cependant de décevoir.

ALBERT ROBIDA (1848-1926)

Ce dessinateur humoriste, fondateur du journal *La Caricature*, était également un grand amoureux de la France. Dans les années 1900, il fixa la physionomie des principales villes du pays dans un ouvrage de référence, *La Vieille France*.

Ci-dessus : détail du fronton de la maison de la Lanterne.

IL ÉTAIT UNE FOIS... Le premier baron de Combourg, Riwallon, délivra un jour, près de la fontaine Margatte, un nain dont la barbe blanche s'était accrochée à un buisson épineux. Le petit être lui confia qu'il s'était fait prendre à ce piège en voulant boucher la fontaine avec une «pierre blanche». Peu après, Riwallon se querella avec une vieille femme, en réalité une fée malfaisante, qui, pour se venger, fit déborder la fontaine au risque d'inonder la vallée. Riwallon, se souvenant de sa rencontre, partit à la recherche de la pierre, la trouva et arrêta ainsi le débit.

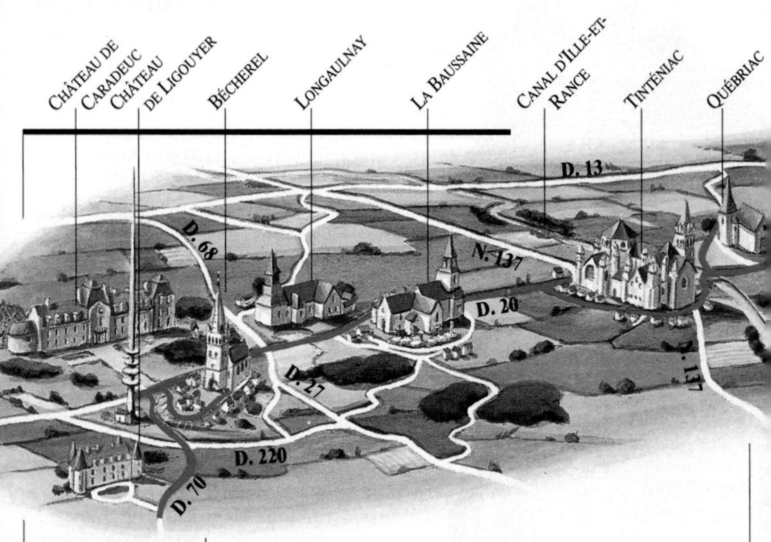

4 heures
25 km

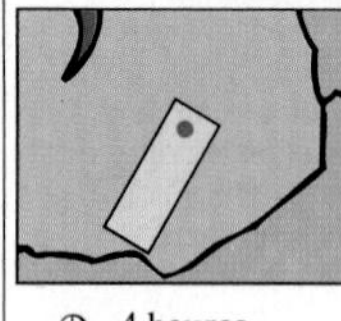
Le clocher vrillé de l'église de Québriac.

L'homme aux soixante églises
Le sanctuaire de Tinténiac est l'œuvre d'Arthur Regnault (1839-1932). Cet architecte d'une extrême piété fut un grand bâtisseur : on lui doit soixante églises, dont cinquante dans le seul diocèse de Rennes.

Québriac

Le musée de la Faune. La passion de la chasse a fait naître ce «musée» (en fait une grande salle). Les Laurent y ont rassemblé un bestiaire naturalisé de plus de trois cents animaux venus des quatre coins du monde. Un parc animalier qui amuse surtout les tout-petits mais qui attire les foules : on y vient par autocars entiers.

Tinténiac

A mi-chemin entre Rennes et Saint-Malo, cette petite ville a été habitée dès l'âge du bronze. A partir du XIIe siècle, ses seigneurs s'illustrèrent dans bon nombre de faits guerriers : combat des Trente, débarquement de Quiberon, etc. Chef-lieu de sa région, Tinténiac fut connue en France et en Europe pour le commerce et l'industrie de toiles de lin ou de chanvre, qui lui apportèrent la prospérité du XIVe siècle jusqu'à la fin du XVIIe siècle. La famille de Laval, propriétaire du proche château de Montmuran, favorisa cette activité.

La ville. Quelques maisons anciennes, certaines décorées de lucarnes sculptées, d'autres de tourelles, témoignent encore de l'aisance passée des villageois, notamment celles de la place André-Ferré et de la rue des Dames (les n° 3 et n° 6 possèdent un jardin; le n° 10 s'agrémente d'un porche à trois piliers) ainsi que l'hostellerie du Lion d'Or (46, rue Nationale), ornée par deux gerbières de 1644.

L'église. Au siècle dernier, l'édifice gothique menaçant ruine et les fonds manquant pour sa restauration, l'architecte Arthur Regnault le reconstruisit dans un style romano-byzantin en réutilisant certains éléments, dont la façade du XVIe siècle. Inaugurée en 1908, la nouvelle église n'est pas la seule à avoir souffert, en Ille-et-Vilaine, de cette «veine créatrice». Néanmoins, le sanctuaire actuel présente quelques caractéristiques dignes d'intérêt, comme sa hauteur et ses proportions impressionnantes : il se découpe à l'horizon tel un surprenant Sacré-Cœur. Arthur Regnault considérait la basilique Sainte-Sophie de Constantinople comme le plus beau témoignage d'art religieux. Une chapelle fut épargnée, ainsi qu'une porte Renaissance, nommée PORTE MORTUAIRE, qui ouvre dorénavant au sud, sur la place de l'Auditoire. A l'intérieur règne le «beau diable de Tinténiac» : le personnage est gravé sur une cuve baptismale polygonale d'époque romane. Des vestiges des précédents édifices roman et gothique ont été rassemblés dans le jardin avoisinant (JARDIN DE L'ESPLANADE), dont le chapitreau du XIVe siècle où se réunissait le chapitre paroissial. Au bord du canal d'Ille-et-Rance, l'ancien grenier à sel baptisé MAISON DE L'ECOTAY date du XVIe siècle.

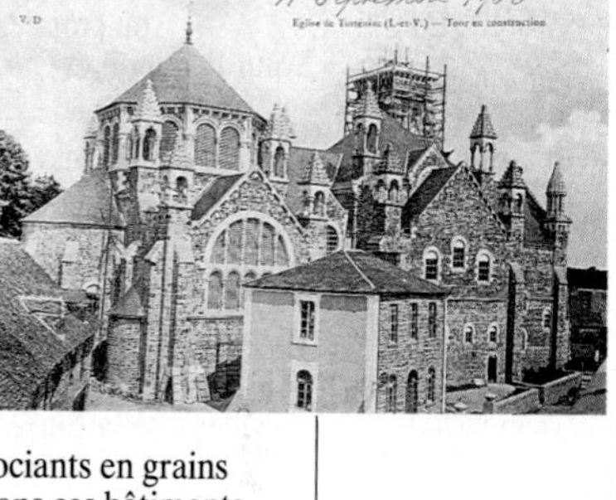

LE MUSÉE DE L'OUTIL ET DES VIEUX MÉTIERS ♥. Appelé aussi le MAGASIN À GRAINS, il se situe sur le quai de la Donac, en bordure du canal. Pour profiter de la voie fluviale, des négociants en grains et en matériaux s'installèrent autrefois dans ces bâtiments en bois, qui servirent à stocker leurs marchandises jusqu'en 1984. Le plus ancien d'entre eux date de la fin du siècle dernier. Grâce à M. Provost, fondateur du musée, les métiers, les machines et les outils liés à la vie des artisans locaux resurgissent du passé. Des ateliers ont été recréés afin de replacer chaque outil dans son cadre d'origine. Les différents procédés et les étapes de fabrication de l'instrument, son utilisation et les spécificités régionales de sa forme sont clairement présentés. Les métiers et les pièces du forgeron, du maréchal-ferrant, du charron, du bourrelier, du tonnelier, du tisserand, du sabotier, etc., sont ainsi ressuscités.

LA BAUSSAINE

L'ÉGLISE. Edifiée au XVIe siècle, elle doit son charme à quatre petites chapelles latérales qui se succèdent curieusement sur sa structure extérieure. L'ENCLOS PAROISSIAL a conservé une haute croix de granit, un ex-voto daté de 1661 où demeure gravé un émouvant témoignage :

L'ÉGLISE DE TINTÉNIAC
Offerte en 1555 par l'amiral de Coligny (à titre de mécénat), la porte mortuaire est sculptée en haut de visages d'angelots et en bas de têtes de morts.

MÉTIERS AU MUSÉE
A voir : «chaussures anglaises et babouches orientales»; c'est un ensemble étonnant de sabots raffinés, fabriqués rue Nationale, entre 1877 et 1930, par M. Emile Gohin, issu d'une famille de sabotiers de Tinténiac. A découvrir également des objets oubliés comme le pique-au-loup, un casse-dent pour les chevaux, un taille-croûton... et de beaux outils de menuisier-ébéniste.

un ciboire, une coquille Saint-Jacques et le bâton d'un pèlerin en route, sans doute, pour Saint-Jacques-de-Compostelle. Sous le porche, un sobre bénitier accueille les fidèles. A l'intérieur, il faut remarquer la verrière et les vitraux, ainsi que les fonts baptismaux octogonaux situés au fond de l'église.

La chapelle de Longaulnay
Construite au bord d'un étang, entourée d'un muret et de pelouses, la chapelle de Longaulnay offre un cadre idéal pour un pique-nique. Dans la région, plusieurs sentiers pédestres balisés proposent de courtes promenades dans les environs (circuit des crêtes, sentier des collines, circuit des vieux moulins : pour environ 13 km, compter entre 4 et 5 h). Se renseigner au syndicat d'initiative de Bécherel (ouvert en saison seulement).

Longaulnay

Ce nom pourrait se traduire par «lieu humide où croissent les aulnes». C'est une halte agréable avant Bécherel et Caradeuc.

Bécherel ♥

A 176 m d'altitude, la colline de Bécherel forme les derniers contreforts des monts d'Arrée. Le nom de la ville signifie «lieu où tournent les moulins».

Une place forte convoitée. La ville est née au Moyen Age autour d'un premier château qui devait se trouver près du village de la Barre, non loin de la voie romaine qui reliait Rennes à Corseul. Au XIIe siècle, Alain de Dinan fit construire un nouveau château, en pierre, à l'emplacement actuel de la ville. La situation stratégique incomparable de la place forte attira dès lors toutes les convoitises. Elle subit, tour à tour, la guerre des Plantagenêt et la guerre de Succession de Bretagne, passant des Anglais aux Français, et autant de fois assiégée, brûlée, reconstruite... Lors de la guerre de Succession, qui opposait les Montfort aux Blois, une garnison anglaise, soutenue par Jean de Montfort, narguait depuis Bécherel les troupes françaises de la forteresse de Montmuran, distante seulement de quelques kilomètres et commandée par le vieux maréchal d'Andreheim et le jeune Bertrand Du Guesclin. En 1364 le traité de Guérande vit la trêve signée entre la Bretagne et l'Angleterre. Pourtant, Bécherel ne se rendit aux Français qu'en 1374, après quinze mois de siège mené par Du Guesclin, devenu connétable. Certains prétendent qu'à cette occasion, le canon fut employé pour la première fois en Bretagne (mais cette thèse est controversée, il aurait tonné à Brest soixante ans plus tôt). Plus tard, la chouannerie fut très active à Bécherel; Gabillard, son chef de file, homme courageux et excellent stratège, était un clerc de notaire. Les sires de Bécherel avaient de bien curieux droits féodaux. Le droit

Un long passé
La vieille porte et les rues de Bécherel.

de Quintaine, par exemple, obligeait les marchands de poissons à sauter dans l'étang de Bécherel le lundi de Pâques, sous peine de payer une amende. Le même jour, les seigneurs se permettaient aussi de faire brûler tout le chanvre et le lin restant dans les maisons : ils espéraient, par ce geste autoritaire, empêcher la paresse des femmes!

LA VILLE ET SA CULTURE. Dans la ville actuelle, certains noms de rues évoquent le passé florissant de l'industrie locale : rue de la Filanderie, rue de la Chanvrerie, etc. Quelques maisons anciennes, le long des ruelles pittoresques, témoignent encore de sa vie féodale. Du château, des neuf tours et des trois portes ne subsistent que des murailles. Du haut des remparts, le JARDIN DU THABOR offre un panorama exceptionnel sur Dinan, Dol, Combourg, jusqu'au cap Fréhel, dont on peut apercevoir les feux par nuit claire. Subventionnés par la commune, libraires, bouquinistes et relieurs viennent de loin pour prendre possession, surtout le premier week-end de chaque mois, des murs de Bécherel. La petite ville aspire à devenir la CITÉ FRANÇAISE DU LIVRE ANCIEN. L'idée émane de l'Institut culturel de Bretagne et de l'association Savenn Douar («tremplin, levée de terre» en breton), qui encourage toute initiative et entreprise culturelles, à condition qu'elles créent des animations ou des emplois et qu'elles fassent vivre et travailler «au pays».

MIRACLE À BÉCHEREL
L'église a été le théâtre d'un quasi-miracle. Sa tour datant de 1624 prit feu en 1784.
L'incendie menaçant les maisons proches, un homme n'eut d'autre recours que de saisir une perche où il avait attaché un scapulaire de la Vierge.
Il la présenta devant le feu, qui se calma aussitôt. Le scapulaire, intact, est toujours conservé dans le socle d'une statue de la Vierge en bois stuqué et doré.

CHÂTEAU DE CARADEUC ♥

Situé sur une colline boisée, à cheval sur les départements d'Ille-et-Vilaine et des Côtes-d'Armor, ce domaine est riche des souvenirs du parlementaire breton La Chalotais, qui vécut en ces murs. De nombreuses statues et de petites fabriques, dont la grâce contraste avec le granit austère du château, animent désormais allées et parterres environnants.

LE CHÂTEAU DES PROSCRITS. Anne-Nicolas de Caradeuc, conseiller et doyen du parlement de Bretagne, fit bâtir le château en 1723. Comme beaucoup de parlementaires bretons il connaissait Versailles, et le château subit l'influence du palais royal. Son fils, Louis-René de Caradeuc de La Chalotais (1701-1785), y résida. Ses ancêtres étaient depuis le XVIe siècle des gens de robe et d'épée, possesseurs de charges importantes au parlement de Rennes, et il devint, à son tour, procureur général du roi. Célèbre magistrat, il fut aussi

La façade méridionale du château de Caradeuc.

Passé ces félins de fer forgé, la conciergerie de Caradeuc affiche une devise en latin : «Les amis ouvrent les portes, les autres restent dehors.»

Le château de Caradeuc
Le château lui-même ne se visite pas mais ses abords sont accessibles.

Un gigantesque escalier à double volée part de la façade nord et débouche sur l'esplanade, où veillent deux sphinx surmontés d'un Amour. Les bornes qui la ceignent proviennent de la place de la Mairie de Rennes. En contrebas, la vallée de la haute Rance se déploie jusqu'à Dinan. Par nuit claire, le feu à éclipses du phare du cap Fréhel, distant de 50 km, est visible.

un homme de plume. Son *Compte-Rendu sur les constitutions des Jésuites* exprima sans ménagement son hostilité à leur égard et il eut quelque responsabilité dans leur expulsion du royaume en 1762. Refusant que les corporations ne s'emparent de l'éducation sans reconnaître les droits de l'Etat, il soutint l'idée novatrice d'une instruction publique. Intrépide défenseur des libertés de la Bretagne, de ses privilèges et de sa noblesse, il se battit pour elle contre l'absolutisme royal. Briguant les fonctions de ministre, ami de Choiseul et de la Pompadour, il se heurta pourtant aux ambitions similaires du gouverneur de Bretagne, proche conseiller du dauphin, le duc d'Aiguillon. Il en fut la victime toute choisie.

Cette haine ainsi qu'une troisième affaire, celle des lettres anonymes, le feront tomber : en 1765, le ministre d'Etat Louis Phelypeaux reçut des lettres anonymes très désobligeantes. La Chalotais fut accusé d'en être l'auteur. Arrêté avec son fils le 10 novembre 1765, il fut emprisonné au château du Taureau, en baie de Morlaix, puis dans le donjon de Saint-Malo, et fut ensuite exilé à Saintes. Une encre faite de suie, d'eau, de vinaigre et de sucre, du papier d'emballage et un cure-dent en guise de plume lui permirent d'écrire ses *Mémoires* et d'assurer sa propre défense dans le plus grand secret. Imprimé à Bordeaux, le texte fut publié à de nombreux exemplaires. Le cercle des partisans du prisonnier s'agrandit. Son procès fut ajourné. En 1766, le roi Louis XV, excédé, jeta les lettres anonymes et mit fin à la disgrâce. Père et fils furent libérés, La Chalotais fut réhabilité dix ans plus tard et dédommagé d'une somme qui lui permit d'acheter la terre voisine de Longaulnay, qui, unie à Caradeuc, fut érigée en marquisat. Son duel avec le duc d'Aiguillon avait nui au pouvoir royal et servi la Révolution. Mais l'Histoire est ingrate : en 1785, La Chalotais mourut à Rennes dans

son lit, son fils un peu plus tard sur l'échafaud... Un roi l'avait mis en prison, Robespierre sous la guillotine! Les Kernier, ses descendants, sont les actuels propriétaires de Caradeuc.

Derrière les grilles. Il faut faire abstraction de l'émetteur de Rennes-Saint-Pern pour admirer l'ensemble architectural, à commencer par les grilles en fer forgé, merveilleusement ouvragées, du portail ouvrant sur le parc : chacune pèse 5 t ! Installées en 1898, elles s'élevaient auparavant sur la place du Puits-Artésien-de-Grenelle, à Paris. Un parterre à la française précède la façade sud du château. Il est encadré de deux portiques Renaissance (1564), qui constituaient autrefois la porte d'honneur du château de La Costardais, en Médréac. Le château lui-même est un long bâtiment de style Régence, composé d'un corps de logis central flanqué d'un pavillon latéral. Un peu en retrait s'alignent les communs, du XVIIe siècle, et sur la droite, au bout d'une allée, une statue de Louis XVI, en marbre de Carrare, figure le monarque ouvrant la séance des états-généraux. Elle a été prêtée au domaine par un musée rennais en 1950.

Promenade dans le parc. De 1890 à 1900, sur les conseils du paysagiste Edouard André, le parc fut complètement redessiné selon les conceptions de Le Nôtre. Pour le visiter et découvrir ses multiples parcours, on peut se procurer à la conciergerie une brochure commentée. A gauche du château, le TAPIS VERT OU PARTERRE DE DIANE constitue, avec la terrasse, la «fine fleur» de Caradeuc. La statue de Diane Chasseresse, réplique de celle de Versailles, domine un banc de marbre sur lequel vient s'asseoir parfois le fantôme de Marie-Antoinette. Il se trouvait jadis dans le jardin de son château de La Muette. Dans le prolongement, le ROND-POINT DES EMPEREURS, ceint de bustes d'empereurs romains en marbre blanc du XVIIe siècle posés sur des stèles de granit, renoue avec l'Antiquité. D'autres ensembles, Enfant à l'oiseau et Enfant chasseur, se situent l'un à mi-chemin et l'autre au bout de l'allée. Un Zéphyr, une Jeanne d'Arc en bois ainsi qu'un comte de Falloux, descendant de cette lignée, viennent rejoindre le peuple attachant de Caradeuc. La forte tempête de 1987 a malheureusement abîmé charmilles et allées. Les propriétaires ont entrepris de les replanter et le parc, d'ici quelques années, aura retrouvé sa splendeur.

«Arreste ton cœur»
Cette maxime des plus stoïciennes est gravée au-dessus d'un écusson aux armes des Caradeuc, sur le fronton triangulaire qui orne la façade sud-est. Ici, seule l'emporte la raison.

Les mille grâces du parc
Les délicatesses du cadre évoquent irrésistiblement les maîtres du XVIIIe siècle français : Boucher, Watteau et Fragonard. Faunes et corbeilles de granit émaillent les allées.

Les portiques de la façade sud.

Saint-Pern

Le château de Ligouyer. Cette résidence privée est visible de la route, à quelques kilomètres sur la droite. L'architecte rennais Lecompte remplaça, en 1686, la porte fortifiée avec pont-levis par un portail monumental. Le logis est flanqué de deux tours rondes du XVIe siècle. Deux colonnettes jumelées à têtes humaines encadrent la porte d'entrée, de style gothique, dont le tympan est gravé aux armes des Saint-Pern.

La façade, du XVIe siècle, du château de Ligouyer.

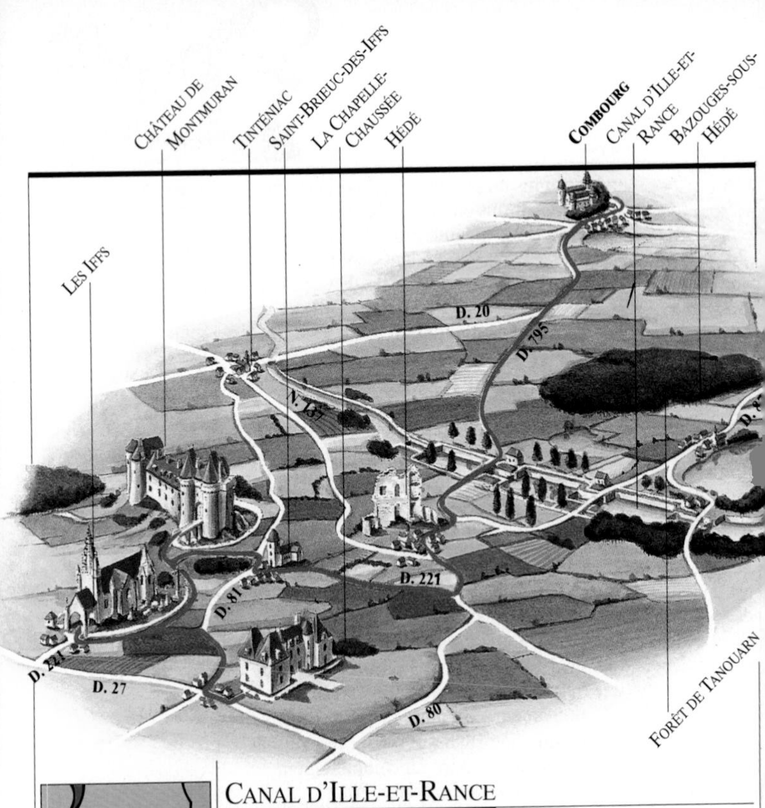

de 4 à 5 heures
25 km

Canal d'Ille-et-Rance

L'histoire d'une voie d'eau. Au XVIe siècle, grâce à la faible pente de la Vilaine, les bateaux à fond plat arrivaient déjà jusqu'à Rennes. Les travaux d'aménagement de la rivière commencèrent en 1539, sous François Ier, et s'achevèrent en 1585. La Vilaine devenait ainsi, après le Lot, le deuxième cours d'eau canalisé de France. En ce temps-là, les gabares ne traversaient qu'une quinzaine d'écluses. Il fallut attendre le XVIIIe siècle et la prépondérance des Anglais sur les mers pour que naisse l'idée d'un canal entre la Vilaine et la Rance. Sous l'Ancien Régime, quelques esprits éclairés, des économistes et des ingénieurs, allaient en pressentir l'utilité : dès 1746, le génial inventeur François-Joseph, comte de Kersauzon, présenta, à deux reprises, aux états de Bretagne un mémoire sur la canalisation de la province et sur une liaison entre Vilaine et Rance par l'Ille et le Linon. Il s'appuyait sur des motivations d'ordre économique : placée entre les deux grandes cités portuaires de Saint-Malo et de Redon, Rennes devenait ainsi la plaque tournante du commerce. Après la Révolution, le blocus continental imposé par l'Angleterre accéléra la réalisation de ce réseau de voies intérieures navigables, primordial pour ravitailler les ports militaires menacés par les troupes ennemies et la marine clouée à quai du fait de l'étroite surveillance des côtes par les navires anglais. Le creusement du canal d'Ille-et-Rance commença dès 1804, et fut donc commandé par des préoccupations plus stratégiques qu'économiques. Le ravitaillement de Saint-Malo, port situé face à l'Angleterre, pourrait ainsi s'effectuer par l'intérieur des terres, et la liaison entre

L'écluse de La Gromillais (à droite).

Des travaux de bagnards
Exécutés à la pioche et à la pelle, ils étaient si pénibles qu'on les réservait aux prisonniers de guerre. Entre 1813 et 1814, des Prussiens et des Autrichiens creusèrent ainsi la tranchée située entre les deux écluses de Ville-Morin. Si la main-d'œuvre manquait, des bagnards de Brest et des déserteurs de l'armée française venaient en renfort.

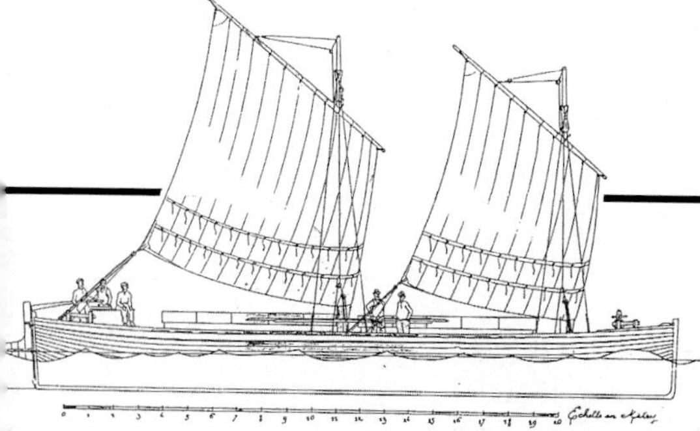

LE CHALAND MALOUIN
Le bateau traditionnel du canal était le chaland, dit «malouin» par rapport au chaland dit «nantais», que l'on croisait sur le canal de Nantes à Brest. C'était une sorte de péniche construite à la dimension du canal.

les côtes septentrionales et méridionales de la péninsule se réaliserait par ce canal et la Vilaine. Mais les travaux furent ralentis par les guerres impériales.
En 1815, la chute de l'Empire et la restauration des Bourbons ramenèrent la paix en Europe. En 1823, des détenus espagnols creusèrent la tranchée du bief de passage dans les landes proches de Tanouarn. Mais de nombreux éboulements dûs à la nature du sol glaiseux et à l'exceptionnelle largeur de la voie ralentirent les travaux, qui s'éternisèrent jusqu'à la consolidation finale des rives. De plus, une épidémie décima les prisonniers (la plupart furent enterrés à Bazouges-sous-Hédé). Après son achèvement, une fois révolue la période de blocus continental, le canal ne présentait plus aucun intérêt militaire. Pourtant, le 6 mai 1832 eut lieu enfin son inauguration : un «bateau d'épreuve» relia Dinan à Rennes, utilisant une bonne partie des cours de la Rance, de l'Ille et de la Vilaine. Le canal connut alors son heure de gloire. Au début, il permit d'amender les terres : des péniches d'engrais marins

Le canal à Tinténiac dans les années trente.

LA BALADE DES ÉCLUSES ♥
En venant de Combourg par la D 795, prendre à gauche, avant l'entrée de Hédé, la D 87 en direction de Bazouges-sous-Hédé. S'arrêter avant aux écluses Palfrêre, de la Pêchetière et de la Sagerie, et partir sur la droite à pied ou à vélo jusqu'au bassin de Bazouges en suivant l'ancien chemin de halage (GR 37). Cette belle promenade permet d'observer un escalier de onze écluses (ci-contre) où les bateaux franchissent une dénivellation de 27 m. L'échelle de Hédé est l'ouvrage d'art le plus important de ce canal rural, qui longe d'agréables jardins fleuris par les éclusiers.

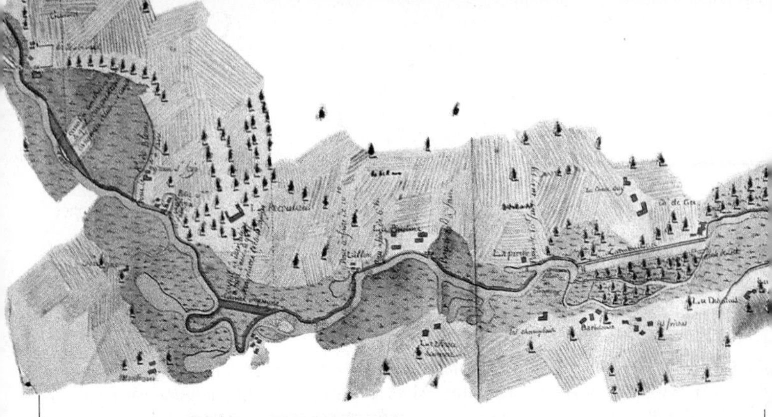

Carte de la Vilaine dressée en 1800 par Philogène de Cogniac.

remontaient l'estuaire de la Rance. Il permettait également de transporter froment et avoine, tourbe, charbon britannique depuis Saint-Malo, bois, minerais de fer, pommes, spiritueux, foin, épicerie, etc. L'apogée du trafic se situa entre 1860 et 1880, avec 40 000 t de produits transportés et une moyenne de deux mille bateaux qui passaient aux écluses dans les deux sens. L'équipage des chalands dits «malouins» était composé de deux ou trois hommes, et le bateau était halé par un ou deux chevaux. Le voyage de Rennes à Dinan durait trois jours, celui de Rennes à Saint-Malo de quatre à six jours selon les marées. Le canal présentait cinquante-quatre ports d'embarquement, et trente-deux usines y étaient installées. Entre 1860 et 1880, un événement capital bouleversa ces données économiques : l'arrivée du chemin de fer, et l'inauguration de la gare de Rennes (1857). À partir de 1900, la baisse du trafic s'accentua du fait des prix très bas appliqués par les compagnies privées, comme les Chemins de fer de l'Ouest et la Compagnie d'Orléans. Le transport par voie d'eau devint trop onéreux et trop lent. Le rail était nettement plus compétitif avec des moyennes de 75 km/h. Un train de marchandises pouvait transporter plus de 100 t.

L'avant-port de Saint-Malo et le canal à Saint-Domineuc (ci-dessous).

Le trafic du canal se réduisit alors aux transports de sable et de chaux (soit une baisse de 50% à la veille de la Première Guerre mondiale). Le conflit de 1914-1918 apporta un regain d'activité de courte durée : plusieurs bateaux furent construits pour ravitailler Rennes en aliments et en matières premières. Mais, la guerre passée, le déclin s'accéléra.
Les convois d'épicerie firent place à ceux de pâte à papier pour la fabrication du quotidien *Ouest-Eclair* et la production de l'imprimerie Oberthur. Apparurent aussi les bateaux automoteurs, qui dégradèrent les rives et entraînèrent l'envasement de la cuvette par le dépôt de leurs produits d'érosion. Vers 1934, on commença à sauvegarder le canal, mais, à la Libération, les chalands avaient déjà disparu...
Le temps de la batellerie était révolu. Au début des années 1960, on pouvait se demander légitimement si le canal d'Ille-et-Rance avait été autre chose qu'un des plus grands chantiers que la région ait connus avant le XIXe siècle, une idée saugrenue d'académiciens et d'ingénieurs un peu fous, soutenus par un empereur aux abois, que la logique administrative avait menée à terme sans jamais la remettre en question. Une œuvre gigantesque mais inutile, faite presque

Le canal en chiffres
Le canal représentait quarante-huit écluses de Rennes au Châtelier (la seule écluse située en aval de Dinan), un mouillage normal de 1,62 m, des chemins de halage larges de 4 m et un chenal à deux voies large de 10 m. La Rance était canalisée sur 17 km, l'Ille sur 30 km, et des rigoles provenant de réservoirs alimentaient le canal sur 38 km (soit un total de 85 km).

Sculpture décorant la porte méridionale, de style gothique, de l'église de Bazouge-sous-Hédé.

pour le seul plaisir (d'après Jean-Pierre Chauvel, *Historique du canal d'Ille-et-Rance*). C'est aujourd'hui un chemin d'eau qui fait les délices des plaisanciers sur 84,8 km.

BAZOUGES-SOUS-HÉDÉ

Le village doit son nom au latin *basilica,* qui signifie «église desservie par des moines». Dès le XIIe siècle, il dépendait des religieux de l'abbaye Saint-Mélaine de Rennes. Dans l'ÉGLISE, la tombe de Renaud de Bintin, avec son gisant en armure, est placée sous une arcade gothique.

HÉDÉ

LE CHÂTEAU. Son histoire est mouvementée. Au XIIe siècle, lors de la guerre contre les Anglais, un double incendie ravagea la première forteresse en bois, la Motte-Jouhan, qui appartenait à l'ennemi. Une fois qu'elle fut rattachée au domaine ducal, Jean Ier le Roux la rebâtit en pierre et l'équipa de douves à l'est. Puis les ducs successifs la remanièrent, surtout de 1286 à 1305. Son granit proviendrait des carrières exploitées jadis et englouties aujourd'hui sous les eaux de l'étang de Hédé.

Les Français s'en emparèrent en 1498, mais, après la Ligue, en 1598, Hédé lui ayant été hostile, Henri IV la fit détruire. Il n'en subsiste que quelques pierres décevantes, un pan de donjon haut de 20 m, symbole du pouvoir ducal, que surmonte désormais une girouette incongrue mais néanmoins charmante : un lévrier blanc emmitouflé pour l'hiver, dont l'écharpe bleue s'envole au vent. Quant à Flaubert, il fit l'escalade jusqu'au donjon carré et aux murailles écroulées, vestiges de l'enceinte à neuf côtés, protégée sur trois d'entre eux par un pic, et se promena sans doute sur le chemin de ronde qui permet encore aujourd'hui de profiter d'un paysage s'étendant jusqu'à Tinténiac.

LA VILLE. Fidèle à ses origines, elle s'est concentrée dès le XIe siècle autour du château primitif, qui était situé au nord-est, à la jonction des routes de Combourg et de Guipel, et non à l'emplacement des ruines qui subsistent aujourd'hui.

L'ÉGLISE. Elle a gardé son portail

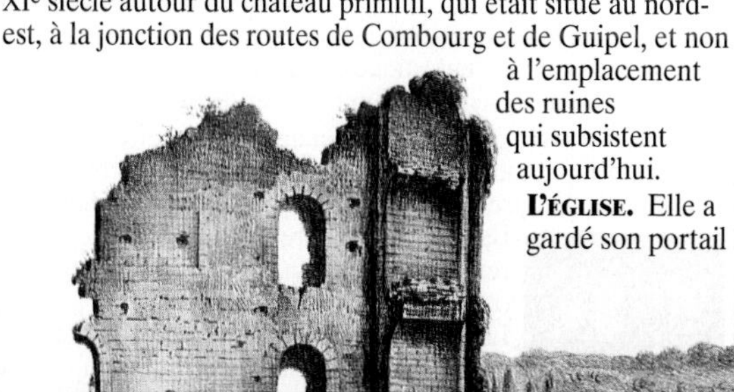

L'ÉGLISE DE BAZOUGES-SOUS-HÉDÉ
En majeure partie du XVIe siècle, elle a gardé, d'un édifice précédent, le mur nord roman en arête de poisson et la tombe-arcade. Les portes latérales sont flamboyantes. La belle porte sud date du XVIe siècle. Ci-dessus : porte et détail.

«Enceinte dont nous faisons le tour, dessus. – Tour ruinée. – Des Anglais en voiture ne descendent pas pour voir ça, et il y avait pourtant une vue grande, belle, riche, une vue immense de verdure et d'arbres.»
Flaubert, *Par les champs et par les grèves*

L'étang (en haut, à gauche) et les ruines du château de Hédé (lithographie du XIXe siècle).

La lecture d'un vitrail
Un vitrail se lit de gauche à droite en suivant ses travées successives.
Il faut commencer en bas par la première puis poursuivre dans le même sens par la travée supérieure.

ouest et ses arcades intérieures romanes. A la fin du XIXe siècle, faute d'argent, les cantiques s'y entonnaient sur les airs populaires d'un orgue de Barbarie, tels *Malborough s'en va-t-en guerre* ou *J'ai du bon tabac dans ma tabatière*!

Les Iffs ♥

Située peu après Saint-Brieuc-des-Iffs, petit village caché au fond d'un vallon, que signale son clocher en bulbe, la commune des Iffs doit son nom aux arbres centenaires ombrageant l'enclos paroissial.

La fontaine Saint-Fiacre. Elle se trouve une vingtaine de mètres avant l'entrée des Iffs, sur la droite, un peu en retrait de la route. Seule fontaine close du département,

elle date du XVe siècle. L'été, en grande période de sécheresse, les pèlerins venaient en procession y demander la pluie; le curé du village trempait le pied de sa croix dans l'eau miraculeuse et, si la demande était entendue, une averse s'abattait sur la foule.

L'église Saint-Ouen ♥. De style gothique flamboyant des XIVe et XVe siècles, très belle extérieurement, elle fut construite grâce au mécénat de la famille de Laval, seigneurs de Montmuran, puis grâce à celui des Coligny, et enfin avec le concours de la population locale. Le plan de l'édifice forme une croix de Lorraine. Deux chapelles surmontées d'une flèche en ardoise (la chapelle Saint-Yves, au sud, hexagonale, et celle de Laval, au nord, carrée) sont situées de part et d'autre du maître-autel et prolongent le transept. Le porche à trois arcades était réservé aux lépreux. Dans le clocher, construit en 1881 par l'architecte Regnault, «Marguerite», la cloche principale de 1596, sonne, accompagnée de quatre «Petites Sœurs».

L'église Saint-Ouen
Vue aérienne, détails extérieurs, clochers et gargouilles.

A l'intérieur, la voûte en bois est soutenue par des tirants engoulés d'animaux fantastiques et repose sur des sablières sculptées. L'église a conservé un mobilier de qualité.

L'art du vitrail. Neuf vitraux Renaissance, inspirés des écoles italienne et hollandaise, méritent une attention particulière. Quatre siècles après leur réalisation par Michel Bayonne, originaire de Rennes, les teintes restent toujours aussi lumineuses, rouge orangé, bleu de France et jaune vif. Les visages sont expressifs, les attitudes naturelles. Au chevet, des verrières présentent en vingt panneaux la Passion, de l'entrée à Jérusalem à la Mise au tombeau. Au sommet, sur le tympan, se trouvent des scènes du Jugement dernier. Sur la droite, dans la chapelle Saint-Yves, un vitrail, au centre, relate la légende

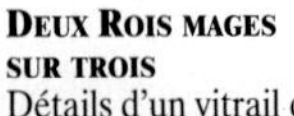

Deux Rois mages sur trois
Détails d'un vitrail de l'église de Saint-Ouen dans la chapelle de gauche. L'œuvre du XVIe siècle signe le talent d'un grand maître : Michel Bayonne.

de sainte Suzanne la chaste (en costume hollandais) : accusée injustement d'adultère par deux vieillards voyeurs dont elle avait repoussé les avances, elle se vit condamnée à mort puis sauvée par le prophète Daniel, qui confondit et fit décapiter les deux diffamateurs (atelier de Vitré, 1530). A droite est mis en scène saint Yves, patron des avocats et modèle d'équité. Le saint porte une robe rouge avec un surplis blanc bordé d'hermine, le riche est un gentilhomme vêtu d'un manteau violet (François de Coligny, fils de Gaspard, 1587), le pauvre un paysan habillé d'une veste émeraude. A gauche, se trouve un combat non identifié de guerriers et de cavaliers. Dans la chapelle de gauche (dite de Laval ou de Montmuran, étant seigneuriale), deux verrières retracent la naissance et l'enfance du Christ. A remarquer, en haut à gauche, un diable souriant. Le transept sud est consacré à la Transfiguration du Christ et à la Décollation de saint Jean-Baptiste. Y figurent aussi la donatrice du vitrail, dame de Laval, ainsi que les armoiries de la proche seigneurie de Montmuran.

Armoiries de la seigneurie de Montmuran.

CHÂTEAU DE MONTMURAN ♥

Il était autrefois le chef-lieu de l'importante châtellenie de Tinténiac. Le château initial, du XIe siècle, se situait à Tinténiac même. Au XIIIe siècle, non loin de là, les seigneurs en bâtirent un autre, où résidèrent les familles les plus illustres de Bretagne. La famille de Laval garda pendant deux siècles le fief de Tinténiac-Montmuran. En 1547, l'héritière, Charlotte de Laval, épousa Gaspard de Coligny, amiral de France. Lors de leur visite dans la région, un fastueux banquet fut donné pendant trois jours. Les fameuses toiles de Tinténiac ● *62* prospérèrent avec l'appui des Laval jusqu'aux guerres de Religion : la conversion du couple au calvinisme, entre 1557 et 1559, sonna la fin des jours de Gaspard. Il mourut assassiné durant la nuit de la Saint-Barthélemy, le 24 août 1572, à Paris, en sa demeure de l'hôtel de Ponthieu, et sa dépouille fut portée au gibet de Montfaucon. Les Coligny possédèrent Montmuran jusqu'en 1643. Une certaine Henriette, jeune, jolie et dépensière, lui préféra les plaisirs de Versailles : elle vendit. Puis, d'autres familles illustres

Miniature du château de Montmuran extraite d'un livre d'heures et de prières du XVe siècle.

PORTRAITS DE FAMILLE
Jean-Baptiste de La Villéon (1740-1820) fut l'aîné d'une famille de vingt-deux enfants. Il entra dans la marine en 1755. Il prit part à la guerre de Sept Ans et à la guerre de l'Indépendance américaine. Sa sœur figure sur le second portrait.

LE CHÂTEAU DE MONTMURAN
Il est formé de deux tours du XIVe siècle, semi-circulaires, unies par une toute petite courtine et équipées de mâchicoulis. Herses, douves et ponts-levis en défendent encore l'entrée. Le châtelet est relié aux deux autres tours rondes par la courtine ouest, percée de fenêtres, qui sert d'appui au nouveau château. A l'étage, dans la salle des Gardes, assis sur un banc de pierre, on peut assister à la manœuvre du pont-levis. Au centre, se trouve une construction classique du XVIIIe siècle. Au nord, deux tours aux toits coniques et aux murs épais de 4 m (fin XIIe-début XIIIe siècle) se présentent côte à côte. L'une d'elles, la tour du Connétable, comporte une étuve, fermée au public. Au rez-de-chaussée, un petit musée se visite. Une oubliette y est toujours visible.

Ci-contre : l'entrée, les mâchicoulis, le toit, le pont-levis, divers détails de la façade et de la statue de saint Roch.

se succédèrent en ces murs : les Coëtquen, les La Motte-Rouge et aujourd'hui encore les La Villéon... L'ouragan de 1987 a malheureusement détruit la belle allée d'arbres qui conduisait aux grilles du château. Autrefois, sept tours reliées par des courtines dessinaient une enceinte pentagonale, dont il ne reste que 70 m sur le front ouest. (Voir légende en page de gauche pour le détail de la visite.)

Un jeudi sanglant. En pleine guerre de Succession, la veuve d'un seigneur de Montmuran, Alain de Tinténiac, mort lors du combat des Trente, convia les seigneurs des environs à un banquet, en l'honneur du maréchal de France d'Audreheim. Ce dernier arriva au château, ce jeudi saint 1354, accompagné d'un officier français nommé Bertrand Du Guesclin. Montmuran était alors pris entre les deux citadelles anglaises de Bécherel et de Hédé. Pensant que les Anglais allaient profiter de l'aubaine pour tenter une attaque, le jeune Bertrand devança l'ennemi dans ses intentions. L'embuscade qu'il leur tendit vers Bécherel leur fut fatale : tous périrent sous les coups et les flèches. Le lieu fut baptisé «chemin sanglant» et Du Guesclin adoubé chevalier dans la chapelle de Montmuran. Bien plus tard, il allait y épouser en secondes noces une toute jeune fille, Jeanne de Laval. Ce geste lui fut d'ailleurs reproché.

Médiéval et classique
La forteresse de Montmuran réserve la surprise de l'architecture de son corps de logis du XVIIIe siècle, surmonté d'un très classique fronton de pierre.

La Chapelle-Chaussée

Distants d'une vingtaine de kilomètres de Rennes, La Chapelle-Chaussée et son petit sanctuaire constituaient une halte au Moyen Age.

Le château. Située légèrement en retrait de la route, cette demeure en granit appareillé, aujourd'hui privée, a été construite au XVIe siècle pendant la Renaissance, modifiée au XVIIe et restaurée au siècle dernier; on ajouta sur sa façade sud un escalier à double volée. L'ensemble est constitué d'un corps de logis central de style Louis XIII, flanqué de deux gros pavillons carrés latéraux, agrémentés de tourelles fuselées. De la route, c'est la façade nord qui semble la plus jolie, mais seule la façade sud, donnant sur le parc, est accessible à la visite.

L'église. Elle a conservé les voussures et colonnettes de son clocher du XVe siècle et une porte ogivale du XVIe siècle.

La façade nord du château de La Chapelle-Chaussée. Tourelles, lucarnes et campaniles parent l'imposante bâtisse de granit d'une certaine élégance.

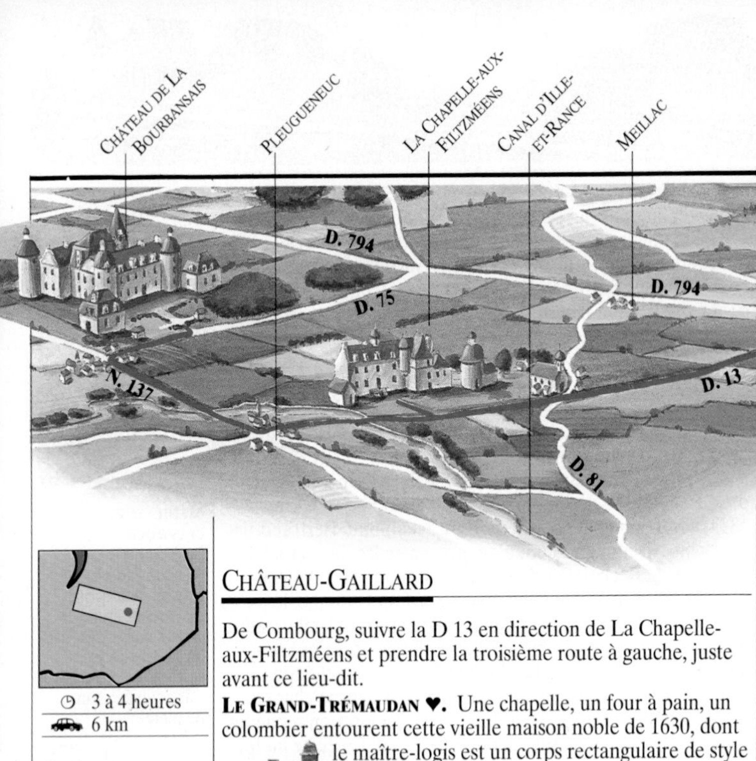

3 à 4 heures
6 km

Château-Gaillard

De Combourg, suivre la D 13 en direction de La Chapelle-aux-Filtzméens et prendre la troisième route à gauche, juste avant ce lieu-dit.

Le Grand-Trémaudan ♥. Une chapelle, un four à pain, un colombier entourent cette vieille maison noble de 1630, dont le maître-logis est un corps rectangulaire de style Louis XIII. Ce charmant manoir est le cadre d'une horrible LÉGENDE. Un jour, après le sermon dominical, un valet du Grand-Trémaudan nommé Hervé, ivrogne notoire et grand pécheur devant l'Eternel, blasphéma en ces termes : «Que ma tête tombe de mes épaules et n'y revienne jamais si j'écoute encore ces sornettes-là...» Il avait aussi coutume de dire qu'il préférait mourir sur le plancher du grenier du Trémaudan plutôt que d'être déposé dans les planches d'un cercueil et enterré dans une fosse. Or, une nuit, alors qu'il avait fort sacrifié à Bacchus, une chute lui fut fatale : ne pouvant se relever, il mourut ainsi sans assistance. Son cadavre fut retrouvé dépecé par les corbeaux et fut transporté dans cet état au manoir. En chemin, la tête se détacha du tronc : on l'enterra au plus vite. Mais le soir des funérailles, elle revint hanter le grenier avec un grand vacarme, roulant et heurtant le sol. Depuis, nombreux sont ceux qu'elle a effrayés par ces tapages nocturnes.

Les premiers émois de Chateaubriand
Les parents du futur écrivain étaient très liés avec les Trémaudan, qui résidaient, en ville, dans la maison de la Lanterne, en plein centre de Combourg. Parfois, le jeune Chateaubriand passait quelques jours au Grand-Trémaudan (ci-dessus) avec sa famille. A l'une de ces occasions – relatée de manière anonyme dans les *Mémoires d'outre-tombe* –, Mme de Trémaudan pressa l'adolescent contre son cœur. Ce contact causa à François René un trouble jusque-là inconnu.

La Chapelle-aux-Filtzméens ♥

Ce nom a deux origines. «La Chapelle» fait référence au petit édifice religieux du XVe siècle qui disparut au XXe siècle; il avait été bâti à proximité du premier château par des moines qui s'étaient mis sous la protection de son seigneur. A l'origine, cet ordre occupait un prieuré aux abords de l'actuel canal d'Ille-et-Rance. Ils étaient les disciples, ou «fils spirituels», du saint breton Méen, d'où «Filtzméens».

COMBOURG

L'ÉGLISE. Le CLOCHER, très curieux, ne manque pas de charme, avec ses clochetons, sa structure carrée et étagée.

LE CHÂTEAU. Seuls sont accessibles à la visite l'extérieur et les communs, transformés en camping de luxe. Situé près d'un ruisseau, il est appelé «LE LOGIS». Il date des XVIe et XVIIe siècles, mais les fondations et les douves remontent au XVe siècle. Le maître-logis, du XVIIe siècle, est un long corps rectangulaire à trois niveaux dont la façade présente un double perron. Dans la seconde moitié de ce siècle, il fut agrémenté, à son angle sud-est, d'un pavillon saillant en retour d'équerre. L'ensemble, quoique d'une sobriété un peu austère, a belle allure. La particularité du lieu est d'avoir conservé son pigeonnier en parfait état, avec la toiture en cloche, les lucarnes, le lanternon et le grand vire du XVIIe siècle, qui est un appareillage en bois dont l'échelle

permet en tournant d'accéder aux cinq mille niches à pigeons. C'est l'un des seuls intacts en Bretagne : symboles de privilèges, la plupart ont été détruits lors de la Révolution.

UN CLOCHER EXOTIQUE
Celui de l'église de la Chapelle-aux-Filtzméens évoque le toit d'une pagode chinoise...

LE PRIVILÈGE DU CHÂTEAU
Selon la nouvelle coutume de Bretagne, deux conditions étaient nécessaires pour construire un colombier : l'existence d'un ancien bâtiment de même nature ou bien la possession de trois journaux de terre (150 ha). Les colombiers jouaient un rôle important dans l'économie locale : ils fournissaient de la viande fraîche, des œufs et un engrais riche réservé aux jardins. Le sang de pigeon était également réputé guérir la léthargie.

CHÂTEAU DE LA BOURBANSAIS ♥

Sa silhouette, avec ses toitures baroques en forme de cloches coiffées de campaniles, sa composition pyramidale et ses jardins paysagers en font l'un des plus beaux châteaux d'Ille-et-Vilaine. Sur l'axe routier Saint-Malo-Rennes, une large percée, effectuée en 1631, permet de le découvrir à travers les arbres.

UNE FERME GALLO-ROMAINE. Le site géographique de La Bourbansais forme une cuvette au sommet d'un plateau : il abrita durant l'Antiquité une exploitation agricole gallo-romaine, un *fundus*. La DÉESSE BURBONIA préside, dans le panthéon romano-celtique, aux lieux humides; elle a donné son nom à ce lieu très irrigué, qui devint par la suite la terre de «Bourbans». De nombreuses pièces de monnaies en or y ont été retrouvées, dont une assez rare, un STATÈRE de la tribu des Redones (un peuple ayant occupé le site de Rennes), ainsi que deux sculptures ornant désormais les gerbières des tours

La Bourbansais n'a cessé d'inspirer les dessinateurs. Ci-contre, une aquarelle de Marie-Madeleine Flambard.

est et ouest et quelques pierres ayant servi à une chaussée. Enfin, le dispositif de drainage des travaux primitifs de retenue d'eau subsiste encore, quoiqu'en partie comblé.

DES COMPTES DE CHÂTELAINS. Ce domaine n'a jamais été vendu, il ne s'est transmis que par mariage ou par héritage. Des familles qui s'y sont succédé, un personnage marqua plus que tout autre le devenir du château de La Bourbansais : Jacques Gervais Huart, petit-fils de Marguerite du Breil et de Jacques Huart, conseiller et personnage clé du parlement de Bretagne, célibataire endurci, dévoué dès 1735 à sa propriété, qu'il entretient avec soin et embellit par des jardins. Le comte de Palys disait de lui : «Quoique doyen du parlement de

Bretagne, il néglige ses archives pour ses jardins et préfère orner son château avec magnificence» . De 1747 à 1765, il écrivit un livre de raison dont la petitesse des caractères s'adapte à l'étroit format. C'est un travail gravé à la plume d'oie sur un timbre-poste... Cet excellent gestionnaire y notait scrupuleusement son «état des lieux». Son sens pratique, redouté, était légendaire. C'est pourquoi Mme de Sévigné, passant non loin du château pour se rendre au Rocher-Portail, faisait à chaque fois cette remarque mitigée : «Il est beaucoup mon voisin et un peu mon cousin. C'est le plus honnête homme du Parlement mais le plus économe.»

RÉGIONAL ET PARISIEN. La Bourbansais est le résultat d'un heureux mélange des traditions architecturales locales, préconisant l'originalité dans le respect de la tendance classique Louis XIII, et de la mode parisienne, qui a apporté au château jardins et parterres à la française. Construit entre la fin du XVIe et le début du XVIIe siècle, il fut remanié au XVIIIe siècle. Le CORPS PRINCIPAL est agrémenté d'une AILE ARRIÈRE EN ÉQUERRE, où s'élève une grosse tour d'escalier et une tour ronde à chacun de ses quatre angles. L'allée centrale débouche par le sud dans l'avant-cour, où se trouve la chapelle du XVIIe siècle, puis dans la cour d'honneur. La FAÇADE qui apparaît est la plus belle, avec une porte d'entrée Renaissance décentrée. Deux pavillons à la Mansart, du XVIIIe siècle, accolés aux deux tours, ferment la cour.

GRÂCE ET MAJESTÉ
Le parc et sa statuaire, la salle à manger d'honneur, le portail et l'allée cavalière partagent une même splendeur.

Sur la FAÇADE OUEST, moins intéressante quoique plus majestueuse, deux corps de logis s'inscrivent entre les tours et le mur central. A gauche se tient l'ORANGERIE.

LA VISITE. Le REZ-DE-CHAUSSÉE est ouvert au public. Il comprend deux salons, l'un de style Louis XIII, l'autre Louis XV, appelé SALON BLEU, superbe, avec des boiseries du XVIIe siècle et de beaux meubles du XVIIIe siècle en bois précieux. Une petite galerie-musée rassemblant des objets de famille, un vestibule et une salle à manger tendue de tapisseries d'Aubusson terminent la visite. La propriété offre d'autres intérêts : la chaise de poste (1771) de la duchesse de Lamballe qui aurait dû servir à l'évasion de Madame Royale, les chenils de la meute, le parc et le jardin zoologique.

LE RETOUR DES MAISONS EN TERRE. Les fermes du château de La Bourbansais comme les maisons des environs ont été bâties avec la terre argileuse exploitée dans le bassin de Rennes et restée, jusque dans les années 1950, le matériau de construction traditionnel. Bon marché, cette terre était la providence de celui qui ne possédait pas le sol sur lequel il s'établissait. Redécouverte aujourd'hui pour ses qualités d'isolation thermique et ses vertus écologiques, la construction en terre crue fait l'objet de recherches industrielles et architecturales. La technique classique marie la terre et la paille. Les briques, ou «mottées» de terre, sont empilées en levées sur des fondations en grès. Les ouvertures ont été préalablement encadrées de bois. Enfin, un enduit donne aux murs leur ton chaleureux, jaune orangé. Couleurs et matériaux permettent à ces constructions de s'intégrer parfaitement au paysage.

LA CONSTRUCTION EN TERRE CRUE
Ci-dessous, de gauche à droite et de haut en bas : le bassin d'où est extraite la terre encore caillouteuse; la paille en motte qui sera mêlée à la terre argileuse; le «parage», ou taille de la «mottée», constitué de galettes de terre et de couches de paille intercalées; le montage de la levée, haute de 60 à 90 cm, sur les fondations de grès; l'achèvement du mur avant la pose de la charpente; l'enduit à la chaux éteinte aérienne et le carré de bois d'une fenêtre mis en place avant la construction du mur.

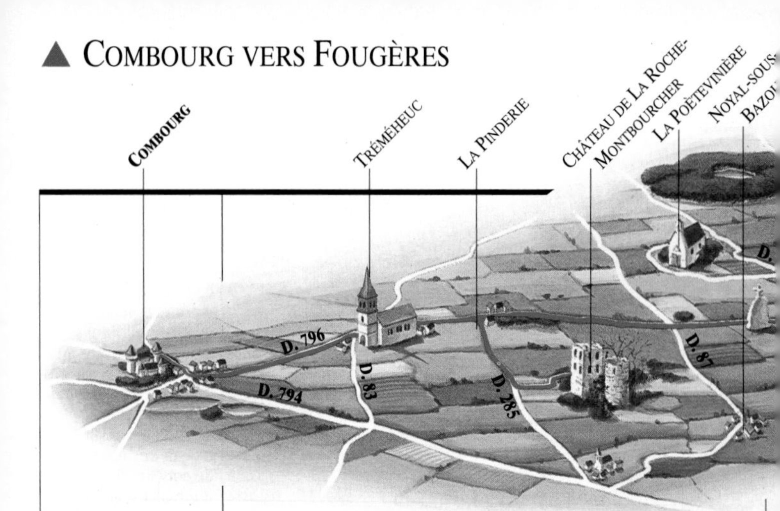

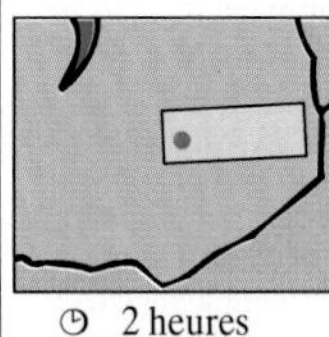

2 heures
20 km

TRÉMÉHEUC

L'ÉGLISE. Construite au XVIIe siècle, l'église du bourg mérite une courte visite. Deux petites chapelles lui ont été ajoutées en 1832. Sur le clocher, une statuette de saint Martin veille dans une niche. A l'intérieur se trouvent de beaux retables aux tons pastel, dont le décor exotique à palmiers surprend.

SAINT MARTIN DANS LE CLOCHER
L'église de Tréméheuc possède quelques modestes trésors (ci-dessus : saint Martin et pietà).

LA PINDERIE

LE CHÂTEAU DE LA ROCHE-MONTBOURCHER ♥. (Propriété privée). Son accès n'est pas facile, à moins de suivre scrupuleusement les indications suivantes. En arrivant de Combourg, au carrefour des D 796 et D 285, juste avant le village de La Pinderie, prendre sur la droite la D 285 en direction de Saint-Léger-des-Prés. Suivre le deuxième chemin sur la gauche, qui est empierré. Il conduit à une ferme délabrée. Se garer près de la grange encore utilisée et traverser le champ à droite du chemin. Ruines romantiques envahies de puissantes racines, la forteresse déchue apparaît derrière son rideau d'arbres noueux. Rares sont ceux qui ont vu ce château fantôme, mais tous en rêvent ou redoutent les créatures

LE CHÂTEAU DES CHIMÈRES
Fantômes et chercheurs de trésors hantent La Roche-Montbourcher. A droite, la tour mangée par la végétation.

Bazouges-La-Pérouse
Forêt de Villecartier
Château de La Ballue
D. 796

imaginaires dont il est peuplé... Une servante traîtresse viendrait se repentir la nuit d'avoir guidé avec sa lanterne le tir des anciens assiégeants. Une barrique d'or aurait été enfouie dans un souterrain du donjon, et des moines rouges danseraient de longs sabbats nocturnes. Les seigneurs de Montbourcher régnèrent sur le fief de La Roche du milieu du XIIIe siècle au milieu du XVe siècle. Bertrand Ier de Montbourcher, haut responsable politique, grand écuyer de Bretagne et chambellan du duc Jean V, avait fait bâtir le château fort dès la fin du XIVe siècle afin de protéger le duché d'une annexion par les troupes du roi de France. La place forte contrôlait la route de l'est et celle qui venait de Normandie via Pontorson. Le château fut démantelé en 1600, après son occupation par les ligueurs de 1595 à 1598, le seul siège qu'il connut en deux cents ans d'existence.

Bazouges-La-Pérouse

Sur une butte, non loin de la forêt de Villecartier et de son étang, le site a été occupé dès l'époque gallo-romaine. Bazouges-La-Pérouse est aussi la petite ville natale de la poétesse Angèle Vannier ● *132*.

Les environs. Entre Tréméheuc et Bazouges-La-Pérouse, au lieu-dit de Landerosse, la Pierre-Longue, un haut menhir christianisé d'environ 5 m, se dresse sur le bas-côté droit de la route. Au lieu-dit du Gros-Chêne, une table de culte, la Pierre du Sacrifice, est encore visible : les victimes y étaient égorgées. Une petite croix s'y éleva par la suite, remplacée depuis par un parterre de fleurs...

Plus chrétienne est la modeste chapelle de La Poètevinière, «hutte que l'âme s'est faite pour s'y étendre à l'aise à ses heures de fatigue» (Gustave Flaubert).

L'église Saint-Pierre et Saint-Paul. L'édifice a été remanié au siècle dernier à partir de deux sanctuaires médiévaux contigus. Chacun d'eux possédait trois nefs, dont certaines furent réunies dans un souci d'harmonie. A l'extérieur, à 2 m du sol, une sculpture pourrait dater de l'époque gauloise. Elle est surmontée d'une gargouille en forme d'homme accroupi. A l'intérieur, sur le bas-côté nord, un beau vitrail du XVIe siècle témoigne de l'implantation des premiers verriers en pays de Fougères. Ce bel ouvrage représente des scènes de la vie et de la Passion du Christ. Les donateurs, seigneurs du proche château de La Ballue, y figurent aussi.

Les maisons. Les premières constructions remontent au XIIe siècle. Quelques vieux logis du XVIIe siècle et des maisons à colombage ornées de piliers romans sont bien conservés (n° 3 et n° 4, place du Monument

La Poètevinière
Flaubert témoigne : "Un charme singulier transpire de ces pauvres églises. Ce n'est point leur misère qui émeut, puisqu'alors même qu'il n'y a personne, on dirait qu'elles sont habitées. N'est-ce pas plutôt leur pudeur qui ravit? Car avec leur clocher bas, leur toit qui se cache sous les arbres, elles semblent se faire petites et s'humilier sous le grand ciel de Dieu."

Paiens et chrétiens
La table de sacrifice du Gros-Chêne (ci-contre) comme le menhir de Pierre-Longue (ci-dessous) ont été ornés de signes chrétiens.

Bazouges et ses environs possèdent un bel habitat rural, dont quelques petits manoirs (ci-contre et ci-dessous).

DIX MASQUES ET SEPT PENDUS
Sur la façade de la maison dite des Sept Pendus, les dix visages sculptés n'ont pas révélé leur énigme.

GILLES RUELLAN
Epinglant le sens du calcul du personnage, c'est avec esprit que Tallemant des Réaux le décrit dans ses *Historiettes* : «Le Pailleur, à qui Rocher-Portail a conté tout ce que je viens d'escrire, dit que cet homme, malgré toute son opulence, avoit encore quelque bassesse qui luy estoit restée de sa première fortune; car dans une lettre qu'il escrivoit à sa femme, qu'elle donna à lire au Pailleur (car Rocher-Portail n'avoit appris à lire et à escrire que fort tard, et il faisoit l'un et l'autre pitoyablement), il parloit d'un veau qu'il vouloit vendre et d'autres petites choses indignes de luy.»

et n° 11, RUE DE L'ÉGLISE). La MAISON DES SEPT-PENDUS possède la plus curieuse des façades : dix masques humains ricanent sur le mur extérieur et se moquent, peut-être, du passant.

LE CHÂTEAU DE LA BALLUE. (Privé.) Perché sur une colline, il domine un vaste paysage et délimite les pays de Combourg et de Fougères. Sa situation stratégique explique la carrière militaire de ses premiers propriétaires, les Chesnel. Pendant les guerres de Religion, pour échapper aux viols, massacres et pillages, les habitants de Bazouges avaient pris l'habitude de venir se réfugier dans le château de La Ballue, qui était alors une véritable petite forteresse. Pourtant, elle ne résista pas aux assauts et perdit ses remparts, ses douves et son pont-levis. Le château actuel est composé d'un bâtiment central de style Louis XIII, encadré de deux ailes en retour d'équerre. L'ensemble, d'aspect plutôt austère, est l'œuvre d'un personnage hors du commun, qui le fit construire en 1620 : Gilles Ruellan.

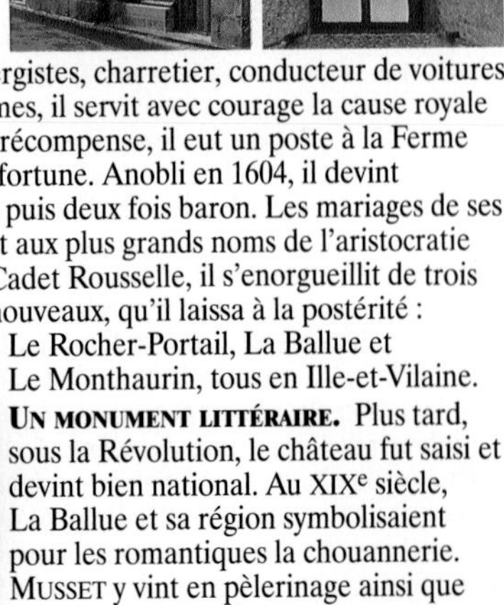

L'ASCENSION D'UN PETIT ÉPARGNANT. Véritable autodidacte, Gilles Ruellan, dit baron du Tiercent, fit rapidement son entrée dans le beau monde... Fils d'aubergistes, charretier, conducteur de voitures puis marchand d'armes, il servit avec courage la cause royale lors de la Ligue. En récompense, il eut un poste à la Ferme des Impôts, où il fit fortune. Anobli en 1604, il devint chevalier de l'Ordre puis deux fois baron. Les mariages de ses filles l'apparentèrent aux plus grands noms de l'aristocratie bretonne. Comme Cadet Rousselle, il s'enorgueillit de trois châteaux, beaux et nouveaux, qu'il laissa à la postérité : Le Rocher-Portail, La Ballue et Le Monthaurin, tous en Ille-et-Vilaine.

UN MONUMENT LITTÉRAIRE. Plus tard, sous la Révolution, le château fut saisi et devint bien national. Au XIXe siècle, La Ballue et sa région symbolisaient pour les romantiques la chouannerie. MUSSET y vint en pèlerinage ainsi que BALZAC, qui s'inspira des lieux pour écrire son roman *Les Chouans*. En 1834, VICTOR HUGO et sa maîtresse Juliette

Durant les luttes chouannes et la Virée de Galerne, lors des massacres de Rimou et d'Antrain, de nombreux chouans trouvèrent refuge à La Ballue.

Drouet en firent un but de promenade quotidienne : ils y venaient à pied de Bazouges. L'écrivain y rédigea, sur la terrasse, les premières notes de son célèbre *Quatrevingt-treize* ● *123*, où sont évoqués les proches villages de Pontorson, et de Vieux-Vieil et les paysages que l'on peut toujours admirer des terrasses de La Ballue.

LA BALLUE
C'est la dernière propriétaire, Claude Arthaud (fille du célèbre éditeur et elle-même éditrice) qui sauva de l'oubli cette demeure et la restaura entièrement. Elle recréa dans le parc un jardin baroque et maniériste tel qu'il existait aux XVIe et XVIIe siècles et planta cinq mille arbres. Il ne se visite plus actuellement, comme, du reste, l'ensemble du château (propriété privée).

AUTOUR DE BAZOUGES, LE BOCAGE

HAIES ET TALUS, MILIEUX DE VIE. Talus et haies font de la Bretagne une région boisée, malgré le petit nombre de massifs forestiers (5% du territoire). Ils forment un paysage bocager et constituent les mailles d'un immense réseau dont les fonctions sont multiples : régulation du cycle de l'eau, préservation des sols contre l'érosion, effet de brise-vent, influence sur le climat local et sur les cultures. La coutume d'enclore les champs cultivés remonte au Moyen Age, mais pendant longtemps la lande prédomina. Ce n'est qu'au milieu du siècle dernier que l'on s'efforça de défricher systématiquement ces étendues à demi sauvages; le bocage progressa rapidement et atteignit sa surface maximale en 1914. Mécanisation et remembrements ont conduit depuis une vingtaine d'années à un arasement méthodique. Heureusement, des naturalistes, des protecteurs de la nature et des agriculteurs avisés qui ont pris conscience de ce danger ont mis en place des méthodes plus respectueuses du patrimoine et commencé à reconstruire des talus et des haies... Selon les régions, les types de talus diffèrent et abritent une faune et une flore spécifiques ■ *48*.

Selon certains, la terrasse de La Ballue fut un lieu d'inspiration pour Victor Hugo (en médaillon, à gauche). Il y aurait entrepris l'ébauche de *Quatrevingt-treize,* publié en 1874.

Le bocage ■ *46* en pays de Rennes. Le maillage symétrique date souvent du siècle dernier. Autrefois, le bocage adoptait des lignes beaucoup plus sinueuses.

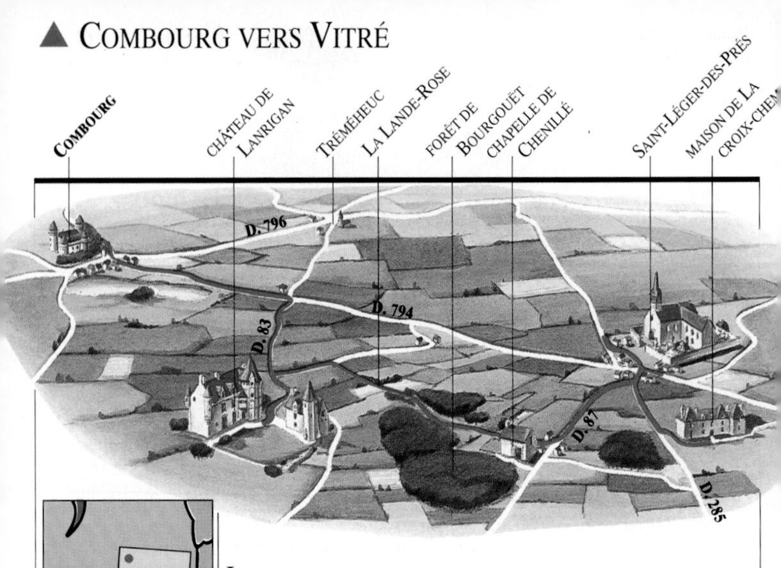

◷ 2 heures
🚗 10 km

LANRIGAN

Au VIe ou VIIe siècle, Lanrigan était une fondation religieuse : l'origine du nom, *lann-rigan*, signifie «monastère de Rigan».

LE CHÂTEAU ♥. Sur l'emplacement d'une demeure fortifiée du XIe siècle, les Bois Le Houx construisirent ce joli manoir, en 1568, en grand appareil de granit, qui mêle style flamboyant et éléments Renaissance. Jusqu'à la Révolution, il ne se transmit que par les femmes. Le domaine ne se visite pas, et, quoique mal entretenu aujourd'hui, il évoque avec grâce et élégance la douceur de vivre des manoirs du Val de Loire. Placé en angle droit à une douzaine de mètres, un deuxième bâtiment, de la même époque, est flanqué lui aussi d'une tourelle, de forme octogonale. Les deux pavillons devaient être reliés par une galerie très ouvragée, mais le chantier ne fut jamais terminé. Un CADRAN SOLAIRE en ardoise, de 1706, est apposé au-dessus de la porte. Une phrase y est gravée qui évoque avec ironie le seuil de la mort, l'heure ultime de quiconque : «La dernière est cachée.» Dans le pré situé de l'autre côté de la route est plantée une belle et haute CROIX à tête de bambin figurant peut-être l'Enfant Jésus. Elle signalerait la présence de sépultures d'enfants victimes d'une épidémie sous le règne de Louis XIV.

«LA DERNIÈRE EST CACHÉE»
Le cadran solaire du château de Lanrigan invite à une méditation sur la mort.

Chenillé en Saint-Léger-des-Prés

Demander à voir la CHAPELLE DU PARDON, récemment restaurée et très sobre dans son cadre de verdure. Consacrée à saint Joseph, cette chapelle «frairienne» (œuvre et propriété de la communauté villageoise) a été construite à l'initiative d'un couple, avec le concours de la population locale. Ils voulaient attirer la protection divine sur le village pour lui éviter les incendies, fréquents à cette époque où les maisons étaient à pans de bois. Le linteau porte une inscription qui indique le nom des donateurs : «Me thebalt et sa fame guillone ont fait faire la pré. se 1602.»

On cuit encore le pain dans un ançien four à Saint-Léger-des-Prés.

Saint-Léger-des-Prés

Au XIe siècle, cette commune s'appelait Saint-Leodegario puis Saint-Léger (du nom d'un saint né en 616 qui fut moine, puis évêque d'Arras, avant d'être décapité près d'Arras). En France, ce personnage fut si populaire au Moyen Age qu'il donna son nom à cinquante-quatre paroisses. Au mois d'août 1920, Saint-Léger devint Saint-Léger-des-Prés car le beurre y était bon, et on pouvait supposer que les pâturages y contribuaient par leur qualité. Le village possède toujours un bel habitat traditionnel. En face de l'église, remarquer la FERME DES PLANCHES, du XVIIe siècle, avec sa tourelle en granit. La commune compte encore une douzaine de fours à pain, plus ou moins bien conservés. Dans l'un d'eux, une miche est cuite une fois par semaine.

L'ÉGLISE ♥. Entourée de son enclos paroissial, elle séduit par sa simplicité, son extrême fraîcheur et son indéniable élégance. Dans le cimetière subsiste une grande croix dont la fonction reste incertaine. On la suppose hosannière : sous l'Ancien Régime, lors de la procession des Rameaux, les habitants se recueillaient auprès de la croix du cimetière et entonnaient des chants de glorification ponctués d'hosannas!
A l'intérieur, de nombreuses pierres tombales ont été malheureusement recouvertes d'un dallage cimenté. La VOÛTE LAMBRISSÉE, dont la forme suggère une carène de bateau, est ornée de motifs peints du XVIe siècle : étoiles et croissant de lune, soleil et tête dans une nuée. Le MOBILIER, restauré en 1974, est d'une exceptionnelle

LA LANDE-ROSE ♥
Pour se rendre à Saint-Léger-des-Prés, et visiter son église (ci-dessous), le «chemin des écoliers» via Chenillé est conseillé. Du château de Lanrigan, revenir dans le village et retrouver le carrefour avec la D 83. Là, prendre juste en face, à gauche du café-poste, la route en direction de La Répichère. Suivre ensuite la première route sur la droite vers La Lande-Rose (en fait la lande de Landehuan). C'est un charmant lieu de promenade, où une route empierrée mais tout à fait praticable vous conduira à Chenillé, à droite en fin de parcours.

L'ÉGLISE DE SAINT-LÉGER-DES-PRÉS
Les murs de l'église sont en partie du XVIe siècle. Des religieux avaient la charge d'entretenir le chœur, les paroissiens, la nef. Le maître-autel à colonnes et pilastres peints du XVIIe siècle comprend notamment deux statues dans les niches latérales (l'une de saint Léger et l'autre de saint Pierre) et une admirable peinture de 1708 au-dessus du tabernacle ouvragé, *L'Adoration des mages*.

richesse pour une petite église rurale : TROIS RETABLES polychromes de style lavallois, une CHAIRE en bois sculpté d'époque Régence et une TABLE DE COMMUNION à balustres du XVIIe siècle. L'église s'enorgueillit d'une ADORATION DES MAGES datée de 1708 et classée par les Monuments historiques : d'une composition remarquable, cette toile est particulièrement représentative de l'école française de peinture religieuse des XVIIe et XVIIIe siècles. Un autre tableau, datant de 1706, se trouve sur l'autel latéral de droite, à pilastres et colonnes en faux marbre du XVIIIe siècle. C'est un SAINT-JULIEN MARTYRISÉ, typique de l'âge baroque : ce soldat décapité au IIIe siècle figure avec sa jupette et ses jambières rouges et tient à la main la palme du martyre. On peut encore voir, sur la droite, devant le chœur, témoignant de la vie rurale d'autrefois, l'enclos réservé à la noblesse.

LE CHÂTEAU. Il est à la sortie du bourg (direction de Feins), bien à l'abri des regards. Au XIe siècle, la famille de Guéhenneuc possédait déjà la terre de «la Rivière Chantegrue», qui dépendait du seigneur de Saint-Léger, sire de Combourg. Les Guéhenneuc avaient le droit de fourches patibulaires : dans les campagnes, ils élevaient des potences réservées aux criminels, dont les cadavres étaient laissés en pâture aux loups. Pierre de Guéhenneuc et Jeanne Aoustin, son épouse, héritèrent du manoir en 1664. En 1690, ils agrandirent cette vieille demeure du XVIe siècle dénommée MAISON DE LA CROIX-CHEMIN, la singularité de cette région étant en effet de posséder de nombreuses croix en bordure de routes.

LE MANOIR
Dans un souci de symétrie classique, Pierre et Jeanne de Guéhenneuc agrémentèrent l'édifice principal rectangulaire à deux étages d'un pavillon à chaque aile. Enfin, en 1890, un bâtiment supplémentaire fut accolé à l'angle sud-est, et les communs furent rebâtis dans un souci d'esthétique néo-gothique.

LES ENVIRONS. A 600 m du bourg, en direction de Combourg, sur la gauche, LA CROIX-DAVID était sous l'Ancien Régime un lieu d'exécution. Elle devint expiatoire puis miraculeuse. Les parents dont les jeunes enfants ne pouvaient pas encore marcher y venaient en pèlerinage. Après avoir fait faire trois fois le tour de la croix à leur progéniture, les parents allaient brûler un cierge à l'église de Saint-Léger, sur l'autel de la Vierge. Ils pouvaient aussi prier au pied de la croix et la faire embrasser par les enfants. Près de Chenillé, la FORÊT DE BOURGOUET s'étend sur 900 ha. C'est un joli lieu d'excursion.

Dol et ses environs

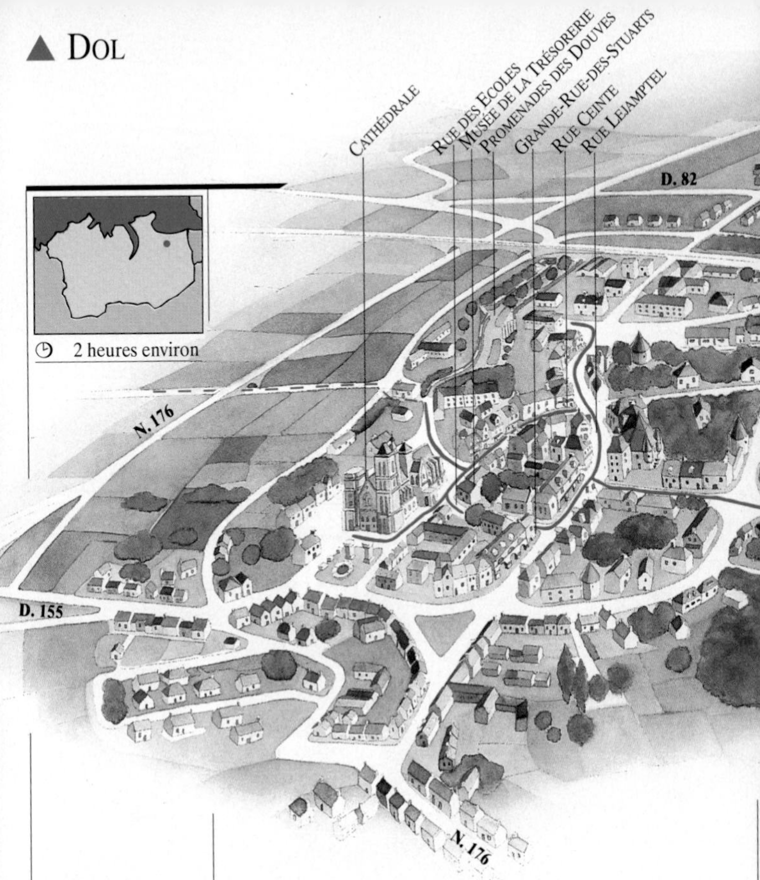

PAYSANNE DE DOL
Le costume féminin était composé d'une longue jupe froncée et bouffante, d'un corselet lacé sur le devant, d'une chemise de lin et d'un fichu à franges dont les pointes étaient croisées sous la piécette du tablier.

Victor Hugo, en peu de mots, esquisse un croquis dont l'actualité frappe encore : «Dol, ville espagnole de France en Bretagne, ainsi la qualifient les cartulaires, n'est pas une ville, c'est une rue. Grande vieille rue gothique, toute bordée à droite et à gauche de maisons à piliers, point alignées, qui font des caps et des coudes dans la rue, d'ailleurs très large. Le reste de la ville n'est qu'un réseau de ruelles se rattachant à cette grande rue diamétrale et y aboutissant comme des ruisseaux à une rivière.» La Grande-Rue-des-Stuarts, bordée de vieilles maisons à colombages, continue à organiser la ville, le second pôle d'attraction étant l'impressionnante cathédrale-forteresse.

UNE VILLE ÉPISCOPALE. Au VIe siècle, saint Samson, débarquant du pays de Galles à la tête d'une communauté celtique, christianisa ce pays marécageux et y fonda, vers 530-540, un monastère. Après sa mort, Dol devint un lieu de pèlerinage extrêmement important, dont la notoriété fut encore augmentée au IXe siècle lorsque le roi Nominoë voulut en faire un archevêché. Ayant mis fin aux prétentions des Francs, il s'était mis en tête d'affranchir le clergé breton de la tutelle de Tours : il chassa les évêques en place et demanda à Rome, en 849, que Dol soit instituée métropole indépendante. Mais le pape refusa, et seuls les évêchés de Saint-Malo, de Quimper et de Vannes soutinrent ses prétentions. La querelle de l'archevêché de Dol allait symboliser pendant trois siècles et demi l'esprit d'indépendance du duché, jusqu'en 1199, quand une sentence pontificale mit fin à cette autonomie. L'importance religieuse de la cité l'exposa aux pillages : le siège de Guillaume

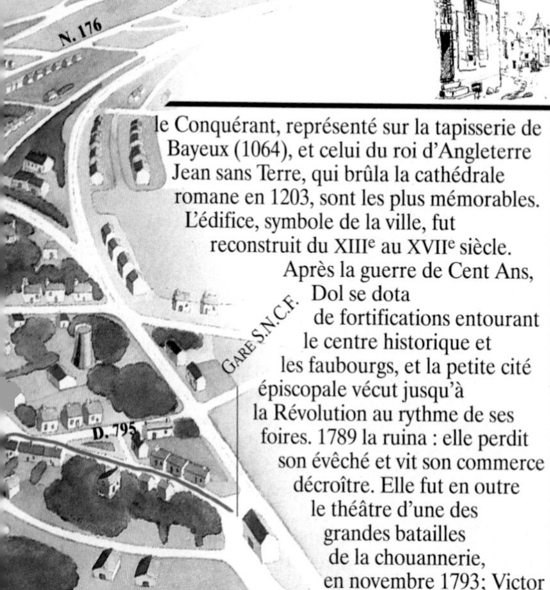

le Conquérant, représenté sur la tapisserie de Bayeux (1064), et celui du roi d'Angleterre Jean sans Terre, qui brûla la cathédrale romane en 1203, sont les plus mémorables. L'édifice, symbole de la ville, fut reconstruit du XIIIe au XVIIe siècle.

Après la guerre de Cent Ans, Dol se dota de fortifications entourant le centre historique et les faubourgs, et la petite cité épiscopale vécut jusqu'à la Révolution au rythme de ses foires. 1789 la ruina : elle perdit son évêché et vit son commerce décroître. Elle fut en outre le théâtre d'une des grandes batailles de la chouannerie, en novembre 1793; Victor Hugo a magistralement dépeint cet affrontement sanglant, qui fit plus de quinze mille morts, dans son roman *Quatrevingt-treize* ● *123*. C'est l'arrivée du chemin de fer, au XIXe siècle, qui ouvrit la ville au tourisme et favorisa la mise en valeur de son patrimoine architectural.

La Grande-Rue-des-Stuarts ♥. Non loin de l'office du tourisme, au n° 11, se dresse l'ensemble le mieux préservé de maisons à colombages (XIVe-XVe siècle) aux toits d'ardoises. On peut voir en flânant : au n° 13, la MAISON DES TROIS-PIGEONS, une ancienne auberge du XVIe siècle; au n° 17, la MAISON DES PETITS-PALETS (cette demeure de notables est l'une des très rares maisons du XIIe siècle qui subsiste en Bretagne); tout à côté, au n° 19, LE QUENGO est une ancienne demeure particulière du XVIIIe siècle (cette superbe bâtisse offre, côté boulevard Deminiac, une façade encore plus étonnante, car son jardin et son colombier sont ceints par les murs des anciennes fortifications). Au n° 18, le LOGIS DE LA CROIX-VERTE , une ancienne auberge de Templiers a été transformée en bar-crêperie. Il faut entrer dans la salle du restaurant car elle est aménagée dans une pièce voûtée datant du XIIe siècle. Au n° 32, un beau porche à poutres apparentes, soutenu par un pilier en granit dont le chapiteau est orné de motifs floraux, permet d'accéder à la COUR CHARTIER (XIVe siècle), du nom de l'une des plus anciennes familles de Dol.

La Grande-Rue
Cette large rue commerçante, bordée de maisons à colombages, abritait jusqu'en 1793 les halles aux poissons, à viande et au blé. Les fourches patibulaires y étaient aussi régulièrement dressées. En 1850, la fontaine publique Renaissance fut remplacée par un bassin de granit (carte postale ci-dessous), qui sert aujourd'hui de bac à fleurs place Nominoë. A l'origine, les deux côtés de la rue formaient des arcades sous lesquelles la population pouvait circuler à l'abri. Quelques piliers isolés subsistent encore.

Au fond de cette cour se dresse l'HÔTEL PLÉDRAN (début du XIVe siècle), qui fut la demeure de Mathurin Plédran, évêque de Dol de 1504 à 1523. A l'angle de la Grande-Rue et de la ruelle des Robinets, la maison du Coin-Renfoncé (XVIIe siècle) s'enorgueillit d'avoir été la maison natale de l'historien dolois François Duine (1870-1924), un abbé folkloriste et polygraphe considéré à son époque comme le «premier érudit de Bretagne». L'association qui porte aujourd'hui son nom se consacre à la mise en valeur du patrimoine dolois. Au n° 33, la façade de l'HÔTEL TOULLIER, du nom du jurisconsul qui y naquit, comporte un détail superbe et inexpliqué : deux gants et deux bécasses sculptés sur le linteau de la porte.

Portillon en accolade de la cour Chartier.

LA RUE DES ECOLES. Traverser la Grande-Rue et prendre cette petite artère qui mène à la cathédrale et au MUSÉE DE LA TRÉSORERIE, installé dans l'ancienne demeure capitulaire des chanoines; elle faisait face autrefois au palais épiscopal du XVIIIe siècle, rasé en 1883 et remplacé par un groupe scolaire. Dans ce petit musée privé, des maquettes et des personnages en cire mettent en scène les grands événements qui marquèrent l'histoire de la cité. Malheureusement, la collection de meubles et de statues polychromes qui en faisait la richesse a été amputée de ses plus belles pièces.

LA CATHÉDRALE ♥. Sa masse et ses contreforts lui donnent l'aspect d'une véritable forteresse, à jamais inachevée. La majeure partie de l'édifice, reconstruit après que Jean sans Terre en 1203 eut incendié l'ancienne cathédrale romane, offre un très bel exemple du premier style gothique d'influence normande. La tour sud était un point stratégique de la défense doloise : ses niveaux, telles des strates géologiques, marquent les grandes périodes de sa construction. Le rez-de-chaussée daterait en partie du XIIe siècle, le premier étage du XIIIe siècle, quant aux deux derniers niveaux, ils furent construits au XVe et le campanile au XVIIe siècle. Une figurine grimaçante, placée à l'angle du contrefort du deuxième étage, représente, d'après la légende, Jean sans Terre. La tour nord, mise en chantier en 1520, ne fut jamais achevée, faute de moyens financiers. Elle devait s'élever autour d'un édifice faisant partie du *castellum* romain, lequel occupait tout le plateau de Dol, selon les écrits du moine saint Pair (VIe siècle). Le grand porche, sur la façade sud, date du XIVe siècle et fut restauré en 1898. A sa droite, se trouve un puits sacré préroman

La cathédrale inachevée vue du square Nominoë (ci-dessus), et des bords du Guilloul, au début du siècle (ci-dessous).

La Grande-Rue
et son bassin
de granit d'autrefois.

que l'on pouvait autrefois utiliser de l'intérieur à partir d'une crypte aujourd'hui comblée.

L'INTÉRIEUR. La lourdeur des contreforts et des tours contraste étonnamment avec l'élégance et la légèreté des volumes intérieurs du chœur et de la nef. Le plan de la cathédrale et sa décoration extrêmement sobre révèlent l'influence du style normand : «La forme rectangulaire du chœur, la chapelle de la Vierge (*Lady's chapel*), la décoration intérieure m'ont rappelé fortement l'une des plus belles et des plus imposantes cathédrales anglaises,

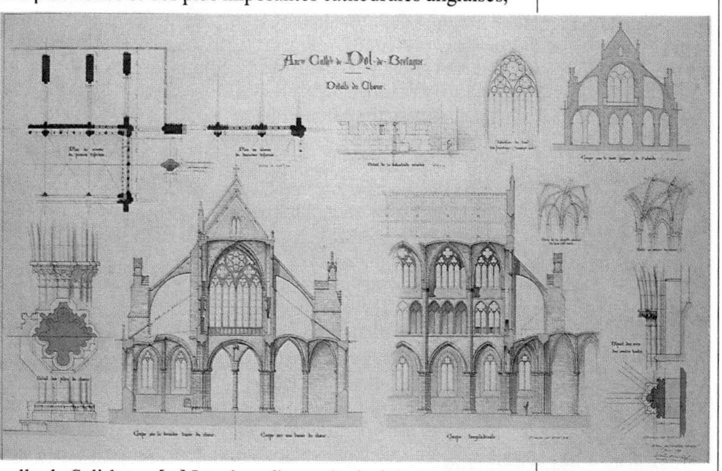

Détails du chœur
et de la nef
de la cathédrale
dessinés en 1899
par Léon Vincent
(plume et lavis).

celle de Salisbury. [...] Le plan, d'une régularité remarquable, représente une croix latine, le transept divisant l'église en deux parties égales. [...] C'est un pentagone, ou plutôt un rectangle plus long que large, dont les angles extérieurs ont été tronqués.» Ainsi s'exprimait, avec enthousiasme et précision, un inspecteur des Monuments historiques encore célèbre de nos jours : Prosper Mérimée. Le déambulatoire ouvre sur neuf chapelles du XIIIe siècle et sur une chapelle absidiale, rajoutée au XIVe siècle, légèrement en retrait de l'axe principal. L'édifice contient trop de pièces pour qu'on en puisse dresser une liste exhaustive. Toutefois, dans les éléments les plus remarquables du mobilier, on peut noter, à la croisée des transepts, un MAITRE-AUTEL contemporain très original (1980), sculpté en bois et en terre cuite par Claude Gruer. Les frises décoratives retracent la vie du Christ et le débarquement de saint Samson sur la côte bretonne. A gauche du transept, le TOMBEAU DE L'ÉVÊQUE THOMAS JAMES (1482-1504), auparavant gouverneur du château Saint-Ange à Rome, est le premier monument Renaissance de Bretagne, comparable au tombeau de François II à Nantes. Il fut réalisé par deux sculpteurs florentins, Antoine et Jean Juste – ce dernier étant l'auteur du mausolée de Louis XII, dans la basilique Saint-Denis. On admirera la finesse des pilastres et des portiques sculptés de satyres, d'enfants, d'oiseaux et de griffons. Dans le chœur, la VIERGE-MÈRE en bois polychrome, placée au-dessus de l'ancien maître-autel, date vraisemblablement

Saint Samson, en route vers l'Armorique, est représenté sur un vitrail du chevet de la cathédrale (à droite).

La rue Ceinte
Elle doit son nom aux deux grandes portes placées à ses extrémités que l'on fermait chaque soir. Habitée jusqu'au XVIIIe siècle par des religieux, elle était aussi appelée le cloître.

du XVIIe ou du XVIIIe siècle et provient de l'église Notre-Dame de Dol; elle aurait traversé la tourmente révolutionnaire soigneusement cachée dans un grenier. Quatre-vingts STALLES en chêne du début du XIVe siècle ornent les bas-côtés du chœur : le travail du bois est particulièrement étonnant sur les accoudoirs ornés de têtes animales et humaines. L'un des principaux objets de fierté de la cathédrale, enfin, est le GRAND VITRAIL DU CHEVET, chef-d'œuvre du XIIIe siècle, à l'exception de quelques médaillons restaurés aux XVIe et XIXe siècles. La partie supérieure représente le jugement dernier (à gauche, l'enfer, à droite, le paradis) et les huit lancettes de la partie inférieure retracent successivement l'histoire de sainte Marguerite, celle d'Abraham, la Cène, la Passion, la vie des six premiers évêques de la ville et la légende de sainte Catherine.

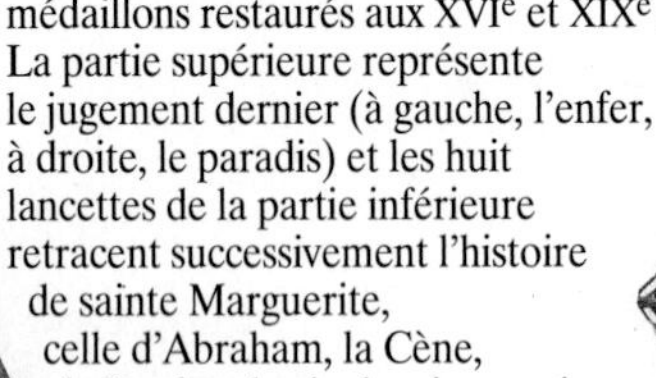

La rue Ceinte ♥. Cette rue se trouve dans la partie haute de la ville, sur l'emplacement probable de la première motte féodale ou *turris*, représentée sur la tapisserie de Bayeux. Jusqu'au milieu du XVIIIe siècle, les chanoines, chantres, trésoriers et chapelains de la cathédrale y habitaient. Les maisons qui bordent la rue Ceinte sont donc d'anciennes demeures capitulaires. Les familles bourgeoises ne s'y installèrent qu'à la fin du XVIIIe siècle. Entrer dans le restaurant Le Porche au pain, une ancienne maison de marchands du XVe siècle qui a conservé son étal en granit.

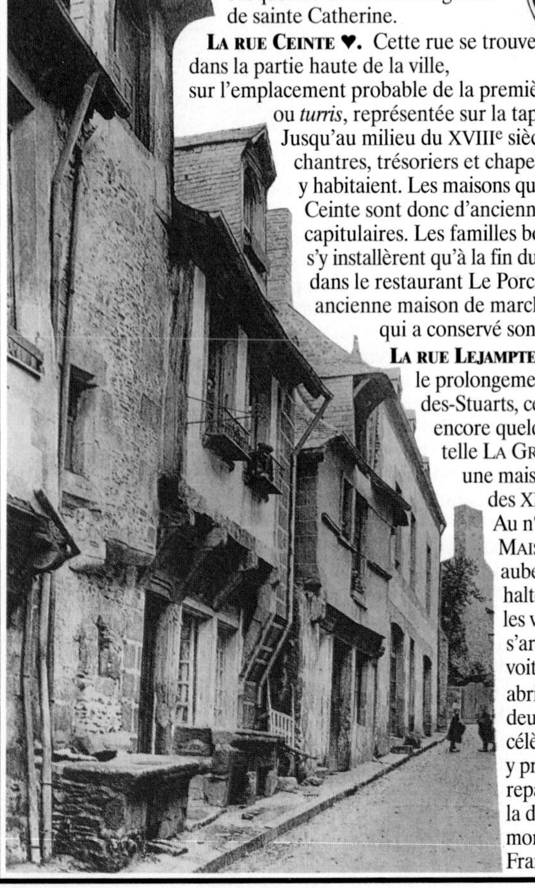

La rue Lejamptel. Située dans le prolongement de la Grande-Rue-des-Stuarts, cette artère possède encore quelques belles demeures, telle LA GRISARDIÈRE, au n° 27, une maison à arcades et piliers des XIIe et XIIIe siècles. Au n° 12, l'HÔTEL GRAND-MAISON, une ancienne auberge, où faisaient halte régulièrement les voyageurs et où s'arrêtaient les voitures de poste, abrita même deux écrivains célèbres. Victor Hugo y prit un léger repas en 1836 ; la dépouille mortelle de François René

de Chateaubriand, y fut veillée, le 7 juillet 1848, avant son transfert à Saint-Malo. La cathédrale étant fermée pour cause de restauration et l'église Notre-Dame servant alors de halle, la caravane funèbre qui venait de Paris ne trouva en effet pour chambre funéraire que la remise de cet hôtel.

LE MOYEN AGE À LA TRACE
Etal de marchands du XVe siècle (ci-dessous)

LA PLACE CHATEAUBRIAND. En baptisant ainsi la place principale, Dol a voulu rendre hommage au grand homme qui fit ses études dans le collège diocésain, rue Pierre-Flaux. Si quelques piliers en granit sculpté existent encore çà et là, notamment square Nominoë, devant la cathédrale, c'est qu'en 1879 l'église romane Notre-Dame fut tout bonnement rasée pour laisser la place aux halles actuelles.

situé dans le haut de la rue Ceinte, au coin de la rue Lejamptel. Cette partie de la rue était autrefois appelée rue de la Poissonnerie.

LES ANCIENS REMPARTS ♥. Derrière les halles, on découvre la PROMENADE DES DOUVES. Aménagée sur un remblai élevé au XVIe siècle pour renforcer la profondeur des fossés, elle permet un coup d'œil sur les vestiges les plus importants de l'enceinte du XVe siècle. Celle-là fut en grande partie démolie en 1762, parce que l'entretien des remparts était devenu fort coûteux, et que leur présence limitait les possibilités d'expansion de la ville. Les pierres furent récupérées pour la construction de nombreuses maisons du XVIIIe siècle. Sur la droite, les ruines de la GRANDE TOUR DES CARMES voisinent avec la TOUR DE LA MOTTE rénovée en 1991 et du haut de laquelle on découvre une belle vue sur les marais et le Mont-Dol. Le GR 34 emprunte une partie de la promenade et, après avoir contourné la cathédrale, permet de gagner à pied le Mont-Dol (compter une heure pour l'aller et retour).

A gauche, vue de la promenade des Douves, aménagée sur les anciens remparts de Dol.

Cette belle demeure du XVIIIe siècle, vue des remparts, est appelée Le Quengo (en bandeau et ci-dessous).

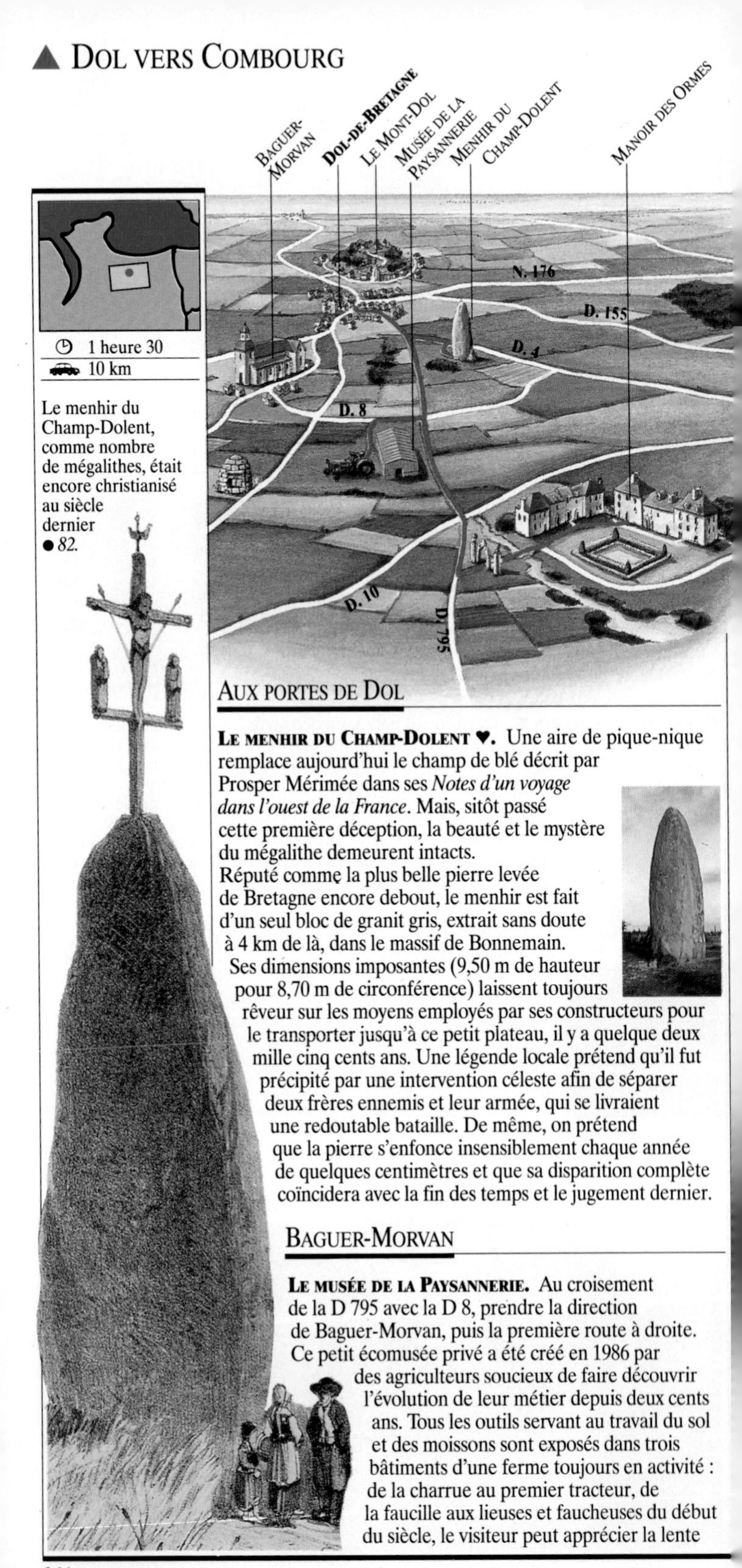

Le menhir du Champ-Dolent, comme nombre de mégalithes, était encore christianisé au siècle dernier ● *82.*

AUX PORTES DE DOL

LE MENHIR DU CHAMP-DOLENT ♥. Une aire de pique-nique remplace aujourd'hui le champ de blé décrit par Prosper Mérimée dans ses *Notes d'un voyage dans l'ouest de la France*. Mais, sitôt passé cette première déception, la beauté et le mystère du mégalithe demeurent intacts.
Réputé comme la plus belle pierre levée de Bretagne encore debout, le menhir est fait d'un seul bloc de granit gris, extrait sans doute à 4 km de là, dans le massif de Bonnemain. Ses dimensions imposantes (9,50 m de hauteur pour 8,70 m de circonférence) laissent toujours rêveur sur les moyens employés par ses constructeurs pour le transporter jusqu'à ce petit plateau, il y a quelque deux mille cinq cents ans. Une légende locale prétend qu'il fut précipité par une intervention céleste afin de séparer deux frères ennemis et leur armée, qui se livraient une redoutable bataille. De même, on prétend que la pierre s'enfonce insensiblement chaque année de quelques centimètres et que sa disparition complète coïncidera avec la fin des temps et le jugement dernier.

BAGUER-MORVAN

LE MUSÉE DE LA PAYSANNERIE. Au croisement de la D 795 avec la D 8, prendre la direction de Baguer-Morvan, puis la première route à droite. Ce petit écomusée privé a été créé en 1986 par des agriculteurs soucieux de faire découvrir l'évolution de leur métier depuis deux cents ans. Tous les outils servant au travail du sol et des moissons sont exposés dans trois bâtiments d'une ferme toujours en activité : de la charrue au premier tracteur, de la faucille aux lieuses et faucheuses du début du siècle, le visiteur peut apprécier la lente

mécanisation de l'agriculture. Un intérieur paysan traditionnel et une laiterie ont été reconstitués avec soin. L'animation est à son comble le troisième dimanche de septembre, pour la fête des blés noirs, lorsque plus de cent cinquante ouvriers viennent moissonner le sarrasin à l'ancienne et moudre les épis sur place, tandis que maréchaux-ferrants, potiers, sabotiers et artisans du bois travaillent sous l'œil attentif du public .

Le blé sèche en bottes avant d'être battu à l'ancienne lors de la fête de Baguer-Morvan.

Saint-Léonard

Le manoir des Ormes ♥. C'est par un portail monumental que l'on accède à l'ancienne et immense propriété des évêques de Dol. Aménagée depuis 1977 en une luxueuse base de loisirs, elle a été équipée d'un golf (dix-huit trous), d'un camping, d'un tennis et d'une piscine. Après avoir longé un étang, on débouche sur les dépendances du XVIIIe siècle, transformées en Club-House et en chambres d'hôtes; le manoir, resté propriété privée, ne se visite pas. Le domaine des Ormes relevait de l'évêché de Dol depuis l'an mille environ : un petit monastère appelé *lann confron* (monastère au ruisseau courbe) fut remplacé au XIVe siècle par une maison fortifiée. Le charme du château actuel réside dans le mélange des trois constructions successives. Le corps du logis comporte un reste de l'édifice gothique du XVe siècle : une belle porte en arc brisé qui ouvre sur l'ancienne salle capitulaire. Le pavillon de droite est de style Renaissance : bâti par monseigneur Charles d'Epinay vers 1558, il est identifiable à son toit élevé, ses fenêtres à pilastres cannelés et ses petites niches. Le pavillon de gauche est le plus récent : le dernier évêque de Dol, monseigneur de Hercé, l'ajouta à la fin du XVIIIe siècle, ainsi que les dépendances et un jardin à la française, aujourd'hui disparu.

Le manoir des Ormes
Pavillon Renaissance et porte gothique coexistent sur une même façade.

⏱ 1 heure 30
🚗 12 km

LA NAISSANCE DU TRONCHET
On raconte que le seigneur de Combourg cherchait, comme nombre de ses pairs au XIe siècle, à établir des moines dans son fief. Il s'adressa pour cela à l'abbaye de Marmoutier, près de Tours. Lorsque le père-abbé Barthélémy vint inspecter ses nouveaux domaines, il fut retenu à Cuguen par le chef féodal de la paroisse, dont les deux fils étaient atteints de la lèpre. Barthélémy se rendit à leur chevet et les guérit. Par reconnaissance, un des fils, Gautier, se fit ermite. Bientôt quelques disciples le rejoignirent. L'abbaye était née.

LE TRONCHET

L'ABBAYE ♥. L'ermite Gautier (voir légende, en colonne de gauche) fonda, au début du XIe siècle, la première communauté, qui fut, en 1150, placée sous la tutelle de l'abbaye bénédictine du Thiron, près de Chartres. Les moines bénédictins encouragèrent la création d'un couvent occupé au départ par quatre religieux, puis élevé au rang d'abbaye en 1170. Très vite, Le Tronchet devint un objet de convoitise pour l'évêque de Dol, qui essaya, en vain, de le prendre sous sa tutelle et de le libérer de sa sujétion métropolitaine. Le domaine s'agrandit et les premiers bâtiments apparurent au cours des XIIIe et XIVe siècles. De cette première abbaye gothique, il ne reste rien, sinon l'ancien logis abbatial (1330-1355), situé à 200 m au sud-ouest de l'abbaye actuelle et transformé en hôtel (hostellerie Abbatiale). Au XVIe siècle, l'apparition d'abbés commendataires entraîna le démantèlement du domaine et une décadence spirituelle. Grâce à l'influence de dom Noël Mars, abbé de Léhon, l'abbaye connut un renouveau au XVIIe siècle. Les moines abandonnèrent les ruines de l'ancien monastère devenu invivable et construisirent, de 1642 à 1679, un nouvel ensemble sur la colline. Ce regain d'activité dura un siècle, puis la Révolution ruina le monastère. En 1854, les pierres de l'abbaye furent vendues : la ville de Saint-Servan les utilisa pour ses quais, et celle de Roz-Landrieux récupéra le reste pour édifier son presbytère.

VISITE. Les ruines de l'abbaye sont encore imposantes. L'église, les arcades du cloître et l'ancienne hostellerie, transformée en presbytère, sont toujours debout. Seule l'aile est, qui abritait le réfectoire, la cuisine et les dortoirs, a disparu. On entre par l'ancienne porte des Pauvres (XIIIe-XIVe siècles), par laquelle les moines distribuaient les aumônes. L'austérité et le style du cloître rappellent celui de Léhon : les arcades en plein cintre reposent sur de gros piliers carrés de granit sans fioritures et encadrent un houx géant laurifolia, trois fois centenaire, haut de près de 15 m. Seul le côté sud est encore couvert. L'église (1659-1679) est étroite et tout en hauteur, surmontée en son centre d'une tour-lanterne, formée de trois dômes comme celle de l'église Saint-Sauveur, à Dinan. Le style des façades et le plan de l'édifice se conforment à la tradition des mauristes : entrée monumentale néo grecque, encadrée de pilastres jumelés, nef et chœur extrêmement longs.

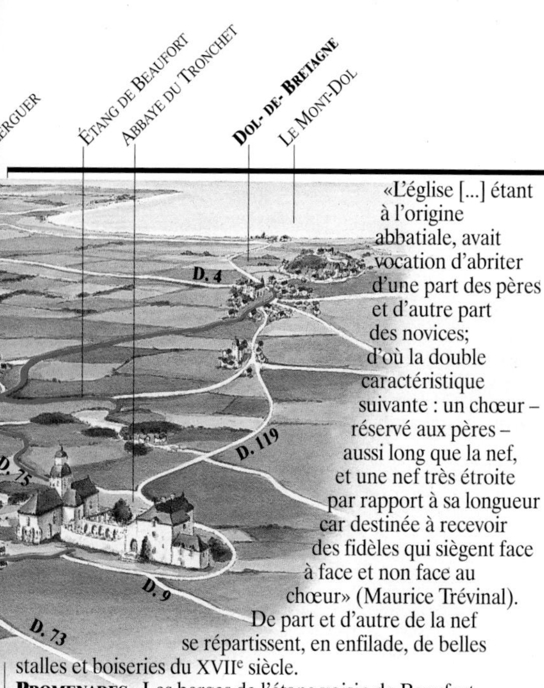

«L'église [...] étant à l'origine abbatiale, avait vocation d'abriter d'une part des pères et d'autre part des novices; d'où la double caractéristique suivante : un chœur – réservé aux pères – aussi long que la nef, et une nef très étroite par rapport à sa longueur car destinée à recevoir des fidèles qui siègent face à face et non face au chœur» (Maurice Trévinal). De part et d'autre de la nef se répartissent, en enfilade, de belles stalles et boiseries du XVIIe siècle.

PROMENADES. Les berges de l'étang voisin de Beaufort et celles de la retenue du barrage de Mireloup offrent des opportunités de promenade et des lieux de pêche fort agréables. Un sentier de randonnée de 6 km longe les rives de Mireloup. Il permet soit de rejoindre le GR qui traverse la forêt du Mesnil, soit de revenir tranquillement au point de départ par une allée forestière, à droite de la digue, avec une vue d'ensemble sur l'abbaye.

TRESSÉ

ALLÉE COUVERTE ♥. L'antique forêt domaniale du Mesnil, ombrageuse et chatoyante, abrite l'allée couverte de la Maison-Es-Feins, un des rares monuments mégalithiques de la région qui ait parfaitement traversé le temps. C'est par un petit chemin forestier de 300 m qu'on peut accéder à cette «maison des fées» : monument funéraire ou lieu de culte à la déesse-mère, elle date très probablement de 2500 ans avant J.-C. Recouverte par sept grandes dalles de granit, extraites sans doute à 20 m au sud-est, l'allée mesure environ 11 m. Une petite cella découverte la termine, décorée par des figures caractéristiques de cette époque : seize seins de granit sculptés en relief sur les dalles, disposés par paires et surmontés d'un collier. Malheureusement, certains de ces éléments ont été martelés par un maniaque en 1960. Les fouilles menées en 1938 par sir Robert Mond ont révélé une occupation gauloise du site à l'âge du fer.

LE CLOCHER DE TRESSÉ
Ce curieux clocher à bulbes de l'église fut construit au XVe siècle avec des pierres extraites de la carrière de Vilaine, dans la Sarthe.

LA LÉGENDE DE L'ALLÉE COUVERTE
Autrefois, dit-on, des fées vivaient à Tressé. Un jour, une de leurs vaches causa des dégâts dans le pré voisin. Une fée se présenta à son propriétaire pour le dédommager et lui offrit une miche de pain qui ne durcirait ni ne diminuerait s'il en taisait la provenance. Ainsi, le fermier et sa famille bénéficièrent longtemps d'un pain frais et moelleux. Mais le jour où le père de famille parla, le pain aussitôt devint pierre.

Clocher d'Epiniac.

LE CHÂTEAU DE LANDAL
La masse de la forteresse, restaurée au siècle dernier et la hauteur de son enceinte sont ses principaux attraits.

EPINIAC

L'ÉGLISE PAROISSIALE ♥. Seul le mobilier de l'ancien édifice a été conservé; l'église elle-même a été, en 1901, totalement reconstruite dans le style gothique.
On s'attardera tout particulièrement auprès d'un beau retable du XVIIe siècle qui provient de l'abbaye voisine de la Vieuville et d'un baldaquin plus ancien.
Mais la véritable pièce maîtresse du mobilier reste un très curieux bas-relief en bois du XVIe siècle qui orne l'autel consacré à la Vierge, à gauche du chœur. La scène sculptée représente la dormition de la Vierge, entourée des apôtres, qui lui administrent les derniers sacrements. L'un d'eux chausse une énorme paire de lunettes, tandis que saint Luc apparaît sous les traits d'un savant-médecin.
PROMENADE. Un circuit pédestre de 11 km, mis en place par le syndicat d'initiative, permet de gagner à pied le château de Landal. Départ place de l'église. Se renseigner auprès de la mairie.
LA VIEUVILLE ♥. Une curiosité à découvrir : les ruines d'une ancienne abbaye cistercienne (propriété privée) construite en 1137 sur un domaine agricole fort riche; ce monastère d'hommes dépendait de l'abbaye de Savigny. L'abbaye fut en grande partie détruite lors de la Révolution, mais des bâtiments conventuels reconstruits au XVIIe siècle et restaurés au XVIIIe siècle, ont été sauvés de la démolition. Tout cela, hélas pour le touriste, ne peut être qu'aperçu depuis le petit chemin qui enjambe le Guyoul.

BROUALAN

LE CHÂTEAU DE LANDAL ♥. En sortant d'Epiniac, prendre la petite route qui passe par Cadran et Le Rocher-aux-Bœufs. Au bout de 3 km, tourner à gauche vers Raingo et stationner en bordure de bois (panneau indicateur). De là, on peut gagner à pied le château en suivant une allée bordée d'arbres qui longe l'étang de ceinture. Au détour du chemin, on débouche soudain sur une clairière, se heurtant presque à la masse compacte de la forteresse et de son mur d'enceinte : «Tel un château de légende, Landal sommeille entouré d'eau et de bois» (M. E. Monier). En son temps de gloire, Landal fut sans doute, avec les châteaux de Combourg et de La Roche-Montbourcher ▲ *350*, l'une des principales places fortes de la région, en raison de sa situation stratégique au carrefour de deux voies venant de Normandie et du Maine. L' origine du domaine et du comté remonte à la première moitié du XIIe siècle : un premier château semble avoir été élevé par un vassal de l'évêque de Dol; une forteresse au XIVe siècle lui succéda. Transmis par dot ou héritage, le domaine fut géré par de grandes familles locales du XIIe au XVIIe siècle. Le seigneur de Landal était un personnage important, comme en témoigne sa présence obligée à Dol lors de l'investiture d'un nouvel évêque. Le château fut ensuite vendu à Joseph de France en 1697, et ses descendants en restèrent propriétaires jusqu'à la Révolution. La forteresse dut résister à de nombreux assauts pendant la guerre de Succession, la Ligue et la dernière attaque anglaise en 1758 ▲ *270*, car Joseph de France commandait la garde des côtes de Dol. Après avoir fait le tour des douves, il suffit aujourd'hui de franchir un pont pour accéder au château entièrement resconstruit au XIXe siècle dans le style néo-gothique : le logis, une sorte de gros donjon flanqué de quatre tourelles, est un pastiche du XVe siècle. De l'édifice médiéval subsistent le tracé de l'ancienne enceinte et trois tours : la tour du Capitaine, très restaurée, la tour de France et la tour des Archives. Les communs, de belle facture classique, furent ajoutés en 1703 par Joseph de France, peu après l'achat de la propriété.

❝Ce chasteau est fortifié de cinq belles tours et fortes tours et comme environ la moitié circuit de bonnes et grandes douves; et de l'autre partie y a un grand estang qui fait closture audit chasteau de manière que sans bateaux, il est impossible d'en approcher.❞ Cette description du XVIIIe siècle permet d'imaginer ce qu'était Landal au temps de sa splendeur.

Fabrique de tabac au XVIIIe siècle dessinée pour l'*Encyclopédie* de Diderot et de d'Alembert (en haut à droite).

A l'extérieur de l'enceinte, une gracieuse chapelle (XVIe-XVIIe siècle) et un énorme pigeonnier encadrent le chemin d'accès. Celui-ci se prolonge sur 1200 m par une large avenue comportant quatre rangées de chênes, que l'on peut suivre jusqu'au bois et à l'étang de Buzot ▲ *371*.

LE BOURG. Ce petit village tranquille compte plusieurs cultivateurs de tabac parmi ses habitants. Cette tradition remonterait à Napoléon Ier qui aurait autorisé l'exploitation de cette plante pour aider la population qui ne pouvait pratiquer d'autres cultures intensives. Sa culture représenta un secteur d'activité important jusqu'à la fin des années 1960. Deux variétés poussent à Broualan. On récolte le tabac brun à la fin du mois d'août et on le met à sécher dans une grange jusqu'à ce que les feuilles virent au jaune; une fois effeuillé et trié, on l'expédie à la manufacture de tabac de Morlaix. Le tabac blond, qui même au fond de la Bretagne porte le doux nom de Virginie, est alternativement passé au four à 74°C et réhumidifié pendant cinq jours, ses feuilles étant piquées sur de grands peignes d'environ 2 m; l'opération terminée, les feuilles sont triées, mises en balles et expédiées en Allemagne.

La chapelle du château de Landal, située à l'extérieur de l'enceinte.

L'ÉGLISE ♥. Elle est souvent citée comme l'un des plus beaux édifices gothiques, de style flamboyant, d'Ille-et-Vilaine. Ancienne chapelle votive dédiée à Notre-Dame-de-Toute-Joie, une dame de Landal la fit bâtir en 1483 pour obtenir le retour de son époux. Le travail très soigné de la pierre et le clocher-mur, percé de trois ouvertures aux accolades fleuronnées, sont remarquables. L'intérieur émerveille par son raffinement : le chœur à trois pans – dont le plus ancien, du XVIe siècle, est le plus achevé – est magnifiquement éclairé par cinq vitraux apposés sur des baies à réseaux flamboyants. Malheureusement, une voûte en pierre, ajoutée au siècle dernier, cache le lambris de bois primitif. Le mobilier comprend de nombreux autels, niches, crédences et piscines élégamment sculptés dans le style du XVe siècle. Une émouvante pietà occupe une logette surmontée d'un pinacle. Sur la place se dresse un vieux calvaire (en bas à gauche) : malgré les injures du temps,

Devant l'église de Broualan se dresse ce vieux calvaire patiné par le temps dont la facture naïve et douloureuse émeut toujours le passant.

il émane de cette sculpture naïve une tendresse et une crainte très humaines. Sur son socle, on distingue les armes des Montsorel, premiers seigneurs de Landal. En face de l'église se dresse la maison du Chapelain, une construction assez basse en granit, du XVIIIe siècle, où logeait le prêtre attaché au château de Landal.

Le bois de Buzot. De la place du village, une petite route mène à ce bois qui accueillit un maquis entre 1942 et 1944. Deux stèles, l'une au bord de la route, l'autre au lieu-dit la Lopinière, commémorent le sacrifice des résistants. Le village voisin de Cuguen fut aussi lourdement éprouvé par la guerre : son église et sa mairie furent incendiées, en guise de représailles, après le meurtre d'un soldat allemand.

L'ancien prieuré Saint-Michel-du-Brégain ♥ Il est situé sur un plateau qui surplombe la plaine de Dol, à environ 3 km au nord de Broualan, sur la D 87. Il dépendait au XIIe siècle de l'abbaye Saint-Florent-de-Saumur, et fut donné par Henri IV aux jésuites du collège de Rennes, lesquels en restèrent propriétaires jusqu'à la Révolution. La propriété ensuite convertie en domaine agricole est ainsi décrite par un texte d'archives daté de 1679 : «Deux grands corps de logis qui font une équerre, terminée d'une chapelle, proche laquelle est un colombier, avec une grande tour, jardin et parc entouré de murailles.» La haute tour à laquelle il est fait allusion est certainement l'élément le plus caractéristique de son architecture : recouverte d'un toit en bâtière selon une tradition normande, sa partie haute est composée de trois étages, le dernier étant l'ancienne chapelle Saint-Michel, où venait se recueillir le prieur. L'accès à la tour est libre (belle vue panoramique sur les environs), mais la visite reste assez sportive, car le bâtiment, totalement abandonné aux pigeons, présente un état de délabrement avancé.

L'église de Broualan
Une légende prétend qu'elle fut bâtie avec les pierres de l'étang de ceinture du château de Landal. Les travaux ayant duré longtemps, les bœufs qui transportaient les matériaux finirent par aller et revenir seuls de Landal à Broualan. Une vache miraculeuse déposait tous les jours lait et beurre pour tous les constructeurs aux pieds de la Vierge Marie...

L'ancien prieuré Saint-Michel-du-Brégain
On le reconnaît à sa tour en bâtière, qui abritait autrefois la chapelle.

Trans

Cette bourgade est fameuse dans l'histoire de la Bretagne pour avoir été, le 1er août 939, le théâtre de la dernière grande bataille entre Normands et Bretons. Tout laisse à penser que ce combat, qui marqua la délivrance définitive de la province, se déroula au sud du village, près du château de Trans, dans le champ qui porte encore le nom de Champ-Dolent.

La forêt de Villecartier ♥ ■ *44.* La magnifique hêtraie qui entoure l'étang de Villecartier rappelle ce que devait être autrefois l'antique forêt de Brocéliande, où trois essences prédominent : le chêne, le hêtre et l'if, arbre sacré pour les Celtes. Le hêtre est, quant à lui, une espèce encore relativement abondante en Bretagne. Il peuple de nombreuses forêts, les allées de châteaux, et les talus, qui n'ont pas souffert

LES SABOTIERS
Ces artisans vivaient généralement sur les lieux de leur chantier, dans des cabanes ou des huttes. Ils apportaient le bois de la coupe à proximité de leur domicile pour le travailler. Les hommes débitaient le bois à la scie passe-partout, puis le travaillaient avec une hachette à bûcher avant d'ébaucher la forme du sabot. Celui-là était creusé à la vrille, le talon fait à l'aide d'un mandrin, et le tout fini à la plane. Les étapes de la confection d'un sabot sont représentées en frise.

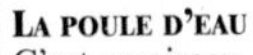

LA POULE D'EAU
C'est un oiseau extrêmement peureux qui plonge au moindre danger. Elle ne laisse alors dépasser que sa tête (page de droite).

du remembrement. Près de l'étang, l'ancien MOULIN DE LA FORÊT a été transformé en restaurant (ouvert le week-end seulement). C'est le point de départ de plusieurs itinéraires pédestres établis par l'Office des forêts : la promenade de l'étang (2,5 km) fait le tour du petit lac et demande moins d'une heure; la randonnée forestière de la croix de Montauge est plus longue (7 km, 2 h environ); le moulin, enfin, constitue une étape dans le circuit cyclotouristique du marquis de La Rouërie.

SOUGÉAL

LES MARAIS DE SOUGÉAL ♥ ■ *24.*
(Prendre la route d'Antrain.) Situés aux portes de la baie du Mont-Saint-Michel, ces marais couvrent plus de 292 ha. Jusqu'à la construction du barrage de la Caserne en 1969, les prairies étaient inondées cinq à six mois de l'année durant l'hiver. Bien qu'appauvries par les travaux d'assèchement qui permettent désormais la culture du maïs, ces zones marécageuses abritent une avifaune et une flore aquatique très particulières : renoncules, fougères d'eau, potamots, trèfles fraisiers, roseaux, etc. L'hiver, nombre d'oiseaux

DES PRAIRIES HUMIDES
La commune de Sougéal, située aux portes de la baie du Mont-Saint-Michel, comprend plus de 292 ha de prés inondables. Ces marais sont très précieux : nombre d'oiseaux migrateurs et de gibier d'eau y font halte ou s'y reproduisent.

migrateurs, plusieurs espèces de colverts, de souchets et de sarcelles, viennent s'y nourrir ou s'y reposer; au printemps, des sarcelles d'été, des chevaliers combattants, des courlis y font une halte de quelques jours avant de remonter vers le nord de l'Europe pour se reproduire. Quant aux vanneaux huppés, bécassines des marais, poules d'eau et canards colverts, c'est ici même qu'ils viennent nicher à la fin du printemps, en bordure de fossé ou dans les herbes.

Les oies de Sougéal. Le village doit également sa notoriété à un élevage original que l'on rencontre aussi en baie du Mont-Saint-Michel : celui des oies «à rôtir». Les prairies humides ont de tout temps été utilisées pour le pacage de ces volatiles, élevés pour leur chair, qui contribuent à l'entretien du marais, sans en bouleverser le fragile équilibre. Elles broutent en effet l'herbe et non les plantes aquatiques. Bien plus terrestres que les canards, elles se déplacent avec aisance sur la terre et nagent peu. L'oie commune a un plumage partiellement gris, tant pour le mâle (le jars) que pour la femelle. Cette espèce est très différente de l'oie de Toulouse qui se distingue par sa forte taille et par la présence d'un repli cutané entre les pattes, le fanon. La légendaire méfiance des oies les rend difficiles à approcher; chaque bande est gardée par quelques sentinelles en éveil pendant que leurs congénères broutent.

Un retour aux sources. Après une période de déclin à la fin des années 1970, cet élevage connaît depuis peu un renouveau, car les agriculteurs sont conscients des dangers d'un assèchement intensif (amoindrissement des réserves d'eau, qualité médiocre des terres) et cherchent à diversifier leurs ressources face à la crise laitière. Afin de promouvoir cette activité, Sougéal organise chaque année une Fête de l'oie, le dernier dimanche de juillet. Avant la kermesse, les oies sont grillées dans d'anciens fours à pain. Il est conseillé aux amateurs de réserver à l'avance.

L'arbre aux sabots
Le hêtre, relativement abondant en Bretagne, est un arbre qui supporte bien l'humidité atmosphérique. Il se dit *fau* ou *fou* en breton et a donné son nom à nombre de localités. C'est un arbre élancé, à couronne conique, qui peut atteindre 25 m de hauteur. Il est reconnaissable à son écorce lisse d'un gris argenté. Son fruit, appelé faine, constitue une précieuse nourriture pour les écureuils et autres petits rongeurs de la forêt. Longtemps, il fut utilisé pour la fabrication des sabots, jouant ainsi un rôle considérable dans l'économie locale.

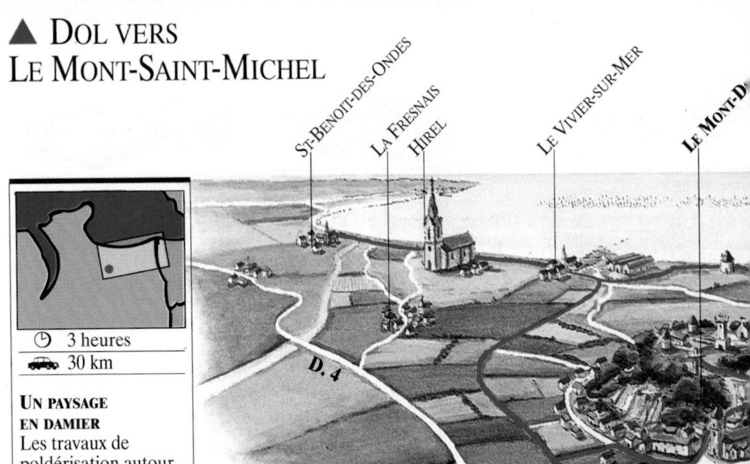

3 heures
30 km

UN PAYSAGE EN DAMIER
Les travaux de poldérisation autour de Dol ont dessiné un paysage géométrique: de grandes parcelles disposées perpendiculairement aux *biezs*, séparées les unes des autres par un fossé souvent bordé de saules. Les routes renforcent cette impression de linéarité en suivant le tracé des canaux. Au total, l'homme a réussi à gagner 15000 ha fertiles pour la culture des légumes et des céréales.

LES MARAIS DE DOL

MARAIS BLANC ET MARAIS NOIR ■ *24*. La ville de Dol est entourée d'anciens marais, aujourd'hui asséchés et aménagés par l'homme. Et pourtant on parle toujours de marais blancs et de marais noirs. Pour comprendre cette distinction et l'évolution du paysage, il faut remonter dix mille ans en arrière, en pleine époque glacière. Le niveau de la mer se situait alors à une dizaine de mètres au-dessous de sa cote actuelle. Puis, en raison du réchauffement de la planète, les eaux de la Manche ont progressivement remonté et envahi la baie jusqu'au pied des falaises de Saint-Brolade.
Le processus n'a pas été constant : des périodes de ralentissement ont alterné avec des phases plus brutales. Lors des périodes calmes, la tangue (sable vaseux et calcaire) s'est déposée sur le littoral, permettant l'apparition de prés-salés. Ainsi se forma le marais blanc de nature sableuse. En d'autres endroits, grâce à la protection de cordons dunaires, une importante végétation a pu se développer, favorisée par la présence d'eau douce. Lentement, au cours des âges, ces plantes se transformant en tourbe ont donné naissance au marais noir.

LA MISE EN VALEUR DES MARAIS. On a bien sûr retrouvé la trace de plusieurs ateliers de bouilleurs de sel coriosolites ▲ *286* ● *56* près de Hirel. Mais il fallut attendre le Moyen Age pour que les premiers efforts de mise en valeur de ces prairies longtemps insalubres et inhabitées eussent lieu. Au VIIe siècle, des villages s'établirent sur les dunes et sur les cordons coquilliers accumulés en haut de la plage, de Saint-Benoît-des-Ondes à Sainte-Anne; leurs habitants s'efforcèrent de consolider ces digues naturelles à l'aide de fagots appelés *facaines*. Aux IXe et Xe siècles, les premiers villages agricoles apparurent autour du Mont-Dol et, au XIIe siècle, les hommes creusèrent les premiers *biezs* (canaux de drainage). Dès lors, l'histoire de l'occupation des marais fut celle d'une lutte permanente contre la nature. Il fallut tour à tour se protéger des risques d'inondation marine, évacuer les eaux douces s'accumulant sur les sols imperméables et se prémunir contre les caprices du Couesnon, divaguant d'un cours à l'autre au gré des crues. Au début du XIe siècle,

La dernière transformation notoire du paysage date des années 1950 : il s'agit de la plantation de peupliers, en rangées ou en mosaïques, afin d'assainir les marais laissés à l'abandon. Ces arbres sont très appréciés des loriots, oiseaux difficiles à observer mais reconnaissables à leur chant flûté.

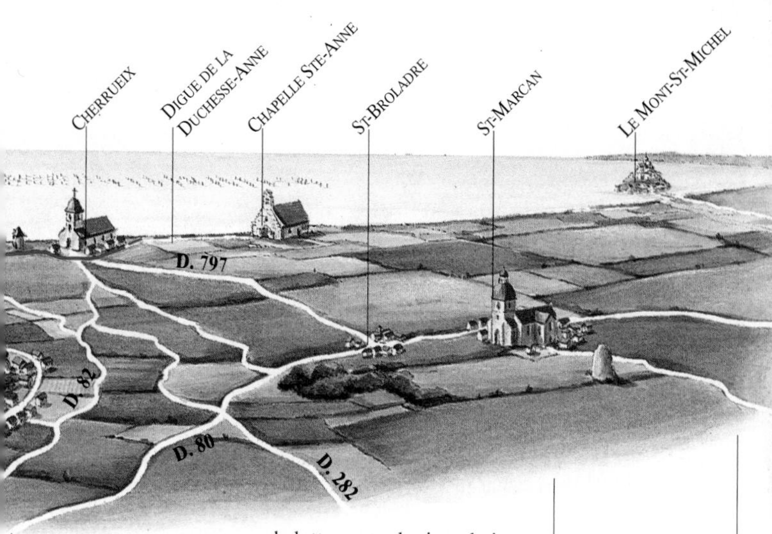

la lutte contre les inondations prit un nouvel aspect : Alain V, duc de Bretagne, décida la construction d'une longue digue de Château-Richeux à Saint-Georges-de-Gréhaigne; l'ouvrage, surnommé «digue de la Duchesse-Anne», ne fut terminé qu'au XVIe siècle. Cependant, des villages entiers continuèrent à disparaître, engloutis lors de trop fortes marées, jusqu'au milieu du XVIIIe siècle. On comprend le soulagement des habitants quand la canalisation définitive du Couesnon fut achevée, en 1863, sous la houlette d'ingénieurs hollandais.

LE MONT-DOL ♥

UN LIEU DE PROMENADE. Il est possible de gagner à pied le mont à partir de la ville de Dol, en empruntant le GR 34, non loin de la cathédrale. Il faut compter une bonne heure de marche pour l'aller et le retour. Ce relief (65 m) étonne dans un paysage par ailleurs plat et monotone et permet de contempler l'ensemble de la baie du Mont-Saint-Michel. Il constituait l'une des promenades favorites de Chateaubriand lors de ses études à Dol : «Du haut de ce tertre isolé, l'œil plane sur la mer et sur des marais où voltigent pendant la nuit les feux follets.» Avec le Mont-Saint-Michel et le mont Tombelaine, c'est l'un des derniers vestiges de l'ancien massif hercynien. Ses carrières de granit, exploitées jusqu'en 1948, servirent aux réparations des digues tout au long des XVIIIe et XIXe siècles, ainsi qu'à l'empierrement des routes et au remblayage du chemin de fer de Dol.

UNE LÉGENDE TENACE
Selon la tradition orale, accréditée au XIXe siècle par l'abbé Manet, les marais de Dol recouvriraient les restes de l'immense forêt de Scissy, engloutie en 709 par un gigantesque raz de marée. Cette légende repose sur quelques données historiques mal interprétées : un manuscrit du Mont-Saint-Michel, daté du Xe siècle, raconte comment des moines de l'abbaye, envoyés au Mont-Gargan, en Italie, par saint Aubert, au VIIIe siècle, avaient constaté à leur retour la disparition de la forêt qui entourait le mont. Celui-là avait tout simplement été défriché pendant leur absence. Fort de ce témoignage, l'abbé Manet établit une corrélation entre la «disparition des bois» et la présence de troncs d'arbres fossilisés, les *corons*, qu'on retrouve parfois dans les marais. Les procédés de datation moderne ont cependant ruiné cette belle hypothèse, en révélant que ces fossiles remontent à plus de 8000 ans avant J.-C.

Le maître-autel de l'église de Dol (à droite) est surmonté d'une statue de l'archange saint Michel (XVe siècle).

MOULIN DU MONT-DOL AU DÉBUT DU SIÈCLE
La femme de gauche arbore la coiffe doloise à grandes boucles, dites ailes de pigeon, très proche de celle que l'on portait à Saint-Brieuc.

Le bourg s'est développé au sud du mont, autour de l'église rustique du XIIe siècle. Des fresques gothiques représentant l'enfer, l'entrée de Jésus à Jérusalem et sa mise au tombeau ont été découvertes en 1864 et restaurées en 1972. Devant l'église, à gauche, une petite route abrupte mène au sommet du Mont-Dol.
A mi-hauteur se dresse l'un des derniers châtaigniers plantés, au XVIIe siècle, par Philippe Thoreau, le prieur de la communauté de Saint-Michel.

UN SITE PRÉHISTORIQUE. En 1872, des carriers exhumèrent au pied du mont, sur la face sud-est, un ossement géant, qu'ils prirent pour les restes d'une baleine. Le professeur Sirodot, doyen de la faculté des sciences de Rennes, identifia rapidement ces os comme ceux d'un mammouth. Il entreprit des fouilles qui révélèrent un des plus importants gisements en France, du paléolithique moyen (70 000 ans av. J.-C.). A cette période, la mer était très reculée en raison des dernières grandes glaciations; les plateaux du sud de Dol étaient recouverts de steppes sèches, alors que les abords du mont présentaient des fonds marécageux. Une faune importante y vivait : mammouths, rhinocéros, chevaux, aurochs, rennes, ours, lions des cavernes, loups, dont on a retrouvé les ossements. Postés sur le mont, les chasseurs préhistoriques guettaient le passage des troupeaux lors de leur migration saisonnière; certains allumaient des feux tandis que d'autres rabattaient les animaux vers les marécages, où ils s'enlisaient. Deux foyers servant à la cuisson de la viande ont été retrouvés lors des fouilles.

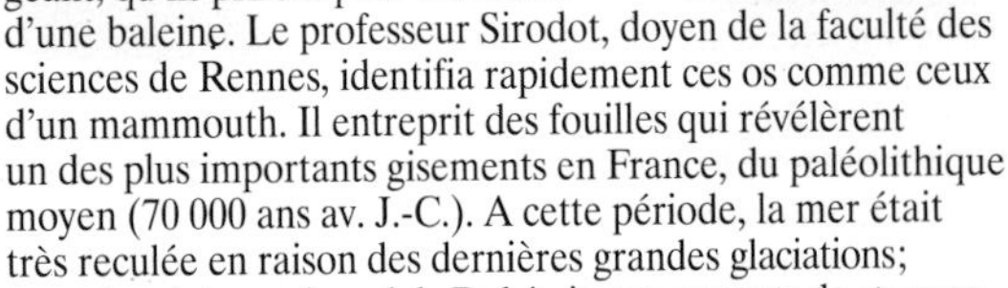

UN LIEU SACRÉ. Plus tard, le tertre devint un sanctuaire de culte druidique : les Gaulois y adoraient le dieu Taranis, assimilé par les Romains à Jupiter, d'où l'appellation de Mont-Jovis à l'époque carolingienne. Sous l'administration gallo-romaine, cette divinité fut remplacée par Mithra et Cybèle, dieux d'origine indo-iranienne

introduits en Occident par les légionnaires. Leur culte occasionnait de nombreux sacrifices d'animaux. Deux autels tauroboliques furent découverts en 1802 dans la chapelle du prieuré Saint-Michel (aujourd'hui détruit) : ils avaient été récupérés et intégrés lors de la construction du sanctuaire chrétien au Moyen Age. Car, dès le VIe siècle, le mont avait été christianisé par le successeur de saint Samson.

Curiosités du mont. Au sommet du mont, un étang qui n'a jamais été à sec. La tradition populaire prétend qu'il est né du pied de saint Michel. En face, près du café, deux moulins à vent datant du siècle dernier. L'un d'eux, très bien conservé, possède une belle toiture en bardeaux, ces tuiles de châtaignier utilisées autrefois, surtout dans la région de Fougères. Il se visite l'été ♥. On peut enfin grimper au sommet de la tour Notre-Dame pour admirer la baie. La base de cet étrange édifice est composée de la partie basse de l'ancienne tour Chappe, démantelée dans les années 1850 lorsque la ligne télégraphique Paris-Brest fut supprimée. Elle a été rehaussée et surmontée d'une statue de la Vierge, Notre-Dame-de-l'Espérance, que pèlerins, paysans ou commerçants, attirés par les foires, venaient implorer pour obtenir le beau temps.

Saint-Benoit-des-Ondes

La digue de la Duchesse-Anne ♥. Elle longe la D 155 sur 22 km, du complexe ostréicole des Nielles (2 km avant le village) jusqu'à la chapelle Sainte-Anne, située au-delà de Cherrueix. La longue digue offre une randonnée pédestre de 7 h, en bordure de prés-salés (GR 34), jalonnée par d'anciens moulins à vent du XVIIIe siècle.

Les pêcheries de la baie. Tout l'ouest de la baie est recouvert d'étranges installations qui se découvrent à marée basse à 2 ou 3 km du rivage. Il s'agit de pêcheries fixes, une méthode traditionnelle qui remonte au Moyen Age. A l'origine, elles étaient constituées par des murets en pierre, dont subsistent quelques traces. Aujourd'hui, elles se présentent sous la forme de vastes V ouverts sur le large, dont les deux côtés peuvent atteindre 300 m de longueur! Ces sortes de bras, hauts de 2,50 m et formés de *facaines* ▲ *374*, se rejoignent pour former un étroit passage, ou goulet, débouchant sur une nasse dans laquelle les poissons viennent se prendre à marée montante. Les pêcheurs qui les exploitent bénéficient d'un privilège remontant à Colbert. Ils capturent essentiellement des poissons plats (soles, flets et plies) mais aussi des crevettes grises (50 t par an). Longtemps considérées comme inépuisables, ces richesses marines s'avèrent fragiles. Aussi pêcheurs et scientifiques s'opposent-ils à la création de porcheries industrielles dont le lisier polluerait la baie.

Le diable au Mont-Dol

Mont-Dol et Mont-Saint-Michel sont étroitement liés dans l'imaginaire populaire et ont servi souvent de lieu d'affrontement de l'archange et du diable. L'une des plus belles légendes raconte que Satan avait construit sur le Mont-Saint-Michel une merveilleuse forteresse en pierre dont la beauté surprit l'archange. Voulant taquiner le diable, tout fier de son exploit, saint Michel lui susurra à l'oreille que, lui, pouvait faire mieux encore : élever un palais de cristal sur le Mont-Dol en une seule nuit. Le diable releva le défi, et l'archange réalisa dans la nuit un incroyable château de glace, dont les mille gemmes brillèrent

avec éclat au premier soleil. Satan, le trouvant beaucoup plus réussi que le sien, s'en allait, dépité, lorsque l'archange vint lui proposer d'échanger leurs possessions. Le diable accepta aussitôt, mais à midi le beau palais de cristal avait déjà fondu au soleil...

L'ÉLEVAGE DES MOULES
Depuis 1960 environ, la baie s'est spécialisée dans l'élevage des moules. Le naissain, préalablement collecté au moyen de cordages fibreux, sur les côtes charentaises et vendéennes, est enroulé sur les pieux solidement fixés dans la vase, aux limites des basses mers. L'élevage s'effectue sur deux années et nécessite une vigilance constante de la part des mytiliculteurs. Il faut en effet régulièrement entretenir et remplacer les pieux, et veiller sur les bouchots qui subissent les attaques des crabes verts et des goélands. Il faut aussi limiter la prolifération de nombreux organismes concurrents, comme les éponges et les balames, qui trouvent dans les moulières un lieu privilégié.

VIVIER-SUR-MER

Cet ancien port de cabotage, d'où l'on expédiait les céréales et les pommes à cidre du marais, est depuis 1954 le haut lieu breton de la culture des moules sur bouchots. A marée basse, on

aperçoit une forêt de bois noirs : ce sont les pieux, en chêne de Dordogne, sur lesquels grossissent les moules. Ils couvrent près de 300 km^2 dans un secteur compris entre Saint-Benoît-des-Ondes et Cherrueix. LA SIRÈNE DE LA BAIE, un bateau amphibie, permet de sillonner de façon originale les vastes étendues de ces moulières ■ *32*.

CHERRUEIX

Bourg typique de la baie du Mont-Saint-Michel, avec ses trois moulins du XVIIIe siècle et ses maisons à toits de chaume, surtout connu des amateurs de chars à voile.

LA CHAPELLE SAINTE-ANNE.
En empruntant la digue, les marcheurs peuvent accéder à pied à cette petite chapelle qui protège les marais des humeurs de la mer. L'édifice actuel date de 1684, mais il semble que le site ait été occupé dès le XIe siècle. Au début du XVIIe siècle, l'évêque de Dol institua une procession qui partait de l'église de Cherrueix et rassemblait près de six mille personnes. Interrompue par la Révolution, la tradition fut reprise en 1818 et attire encore de nombreux pèlerins chaque quatrième dimanche de juillet.

L'élevage des moules est aujourd'hui largement mécanisé et permet de commercialiser quelque 10 000 t, ce qui place la baie au premier rang des zones françaises de production.

LE BANC DES HERMELLES ♥. Au centre de la baie, face à la chapelle Sainte-Anne, le promeneur aperçoit, à 4 km du rivage, cet étonnant récif naturel, le plus important d'Europe. Les «crassiers», pour reprendre la dénomination locale, couvrent une zone d'une centaine d'hectares et résultent de l'accolement d'une multitude de fourreaux calcaires sécrétés par une sorte de ver marin (*sabellaria alveolata*). Ils abritent une faune très diversifiée qui trouve là nourriture et protection. Hélas, une trop grande fréquentation et la prolifération de moules échappées des bouchots voisins modifient l'équilibre naturel de ce banc. Ces récifs, qui dépassaient les 2 m de hauteur au début du siècle, atteignent tout juste 1 m aujourd'hui.

Le Mont-Saint-Michel

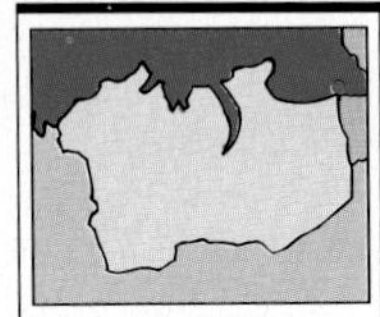

La baie est tapissée d'une épaisse couche de sable fin que l'on appelle ici la tangue, mélange de débris de coquillages et de fragments de granite ou de schiste. Les petits fleuves côtiers qui se jettent dans la baie, la Sée, la Sélune et le Couesnon, y dessinent de larges boucles au tracé sans cesse changeant. Le vent modèle dans la tangue de curieux reliefs que la mer efface à chaque flux, et, au reflux, le ciel se mire sur les grèves gorgées d'eau.

Dans *la Mer*, Jules Michelet évoqua le site avec une verve toute romantique : «Représentez-vous tout autour une grande plaine comme de cendre blanche, qui est toujours solitaire, sable équivoque dont la fausse douceur est le piège le plus dangereux.»

UN SITE FANTASTIQUE

«On dirait un désert dont la mer s'est retirée», écrivit Gustave Flaubert à propos du paysage montois. Quand on arrive par la route de Pontorson, il faut atteindre l'extrémité de la digue qui le relie au continent depuis 1880, pour que se livre enfin au regard le Mont-Saint-Michel. Cette apparition est tout à fait saisissante. La présence de ce rocher au milieu des grèves reste insolite, comme l'est celle de Tombelaine, situé à 3 km au nord, et celle du mont Dol, qui se dresse au milieu de marais à 20 km à l'ouest. Le Mont-Saint-Michel, Tombelaine et le mont Dol sont des îlots de granulite, un granite à deux micas très durs, alors que le fond de la baie est constitué de schistes peu résistants. Ceux-ci, attaqués par l'érosion, ont laissé en relief les trois îlots de granulite. Le Mont-Saint-Michel mesure à peine 1 km de circonférence et s'élève à 80 m du niveau des grèves.

UNE INSULARITE EN PERIL. Depuis une vingtaine d'années, l'opinion publique s'inquiète des menaces qui pèsent sur la baie et, plus particulièrement, du phénomène d'envasement qui risque de faire perdre au Mont l'insularité si précieuse pour son image. De nos jours, seules les marées à très fort coefficient encerclent le célèbre îlot. Depuis des millénaires, insensiblement, la baie se comble par le dépôt de sédiments marins apportés par les courants de la Manche. Le processus naturel a été accéléré par de nombreux travaux de poldérisation et d'endiguement. En effet, à partir de 1856, les hommes ont détourné et canalisé les fleuves côtiers de la baie pour construire des digues et aménager des polders : au total 3 000 ha ont été conquis sur la mer. En 1932, on a réduit la puissance hydraulique du Couesnon en captant une partie de son eau pour satisfaire les besoins de la ville de Rennes, qui rejette ses eaux usées dans la Vilaine. En 1967, enfin, on a construit au lieu-dit la Caserne, à 2 km du Mont, un barrage dont les portes interdisent désormais à la mer de remonter dans le Couesnon. Auparavant, les effets des marées de vives-eaux se faisaient sentir à une vingtaine de kilomètres en amont. Les cours d'eau n'étant plus en mesure de rejeter vers le large les sédiments apportés par

le flux, rien ne vient désormais contrarier l'exhaussement du fond de la baie. Les grèves se couvrent de plantes halophiles qui fixent la tangue et la transforment en prés-salés, appelés herbus. Parmi les mesures envisagées par l'Etat pour sauver le site, seule a été réalisée, en 1984, la destruction partielle de la digue de Roche-Torin, construite entre 1859 et 1861 à l'est de la baie. Les effets de ces travaux restent controversés. On élabore désormais des projets moins ambitieux. Il s'agit de maintenir le caractère maritime des abords immédiats du Mont. On prévoit ainsi la suppression de la digue d'accès au Mont, que l'on remplacerait par une passerelle ou un souterrain. Les courants pourraient ainsi à nouveau circuler autour du rocher à marée haute. On envisage également, pour draguer le sud de la baie, le rétablissement de petits cours d'eau dans leur lit, telle la Guintre.

Apparition de saint Michel au mont Gargan, au Ve siècle.

L'HISTOIRE DU MONT

LE SONGE DE SAINT AUBERT. Dès le VIe siècle, le mont Saint-Michel, qu'on appelait alors le mont Tombe, attira des ermites chrétiens qui y édifièrent deux sanctuaires. L'un fut dédié à saint Etienne, l'autre à saint Symphorien. Le culte de l'archange Michel n'a été introduit sur le mont Tombe qu'au début du VIIIe siècle, à l'orée de la renaissance carolingienne. Un manuscrit du Xe siècle relate qu'une nuit de l'an 708, un évêque d'Avranches, Aubert, vit en songe saint Michel qui lui demandait d'édifier en son honneur une église sur le mont Tombe. Comme le prélat doutait de l'origine céleste de sa vision, l'archange lui apparut diverses fois, l'obligeant à se rendre sur le Mont pour y élever, en contrebas de la pointe du Rocher, un oratoire. Ce dernier était la réplique du mont Gargan, un sanctuaire italien aménagé dans une grotte naturelle, lieu d'apparition de saint Michel au Ve siècle. Le nouveau sanctuaire attira bientôt des pèlerins qui venaient de toute l'Europe prier celui qui terrasse le Mal et qui pèsera les âmes au jour du Jugement dernier. Le mont Tombe devint ainsi l'un des plus grands centres de pèlerinage de la chrétienté médiévale, et on le baptisa Mont-Saint-Michel.

LE CRANE DE SAINT AUBERT
Il est conservé dans l'église Saint-Gervais d'Avranches et porterait la trace du doigt de saint Michel, qui cherchait à convaincre le prélat de la réalité de son apparition.

UN TRAMWAY A L'ASSAUT DU MONT
En 1901, malgré l'opposition des Pontorsonais, on élargit la digue pour permettre le passage d'un tramway. Plus accessible que l'automobile, encore rare, il transporta riverains et visiteurs jusqu'à la Seconde Guerre mondiale.

UN ART DE L'ENLUMINURE
Ces miniatures (Xe, XIe et XIIe siècles) extraites de la bibliothèque de l'abbaye témoignent de l'intensité de la vie artistique montoise. Les copistes, faisant la synthèse des arts mérovingien, carolingien et irlandais, inventent, au XIe siècle, un style de lettrine original : la lettrine normande.

Voyager était dangereux : «Si tu vas au Mont, fais ton testament», disaient les Normands.

L'AGE D'OR ROMAN. En 966, sans doute pour des raisons politiques, Richard Ier, duc de Normandie, fit appel à des moines bénédictins de Fontenelle (Saint-Wandrille) pour assurer la garde du sanctuaire. Dès lors, la nouvelle abbaye ne cessa de prospérer, grâce aux oboles des pèlerins et aux revenus des terres données par les nobles. Les premiers recueils de miracles furent rédigés au XIe siècle, en même temps que se développait le réseau des «chemins montais», ces itinéraires que suivaient les pèlerins pour se rendre au Mont. Pour loger la communauté monastique et accueillir les pèlerins, on dut remplacer le monastère préroman par un ensemble de constructions romanes comprenant une grande église, implantée au sommet du rocher, et, sur sa pente occidentale, des bâtiments à trois niveaux formant un demi-cercle autour de l'église préromane, le seul élément du monastère précédent qui subsiste. L'abbaye avait un énorme rayonnement spirituel et intellectuel. Son *scriptorium*, déjà très florissant au XIe siècle grâce à des savants comme Robert de Tombelaine et Anastase le Vénitien, connaît son apogée avec Robert de Torigni, abbé de 1154 à 1186, qui enrichit la bibliothèque de tant de manuscrits que le monastère reçut le nom de cité des Livres. Sous son autorité, le monastère réunit un ensemble de moines – soixante – jamais égalé sur le Mont.

LES GRANDS CHANTIERS DE L'EPOQUE GOTHIQUE. Une partie du monastère roman disparut en 1204 dans un incendie allumé par des soldats bretons qui soutenaient Philippe Auguste dans sa volonté de rattacher la Normandie au domaine royal. Soucieux de faire oublier l'initiative malheureuse de ses alliés, le roi de France fit un don qui permit d'édifier au nord de l'église abbatiale un bâtiment si beau et si élevé qu'il fut ultérieurement

Ces quatre croquis montrent les étapes de la construction du Mont : en l'an mil, en 1100 (époque romane), au XIXe siècle et au XXe siècle (avec sa flèche).

appelé la MERVEILLE. Puis, du milieu du XIIIe au début du XVIe siècle, des bâtiments comprenant les appartements de l'abbé et des salles affectées aux services administratifs et judiciaires du monastère complétèrent à l'est et au sud la ceinture de constructions entourant l'église. Pendant la guerre de Cent Ans, le Mont étant au cœur du conflit anglo-français, il fallut renforcer et agrandir les fortifications du village qui se blottit au pied de l'abbaye. Défendue par la mer et par cent dix-neuf chevaliers, la citadelle parvint à résister aux Anglais installés sur Tombelaine. Le chœur de l'église abbatiale s'effondra en 1421, alors qu'ils tentaient de s'emparer du Mont. La paix revenue, les pèlerins se pressèrent pour remercier saint Michel, «protecteur de la France». Leur générosité permit la reconstruction d'un nouveau chœur.

L'HUMEUR DES FLOTS. Dans la baie, dont les marées sont les plus fortes d'Europe, la mer ne monte pas à la vitesse d'un cheval au galop, comme on l'a dit, mais atteint tout de même une vitesse moyenne de 1 m/s.

DECADENCE DE L'ABBAYE. La vie monastique du Mont déclina à partir de 1516 avec l'institution de la commende. Désormais, les abbés ne furent plus élus par les moines, comme le veut la règle de saint Benoît, mais nommés par le roi. Or, le principal souci des abbés commendataires fut de profiter des revenus de leur monastère. Certains ne sont jamais venus les visiter, beaucoup d'entre eux négligèrent même d'entretenir les bâtiments. Livrés à eux-mêmes, les moines prirent l'habitude de mener une vie de moins en moins édifiante. En outre, les guerres de Religion hâtèrent cette décadence. D'ailleurs, l'abbaye du Mont échappa de peu au pillage des partisans de la Réforme, mais ce fut au prix d'un massacre de protestants. La réforme bénédictine de saint Maur, appliquée au Mont en 1622, remit, pour un temps seulement, de l'ordre dans la vie monastique. A la fin du XVIIIe siècle, la communauté ne comptait plus qu'une dizaine de moines. Ceux-ci durent abattre les trois premières travées de la nef de leur église, qui menaçaient de s'effondrer à la suite d'un incendie. Après avoir chassé les Bénédictins, la Révolution transforma l'abbaye en prison. Les bâtiments souffrirent encore de cette nouvelle affectation, qui les sauva toutefois de la ruine. Des artistes et des écrivains, dont Victor Hugo, s'élevèrent contre cette utilisation sacrilège, mais il fallut attendre 1863 pour que Napoléon III fasse fermer la prison. Dix ans plus tard, l'abbaye était confiée à l'administration des Monuments historiques, qui a tout fait pour la remettre en valeur.

DEUX CELEBRES PRISONNIERS Il s'agit d'Armand Barbès, emprisonné sous la monarchie de Juillet, et de Colombat, dont l'évasion, unique au Mont, a enflammé l'imagination des dessinateurs.

Cette coupe nord-sud a été réalisée par l'architecte Edouard Corroyer, qui a restauré le Mont entre 1872 et 1888.

Une fois franchie la porte du Roi, la troisième porte qui garde l'entrée du village, on est plongé dans l'agitation incessante de la Grande Rue, qui mène à l'abbaye. Depuis la fin du XIXe siècle, elle est bordée d'hôtels et de boutiques de souvenirs.

LE VILLAGE

LES REMPARTS. Elevés quasi totalement au début du XVe siècle, quand les Anglais tentaient de s'emparer du Mont, ils représentent la partie la plus remarquable du village. Pour mieux les apprécier, on fera à pied, à marée basse, le tour du rocher. Tours et courtines sont de la même hauteur et communiquent entre elles par un chemin de ronde. Elles sont couronnées par un parapet reposant sur les consoles des mâchicoulis. Les courtines sont renforcées par sept tours, du sud au nord : les tours du Roi et de l'Arcade, la tour Béatrix, ou de la Liberté, la tour Basse, la tour Chollet ou Demi-Lune, la tour Boucle et la tour du Nord. Excepté la tour de l'Arcade, tous ces ouvrages ont perdu leur toiture. Les TOURS DU ROI et DE L'ARCADE sont encore fidèles au plan circulaire traditionnel. La TOUR BEATRIX a un plan en forme de fer à cheval qui constituait une innovation, car il permettait d'augmenter les angles de tir. La TOUR BOUCLE, élevée dans la seconde moitié du XVe siècle, est un modèle en matière d'architecture militaire. L'ouvrage est formé de deux murs parallèles se terminant par un grand éperon. Les fortifications ne forment donc pas un ensemble homogène. La TOUR BASSE, par exemple, a remplacé au XVIIe siècle un ouvrage antérieur. Enfin, il existe des éléments plus anciens, comme la TOUR DU NORD (la plus élevée) et les courtines environnantes, qui sont des ouvrages du XIVe siècle, modifiés par l'adjonction de mâchicoulis au début du XVe siècle. En continuant le tour du Mont, on peut voir un édifice marquant l'emplacement de la fontaine Saint-Aubert, source miraculeuse qui fut longtemps le seul point d'eau douce des moines. Un peu plus loin se dresse la CHAPELLE SAINT-AUBERT, modeste sanctuaire du XVe siècle. On se trouve ensuite au pied de la TOUR GABRIEL, imposant bastion circulaire construit en 1524. Equipée de batteries de canons sur trois niveaux, elle protégeait les escarpements occidentaux et les magasins de l'abbaye, les Fanils. A la place des magasins s'élève un grand bâtiment aux lignes sobres, édifié en 1828 par l'administration pénitentiaire pour loger les gardiens.

Ces deux détails du plan-relief de 1701, conservé aux Invalides, montrent l'abbaye vue du village et les remparts, avec la tour Boucle.

MAREE HAUTE, VERS 1910
A gauche de la porte de l'Avancée se trouve le corps de garde des Bourgeois, occupé maintenant par le syndicat d'initiative.
Les deux canons de la cour de l'Avancée, les «michelettes», ou «miquelettes», ont été pris aux Anglais en 1434 par les défenseurs du Mont.

L'ENTREE DU VILLAGE. Trois portes successives défendent l'accès au village. La première, dite de l'Avancée, munie d'une barbacane, a été ajoutée au début du XVIe siècle. La deuxième ouverture, la porte du Boulevard, permet d'atteindre une seconde barbacane, qui protège la porte du Roi (XVe siècle). Cette dernière était garnie d'un pont-levis qui s'abattait au-dessus du fossé la précédant.
LA GRANDE RUE. Comme au Moyen Age, la plupart des maisons qui la bordent sont occupées par des commerces. Quelques demeures des XVe et XVIe siècles ont échappé aux transformations entreprises dans le village au début du XXe siècle. Certaines sont en pierre : la maison du four banal, dont la façade repose sur deux arcades de granite ; l'ancienne HOTELLERIE DE LA LYCORNE, qui montre, côté cour, des tourelles hexagonales ; ou encore, au pied de l'abbaye, la MAISON DE LA TRUIE-QUI-FILE. D'autres sont à pans de bois, comme la MAISON DE L'ARCADE, accolée à la tour du même nom, qui enjambe l'escalier menant au chemin de ronde des remparts ; le LOGIS SAINT-PIERRE et l'AUBERGE DE LA SIRENE. Enfin, certaines demeures (l'hôtel Saint-Pierre et le bâtiment central de l'hôtel du Mouton blanc) ont été reconstituées avec du bois de réemploi.
LA PETITE EGLISE PAROISSIALE. Cet édifice tout simple, dédié à saint Pierre, date des XVe-XVIe siècles. Sa nef est flanquée au sud d'un collatéral auquel est accolée une tour couverte d'un toit en bâtière. Son chœur, flanqué de collatéraux, se termine par une abside jetée au-dessus d'une venelle conduisant au cimetière communal. On peut y admirer quelques statues anciennes et la collection d'objets témoignant de la renaissance des pèlerinages à la fin du XIXe siècle, une statue en argent de l'archange Michel, par exemple.

LA MERE POULARD
Annette Boutiaut, jeune Nivernaise montée à Paris, devint la femme de chambre d'Edouard Corroyer, chargé de la restauration du Mont. Elle s'éprit du Montois Victor Poulard, qu'elle épousa. Et elle tint, de 1873 à 1906, un hôtel restaurant rendu célèbre pour son accueil et son omelette.

L'ABBAYE

L'ensemble que nous admirons aujourd'hui est formé d'édifices qui se sont juxtaposés du Xe au XVIe siècle. Ils comprennent deux églises et des bâtiments conventuels romans et gothiques d'autant plus intéressants qu'ailleurs les logis médiévaux ont bien souvent été reconstruits à l'époque classique. La configuration du rocher interdisait d'adopter ici le plan traditionnel des monastères bénédictins. Au lieu de s'ordonner horizontalement autour du cloître, les bâtiments sont tout en hauteur ; leurs trois niveaux de salles se superposent sur les flancs du rocher, en contrebas de l'église abbatiale.

LES LOGIS ABBATIAUX ET ADMINISTRATIFS. Depuis le XIIIe siècle, on entre dans l'abbaye par la SALLE DES GARDES, située au rez-de-chaussée d'un bâtiment construit vers 1250 contre l'abside de l'abbatiale. Les cinq bâtiments suivants ont été élevés aux XIVe et XVIe siècles, au sud de l'église, pour abriter les services temporels et les logis abbatiaux proprement dits. Leurs hautes murailles dominent les Grands Degrés, qui mènent au SAUT-GAUTHIER, plate-forme aménagée devant le portail méridional de l'église. Durant la guerre de Cent Ans, on renforça les défenses de l'abbaye. Pour loger la garnison, l'abbé Pierre Le Roy fit construire, à la fin du XIVe siècle, la TOUR PERRINE. Il protégea aussi l'entrée de l'abbaye en faisant ériger devant celle-ci le CHATELET, qui est encastré entre deux hautes tourelles en encorbellement, dont la surface fait alterner granites bleu et blond. L'ouvrage est complété par une barbacane et une autre tour, la TOUR CLAUDINE.

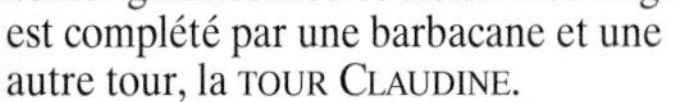

Autre symbole du Mont, la chapelle Saint-Aubert, qui, dans son isolement, regarde la mer.

EGLISE NOTRE-DAME-SOUS-TERRE. L'église Notre-Dame-sous-Terre, le plus ancien édifice que l'on puisse voir, constitue un précieux témoin de l'architecture préromane. Edifiée au cours du Xe siècle, en contrebas et à l'ouest du sommet du Mont, sur une plate-forme comprise entre deux surplombs du rocher, elle s'élevait alors à l'air libre. Dans la seconde moitié du XIe siècle, elle a été prolongée vers l'ouest pour porter l'extrémité de la nef de l'église abbatiale que l'on construisait au-dessus. Elle a ensuite été enchâssée dans les bâtiments romans qui l'encerclent depuis lors, sauf du côté oriental, qui s'adosse au rocher. Elle se trouve aujourd'hui au-dessous de la terrasse de l'ouest, aménagée après la destruction des trois premières travées de la nef de l'église supérieure. L'édifice original (sans l'agrandissement du XIe siècle) est un quadrilatère irrégulier d'environ 11 m sur 13. Un mur médian, percé de deux arcades en plein cintre, y délimite deux nefs semblables ; chacune se termine à l'est par un sanctuaire à chevet plat surmonté d'une tribune où, selon la tradition, étaient exposées les reliques. Il est bien difficile de savoir si ce plan très curieux est d'origine. L'édifice était primitivement couvert d'une charpente apparente. Par la suite, on ajouta des voûtes de pierre en berceau plein cintre. La maçonnerie présente toutes

Le Grand Degré intérieur.

«ETES-VOUS SURS QUE LES BALUSTRADES SONT SOLIDES ?»
Extrait du recueil de croquis, *Journal de voyage au Mont*, d'Edouard Detaille.

les caractéristiques de l'époque préromane, encore influencée par les usages romains : murs très épais constitués de petits moellons grossièrement équarris, arcs appareillés de grandes briques plates, piédroits des fenêtres offrant une alternance de pierres et de briques. L'absence de relief sur les murs donne à l'édifice un aspect un peu massif que devait atténuer un décor peint dont on a retrouvé des vestiges. Aucun texte ne permet de préciser sa date de construction. Derrière l'autel du sanctuaire droit, on a mis au jour, en 1960, un mur cyclopéen, qui constitue sans doute les vestiges de la grotte artificielle élevée par saint Aubert en 708-709. Cette église aurait donc remplacé l'oratoire primitif.

L'EGLISE ABBATIALE. L'église que les moines firent élever au XIe siècle est l'un des plus anciens témoins des grands édifices romans de Normandie. Comme tous les sanctuaires placés sous le vocable de saint Michel, elle a été érigée au sommet du rocher. Construire sur une pointe un édifice cruciforme d'environ 75 m de longueur imposait aux bâtisseurs la création d'une plate-forme. Ils rattrapèrent la pente du rocher en édifiant trois cryptes qui allaient servir de substructions au chœur et aux deux bras du transept. Pour soutenir les quatre premières travées de la nef, ils renforcèrent et agrandirent l'église préromane. La croisée du transept et les trois dernières travées de la nef sont donc les seules parties de l'édifice qui reposent directement sur le rocher. L'église a subi des dommages : en 1103, peu de temps après l'achèvement de l'édifice, le côté nord de la nef s'est effondré. En 1421, ce fut le chœur qui s'écroula, ébranlant la croisée du transept qu'il a fallu reconstruire complètement à la fin du XIXe siècle. Enfin, peu de temps avant la Révolution, les moines durent abattre la façade et l'extrémité de la nef. De l'édifice roman construit entre 1023 et 1085, il ne subsiste donc que les bras du transept et quatre travées du mur sud de la nef. La CRYPTE SAINT-MARTIN, fondement du bras sud du transept, a conservé la beauté austère des premières constructions romanes. L'épaisseur des murs y a été prévue pour porter une

À gauche, les grandes arcades du chœur gothique.

En 1894, Victor Petitgrand proposa un avant-projet de flèche de 32 m, couronnée d'une statue de l'archange. La statue, réalisée par Frémiet, domine la flèche à 160 m de hauteur. Abîmée par la foudre en 1982, elle fut restaurée et redorée en 1987. Gustave Doisnard avait, lui aussi mais sans succès, proposé une flèche surmontée de l'archange, en 1848.

Le promenoir et la salle des Hotes
On ignore quel était l'usage du promenoir, dont la dénomination actuelle est récente. Dans la salle des Hôtes, qui accueillit Saint Louis, Philippe III le Hardi, Philippe le Bel, Charles VI, Louis XI, Charles VIII, François Ier et Charles IX, les repas étaient préparés dans

les énormes cheminées occupant toute la largeur du mur ouest.

La chapelle Saint-Etienne
Décor peint, aujourd'hui disparu, de la chapelle Saint-Etienne (XIIIe siècle). Restitution de l'architecte Paul Gout.

voûte en berceau plein cintre, d'une portée exceptionnelle, qui est renforcée en son milieu par un puissant arc doubleau. Une absidiole voûtée en cul de four s'ouvre du côté oriental. De petites fenêtres laissent passer une faible lumière qui suffit à souligner le tracé ample des arcs de l'absidiole. La crypte qui porte le bras nord, Notre-Dame-des-Trente-Cierges, ne lui est pas tout à fait symétrique car elle a été modifiée au XIIIe siècle, lors de la construction de la Merveille. Quelques vestiges de peintures murales permettent d'imaginer son décor originel. Comme la crypte qui le soutient, le bras nord du transept a été raccourci au XIIIe siècle, et son mur pignon refait en oblique pour augmenter la surface du cloître. Les deux bras présentent les mêmes dispositions que les cryptes mais avec un décor plus recherché et plus de lumière. Leurs murs sont divisés en travées par des colonnes engagées recevant des arcs de décharge au-dessous desquels s'ouvrent de belles fenêtres. Celles-ci sont décorées, comme les absidioles, d'arcs, parfois moulurés, qui retombent sur autant de colonnettes. On a sculpté les chapiteaux dans un matériau plus tendre que le granite, la pierre de Caen, afin de leur donner plus de finesse. A la différence de la nef, les deux bras sont couverts de voûtes en berceau plein cintre, établies selon un axe perpendiculaire à celui des voûtes des cryptes. La nef a perdu une partie de sa profondeur à la fin du XVIIIe siècle, et elle porte encore les traces de l'incendie de 1834. Elle garde cependant une ordonnance remarquable. Conformément à la tradition normande, seuls les bas-côtés sont voûtés. Le vaisseau central est couvert d'une charpente lambrissée. Dans la structure de ses murs très hauts et assez minces, les vides l'emportent sur les pleins. La division verticale en travées est affirmée par des demi-colonnes qui montent de fond jusqu'aux entraits de la charpente. L'élévation à trois niveaux, grandes arcades, tribunes et fenêtres hautes, est soulignée par des bandeaux de pierre qui courent le long des murs. Il y a ainsi un équilibre parfait entre les lignes horizontales et verticales. Du côté sud, les fenêtres hautes s'inscrivent sous de grands arcs de décharge qui reportent le poids de la charpente sur les piliers et reproduisent le mouvement imprimé par les grandes arcades. On ne retrouve pas cette innovation dans le mur nord, reconstruit plus solidement, mais avec moins d'élégance, au début du XIIe siècle. Le chœur gothique, conçu après la guerre de Cent Ans, correspond à une esthétique et à une spiritualité très différentes. L'édifice, qui prend appui sur la puissante crypte des Gros Piliers, est plus élevé que la nef et le transept. L'élancement est accentué par la faible

EN HEBREU, *MI-KA-EL* EST LE CRI DE L'ARCHANGE. IL SIGNIFIE : «QUI EST COMME DIEU». SAINT MICHEL EST LE GARDIEN DE LA DIVINE PROPORTION, ET LE MONT EST DEDIE A LA GRANDEUR DE DIEU, PAS A LA GRANDEUR DE L'ARCHANGE.

largeur des travées, les multiples colonnettes dont sont revêtus les piliers en losange et l'absence de chapiteaux. Les fenêtres des sept chapelles qui s'ouvrent sur le déambulatoire, la claire-voie du triforium et les fenêtres hautes procurent en outre une lumière abondante qui souligne la mouluration verticale des supports. La stabilité de ce chef-d'œuvre d'élégance est assurée à l'extérieur par deux batteries superposées d'arcs-boutants dont les culées s'ornent de pinacles à crochets. L'exubérance du décor atteint son paroxysme avec l'escalier de Dentelle, qui enjambe un arc-boutant, célèbre pour la finesse de son garde-corps flamboyant (la lithographie du haut de la page suivante, de Georges Bouet, montre les arcs-boutants et l'escalier de Dentelle). De cet endroit, on a une superbe vue sur la baie.

L'ABBAYE ROMANE. Ce qui reste des bâtiments construits aux XIe et XIIe siècles, en contrebas de l'église abbatiale et autour de Notre-Dame-Sous-Terre, évoque assez bien la vie des moines et des pèlerins de cette époque. Le bâtiment le plus important, au nord, comprend de bas en haut la salle de l'Aquilon, le promenoir et le dortoir. Elevé à la fin du XIe siècle, il a été endommagé en 1103 quand le mur nord de la nef s'est effondré ; par la suite, il a subi d'importantes retouches. La SALLE DE L'AQUILON est divisée en deux nefs par de fines colonnes monolithiques qui portent de robustes chapiteaux aux sobres

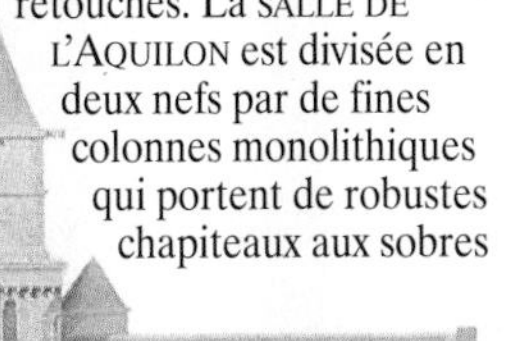

MONT ET MERVEILLE. Dans le bâtiment le plus ancien de la Merveille, l'aumônerie, en bas, est divisée en deux nefs, couvertes de simples voûtes d'arêtes, par une file de colonnes cylindriques, aux chapiteaux à corbeille lisse. On retrouve la même disposition au-dessus, dans la salle des Hôtes, mais avec des proportions plus élancées et un décor plus recherché. Les deux nefs sont séparées par de fines colonnes sur lesquelles des voûtes sur croisées d'ogives prennent appui par l'intermédiaire de chapiteaux aux motifs floraux. Les poussées des voûtes se contrebutent entre elles, et celles qui s'exercent sur les murs latéraux sont amorties par des contreforts intérieurs, doublant ceux de l'extérieur, ainsi que par le poids des murs de l'étage supérieur. Au troisième niveau enfin, aucun pilier ne divise le réfectoire des moines, qui n'est pas voûté mais seulement couvert d'une charpente lambrissée.

La Merveille. Sur cette coupe de la Merveille, on distingue les deux bâtiments qui la composent. Dans le bâtiment ouest, le cellier communique avec l'aumônerie. Deux rangées de piliers cubiques, sans chapiteaux, y délimitent trois nefs voûtées d'arêtes. La salle des Chevaliers, au-dessus, est très différente de la salle des Hôtes voisine. Elle est moins haute, plus large et divisée en quatre nefs par trois rangs de colonnes plus trapues. Les caractéristiques du gothique normand s'y affirment nettement dans la mouluration très accentuée des arcs des voûtes, les chapiteaux sculptés en relief et le profil en larmier de leurs tailloirs circulaires. Couronnant l'ensemble, le cloître communique avec l'église abbatiale, le réfectoire et le dortoir. Pour concilier légèreté et solidité, l'architecte conçut des galeries peu élevées, dont les arcatures sont à l'échelle humaine, et il renonça à les voûter. En outre, il plaça en quinconce les colonnettes du mur intérieur, qui supporte le toit, et il les relia à leur sommet par des arcs diagonaux. Les trois baies qu'on a percées dans la galerie occidentale devaient permettre l'accès à une salle capitulaire jamais construite.

Ecoinçon du cloître, qui représente un personnage cueillant du raisin (XIIIe siècle).

LE REFECTOIRE
Les fenêtres qui en ajourent les murs latéraux lui assurent une lumière douce et lui donnent une impression extraordinaire de profondeur (dessin d'Emile Sagot).

LE CLOITRE
L'emploi de la pierre de Caen dans l'architecture du cloître a permis de donner au décor continu de rinceaux et de rosaces de feuillage, qui orne la partie supérieure de ce mur, un relief propice aux jeux de lumière. Il entoure un jardinet et est fermé sur l'extérieur par un mur de granite orné d'arcatures aveugles et de trèfles sculptés en creux.

motifs. L'ensemble est couvert de voûtes d'arêtes renforcées par des arcs doubleaux brisés. Cette salle était affectée à l'aumônerie, donc à l'accueil des pauvres. Le PROMENOIR est plus vaste, les bâtisseurs ayant utilisé le profil du rocher pour l'allonger de deux nouvelles travées vers l'est. Divisé en deux nefs également, il a reçu des voûtes sur croisées d'ogives, l'un des premiers exemples de ce mode de couvrement. En partie détruit à la fin du XVIIIe siècle, le DORTOIR a perdu son ordonnance primitive. Il communique avec l'église par une porte. Du côté ouest, les LOGIS DE ROBERT DE TORIGNI, construits dans la seconde moitié du XIIe siècle, regroupent des cachots jumeaux, le logement du portier et les appartements de l'abbé. Ce dernier fit également ériger la CHAPELLE SAINT-ETIENNE, une chapelle mortuaire qui communiquait à l'ouest avec l'infirmerie et à l'est avec le cimetière. Une travée du cimetière est aujourd'hui occupée par une grande roue, monte-charge installé ici vers 1820 par l'administration pénitentiaire.

L'ABBAYE GOTHIQUE. De même que les constructions romanes dessinent un demi-cercle autour de l'église préromane, les bâtiments gothiques font un autre demi-cercle, ouvert en sens inverse, autour de l'abside de l'église abbatiale. Cet ensemble est constitué, au nord, de la MERVEILLE, à l'est d'une nouvelle entrée, et au sud des logis abbatiaux. La Merveille, dont les puissants contreforts extérieurs affirment l'élan vertical, constitue l'un des plus beaux exemples de l'architecture monastique du XIIIe siècle. Elle est composée de deux bâtiments contigus, élevés pratiquement en même temps, de 1211 à 1228. Reproduisant symboliquement la hiérarchie d'une société divisée en trois ordres (peuple, noblesse, clergé), le bâtiment le plus ancien, tourné vers l'est, comprend, de bas en haut, une AUMONERIE pour les pauvres, une SALLE DES HOTES dans laquelle l'abbé accueillait les visiteurs de marque, et le REFECTOIRE des moines (▲ 389). Dans le bâtiment occidental se superposent un CELLIER, la SALLE DES CHEVALIERS, en réalité la salle de travail des moines, et le CLOITRE (▲ 391).

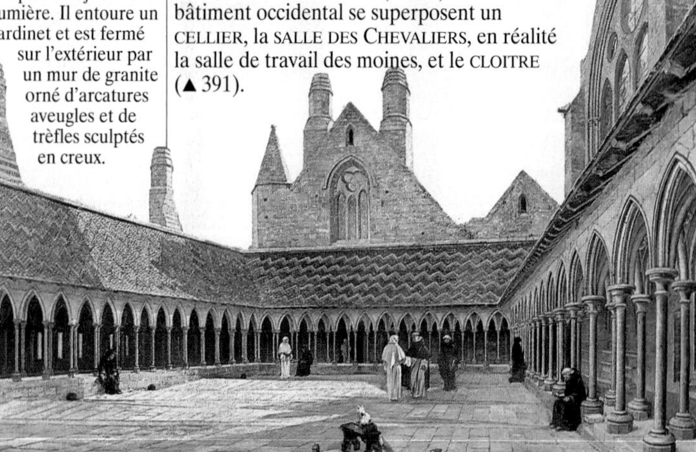

ANNEXES

◆ TABLE DES ILLUSTRATIONS

CARTES ITINERAIRES REALISEES PAR : Vincent Brunot,
MISES EN COULEURS : Sylvaine Pérols,
PLAN PERSPECTIVE DE VILLE : Dominique Duplantier
ILLUSTRATEURS :
Vincent Brunot : 279, 367, 290.
Christian Broutin : 390-391.
Jean-Philippe Chabot : 367.
Jean Chevalier : 60, 321.
Benoît Colmot : 203, 230, 271, 300, 362-363.
François Desbordes : 203, 224, 286, 295, 373.
Isabelle Forestier : 321.
Bruno Lenormand : couv, dos, 81, 84-85, 86-87, 88-89, 90-91, 92-93, 94-95, 96-97, 98-99, 100-101, 102-103, 104-105, 106-107, 108, 183, 190-191, 216, 217, 218, 359,
Sylvaine Pérols : 65, 226-227, 367, 368-369.
Eric Prigent : 82-83.
Pascal Robin : 4e plat.
Valérie Stetten : 321.
John Wilkinson : 373.

Nous tenons à remercier les personnes suivantes pour leur aide précieuse et efficace:
Monsieur Amiot (Studio Carde, Dol), Monsieur Pascal Aumasson (conservateur du musée d'Art et d'Histoire de Saint-Brieuc), Monsieur Jean Aubert (conservateur du musée des Beaux-Arts de Rennes), Monsieur de Baecker, Madame Agnès Besnier, Madame François Bercé (conservateur de la bibliothèque du patrimoine, Paris), Monsieur René Le Bihan (conservateur du musée des Beaux-Arts, Brest), Monsieur Jean-Pierre Bihr, Monsieur Robert Bouthillier (Dastum, Rennes), Monsieur Cabot, Monsieur Christain Carlet (musée des Plans-Reliefs, Paris), Monsieur Yvonnick de La Chesnais, Madame Marthe Le Clech, Madame Françoise Daniel (conservateur du musée des Jacobins, Morlaix), Madame Denise Delouche, Madame Derveaux (Association des amis des bisquines et du vieux Cancale), Monsieur Dominique Le Doaré, Madame Colette Dréan (Responsable du centre de documentation du patrimoine, Rennes), Monsieur Alain Droguet (conservateur des archives départementales des Côtes-d'Armor, Saint-Brieuc), Madame Dunod (conservateur du musée de la duchesse Anne, Dinan), Monsieur Henri Fermin, Monsieur Gaudillat, Monsieur Guillotel, Madame Yvonne Jean-Haffen, Madame Geneviève Hofman, Monsieur Eric Jehanno, Madame Lécuyer, Monsieur Mauger (documentaliste aux archives départementales d'Ille et Vilaine), Monsieur Daniel de La Motte Rouge, Madame Geneviève Noufflard, Monsieur Philippe Petout (conservateur du musée de saint-Malo), Monsieur Potier, Monsieur Julien Pétry, Madame Laurence Prod'Homme (conservateur du musée de Bretagne, Rennes), Monsieur Dominique Provost, Monsieur Jean Randier, Monsieur Le Servoisier (conservateur de la bibliothèque d'Avranches), Monsieur Jean-Marc sterckers, Monsieur Job de La Tour, Madame de La Tour du Pin, Monsieur Loïc-René Vilbert (conservateur de la bibliothèque de Dinan).

◆ GENERALITES ◆

◆ BALCOU (sous la direction de Jean) et LE GALLO (sous la direction de Yves) : *Histoire littéraire et culturelle de la Bretagne*, 3 vol. (Champion-Slatkine, Paris-Genève, 1987)
◆ *Bretagne*, coll. (Christine Bonneton, Paris, 1991)
◆ GUILLET (sous la dir. de Jacques) : *La Batellerie bretonne* (Le Chasse-Marée-Estran, Douarnenez, 1988)
◆ LE CUNFF (Louis) : *La Bretagne mystérieuse des fantômes et des pilleurs d'épaves* (Ouest-France, Rennes,1986)
◆ LE SCOUEZEC (Gwenc'hlan) : *Guide de la Bretagne mystérieuse* (Beltan, Brasparts, 1989)
◆ MEYNIER (André) : *La Bretagne* (Flammarion, Paris, 1976)
◆ ROBIEN (Christophe Paul de) : *Description historique, topographique et naturelle de Bretagne* (Le Floc'h, 1974)

◆ NATURE ◆

◆ ARZEL (Pierre) : *Les Goémoniers* (Le Chasse-Marée-Estran, Douarnenez, 1987)
◆ BEAULIEU (François de), LE MOIGNE (Jean-Louis) : *Nature en Bretagne* (Ar Men-Le Chasse-Marée, Douarnenez, 1991)
◆ Bournérias (Marcel), Pomerol (Charles), Turquier (Yves) : *Guides naturalistes des côtes de France, vol. 3 et 4 ; Du Mont-Saint-Michel à la pointe du Raz / De la pointe du Raz à l'estuaire de la Loire.* (Delachaux et Niestlé, Neuchâtel-Paris, 1985)
◆ CADORET (Bernard), DUVIARD (Dominique), GUILLET (Jacques), KERISIT (Henry) : *Ar Vag, voiles au travail en Bretagne atlantique* (Estran, Douarnenez, 1984)
◆ COUVREUR (Gérard), LE GUEN (Gilbert) : *Bretagne* (Masson, Paris, 1990)
◆ DARDE (Jean-Noël) : *Plages et Côtes de France* (Editions Balland, Paris, 1991)
◆ DURAND (S.), LARDEUX (H.) : *Bretagne* (collection «Guides géologiques régionaux», Masson, Paris 1985)
◆ GUERMEUR (Yvon), MONNAT (Jean-Yves) : *Histoire et Géographie des oiseaux nicheurs en Bretagne* (Ar Vran, 1980)
◆ MONNAT (Jean-Yves) : *Bretagne vivante* (collection «Animaux et fleurs des régions de France», Editions SAEP Colmar-Ingersheim, 1973)
◆ VIGHETTI (Jean-Bernard) : *Les Canaux bretons* (Ouest-France, Rennes, 1985)

◆ HISTOIRE ◆

◆ ANDRIEUX (Jean-Yves): *Forges et Hauts-Fourneaux en Bretagne* (CID, Nantes, 1987)
◆ *Au temps des Celtes* (catalogue de l'Exposition de Daoulas, 1986)
◆ CANET (Michel) : *Entre landes et bocages, Pleugueneuc et le pays dolois au XVIIIe siècle* (Paris, 1983)
◆ CASSARD (Jean-Christophe) : *Vikings en Bretagne* (Skol Vreizh, Morlaix, 1986)
◆ CHEDEVILLE (André), GUILLOTEL (Hubert) : *La Bretagne des saints et des rois* (Ouest-France, Rennes, 1984)
◆ *Les Coriosolites, un peuple armoricain de la période gauloise à l'époque gallo-romaine* (Centre régional d'archéologie d'Alet, 1988)
◆ DELUMEAU (sous la direction de Jean) : *Histoire de Bretagne* (Privat, Toulouse, 1987)
◆ DEVAILLY (sous la direction de Guy) : *Histoire religieuse de la Bretagne* (Ed. CLD., 1980)
◆ DUPUY (Roger) : *La Chouannerie* (Ouest-France, Rennes,1982)
◆ DUVAL (Paul-Marie) : *Les Celtes* (Gallimard, Paris, 1977)
◆ *Evolutions et Résistances. La révolution dans les Côtes-du-Nord 1788-1800* (catalogue de l'Exposition, Saint-Brieux, La Roche-Jagu, Dinan, 1989)
◆ FLEURIOT (Léon) : *Les Origines de la Bretagne* (Payot, Paris, 1980)
◆ FRELAUT (Bertrand) : *Les Nationalistes bretons de 1939 à 1945* (Beltan, Brasparts, 1985)
◆ GIOT (L.), FHUMIOT (G.), BERNIER (B.), MERDRIGNAC (P.), GUIGON (P.) : *Les Premiers Bretons, la Bretagne du Ve siècle à l'an mil* (Jos Le Doaré, Châteaulin, 1988)
◆ GUIGOT (André) : *Pléneuf-Val-André depuis la nuit des temps/Dahouët, port de Bretagne-Nord* (Breiz compo, Saint-Brieuc, 1985-1986, 1988)
◆ GUYONVARC'H (Christian), LE ROUX (Françoise) : *Les Druides* (Ouest-France, Rennes, 1986)
◆ LASCAUX (Michel) : *Les Templiers en Bretagne* (Ouest-France, Rennes, 1979)
◆ LEBRUN (sous la direction de François) : *Ille-et-Villaine, des origines à nos jours* (Bordessoules, Saint-Jean-d'Angély, 1987)
◆ LE DANTEC (Jean-Pierre) : *Bretagne* (Seuil, Paris, 1990)
◆ LEGUAY (Jean-Pierre), MARTIN (Hervé) : *Fastes et Malheurs de la Bretagne ducale, 1212-1532* (Ouest-France, Rennes, 1983
◆ LESPAGNOL (sous la direction d'André) : *Histoire de Saint-Malo et du pays malouin* (Privat, Toulouse, 1984)
◆ MARACHE (René) : *Les Romains en Bretagne* (Ouest-France, Rennes, 1979)
◆ MEUNIER (M.E.) : *Dinan, mille ans d'histoire* (Joseph Floch, Mayenne, 1977)
◆ MICHELET (Jules) : *Histoire de France, 21 vol.* (Flammarion, Paris, de 1974 à 1983)
◆ MINOIS (sous la direction de Georges) : *Les Côtes-du-Nord, de la préhistoire à nos jours* (Bordessoules, Saint-Jean-d'Angély, 1987)
◆ WAQUET (Henri) : *Mémoires du chanoine Jean Moreau sur les guerres de la Ligue en Bretagne* (Société archéologique du Finistère, Quimper 1960)
◆ *Histoire de la Bretagne et des pays celtiques*, 5 vol. (Skol Vreizh, Morlaix, 1989)

◆ LANGUE ◆

◆ DESHAYES (Albert) : *Noms de famille bretons* (Skol Vreizh, Morlaix, 1985)
◆ FALC'HUN (François) : *Histoire de la langue bretonne d'après la géographie linguistique* (PUF, Paris,1963)
◆ GOURVIL (Francis) : *Langue et Littérature bretonnes* (PUF, Paris, 1976) ; *Noms de famille d'origine toponymique* (Société d'archéologie du Finistère, Quimper, 1970)
◆ HEMON (Roparz) : *Dictionnaire français-breton* (Al Liamm, Brest, 1965)
◆ IHUELLOU (Garmenig) : *Noms de maisons en breton* (Ouest-France, Rennes, 1987)
◆ LE MENN (Gwenolé) : *Choix de prénoms bretons* (Coop Breiz, Spezet, 1971)
◆ *Skrivom, komzom, halennom brezoneg* (Ecrivons, parlons, et lisons le breton) (Emgleo Breiz, Brest)

◆ TRADITIONS ◆

◆ CRESTON (René-Yves) : *Le Costume breton* (Tchou, Paris, 1974)
◆ DECENEUX (Marc) : *Le Mont Dol, histoires et légendes* (Atelier Junkeneus, Combourg, 1988)
◆ FALSAB : *La Lutte bretonne des origines à nos jours* (Institut culturel de Bretagne, 1984)
◆ GUILLOU (Anne) : *Les Femmes, la Terre,*

l'Argent (Beltan, Brasparts, 1991)
◆ HELIAS (Pierre Jakez) : *Coiffes et Costumes de Bretagne* (Editions Jos Le Doaré, Châteaulin, 1986) ; *Coiffes de Bretagne, Costumes, Danses, Savoir-vivre, Traditions bretonnes*, 5 vol. (Jos Le Doaré, Châteaulin)
◆ JEANNEAU (Georges) : *Meubles bretons* (Hachette, Paris, 1973)
◆ LE BRAZ (Anatole) : *La Légende de la mort chez les Bretons armoricains* (Laffitte, Marseille, 1978)
◆ LE FLOC'H (Marcel), PERU (Fanch) : *Jeux traditionnels de Bretagne* (Institut culturel de Bretagne, Rennes, 1987)
◆ LUZEL (François-Marie) : *Veillées bretonnes* (Picollec, Paris, 1980)
◆ MORAND (Simone) : *La Gastronomie bretonne* (Flammarion, Paris, 1972)
◆ MORTROT (Marie-France) : *Bretagne insolite. Guérisseurs, Sorciers, Rebouteux*, 2 vol. (L'Ancre de Miséricorde, Saint-Malo, 1985)
◆ OLLIVIER (Jean-Paul) : *Histoire du cyclisme breton / Histoire du football breton*, 2 vol. (Picollec, Paris, 1981)
◆ SEBILLOT (Paul-Yves) : *Le Folklore de Bretagne* (Payot, Paris, 1950)

◆ Danse et Musique ◆

◆ ABJEAN (René) : *La Musique bretonne* (Jos Le Doaré, Châteaulin, 1975)
◆ ALLAIN (Emile) : *Traité élémentaire de biniou* (B.A.S., 1965)
◆ DURAND (Philippe) : *Anthologie de la chanson en Bretagne* (L'Harmattan, Paris, 1976)
◆ GIRAUDON (Daniel) : *Chansons populaires de basse Bretagne sur feuilles volantes* (Skol Vreizh, Morlaix, 1985)
◆ HAMON (André-Georges) : *Chantres de toutes les Bretagnes* (Picollec, Paris, 1981)
◆ *Kanomp uhel, Chansons bretonnes* (Coop Breiz, Spézet, 1977)
◆ MALRIEUX (Patrick) : *Histoire de la chanson populaire bretonne* (Dastum-Skol, Rennes, 1983)
◆ MOELO (Serge) : *Guide de la musique bretonne* (Dastum, Rennes, 1990)
◆ QUELLIEN (Narcisse) : *Chansons et danses des Bretons* (Laffitte, Marseille, 1981)

◆ Religion ◆

◆ ANDREJEWSKI (Daniel) : *Les Abbayes bretonnes* (Fayard, Paris, 1983)
◆ BUHEZ. (Association des conservateurs de musées) : *Les Bretons et Dieu* (Ouest-France, Rennes, 1985)
◆ CHARDRONNET (Joseph) : *Livre d'or des saints de Bretagne* (Armor, Saint-Brieuc, 1977)
◆ CROIX (Alain), ROUDAUT (François) : *Les Bretons, la Mort et Dieu, de 1600 à nos jours* (Messidor, Paris, 1984)
◆ *Dictionnaire des saints bretons* (Sand, Paris, 1986)
◆ LAMBERT (Yves) : *Dieu change en Bretagne* (Cerf, Paris, 1985)
◆ LE ROY (Florian) : *Bretagne des saints* (André Bonne, Riom, 1987)
◆ ROUDAUT (François) : *Les Chemins du paradis / Taolennou ar Baradoz* (Le Chasse-Marée, Douarnenez, 1990)

◆ Arts et Architecture ◆

◆ *Arts de Bretagne, XIVe-XXe siècle* (catalogue de l'Exposition de Schallaburg, Autriche, 1990)
◆ ANDREJEWSKI (sous la direction de Daniel) : *Les Abbayes bretonnes* (Association BAB et Fayard, Priziac, 1986)
◆ AUDIN (Pierre) : *Guide des fontaines guérisseuses, Morbihan, Finistère, Côtes-du-Nord* (Maisonneuve et Larose, Paris, 1983)
◆ AUDREY (Burl) : *Guide des dolmens et des menhirs bretons* (Errance, Paris, 1987)
◆ BANEAT (Paul) : *Le département d'Ille-et-Villaine* (Guénégaud, Paris, 1973)
◆ BREKILIEN (Yann) : *Les Châteaux bretons* (Ouest-France, Rennes, 1983)
◆ COCHERIL (Michel) : *Les Orgues de Bretagne* (Ouest-France, Rennes, 1981)
◆ DEBIDOUR (Victor-Henry) : *L'Art de Bretagne* (Arthaud, Paris, 1979)
◆ DEBIDOUR (Victor-Henry) : *La Sculpture bretonne* (Ouest-France, Rennes, 1985)
◆ DERRIEN (Pierre) : *Art gothique en Bretagne* (Ouest-France, Rennes, 1982)
◆ *Dol et son histoire, nouveau guide touristique du pays de Dol* (Association François Duire, Dol, 1988)
◆ FREGNAC (Claude) : *La Bretagne des châteaux* (Hachette, Paris, 1976)
◆ GIOT (P.R.) : *Menhirs et dolmens. Monuments mégalithiques de Bretagne* (Jos Le Doaré, Châteaulin, 1988)
◆ HUC (Thierry) ; MINDEAU (Guy) : *Regards sur Cancale, images d'hier et d'aujourd'hui* (ville de Cancale, Cancale, 1990)
◆ LANGRIET (Loïc) : *Alet, l'antique cité, berceau de Saint-Malo* (Centre régional d'Alet, Saint-Malo, 1976)
◆ LE SCOUEZEC (Gwenc'hlan) : *Pierres sacrées de Bretagne*, 2 vol. : *Calvaires et Enclos paroissiaux, Croix et Sanctuaires* (Le Seuil, Paris, 1982)
◆ MEYER (Jean) : *Le Pays de Bécherel* (Ouest-France, Rennes, 1978)
◆ *Modernité et Régionalisme* (catalogue de l'Exposition tenue à Brest puis à Paris, département diffusion de l'Institut français d'architecture, Mardaya, Liège, 1986)
◆ MONNIER (M.E.) : *Châteaux, Manoirs et Paysages, quinze promenades autour de Dinan* (Joseph Hoch, Mayenne, 1977)
◆ MOTTE-ROUGE (Daniel de la) : *Vieux Logis, vieux écrits du duché de Penthièvre*
◆ MUSSAT (André) : *Arts et Cultures de Bretagne, un millénaire* (Berger-Levrault, Paris, 1979)
◆ OUDOT (Maurice) : *Au travers de 12 grands chemins, au cœur de l'Ille-et-Vilaine* (Saint-Brieuc, 1987)
◆ *La Rance millénaire. De Dinan à Saint-Malo* (catalogue de l'Exposition tenue à Saint-Malo, Dinan, Rennes et Saint-brieuc en 1977-1978)
◆ PELLETIER (Yannick) : *Enclos paroissiaux de Bretagne / Jubés de Bretagne / Retables bretons, 3 vol.* (Ouest-France, Rennes, 1981, 1984, 1986)
◆ RENOUARD (Michel) : *Art roman en Bretagne* (Ouest-France, Rennes, 1985)
◆ ROBET (Denise) : *Châteaux d'Ille-et-Vilaine/ Eglises d'Ille-et-Vilaine* (Nouvelles Editions latines, Paris)
◆ ROTTE (J.-R.) : *Ar Seiz Breur. Recherches et Réalisations pour un art breton moderne, 1923-1947* (Breizh hor bro, Elven, 1987)
◆ ROYER (Emile) : *Nouveau guide des calvaires bretons* (Ouest-France, Rennes, 1985) 1982/1988)
◆ TORRE (Michel de la) : *Guide de l'art et de la nature des Côtes-du-Nord et de l'Ille-et-Vilaine* (Berger-Levrault éditeur, Paris, 1978)
◆ *Trésors secrets des Côtes-d'Armor* (catalogue de l'Exposition tenue au château de La Roche-Jagu en 1991)
◆ WAQUET (Henri) : *L'Art Breton* (Arthaud, Paris, 1960)
◆ YVON (Pierre-Jean) : *Saint-Malo-Dinard-Dinan par la Rance, visite anecdotique illustrée de cartes*

postales anciennes (ATIMCO, Saint-Malo, 1990)

◆ PEINTURE ◆

◆ Cariou (André) : Charles Cottet et la Bretagne (Le Chasse-Marée-Ursa, Douarnenez-Raillé, 1988)
◆ DELOUCHE (Denise) : *Eugène Boudin et la Bretagne* (Editions Ursa, Raillé, 1987)
◆ DELOUCHE (Denise) : *Les Peintres et le Paysan breton* (Editions Ursa-Le Chasse-Marée, Raillé-Douarnenez, 1988)
◆ DELOUCHE (Denise) : *Peinture de la Bretagne, découverte d'une province* (C. Klincsieck, Paris, 1977)
◆ LALAISSE (Hippolyte) : *Aquarelles et Dessins de la Bretagne* (La Cité, Brest, 1986)
◆ MEHEUT (Mathurin) : *Peintre de la mer /de la Bretagne rurale, 2 vol.* (Le Chasse-Marée-Ursa, Douarnenez-Raillé,1989)
◆ *Peintres de la Bretagne, découverte d'une province* (université de haute Bretagne librairie Klincksieck, Rennes-Paris, 1977)

◆ LITTERATURE ◆

◆ APOLLINAIRE (Guillaume) : *Le Guetteur mélancolique* (Gallimard, Paris, 1952)
◆ BALTIG (Béatrice) : *Maïva* (Chambelland, Bagnols-sur-Tez, 1976)
◆ BALZAC (Honoré de) : *Les Chouans* (Gallimard, Paris, 1984)
◆ BRIANT (Théophile) : *Les Amazones de la chouannerie* (Fernand Lanore, Paris 1974)
◆ BRIZEUX (Auguste) : *Marie* (La Digitale, Quimperlé, 1980)
◆ CARTIER (Jacques) : *Voyages au Canada* (François Maspéro, La Découverte, Paris, 1981)
◆ CHATEAUBRIAND (François-René de) : *Mémoires d'outre-tombe* (Bibliothèque de la Pléiade, Gallimard, Paris, 1946)
◆ COLETTE : *Le Blé en herbe* (Garnier-Flammarion, Paris, 1969)
◆ CONVENANT (René) : *Galériens des Brumes* (L'Ancre de Marine, Saint-Malo, 1988)
◆ CORBIERE (Tristan) : *Les Amours jaunes* (Gallimard, Paris, 1981)
◆ FEVAL (Paul) : *La Fée des Grèves* (Jean Picollec, Paris, 1981)
◆ FLAUBERT (Gustave) : *Par les champs et par les grèves* (Editions Complexe, Bruxelles, 1989)
◆ GRACQ (Julien) : *Lettrines 1 et 2* (José Corti, Paris, 1967/1974)
◆ GRALL (Xavier) : *La Sone des pluies et des tombes* (Calligrammes, Quimper, 1990)
◆ GRALL (Xavier) : *Rires et Pleurs de l'Aven* (Kelenn, Guipavas, 1978)
◆ HUGO (Victor) : *Quatrevingt-Treize* (coll. «Folio», Gallimard, Paris, 1979)
◆ *La Bretagne en poésie,* coll. (Gallimard, Paris, 1982)
◆ LA VILLEMARQUE (Théodore Hersart de) : *Barzaz-Breiz, chants populaires de la Bretagne* (Maspéro, Paris, 1981)
◆ LE BRAZ (Anatole) : *Croquis de Bretagne* (Terre de Brume, Paris, 1989)
◆ LE GOUIC (Gérard) : *Fermé pour cause de poésie* (Picollec, Paris, 1981).
◆ *Les Légendes du pays de Dol en Bretagne* (Association François Duine, Dol, 1963)
◆ LE QUINTREC (Charles): *Les Grandes Heures littéraires de la Bretagne* (Ouest-France, Rennes, 1978)
◆ RICHEPIN (Jean) : *La Mer* (Gallimard, Paris, 1980)
◆ SIMIOT (Bernard) : *Les Messieurs de Saint-Malo/Le Temps des Carbec/Rendez-vous à la Malouinière* (Albin Michel, Paris, 1983-1989)
◆ SOUVESTRE (Emile) : *Contes de Bretagne* (Gisserot, Paris, 1990)
◆ SUARES (André) : *Le Livre de l'Emeraude* (C. Pirot, Saint-Cyr-sur-Loire, 1991)
◆ STENDHAL : *Mémoires d'un touriste en Bretagne* (Albatros, Paris, 1986)
◆ VANNIER (Angèle) : *Poèmes choisis* (Mortemart, 1990)
◆ VERCEL (Roger) : *La Caravanne de Pâque* (Albin Michel, Paris, 1988)
◆ YOUNG (Arthur) : *Voyages en Bretagne* (coll. «10/18», Union générale d'éditions, Paris, 1970)

◆ ECONOMIE ◆

◆ *Agriculture en Bretagne* (Skol Vreizh, Morlaix, 1976)
◆ *Atlas de Bretagne,* (Institut culturel de Bretagne, Skol Vreizh, Morlaix, 1990)
◆ *Bretagne clés en main* (Institut Culturel de Bretagne, Rennes, 1988)
◆ CHAVANNE (Laurence) : *Le Phénomène Leclerc (Edouard et Michel-Edouard) de Landerneau à l'an 2000* (Plon, Paris, 1986)
◆ *L'Espace breton, les dossiers d'octant n°10*. (INSEE, Rennes, 1985)
◆ *Géographie de la Bretagne,* (Skol Vreizh, Morlaix, 1976)
◆ *Tableaux de l'économie bretonne* (INSEE Rennes, 1990)

◆ REVUES ◆

◆ *Annales de Bretagne* (revue universitaire, trimestrielles, Rennes)
◆ *Ar men, la Bretagne : Un monde à découvrir* (bimestriel, Le Chasse-Marée, Douarnenez).
◆ *Le Chasse-Marée* (magazine d'ethonologie maritime, bimestriel, Douarnenez).
◆ *Les Cahiers de la vie à Cancale* (Revue publiée par l'Association des amis des Bisquines et du vieux Cancale, Cancale)
◆ *Les Cahiers de l'Iroise* (revue trimestrielle publiée depuis 1954 par la Société d'études de Brest et du Léon et consacrée au patrimoine historique, littéraire et culturel de la Bretagne, Brest)
◆ *Le Pays de Dinan* (revue publiée par la bibliothèque municipale, Manoir de Ferron, Dinan)
◆ *Penn ar Bed* (bulletin trimestriel de la société pour l'étude et la protection de la nature en Bretagne, Brest)
◆ *Skol Vreizh* (bulletin trimestriel des instituteurs laïques bretons, Morlaix)
◆ *Vieilles maisons françaises : Ille-et-Vilaine,* n°128/*Côtes-d'Armor,* n°138 (Paris, 1989, 1990)

◆ TOPO-GUIDES ◆

◆ *Côte d'Emeraude.* G.R. 34-34c/Les Chemins du Mont-Saint-Michel G.R. 34-39/ (FFRP Paris, 1991)
◆ *Tour du pays gallo (Mene, Penthièvre, Poudouvre) G.R. de pays / 80 petites randonnées en Ille-et-Vilaine/Tour des Chouans, Ille-et-Vilaine par Vitré, Fougères, Antrin, Saint-Aubin-du-Cornier, G.R. 34-37-39* (FFRP-CNSGR, Rennes, 1986, 1988 1981)
◆ *De la Côte d'Emeraude au Méné par les chemins* (Les Amis des sentiers de pays, Quevert, 1988)

◆ ENFANTS ◆

◆ METTLER (René) : *Ar Vleunienn* (La Fleur), (Gallimard, Paris, 1992)
◆ PRUNIER (James) : *An Nijerez* (L'Avion), (Gallimard, Paris, 1992)
◆ PEROLS (Sylvaine) : *An Douar Hag An Oabl* (La Terre et le Ciel), (Gallimard, Paris, 1992)
◆ MILLET (Claude et Denise) : *Ar C'Hastell-Krefv* (Le Château fort), (Gallimard, Paris, 1992)

◆ A ◆

Antrain : *Entraven*
Arguenon (L') : *An Arganon*

◆ B ◆

Bécherel : *Becherel*

◆ C ◆

Cancale : *Kankaven*
Caulnes : *Kaon*
Châteaugiron : *Kastell-Jiron*
Châteauneuf-d'Ille-et-Vilaine : *Kastell-Noez*
Combourg : *Komborn*
Corseul : *Korseul*

◆ D ◆

Dinan : *Dinan*
Dinard : *Dinarzh*
Dol (Pays de) : *Bro-Zol*
Dol-de-Bretagne : *Dol*

◆ F ◆

Fréhel (Cap) : *Kab Frec'hel*
Fréhel : *Frec'hel, Pleherel*
Frémur (Le) : *Ar Froudveur*

◆ G ◆

Gouin (Pointe du Grand) : *Beg ar Gwin*

◆ H ◆

Hénansal : *Henan-Sal*

◆ J ◆

Jersey : *Jerzenez*
Jugon-les-Lacs : *Yugon*

◆ L ◆

Lamballe : *Lambal*
Lancieux : *Lanseog*

◆ M ◆

Manche (La) : *Mor Breizh*
Matignon : *Matignon*
Mont-Dol : *Menez-Dol*

◆ P ◆

Plancoët : *Plangoed*
Pléneuf-Val-André : *Pleneg-Tro-Andrev*
Plérneuf : *Plerneg*
Ploubalay : *Plouvalac*
Poudouvre : *Poudour*

◆ Q ◆

Quiou (Le) : *Kaeoù*

◆ S ◆

Saint-Cast-le-Guildo : *Sant-Kast*
Saint-Jacut-de-la-Mer : *Sant-Yagu-ar-Mor*

◆ T ◆

Tinténiac : *Tinteniag*

LEXIQUE BILINGUE DES NOMS USUELS ◆

◆ A ◆

Aimer : *Karout*
Alors : *Neuze*
Année (l') : *ar Bloaz*
Aujourd'hui : *Hiziv*
Au revoir : *Kenavo*
Automne (l') : *an Diskar-amzer*

◆ B ◆

Barque (la) : *ar Vag*
Bas : *Izel*
Beau : *Kaer*
Beaucoup : *Kalz*
Beurre (le) : *Amann*
Blanc : *Gwenn*
Bois (le) : *ar c'h-Koad*
Bon : *Mad*
Bonjour : *Deiz mat*

◆ C ◆

Chambre (la) : *ar G-Kambr*
Chaud : *Tomm*
Cheveux (les) : *ar Blev*
Cinq : *Pemp*
Combien de temps : *Pegeit*
Corps (le) : *ar c'h-Korf*
Crayon (le) : *ar c'h-Kreion*

◆ D / E ◆

Déjeuner (le) : *al Lein*
Demain : *Warc'hoazh*
Deux : *Daou*
Dimanche : *Sul*
Diner (le) : *ar Goan*
Dix : *Dek*
Eau (l').: *an Dour*
Ecouter : *Selaou*
Encore, de nouveau : *Adarre*
Enfant (l') : *ar Bugel*
Enveloppe (l'), la couverture : *ar Golo*
Eté (l') : *an Hañv*

◆ F / G ◆

Famille (la) : *an Tiegezh*
Feu (le) : *an Tan*
Fils (le) : *ar Mab*
Fille (la) : *ar V-Mec'h*
Fleurs (les) : *ar Bleuniou*
Frère (le) : *ar Breur*
Froid : *Yen*
Grand : *Bras*
Grand-mère (la) : *ar V-Mamm gozh*
Grand-père (le) : *an Tad kozh*

◆ H / J ◆

Haut : *Uhel*
Huit : *Eizh*
Hiver (l') : *ar Goañv*
Jeudi : *Yaou*
Jeune : *Yaouañk*
Jeune fille (la) : *ar Plac'h*
Jeune homme (le) : *ar Paotr*
Joli : *Koad*
Jour (le) : *an Deiz*
Jusqu'à : *Betek*

◆ L / M ◆

Lit (le) : *ar Gwele*
Livre (le) : *al Levr*
Long : *Hir*
Lundi : *Lun*
Madame : *an Itron*
Main (la) : *an Dorn*
Maintenant : *Bremañ*
Maison (la) : *an Ti*
Manger : *Debriñ*
Marcher : *Kerzhout*
Mardi : *Meurzh*
Matin (le) : *ar Mintin*
Mer (la) : *ar Mor*
Merci : *Trugarez*
Mercredi : *Merc'her*
Mère (la) : *ar V-Mamm*
Mois (le) : *ar Miz*
Monsieur : *an Aotrou*

◆ N / O ◆

Neuf : *Nav*
Nez (le) : *ar Fri*
Noir : *Du*
Non : *Nann*
Nuit (la) : *an Noz*
Œil (l') : *al Lagad* (daoulagad : yeux)
Où : *Pelec'h*
Oui : *Ya*

◆ P / Q ◆

Pain (le) : *ar Bara*
Pantalon (le) : *ar Bragoù*
Pays (le) : *ar V-Bro*
Père (le) : *an Tad*
Petit : *Bihan*
Pied (le) : *an Troad* (*daoudroad* : pieds)
Pierre (la) : *ar Men*
Printemps (le) : *an Nevez-amzer*
Quand : *Pegoulz*
Quatre : *pevar*

◆ R / S ◆

Regarder : *Sellout*
Rouge : *Ruz*
Samedi : *Sadorn*
Savoir : *Gouzout*
Semaine (la) : *ar Sizhun*
Sept : *Seizh*
S'il vous plaît : *Mar plij*
Six : *C'hwec'h*
Sœur (la) : *ar C'hoar*
Soir (le) : *an Abardaez noz*
Soleil (le) : *an Heol*
Souvent : *Alies*

◆ T / U / V ◆

Tabac (le) : *ar Butun*
Table (la) : *a D-Taol*
Temps (le) : *an Amzer*
Tête (la) : *ar Penn*
Terre (la) : *an Douar*
Toujours : *Atav*
Trois : *Tri*
Un : *un*
Vacances scolaires (les) : *Ehan-skol*
Vendredi : *Gwener*
Vieux : *Kozh*
Ville (la), cher : *Ker*
Vin (le) : *ar Gwin*
Voir : *Gwelout*
Vrai : Gwir

Q

R

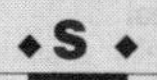
S

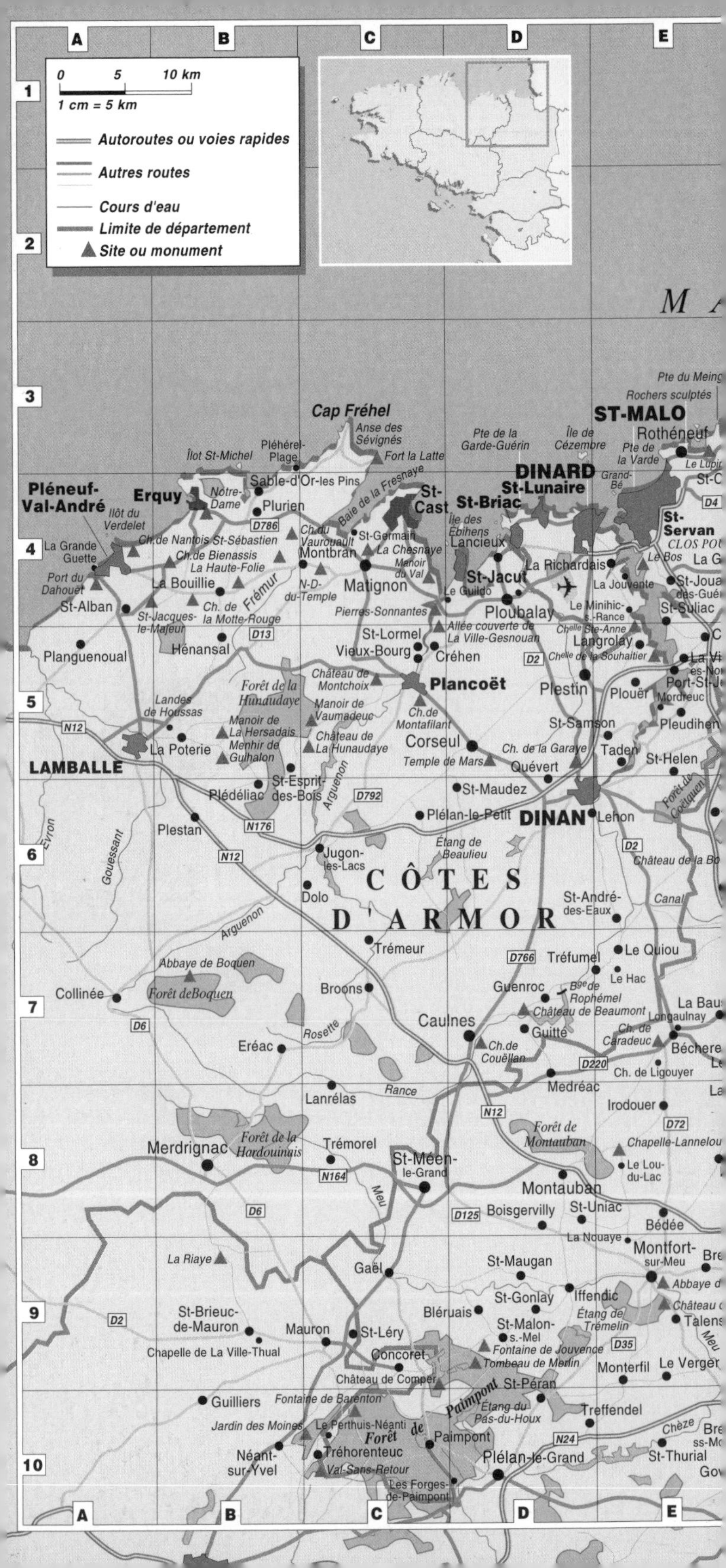

0 5 10 km
1 cm = 5 km
Autoroutes ou voies rapides
Autres routes
Cours d'eau
Limite de département
Site ou monument
CÔTES D'ARMOR
ST-MALO
DINARD
DINAN
LAMBALLE
Cap Fréhel
Pléneuf-Val-André
Erquy
St-Cast
St-Briac
St-Lunaire
St-Jacut
Matignon
Plancoët
Corseul
Jugon-les-Lacs
Broons
Caulnes
Merdrignac
St-Méen-le-Grand
Montauban
Montfort-sur-Meu
Mauron
Paimpont
Plélan-le-Grand
Forêt de Paimpont